宋代监察制度

宋代研究丛书

宋代监察制度

贾玉英　著

河南大学出版社

图书在版编目(CIP)数据

宋代监察制度/贾玉英著．—开封：河南大学出版社，1999.6
（2006.3 重印）
（宋代研究丛书）
ISBN 7-81041-289-2

Ⅰ．宋...Ⅱ．贾...Ⅲ．监察－政治制度－研究－中国－宋代　Ⅳ．D691.49

宋代研究丛书

宋代监察制度

贾玉英　著

责任编辑　西　伯

河南大学出版社出版
（开封市明伦街 85 号）
河南省新华书店发行
河南第一新华印刷厂印刷

开本：850×1168 毫米　1/32　印张：15.25　字数：382 千字
1996 年 6 月第 1 版　2006 年 3 月第 2 次印刷
印数：3000 — 5000 册　定价：19.50 元

ISBN7-81041-289-2/K・179

目 录

序 言 …………………………………………………………（1）

上编 宋代中央监察制度

第一章 我国封建中央监察制度概况与宋代中央监察体制变革 ………………………………（5）

第一节 我国封建社会中央监察制度的发展概况及宋代中央监察制度的地位 ………（5）
  一、战国秦汉时期…………………………………（6）
  二、三国两晋南北朝时期…………………………（9）
  三、隋唐五代时期…………………………………（14）
  四、宋元明清时期…………………………………（18）
  五、宋代中央监察制度的地位……………………（23）

第二节 宋代中央政治制度的特点与监察体制的变革…（24）
  一、宋代中央政治制度的特点……………………（24）
  二、宋代中央监察体制的变革……………………（27）

本章小结 ……………………………………………（29）

第二章 宋代御史制度 …………………………（31）

第一节 宋代御史台的组织结构及其变化 ……………（31）

一、北宋前期御史台的组织结构 ……………………………（31）
　　二、北宋后期御史台组织结构的变化 ………………………（35）
　　三、南宋御史台人数的减少及六察制度的变化 ……………（39）
　第二节　宋代御史台的职能 ……………………………………（41）
　　一、监察百官，弹劾纠察违犯封建统治秩序的行为 ………（41）
　　二、规谏皇帝，参议朝政 ……………………………………（50）
　　三、维护朝会和朝廷宴会秩序 ………………………………（54）
　　四、参预司法工作，监察司法部门 …………………………（55）
　　五、参预文武百官的管理工作 ………………………………（62）
　　六、参预荐举官员 ……………………………………………（67）
　　七、兼任侍讲 …………………………………………………（68）
　第三节　宋代御史的选任与升迁制度 …………………………（69）
　　一、宋代御史的选任制度 ……………………………………（69）
　　二、宋代御史的升迁制度 ……………………………………（99）
　第四节　宋代对御史的监督及御史风闻言事 …………………（109）
　　一、宋代对御史的监督 ………………………………………（109）
　　二、宋代御史的风闻言事 ……………………………………（111）
本章小结 ……………………………………………………………（113）

第三章　宋代谏官制度及台谏的合一 ……………………………（115）

　第一节　宋代谏官制度 …………………………………………（115）
　　一、宋代谏官的变化 …………………………………………（115）
　　二、宋代谏官的职能 …………………………………………（120）
　　三、宋代谏官的选任与升迁制度 ……………………………（129）
　第二节　宋代的台谏合一 ………………………………………（144）
　　一、宋代台谏已经形成了合一之势 …………………………（144）
　　二、宋代台谏合一之势形成的原因及其影响 ………………（150）

本章小结 ·· (153)

第四章　台谏与宋代政治 ·························· (155)

  第一节　台谏与宋代专制统治 ················ (155)

    一、鼎铛有耳之说 ································ (155)

    二、宋仁宗朝台谏与宰执的矛盾冲突 ········ (156)

    三、濮议中台谏与宰执的抗争 ·················· (160)

    四、宰相不押班的风波 ·························· (162)

    五、台谏与宰执的任免 ·························· (163)

  第二节　台谏与宋代改革 ······················ (168)

    一、台谏与庆历新政 ····························· (168)

    二、台谏与王安石变法 ·························· (176)

  第三节　台谏与宋代权臣当政 ················ (187)

    一、台谏与权臣的上台 ·························· (187)

    二、权臣控制台谏的措施 ······················· (188)

    三、权臣运用台谏的手段 ······················· (192)

    四、月课与禁青盖事件 ·························· (200)

  第四节　台谏与宋代党争 ······················ (201)

    一、台谏合一之势形成不是宋代党争的根源 ···· (202)

    二、台谏在党争中的作用 ······················· (203)

  第五节　宋代政治对台谏的影响 ·············· (205)

    一、宋代台谏官经济状况和情操的变化 ······ (205)

    二、宋代台谏言事风气和名利观的变化 ······ (207)

    三、宋代台谏官的社会地位 ···················· (210)

本章小结 ·· (212)

第五章　宋代封驳制度…………………………………（216）

第一节　宋代的封驳机构和封驳官……………………（217）
一、北宋前期封驳机构和封驳官的建置……………（217）
二、北宋后期封驳机构和封驳官的变化……………（223）
三、南宋时期封驳机构和封驳官的演变……………（225）

第二节　宋代封驳官的职能……………………………（228）
一、监督朝廷的决策…………………………………（228）
二、参议朝政…………………………………………（238）
三、规谏皇帝…………………………………………（243）
四、奏劾百官…………………………………………（244）
五、荐举官员…………………………………………（247）
六、审察百官奏章……………………………………（249）
七、兼任其他差遣……………………………………（250）

第三节　宋代封驳官的选任制度………………………（251）
一、宋代封驳官的选任方式…………………………（251）
二、宋代封驳官的回避法……………………………（254）
三、宋代封驳官的资格资序和文化修养……………（255）

第四节　宋代封驳制度的作用和局限性………………（261）
一、宋代封驳制度的作用……………………………（261）
二、宋代封驳制度的局限性…………………………（265）

第五节　宋代封驳官和台谏官职能之异同……………（268）
一、宋代封驳官和台谏官职能的相同之处…………（268）
二、宋代封驳官和台谏官职能的区别………………（269）

本章小结…………………………………………………（270）

第六章　宋代中央监察制度的特征与利弊 ……………… （273）
　　一、宋代中央监察制度的特征 ……………………… （273）
　　二、宋代中央监察制度的利弊 ……………………… （278）
本章小结 ………………………………………………… （281）

下编　宋代地方监察制度

第七章　我国封建地方监察制度概况与宋代地方监察体制变革 …………………………………………… （285）

　第一节　我国封建社会地方监察制度的发展概况
　　　　　与宋代地方监察制度的地位 ……………… （285）
　　一、战国秦汉时期 …………………………………… （285）
　　二、三国两晋南北朝隋唐五代时期 ………………… （288）
　　三、宋元明清时期 …………………………………… （290）
　　四、宋代地方监察制度的地位 ……………………… （292）
　第二节　宋代地方政治制度的特点与监察体制的变革
　　　　　………………………………………………… （294）
　　一、宋代地方政治制度的特点 ……………………… （294）
　　二、宋代地方监察体制的变革 ……………………… （297）
本章小结 ………………………………………………… （298）
第八章　宋代路级监察制度 ……………………………… （299）
　第一节　宋代监司制度 ……………………………… （300）
　　一、宋代监司机构和官员的演变 …………………… （300）
　　二、宋代监司的职能 ………………………………… （302）

三、宋代监司的出巡制度 …………………………………（316）
四、宋代监司的选任制度 …………………………………（319）
五、对监司的考课和监察制度 ……………………………（333）
第二节 宋代转运司制度 ………………………………………（340）
一、宋代转运司的设置和组织状况 ………………………（340）
二、宋代转运司的职能 ……………………………………（342）
三、宋代转运司官员的选任制度 …………………………（352）
四、对转运司官员的监察制度 ……………………………（354）
第三节 宋代提点刑狱司制度 …………………………………（355）
一、宋代提点刑狱司的设置和组织状况 …………………（355）
二、宋代提点刑狱司的职能 ………………………………（359）
三、宋代提点刑狱司官员的选任制度 ……………………（366）
四、对提点刑狱司官员的考课和监察制度 ………………（370）
五、宋代提点刑狱司的作用和弊端 ………………………（371）
第四节 宋代提举常平司制度 …………………………………（372）
一、宋代提举常平司的设置和组织状况 …………………（373）
二、宋代提举常平司的职能 ………………………………（377）
三、宋代提举常平司官员的选任制度 ……………………（392）
四、对提举常平司官员的监察考课制度 …………………（394）
五、提举常平司与宋代政治 ………………………………（395）
第五节 宋代走马承受制度 ……………………………………（397）
一、宋代走马承受的设置与废罢 …………………………（397）
二、宋代走马承受的职能 …………………………………（398）
三、宋代走马承受的选任制度 ……………………………（402）
四、对走马承受的监察 ……………………………………（403）
五、走马承受与宋代的政治 ………………………………（404）
本章小结 ………………………………………………………（406）

第九章　宋代府州军监级监察制度⋯⋯⋯⋯⋯⋯⋯（407）

  一、宋代通判设置的背景及其状况⋯⋯⋯⋯⋯⋯（407）

  二、宋代通判的职能⋯⋯⋯⋯⋯⋯⋯⋯⋯⋯⋯（409）

  三、宋代通判的选任制度⋯⋯⋯⋯⋯⋯⋯⋯⋯（415）

  四、对通判的监察和考课制度⋯⋯⋯⋯⋯⋯⋯（422）

  五、宋代通判的作用和弊端⋯⋯⋯⋯⋯⋯⋯⋯（424）

本章小结⋯⋯⋯⋯⋯⋯⋯⋯⋯⋯⋯⋯⋯⋯⋯⋯⋯（425）

第十章　宋代地方监察制度的特征与利弊⋯⋯⋯⋯（426）

  一、宋代地方监察制度的特征⋯⋯⋯⋯⋯⋯⋯（426）

  二、宋代地方监察制度的利弊⋯⋯⋯⋯⋯⋯⋯（429）

本章小结⋯⋯⋯⋯⋯⋯⋯⋯⋯⋯⋯⋯⋯⋯⋯⋯⋯（432）

附录一　宋朝御史中丞年表⋯⋯⋯⋯⋯⋯⋯⋯⋯（434）

附录二　主要引用书目⋯⋯⋯⋯⋯⋯⋯⋯⋯⋯⋯（469）

附录三　主要参考论著目录⋯⋯⋯⋯⋯⋯⋯⋯⋯（474）

后　记⋯⋯⋯⋯⋯⋯⋯⋯⋯⋯⋯⋯⋯⋯⋯⋯⋯⋯（477）

序　言

在世界中世纪史上,我国不仅以先进的科学技术和光辉灿烂的文化著称于世,而且发展成熟的封建监察制度也为他国所少见。

宋代是我国封建社会监察制度史上长足发展的重要时期。它不仅继承了汉唐的监察制度,而且从中央到地方均建立了一套具有时代特色的新的监察体制。这一体制对元明清各代产生了重要影响。

监察制度在封建国家政权中的作用至关重要。它不仅监察官吏的违法行为,维护封建统治秩序的相对稳定;打击贪污渎职,以防范封建政治的腐败;而且在制约君权和相权,调整地主阶级内部矛盾方面,也具有一定的作用。在商品经济发展的宋代,监察制度的这些作用显得更为重要。

随着宋史研究的深入,宋代监察制度已日益为治史者所重视,并发表了一些论文,但至今国内外尚没有系统深入的著作问世,这与宋代监察制度的重要地位和作用极不相称,无疑也是宋史研究乃至中国封建政治制度史研究中的一大缺憾。

宋代的官僚制度复杂多变,就御史台机构而言,有中央御史台和三京留司御史台两种;仅御史的性质来说,也有两类,即三京留司御史台的分司官和中央御史台内的监察官。谏议大夫在北宋前期是寄禄官,元丰改制后才成为"谏垣之长"①。本书中所考察台谏制度,仅限于中央御史台的台官和有实际监察职能的谏官,至于武臣兼官、三京留司御史台的分司官和北宋前期寄禄性质的谏议大夫等,均置而不论。

宋代路级监察体制主要是监司,而监司又有转运司、提点刑狱司、提举常平司等构成,为了对监司制度作详细考察,书中对这一部分内容采用了先总后分的论述方式。

本书后所附的《宋朝御史中丞年表》,由于南宋后期有关御史中丞任职的史料难以寻觅,暂且作到宁宗嘉定三年(1210年),尚祈读者谅解。

笔者自知能薄才谫,绠短汲深,本书中纰缪疏陋之处一定不少,恳请方家不吝赐教。

---

① 谢维新《古今合璧事类备要·后集》卷24《谏议大夫》。

上 编

宋代中央监察制度

第一章 我国封建中央监察制度概况与宋代中央监察体制变革

第一节 我国封建社会中央监察制度的发展概况及宋代中央监察制度的地位

我国封建社会的中央监察制度历史悠久。早在公元前1世纪,就出现了专职监察机构——御史台。魏晋南北朝时,中央监察官地位提高,职能范围扩大。隋唐以降,中央集权制度发展,监察制度完备。

两宋时期,中国封建社会进入了新的历史阶段。伴随封建生产关系的变化,中央监察制度得到了重大发展,如御史制度更加完备,谏官已成为重要的监察官之一,御史与谏官制度合一趋势形成,并对元、明、清诸朝的中央监察制度产生了重要影响。然而,长期以来,宋代中央监察制度却被列为我国封建社会中央监察制度的复兴时期,这是不符合历史实际的。

宋代中央监察制度在我国封建社会中央监察制度的发展史上,具有极为重要的地位。为说明这一问题,对我国封建社会中央监察制度的发展概况作一简略叙述,是很有必要的。

我国封建社会中央监察制度的发展,大体经历了四个发展阶段。

一、战国秦汉时期

我国封建时代的监察官是由史官演变而来的。战国时期,随着我国经济制度的巨大变革,封建政治制度逐渐建立,各国均已设置了掌文书和记事的御史官。如"秦赵渑池之会",各命御史"书其事"①。张仪为秦连横,说赵王道:"弊邑秦王,使臣敢献书于大王御史。"② 张仪在为秦连横时还曾对韩王说:"是故,秦王使使臣献书于大王御史,须以决事。"③齐威王与赘婿淳于髡饮酒后宫,淳于髡也曾说:"赐酒大王之前,执法在傍,御史在后,髡恐惧府伏而饮,不过一斗,径醉矣。"④以上史料不仅说明战国时期的秦、赵、韩、齐等国均已设置了御史官,而且也朦胧地记载了齐国的御史已具有监察职能,不然淳于髡可能不会说"恐惧府伏而饮"的话。

秦汉时期,封建中央政治制度确立,作为中央政治制度组成部分的监察制度也出现了以下几个特点。

(一) 御史官种类增多,职能由记事转向监察

秦汉时期,中央已设置了御史大夫、御史中丞、侍御史或柱下御史等。御史的职能也不再是掌"记事之职",而是"为纠察之任"⑤。对御史职能由记事转向监察的具体时间问题,史学界存在着四种说法。

---

① 《通典》卷 24《职官六》。
② 《战国策》卷 19《赵策二》,《张仪为秦连横说赵王》。
③ 《战国策》卷 26《韩策一》,《张仪为秦连横说韩王》。
④ 《史记》卷 126《滑稽列传第六十六》。
⑤ 《通典》卷 24《职官六》。

1. 秦朝说。苏俊良先生认为,秦始皇统一全国后,为了加强对各级官僚的监督和管理,专门纠察百官的监察机构——御史府和御史制度也应运而生①。

2. 汉代说。徐式圭先生认为,秦前已有御史,不过职掌都不是监察,汉代叔孙通起朝仪,"以御史执法举不如仪者去之",这才是监察的真正起源②。

3. 东汉说。清朝纪昀、永瑢等人认为,"秦汉御史大夫史称其掌副丞相","乃三公之任,与今都御史之职不同,自东汉省御史大夫而以中丞为台率,始专纠察之任。"③

4. 不可知说。高一涵先生认为,秦朝以后御史始掌纠察的职任,不过秦制太简略,不能推想出来御史的详细职权。他列举了大量的史料,并指出汉代已有御史大夫、御史中丞、侍御史,是否因袭秦朝的察举非法之任,不可而知也④。

以上种种看法虽不无道理,但并没有把秦汉时期御史职能演变的全部过程反映出来。笔者认为,御史在战国时主要掌记事之职,西汉时开始转向监察之任,但仍带有行政性质,东汉时正式成为中央专职监察官。

(二) 中央专职监察机构出现

秦和西汉时,中央虽已设置了御史府或御史大夫寺,但并非专职监察机构。西汉的御史大夫"内承本朝之风化,外佐丞相统理天

---

① 苏俊良《试论秦汉御史制度》,《北京师院学报》1981年第2期。
② 徐式圭《中国监察史略》中华书局1937年5月版,第6页。
③ 纪昀《历代职官表》卷18《都察院上》。
④ 高一涵《中国御史制度的沿革》商务印书馆1934年1月版,第5—7页。

下"①,位列三公,"掌副丞相"②。既任监察之职,又掌行政大权。御史大夫下设置两丞,即:御史丞和中丞。中丞也称中执法,在殿中兰台既"掌图籍秘书","受公卿奏事",又"察举非法"③。汉成帝绥和元年(公元前8年),御史大夫"更名大司空"④,不再任监察之职,"而中丞官职如故"⑤。汉哀帝元寿二年(公元前1年)御史中丞改名为御史长史。东汉时,御史长史又复名为御史中丞,并自殿中出外"为御史台率"⑥,自此,御史台成为"专任弹劾,始不居中主章奏之事"⑦的专职中央监察机构。东汉中央专职监察机构御史台的出现,标志着我国封建中央监察制度的确立。

(三) 言谏官开始出现

我国封建社会的言谏官在秦汉时期已开始出现。秦朝时,中央设谏议大夫和给事中。谏议大夫"掌议论,无常员,多至数十人,属郎中令";给事中为加官,"掌顾问应对",无定员,"日上朝谒,平尚书奏事","以有事殿中,故曰给事中"⑧。汉代时,言谏官人数增多。汉初设太中大夫,掌议论之职。汉武帝元狩五年(公元前118年),仿照秦制,设置了谏大夫。东汉时,把谏大夫又改为谏议大夫,隶属于光禄勋,无常员,多时达三十人。

---

① 《汉书·薛宣传》。
② 《汉书·百官公卿表第七上》。
③ 《通典》卷24《职官六》。
④ 《汉书·百官公卿表第七上》。
⑤ 《通典》卷24《职官六》。
⑥ 《后汉书·百官三》。
⑦ 林駉《古今源流至论·续集》卷6《台官》。
⑧ 《通典》卷21《职官三》。

二、三国两晋南北朝时期

(一) 三国时期的中央监察制度

三国时期,各自为政,魏、蜀、吴三国皆建立了中央监察制度,其中曹魏的中央监察制度直接承袭并发展了汉制。

从总体上看,三国时期的中央监察制度比较简略,但在某些方面,却为隋唐中央监察制度奠定了基础。值得注意的有以下三点。

1. 曹魏御史台创置了殿中侍御史。 唐代杜佑对这一点概括得非常清楚:"魏兰台遣二御史居殿中察非法,即殿中侍御史之始也"①。隋唐的御史台殿院就是在此制度的基础上发展的。

2. 言谏官始有了独立机构——侍中寺。 曹魏设侍中寺作为掌规谏的言谏机构。秦汉时,言谏官给事中和谏议大夫等均为加官,无定员,自曹魏设侍中寺起,言谏官有了独立机构。侍中寺设侍中四人,属官有散骑常侍、给事中、给事黄门侍郎、谏议大夫等。其属官性质比较复杂,有加官的,也有定员的,凡定员者皆有品第。

3. 曹魏御史职能的增多。 曹魏御史不仅要掌奏劾、律令、察举非法,还要掌管度支、考课、督军粮、安抚赈济等事宜,比前代御史职能明显增多。

(二) 两晋时期的中央监察制度

两晋的中央监察制度比前代有了一些发展,这些发展表现在以下几个方面。

1. 御史不能察举三公的制度被打破。 西汉时,等级制度森严,御史中丞秩卑,而三公秩高,所以监察官不能纠察三公,此后一

---

① 《通典》卷 24《职官六》。

直到东汉,仍沿袭此制。当时的大司农江冯曾上疏道:"宜令司隶校尉督察三公",事下三府议论,三公们纷纷反对,陈元说:"不宜使有司察公辅之名。"① 西晋初年,仍因袭汉制,御史中丞"不得纠尚书"②。晋惠帝时,这一制度发生了变化,御史中丞弹劾三公蔚然成风。如御史中丞兼司隶校尉傅咸上疏奏劾仆射兼吏部王戎说:"戎备位台辅,兼掌选举,不能谧静风俗,以凝庶绩,至令人心倾动,开张浮竞"③,并请求免去王戎的职务。晋武帝时,侍御史刘暾上疏奏劾司徒王浑说:"谨按司徒王浑,蒙国厚恩,备位鼎司,不能上佐天子调和阴阳,下遂万物之宜,使卿大夫各得其所,敢因刘舆距扞诏使,私欲太府兴长狱讼"④,并请求免去司徒王浑的官职。

2. 创设言谏机构——门下省。 晋朝在承袭汉魏侍中寺制度的基础上,创设了门下省。门下省以侍中四人为长官,给事黄门侍郎四人为辅佐,"与侍中俱管门下众事"⑤,给事中掌顾问应对。晋朝门下省的创设,奠定了隋唐中央封驳机构的模式。

(三) 南朝(宋、齐、梁、陈)的中央监察制度

南朝时,士族门阀势力强大,他们与朝廷之间的矛盾日益尖锐,在此情况下,中央监察官应运被朝廷重视,地位逐渐提高。

1. 御史制度的变化。 刘宋朝,御史中丞除奏劾不法外,还兼任了汉代执金吾官保卫行宫的职能,"每月二十五日绕行宫垣白壁"⑥。

---

① 《后汉书·陈元传》。
② 《通典》卷24《职官六》。
③ 《晋书》卷47《傅咸传》。
④ 《晋书》卷45《刘暾传》。
⑤ 《通典》卷21《职官三》。
⑥ 《宋书》卷40《百官下》。

萧齐御史台亦称南司,御史中丞"职无不察,专道而行,驺辐禁呵加以声色,武将相逢辄致侵犯,若有卤簿至相殴击"①。御史虽在礼仪上开始尊宠,但品第低,且又不能直接升迁为高级官员,所以士族门阀多不愿充任其职,只有在迫不得已的情况下才任御史官。据《南齐书》记载,"甲族由来多不居宪台",士族王僧虔为御史中丞后曾说:"此是乌衣诸郎坐处,我亦可试为耳。"②唐代杜佑也在《通典》中写道:"江左中丞虽亦一时髦彦,然膏粱名士犹不乐"③充任其职。

梁朝御史台也称南司,御史中丞职能重要,地位提高,"皇太子已下其在宫门行马内违法者皆纠弹之,虽在行马外,而监司不纠,亦得奏之"④,和晋朝御史中丞与司隶分纠百官的制度相比,已不可同日而语。梁武帝在制订刑律时,特下诏令御史中丞乐蔼"参议断定"⑤。在礼仪制度上,梁朝的御史中丞除承袭南齐的"专道而行"制度外,还和尚书令、仆一样,"给威仪十人"⑥。由于皇帝重视御史制度,所以梁朝出现了一批敢于弹劾权贵的监察官。如御史中丞江淹"弹中书令谢朏、司徒左长史王缋、护军长史庾弘远,并以久疾不预山陵公事",又弹劾"前益州刺史刘悛、梁州刺史阴智伯,并赃货巨万",使朝野"内外肃然"。皇帝称江淹为"严明中丞","近世独步"⑦。御史中丞张绾"弹纠无所回避,豪右惮之"⑧。御史中丞孔休源"正色直绳,无所回避,百寮莫不惮之"⑨。御史中丞江革"弹奏

---

① ③ 《通典》卷24《职官六》。
② 《南齐书》卷33《王僧虔传》。
④ ⑥ 《隋书》卷26《百官上》。
⑤ 《隋书》卷25《刑法志》。
⑦ 《梁书》卷14《江淹传》。
⑧ 《梁书》卷34《张缅传附张绾传》。
⑨ 《梁书》卷36《孔休源传》。

豪权,一无所避"①。

陈朝的御史制度基本上承袭梁朝,御史台(南台)设御史中丞一人,治书侍御史二人,侍御史九人。御史官弹劾之风尤甚。陈世祖初,御史中丞孔奂"多所纠劾,朝廷甚敬惮之"②。天嘉六年(565年),陈世祖的弟弟安成王顼为司空,他"以帝弟之尊,势倾朝野,直兵鲍叔睿假王威权,抑塞辞讼,大臣莫敢言者",御史中丞徐陵听说后,带领御史台官属"引奏案而入",陈世祖见徐陵"服章严肃,若不可犯,为敛容正坐,(徐)陵进读奏版时,安成王殿上侍立,仰视世祖,流汗失色,"徐陵遣殿中侍御史把安成王引下殿,"遂劾免侍中、中书监,自此,朝廷肃然"③。太建三年(571年)"豫章王叔英不奉法度,逼取人马",御史中丞袁宪"依事劾奏,叔英由是坐免黜,自是朝野皆严惮焉"④。宗元饶为御史中丞,"吏有犯法,政不便民及于名教不足者,随事纠正,多所裨益"⑤。

总之,南朝的御史由宋齐的萎靡到梁陈的严肃,主要原因是朝廷的提倡和重视。的确,要使监察制度产生实效,提高监察官的地位和待遇是不容忽视的问题。

2. 言谏制度的变化——集书省始掌封驳之任。 南朝言谏制度的重要变化是集书省从门下省中分离出来,并已有封驳之职。

刘宋朝,在三省之外又设置了秘书省、集书省、侍中省,并把原属门下省的散骑常侍、通直散骑常侍、散骑侍郎、通直散骑侍郎、员外散骑侍郎和给事中等划归集书省,使门下省中又分离出一个言

---

① 《梁书》卷36《江革传》。。
② 《陈书》卷21《孔奂传》。
③ 《陈书》卷26《徐陵传》。
④ 《陈书》卷24《袁宪传》。
⑤ 《陈书》卷29《宗元饶传》。

谏机构。这一制度被南齐所因袭。

萧梁的言谏机构虽也因袭刘宋之制，设门下省和集书省，但集书省专掌"侍从左右，献纳得失，省诸奏闻。文书意异者，随事为驳"①。也就是说，中国封建社会的言谏官，自梁朝起，已有了封驳之任。

（四） 北朝（后魏、北齐、北周）的中央监察制度

北朝时，统治阶级内部争权斗争非常激烈，皇帝为了巩固其统治地位，比较注意重视御史和言谏制度。

1. 御史制度的特点

先看后魏（北魏、东魏、西魏合称后魏）的御史制度。第一，改御史中丞为御史中尉。第二，御史中尉不仅"督司百僚"，而且掌"百官朝会名簿"。第三，御史中尉"千步清道"，与皇太子、洛阳令分路。北魏初，御史中尉只与皇太子分路行，"王公百辟咸使逊避，其馀百僚下马弛车止路傍，其违缓者以棒棒之"，其后，御史中尉李彪和洛阳令元志争路，并争吵到孝文帝面前。自此，洛阳令也得以和御史中尉分道②。第四，御史中尉违法，也要受到纠察。如北魏孝文帝时，御史中尉李彪"自谓身为法官，莫能纠劾己者，遂多专恣"，治书侍御史郦道元遂弹劾李彪，朝廷罢去了李彪的职务，并将其"付廷尉治狱"③。

北齐时，改御史中尉为御史中丞。尚书省也有纠察之职，其中尚书令掌"弹纠见事，与御史中丞更相廉察，"尚书左仆射纠弹，而右仆射不纠弹④。

---

① 《隋书》卷26《百官上》。
② 《通典》卷24《职官六》。
③ 《魏书》卷62《李彪传》。
④ 《隋书》卷27《百官中》，又见《通典》卷22《职官四》。

北周改御史台为司宪,御史中丞改名为司宪中大夫。司宪设司宪中大夫二人,掌司寇之法;司宪上士二人,和北魏的持书侍御史职能一样,"掌纠禁内朝会失时,服章违错"①等。此外,司宪还设司宪中士若干人,职能和北齐的侍御史相似。

2. 言谏制度的变化

北魏的言谏机构分属于门下省和集书省。特别是集书省的散骑常侍,已演变为皇帝的亲近之职,"掌讽议左右,从容献纳","兼以出入王命,位在中书之左"②。

北齐的言谏机构承袭北魏,言谏队伍比北魏庞大,仅集书省就设"散骑常侍、通直散骑常侍各六人,谏议大夫七人,散骑侍郎六人,员外散骑常侍二十人,通直散骑侍郎六人,给事中六人,员外散骑常侍一百二十人,奉朝请二百四十人"③。

北周门下省归天官府,初设御伯中大夫二人,"掌出入侍从",保定四年(564年),改御伯为纳言。周宣帝末年,御伯升为门下省长官。北周的谏议大夫称保氏下大夫,归属于地官府,其职能是"规谏于天子"④。

总而言之,三国两晋南北朝时期殿中侍御史的创置、御史不能纠察三公制度的打破和言谏机构门下省、集书省的出现,标志着我国封建社会的中央监察制度已有了缓慢发展。

三、隋唐五代时期

隋唐时期,我国封建社会出现了前所未有的盛世,中央监察制度也得到了发展。

---

① 《通典》卷 24《职官六》。
②④ 《通典》卷 21《职官三》。
③ 《隋书》卷 27《百官中》。

（一）御史制度的发展变化

1. 隋朝的御史制度

隋朝废除了北周的六官制度，御史台设御史大夫一人，治书侍御史二人，侍御史八人，殿内侍御史和监察御史各十二人，主簿二人。御史大夫为御史台台长，专主纠弹，和秦汉三公之任的御史大夫已不可同日而语。

隋朝的御史台不仅设官完备，而且地位也发生了变化。秦汉御史台归属于丞相府，魏晋南朝归内省。北朝御史台仍未脱离禁中，"昼则外台受事，夜则番直内台"，北周司宪属秋官府。隋初御史"依旧入直禁中"，隋炀帝大业年间"始罢御史直宿"①禁中之制。自此，御史台正式脱离宫禁，成为和三省地位平行的中央监察机构。

2. 唐代的御史制度

李唐王朝在篡夺农民战争胜利果实的基础上而立国，唐初的统治者李渊、李世民父子皆亲身经历了急风暴雨般的农民战争，亲眼看到了农民力量的强大，懂得"水能覆舟，亦能载舟"的道理，因此，主张"以法理天下"，比较重视发挥御史官的职能，历唐一代，御史制度得到了重大发展。

首先，创设了御史台三院制度。隋朝的御史台虽设官完备，地位提高，但尚未有三院组织。唐代御史台内设台、殿、察三院。台院是侍御史办公的所在地，职能主要有四项，即推鞫、弹劾、常驻阁门和总理一切庶务。殿院是殿中侍御史办公所在地，设殿中侍御史六人，纠察朝会失仪者，"分知左右巡，察其不法之事"②。察院是监察御史的办公所在地，设监察御史十人，监察御史里行五人，掌监察

---

① 《通典》卷 24《职官六》。
② 《唐会要》卷 60《御史台上》。

百官和巡按州县各种事务。御史台三院制度的创设,是中国古代御史制度在唐代发展的重要标志之一。

其次,御史台属官的弹劾权相对自由。唐朝之前,御史弹劾,一般要听御史台台长指挥。唐代时御史的弹劾权相对自由。如武则天长安四年(704年),御史大夫李承嘉对诸御史说:"公等奏事,须报承嘉知,不然,无妄闻也",而诸御史根本不予理睬,弹劾仍"悉不禀之"。御史大夫李承嘉厉声重复其言,监察御史萧至忠说:"御史,人君耳目,俱握雄权,岂有奏事先咨大夫?台无此例,设弹中丞、大夫,岂得奉咨耶?承嘉无以对。"①

其三,御史官实际地位提高。如前所述,魏晋南北朝,御史虽礼仪威严,但却不能升迁为高级官员,唐代的御史台台长可以升迁为宰相和执政。据唐人李华的统计:唐玄宗先天(712—713年)年间以前,御史大夫"登宰相者十二人,以本官参政事者十三人"。开元天宝中,御史大夫"至宰辅者四人"②。唐代御史大夫的这一升迁趋势,开宋代御史中丞成为"执政四入头"③之一的先河。

3. 五代的御史制度

五代御史制度在因袭唐朝三院制度的基础上,略有变化。

第一,御史大夫自后唐天成元年(926年)六月后,不再除授④,自此御史中丞成为御史台台长。

第二,御史中丞官品提高。唐代御史中丞为正五品上,后晋天福五年(940年)二月,把御史中丞品级升为"正四品"⑤。

---

① 《大唐新语》卷4《持法第七》。
② 李华《李遐叔文集》卷3《御史大夫壁记》。
③ 洪迈《容斋续笔》卷3《执政四入头》。
④ 《五代会要》卷17《御史大夫》。
⑤ 《五代会要》卷17《御史中丞》。

第三，御史台除弹劾百官外，还要负责承接老百姓申诉和反映灾害情况的奏状。后周广顺二年(952年)十月，周太祖郭威下诏："今后凡有百姓诉论及言灾沴，先诉于县；县如不治，即诉于州；州治不平，诉于观察使；观察使断遣不当，即可诣台省申诉。"①

(二) 言谏制度的发展

唐朝时封驳官与谏官始职掌分明，各为一体。

1. 封驳官系统

唐代门下省是专司封驳的机构，曾一度改名为东台、鸾台和黄门省，开元五年(717年)又复名门下省，自此至唐末没有变化。

唐代门下省负责对中央决策的审议封驳，拥有封还皇帝诏书和臣下章奏的权力。门下省的长官侍中为宰相之任，门下侍郎虽为贰侍中之职，但实际上是门下省的长官，在唐朝前期掌封驳，以监督中书省。如开元二年(714年)八月，"李乂为门下侍郎，多所校正"，中书令姚崇遂荐举其为中书侍郎，"外托荐贤，其实引在己下，去其纠驳之权"②。中唐以后，门下侍郎逐渐参预中央决策，其封驳职能淡化。门下省的给事中"驳正违失，分判省事"③，负责对中央各部门决策的审议封驳。

2. 谏官系统

唐代的谏官系统包括左右散骑常侍、左右谏议大夫、左右补阙和左右拾遗等。

唐高祖武德年间，散骑常侍为"三品散官"。贞观十七年(643年)六月，唐太宗把散骑常侍改为职事官，设两员，隶属于门下省。显庆二年(657年)十二月，唐高宗把散骑常侍分左、右，各置两员。

---

① 《五代会要》卷17《御史台》。
② 《唐会要》卷54《省号上》。
③ 《文献通考》卷50《职官四》。

左散骑常侍隶门下省,右散骑常侍隶中书省①。

唐初,设谏议大夫四员,属门下省。龙朔二年(662年)二月唐高宗改谏议大夫为正谏大夫。神龙元年(705年),唐中宗复位后又改为谏议大夫。贞元四年(788年),唐德宗把谏议大夫分为左右,隶中书省②。唐代的谏议大夫"掌规谏讽谕,侍从赞相"③,在当时的政治生活中起到过重大作用。

左右补阙和左右拾遗为武则天创置。垂拱元年(685年)二月,武则天令设置左、右补阙各二人,左、右拾遗各二人,"掌供奉讽谏,行列次于左右史之下"④。天授二年(691年),左右补阙和左右拾遗又各增置三员。武则天统治时期,补阙、拾遗选任杂滥,当时的民谣云:"补阙连车载,拾遗平斗量"⑤。

五代时期的封驳与谏官制度基本上因袭唐制。

一言以蔽之,隋唐时期御史台三院的创设,谏官与封驳官各为一体的出现,标志着我国封建社会的中央监察制度已经基本完备。

四、宋元明清时期

宋元明清时期,我国封建社会进入了后期发展阶段,中央监察制也由健全走向成熟。

---

① 《唐会要》卷54《省号上》。
② 谏议大夫在唐玄宗开元以后隶门下省还是隶中书省问题,文献记载有出入。《文献通考》卷50《职官四》载属门下省,而《唐会要》卷55《省号下》载贞元四年隶中书省。此取《唐会要》之说。
③ 《唐会要》卷55《省号下》。
④ 《唐会要》卷56《省号下》。
⑤ 《通典》卷21《职官三》。

（一）承上启下的宋代中央监察制度

宋代的中央监察制度上承隋唐，下启元明清，出现了一些变化趋势。

1. 御史台三院出现了合并趋势

北宋前期，御史台因袭唐朝的台、殿、察三院制度。宋神宗元丰改制后，侍御史成为御史台副台长，其所在的台院名存职废，使唐朝以来的御史台三院制度出现了合并趋势①，这一趋势开明清时期三院御史合一之端。

2. 御史和谏官制度形成了合一之势

隋唐时期，御史和谏官各为一体，宋初仍承袭这一制度。宋真宗天禧年间后，御史和谏官制度逐渐形成了合一之势②。宋代台谏合一之势的出现，奠定了明清时期台谏制度彻底合一的基础。

3. 给事中地位提高，成为门下后省的长官

隋唐时期，给事中为门下省属官，"常侍从读署奏抄，驳正违失，分判省事，若侍中、（门下）侍郎并阙，则监封题，给驿券"③。北宋前期（元丰三年八月前），三省制度名存实亡，给事中为"寓禄秩，叙位著"④的寄禄官。元丰改制后，给事中恢复了封驳职能，隶门下后省。南宋建炎三年（1129年）七月，宋高宗下诏"谏院不隶两省"，"其后因旧制置门下后省，以给事中为长官，四员为额，专主封驳"⑤。宋代给事中脱离门下省，并升迁为门下后省长官，为明清时

---

① 参见拙文《有关宋代御史台政制的几点辨析》，《河南大学学报》1992年第1期。
② 参见拙文《宋代台谏合一之势探析》，《河北学刊》1991年第6期。
③ 《文献通考》卷50《职官四》。
④ 《文献通考》卷47《职官一》。
⑤ 《宋会要辑稿》职官1之78。

期废除门下省而保留给事中体制的改革奠定了基础。

(二) 重御史轻言谏的元朝中央监察制度

元朝实行民族剥削和民族压迫政策,为了防范人民的反抗和官吏的背叛,御史制度应运得到发展。监督朝廷的谏官和封驳制度,由于是制约皇帝行为的,因而一蹶不振。

1. 御史台地位提高,成为抗衡中书省和枢密院的重要机构

元朝中央设中书省总政务,枢密院掌兵权,御史台纠弹百司。御史台已成为中央统治机构的重要组成部分。元世祖曾对大臣说:"中书朕左手,枢密朕右手,御史台为朕医左右手。"① 元世祖的话道破了提高御史台地位的天机,即:牵制中书省和枢密院,以巩固君主专制统治。

2. 元朝御史官品秩之高,超过了唐宋

元朝在提高御史台地位的同时,还提高了御史官的品秩。如御史大夫,在唐时为从三品,宋不除授,元朝提高到从一品;御史中丞唐时为正五品,后晋正四品,北宋前期正四品,元丰改制后从三品,元朝提高到正二品;侍御史,唐时为从六品下,宋朝从六品,元朝提高到从二品;殿中侍御史,唐时为从七品下,宋正七品,元朝升为正四品;监察御史唐时为正八品上,宋从七品,元朝升为正七品。

3. 罢门下省,给事中虽被保留,但不掌封驳之职;不设谏官,言谏职能由御史兼任

至元七年(1270年),元世祖根据侍御史高鸣的意见,罢去了门下省,保留了给事中。给事中不主封驳,自至元十五年(1278年)起,"兼修起居注"②。

元朝不设谏官,言谏职能由御史兼任。元世祖曾对侍御史张雄

---

① 叶士奇《草木子》卷3。
② 《续文献通考》卷52《职官二》。

飞说:"卿等既为台官,职在直言,朕为汝君,苟所行未善,亦当极谏。"①

(二) 严密完备的明朝中央监察制度

明朝时,中央监察制度严密而又完备,几乎将我国封建社会的中央监察制度推向了顶峰。

1. 御史台三院彻底合一

唐朝创设的御史台三院制度,在宋神宗元丰改制后出现了合并趋势,元朝把御史台殿院降为殿中司。元世祖大德十一年(1307年),侍御史秩增到从二品,遂为堂上官。明朝初年,又将殿院纠仪之事归并于察院。自此,御史台三院彻底合一。清朝永瑢等人对此总结说:

> 谨按:御史台自唐置三院,侍御史即称台院,在殿中、监察之上。宋则以侍御史贰台政,次于中丞,而三院名目犹存。金沿其制,复以侍御史、治书侍御史同判台事。元时增秩至二品,于是遂为堂上官,而台属仅存殿中、察院,殿中又止有二员,明初因省其官,以纠仪之事并入察院②。

永瑢等人的话,是基本上符合御史台三院制度在宋、金、元、明诸朝合一变化过程历史事实的。

2. 废御史台,设都察院

明初,沿袭元朝制度,设御史台。御史台和中书省、大都督府并列,是当时中央政府的三大支柱之一。明太祖朱元璋曾对御史大夫汤和、邓愈等人说:"国家立三大府,中书总政事,都督掌军旅,御史掌纠察。朝廷纪纲尽系于此,而台察之任尤清要。"③ 洪武十三年

---

① 《元史》卷163《张雄飞传》。
② 永瑢《历代职官表》卷18《都察院上》。
③ 《明史》卷73《职官二》。

(1380年),明太祖罢御史台,洪武十五年(1382年),明太祖又设置了都察院。

3. 御史队伍空前扩大

明代都察院设左、右都御史各一人,正二品,为都察院长官;左、右副都御史各一人,正三品;左、右佥都御史各一人,正四品;监察御史一百一十人,正七品。明代御史人数之多超过前代。

4. 创设了六科给事中制度

明朝洪武十三年(1380年),废中书省,罢除宰相,由皇帝直接管理六部,为了加强对六部的监督,创设了六科给事中制度。

所谓六科给事中制度,即:吏、户、礼、兵、刑、工六科均设都给事中一人,左、右给事中各一人。给事中,吏科设四人,户科八人,礼科六人,兵科十人,刑科八人,工科四人。六部皆有大印,由都给事中掌管。

在职能上,六部给事中"掌侍从、规谏、补阙、拾遗、稽察六部百司之事,凡制敕宣行,大事覆奏,小事署而颁之;有失,封还执奏。凡内外所上章疏下,分类抄出,参署付部,驳正其违误"[1]。也就是说,明代给事中既掌封驳,又主监察六部之职。

明代六科给事中制度的创置,不仅箝制了六部,同时也分割了都察院的职权。

(四) 高度发展的清代中央监察制度

清代不仅完成了台谏合一制度的变革过程,而且出现了多轨道多元化的中央监察体制。

1. 御史和言谏机构合一

清初,承袭明朝的监察制度,御史和言谏机构依然分置。雍正

---

[1] 《明史》卷74《职官三》。

元年(1723年),清世宗把六科"始隶都察院",给事中"内升外转"①,即由康熙时的七品,升为正五品,与都察院的十五道监察御史平级,或者略高一些。

在中国封建社会的中央监察制度史上,自秦汉以来御史和言谏是两个不同的监察体制。御史主监察百官,掌事后监察之职;言谏官掌规谏封驳,防患于未然。宋朝时,御史和谏官出现了合一趋势,明朝创置了六科给事中制度,清朝把六科给事中和谏官隶属于都察院后,使御史和言谏机构合一。

2. 多轨道的中央监察体制

清代的中央监察体制比明代更为严密,中央除设都察院、六科给事中外,在军机处和内阁中设置了"稽察钦奉上谕事件处","掌察诸司谕旨特交事件,督以例限"②。在宗人府设置了"稽察宗人府衙门",也称宗室御史处。在内务府设置了"稽察内务府衙门",也叫内务府御史处。这些机构的设置,使清代中央监察体制呈现出多轨道的特点。

五、宋代中央监察制度的地位

综上所述,在我国封建社会的中央监察制度发展史上,特别是在御史台三院逐渐合一、御史和谏官制度逐渐合一、六科给事中制度逐渐形成等几条主要发展线索中,宋代中央监察制度无不具有承上启下的重要地位。如果我们以唐中期为界,把中国封建社会中央监察制度分为前后两个阶段,那么宋代中央监察制度承上启下的地位则更为明显。

---

① 《清史稿》卷115《职官志二》。
② 《清史稿》卷114《职官志一》。

第二节　宋代中央政治制度的特点与监察体制的变革

一、宋代中央政治制度的特点

"政治是经济的集中表现"①。中央政治制度是建立在一定的经济关系之上的。唐宋之际,我国封建社会的经济关系发生了重要变化。第一,贵族官僚按等级世袭占田制度,从唐中期开始瓦解,唐末农民战争最后消灭了这一制度;宋代的地主阶级主要是以购买土地的方式来扩大土地占有。第二,前代的劳役地租已成为从属的、次要的削弱方式;宋代地主阶级对农民的剥削方式主要是出租土地,榨取实物地租。第三,隋唐以来受门阀地主奴役的佃客、部曲,不入国家户籍,是门阀地主的私属;宋朝把客户编入户籍,成为国家的编户,不再是地主的私属。这些变化表明,宋朝完成了唐中期以来土地占有方式和剥削方式的变革。封建经济关系的变化,使宋代中央政治制度也出现了新的特点。

(一) 中央官僚队伍成份改变,观念更新

封建经济关系的变化,使宋代科举制度发展,取士不问门第,一批庶族地主通过科举,步入中央官僚队伍。他们门第族望观念比较淡薄,不享受世袭官职和财产的特权,在经济上的免税免役特权也比前代大大减少。他们在法律上地位平等,皆"比肩事主",为皇帝效劳。

作为地主阶级总代表的皇帝,也不再是士族地主的首领,而是整个王朝的官僚士大夫和上户地主的首领。皇帝的地位虽依然至

---

① 《列宁全集》卷32,第71页。

尊至贵,但有时也不免要受到台谏官的制约。

(二)建立了行政与军事分立的中央体制,皇帝直接控制军权

赵宋统治者以陈桥兵变的手段夺取了后周的政权,对兵权在政权中的份量有深刻的认识。为了革除兵权对政权的威胁,使赵宋王朝不再成为继五代后的第六个短命朝代,宋代从太祖乾德年间(963—967年)起,就建立了中书与枢密院"对持大柄"① 的中央体制。中书为"宰相治事之所"②,掌中央行政事务,枢密院虽掌"天下兵籍、武官选授及军师卒戍之政令"③,但必须经皇帝批准,方能调动军队。换句话说,没有皇帝的命令,谁也调动不了军队。

中书、枢密院对掌文武大政中央政治体制的确立,革除了五代以来将帅"与宰相、枢密使并执国政"④的混乱体制,从制度上排除了将帅干预朝政的可能。

淳化元年(990年)十二月,宋太宗又把中书、枢密院对掌文武大政的中央体制改为"凡政事送中书,机事送枢密院,财货送三司,覆奏而后行"⑤ 的财、政、军三权分立制。

元丰改制中,宋神宗以中书省、门下省和尚书省取代中书,罢三司归户部,保留枢密院。改制后,三省、枢密院共同掌政的中央体制取代了三权分立制。此体制一直到南宋灭亡,没有发生大的变化。

宋代建立的行政与军事分立的中央体制,不仅为元明清所袭用,而且对近代中国的中央体制也产生了重大影响。

---

① 杨仲良《续资治通鉴长编纪事本末》卷32《中书、枢密院分合》。
② 《宋会要辑稿》职官1之17。
③ 《宋会要辑稿》职官14之1。
④ 《新五代史》卷27《康义诚传论》。
⑤ 《续资治通鉴长编》(以下简称《长编》)卷31,淳化元年十二月。

（三）中央官僚机构重叠，队伍庞大

北宋前期，统治者为了解决功臣故旧、后周留用官员与新政权的矛盾，实行了官、职、差遣相分离的制度。三省六部九寺五监等机构变为闲散之所，却保留不废，新的实权机构不断增设，从而使中央官僚机构出现了叠床架屋的特征。如吏部之外又因事之变，趋势之宜地设置了不少机构。太平兴国六年（981年）九月设京朝官差遣院，雍熙四年（988年）设三班院，淳化三年（992年）十月设磨勘京朝官院（翌年二月改名为审官院）和磨勘幕职州县官院（翌年二月改为考课院），淳化四年（993年）五月废京朝官差遣院，其职能"令审官院总之"①。熙宁三年（1070年）五月，宋神宗以审官院为审官东院，别置审官西院，"专领阁门祗候以上至诸司使磨勘、常程差遣"②。

元丰改制中，宋神宗虽罢去了一些与六部重叠的机构，但并不彻底，中央官僚机构重叠的问题依然存在。

宋代官僚机构的增设，使官僚队伍也不断扩大。据宋人曾巩元丰年间的统计，北宋真宗景德年间官一万余员，仁宗皇祐年间达二万余员，比真宗朝翻了一番。英宗治平年间官总数增至二万四千余员。南宋偏安江南，但官僚队伍有增无减，宋光宗绍熙二年（1191年），官数达三万三千一十六员③。

宋代叠床架屋的官僚机构和庞大的官僚队伍，迫切需要强化监察机制，以整顿吏治。

（四）宋代御前决策会议的组织形式多样化，制度化，仪式隆重

---

① 《长编》卷34，淳化四年五月丁未。
② 《长编》卷211，熙宁三年五月丁巳。
③ 《文献通考》卷47《职官一》。

所谓御前决策会议,是指由皇帝亲自主持或以诏令形式召集的各种决策会议。

唐代的御前决策会议组织形式主要是仗下后会议和延英殿会议。唐初,皇帝为了保证重要决策的机密,常等参加朝会的百官退出殿庭,卫士仪仗撤下后,再与宰相和有关大臣议决军国大事,此会议称仗下后决策会议。唐高宗以后,仗下后决策会议遂成为御前决策系统的主体。唐玄宗时,常在延英殿召开决策会议。唐肃宗和代宗时,延英殿决策会议更为经常化。

两宋时期,君主专制发展,御前决策会议的组织形式大增,如朝会集议、尚书省集议、朝堂集议和诏令详定等,其组织形式大大超过了前代。

再者,唐初的御前决策会议尚属保密性,唐玄宗以后虽有了延英殿决策会议,但仪式简单,而宋代的御前决策会议不仅已经形成了制度,而且有了隆重的仪式。如尚书省集议,不仅有坐区,而且有监议御史等①。这些都超过了前代。

二、宋代中央监察体制的变革

伴随封建政治的成熟,宋代的中央监察体制也出现了一些变革。

首先,谏官参预弹劾宰执百官。唐朝及其之前,御史弹劾百官,谏官主谏诤。宋朝时这一制度发生了变化。从宋真宗天禧二年(1017年)二月起,谏官可以论奏"官营涉私"②,弹劾百官。宋仁宗朝,谏官常与御史联合起来弹劾宰执百官。所以宋哲宗朝王觌上疏

---

① 《宋史》卷120《礼二三》。
② 《宋会要辑稿》职官3之51。

说:"谏官职事,凡执政过举,政刑差谬,皆得弹奏。"① 宋代谏官参预弹奏宰执百官,使中央监察队伍扩大。

其二,中书舍人(元丰改制前的知制诰)也有封驳之职。宋代以君主专制发展著称于中国历史。然而,君主专制的发展,并不意味着皇帝可以为所欲为。宋代皇帝为了使自己的统治长治久安,更加重视对中央决策系统的监察,以减少决策随意性而造成的偏差或失误。宋代之前,门下省掌封驳诏书,谏官主谏诤,监督中央决策系统。宋代自仁宗朝始,中书舍人(元丰改制前的知制诰)逐渐参预监督中央决策系统。如宋仁宗景祐年间,刘从愿的妻子被复封为遂国夫人,制下,知制诰富弼"缴还词头"②。宋哲宗朝,中书舍人常"兼权封驳"③。南宋建炎三年(1129年),三省合一后,朝廷命令由给事中与中书舍人"分轮看详"④,如果需要封驳,则给事中与中书舍人"列衔同奏"⑤。宋孝宗乾道年间,虽曾一度不许中书舍人和给事中列衔同奏,但一直到南宋灭亡,中书舍人皆有参预封驳朝廷命令的职能。

其三,中央监察体制多轨道多元化。宋代中央监察渠道,不仅台谏官具有监察宰执百官的职能,而且尚书左、右司和宰执皆可以监察百司乃至朝廷。如北宋元祐元年(1086年)三月,御史中丞梁焘上疏说:"臣窃以左、右司之职掌,付十有二司之事,以举正稽

---

① 《长编》卷389,元祐元年十月壬辰。
② 《长编》卷133,庆历元年九月戊午。词头是朝廷命官任职的谕旨。缴还词头,即撰写谕旨者因不同意朝廷任命某人某官某职,而把词头缴还朝廷,不撰写,以示反对。
③ 《宋史》卷161《职官一》。
④ 《宋会要辑稿》1之79。
⑤ 《建炎以来朝野杂记·甲集》卷9《给舍不许列衔奏事》。

违"①。南宋绍兴五年（1135年），高宗对宰相赵鼎等人说："大臣朕之股肱，台谏朕之耳目，职任不同而事体均一，或有官非其人，所当罢黜者，卿等宜亟以告朕，不必专待台谏。"②

其四，确立了监察官也受监察的双向互察体制。在中国封建社会的中央监察制度史上，唐代以前的监察官，一般仅接受皇帝的监察，基本上是单向监察制度。唐代御史弹劾百官，若有不当，左右仆射和左右丞"兼得弹之"③。宋代从真宗景德四年（1007年）五月起，逐渐建立了一套对中央监察官监察的双向互察体制。

本 章 小 结

综合本章所述，我国封建社会中央监察制度的发展概况及宋代中央监察体制的变革问题，可归纳为以下几点。

一、我国封建社会的御史制度经历了一个漫长的发展过程。秦和西汉时，御史大夫既任监察之任，又掌行政大权。东汉时出现了专职的监察机构——御史台。两晋时御史不能纠察三公的制度被打破。南北朝时御史地位逐渐提高。隋朝时御史台脱离禁中，成为和三省平行的中央监察机构，唐代创立了御史台三院制度，御史台属官弹劾权相对自由。宋代元丰改制后，御史台三院出现了合并趋势。元朝时御史台成为和中书省、枢密院抗衡的机构，御史官地位提高，其品秩超过了唐宋。明初，御史台三院合一，洪武十三年（1380年）罢除御史台，不久设都察院作为中央最高的监察机构。清代因袭此制。

---

① 《长编》卷440，元祐五年三月甲午。
② 《皇宋中兴两朝圣政》卷17，绍兴五年正月丙辰。
③ 《旧唐书》卷43《职官二》。

二、我国封建社会的言谏制度经历了一个复杂的变化过程。秦汉时期已设置了谏议大夫和给事中。三国时期,言谏官有了独立的机构——侍中寺。晋朝时,在侍中寺的基础上又创置了门下省。南朝时,集书省从门下省中分离出来,掌封驳之职。北魏的集书省是皇帝的亲近之职。唐代时,封驳官和谏官职掌分明,各为一体。北宋时,谏官职能由谏诤皇帝扩大到奏劾宰执百官,并出现了与御史合一之势。南宋时,给事中地位提高,成为门下后省的长官。元朝时,罢去门下省,保留给事中。明代创置了六科给事中制度。清代雍正元年(1723年)把六科给事中隶属于都察院,言谏制度和御史制度合一。

三、宋代中央监察制度在我国封建社会中央监察制度发展史上,具有承上启下的地位,监察体制发生了重要变革。如御史制度更加发展,谏官职能由谏诤皇帝扩大到宰执百官,御史和谏合一之势形成,给事中脱离门下省,中央监察体制向多元化发展等。这些制度不仅继承和发展了我国封建社会前期的中央监察制度,而且对元、明、清诸朝的中央监察制度也产生了重大影响。

第二章 宋代御史制度

两宋时期,封建政治、经济和文化进一步发展,在此基础上,御史制度也出现了不同于前代的重要变化,具有鲜明的时代特征。

第一节 宋代御史台的组织结构及其变化

宋代御史台虽因袭唐朝的名称,但御史台的组织结构多有变化。

一、北宋前期御史台的组织结构

唐代御史台的最高长官为御史大夫,副长官二名,称御史中丞。北宋前期,御史大夫"无正员,止为兼官"①。所谓兼官,是指武臣的加官宪衔②,它和御史的兼职是两个含义相差甚远的不同概念。兼官仅为毫无实际意义的加衔,而御史兼职则指御史兼领的其他差遣。对这一问题,史学界存在一些不同的认识,如梁天锡先生

---

① 《宋会要辑稿》职官55之1。
② 参见《宋史》卷169《职官九》。

认为："御史皆为兼官",并把兼官列入台谏兼职之内①；杨鸿年、欧阳鑫先生在《中国政制史》中写道："宋沿唐之旧,也置御史台,其官有大夫、中丞及各种御史。大夫多为兼官不单派官。"② 其实,宋代兼官和御史兼职是有重大区别的。

北宋前期,御史中丞是御史台的台长,侍御史知杂事为副台长。御史台下设三院,即：台院、殿院和察院,分别由侍御史、殿中侍御史和监察御史充任其职。"官卑而入殿中侍御史、监察御史者谓之里行"③。御史里行虽然因袭于唐代,但同唐代的御史里行已有区别。唐代的御史里行不入官阶,仅为临时性质的差遣,如马周,"以布衣,太宗令于监察御史里行"④。而宋代的御史里行虽也是差遣,但已是职事官性质,充任御史里行者,必须具有一定的官阶。关于宋代御史里行的官阶问题,本章第三节再作叙述。

宋太祖、太宗两朝,三院御史多出外任知州或通判等差遣,而御史台三院的职掌,"以他官领之"⑤,御史"无定员,无专职"⑥。咸平四年(1001年)三月,宋真宗诏令御史台"自荐其属,俾正名而举职"⑦。然而,宋真宗的这一诏令并没有真正施行。时隔一年,侍御

---

① 台湾《宋史研究集》第9辑,第280页。
② 杨鸿年、欧阳鑫《中国政制史》,安徽教育出版社1989年3月版,第112页。
③ 《宋会要辑稿》职官17之1。
④ 《唐六典》卷13。
⑤ 《宋会要辑稿》职官17之31。
⑥ 《文献通考》卷47《职官一》。
⑦ 《长编》卷48,咸平四年三月辛巳。关于御史台正名举职的时间,史书记载不一致,《文献通考》卷53《职官七》和《宋会要辑稿》职官17之31皆为太平兴国三年。《长编》卷48、《宋九朝编年备要》卷6、《类编皇朝大事纪讲义》卷7等皆为咸平四年三月。

史知杂事田锡上疏指出：今御史台"阙班簿，既无定员"，"三院（御史）二十一人，或命亲民，或委厘务，宪司之职，似是而非"。田锡在上疏中请求皇帝，将出外任其他差遣的御史"诏归本职"①。直到大中祥符五年（1012年），宋真宗才再次下诏，令"三院御史除差出外任及在京莅它局外，定以六员为制"②。自此，御史台在制度上有了定员。

宋仁宗时，三院御史的人数不断增加，究竟有多少，史书无具体记载，只能从有关的史料推断出一个大概数目。据《长编》卷一〇四，天圣四年九月乙丑记事：

> （监察御史曹）修古尝偕三院御史十二人晨朝，将至朝堂，遇黄门二人行马不避，呵者止之，反为所詈。修古奏："前代称御史台尊则天子尊。故事，三院同行与知杂事同。今黄门侮慢若此，请付所司劾治。"上立命笞二黄门。

据此，仁宗天圣四年（1026年）九月，三院御史的人数至少已有十二员。到景祐年间（1034—1038年），"三院御史常有二十员"③。

宋仁宗以后，三院御史的人数日益减少。英宗治平二年（1065年），三院御史五员，差出三人④，仅剩二人充职。此后一直到元丰改制，三院御史的人数虽屡有变更，但未尝达到二十员。

御史台中有所谓的五使，是北宋前期掌祭祀、朝会的重要差遣。五使即：左、右巡使、监祭使、廊下使和监香使。左、右巡使"掌朝廷纪纲，分纠违失及文武常参班簿，禄料假告。凡文官违失，右巡

---

① 《长编》卷51，咸平五年四月戊子。
② 《长编》卷79，大中祥符五年十二月庚寅。
③ 赵汝愚《宋名臣奏议》卷52，吕诲《上英宗乞添置言事御史》。
④ 《长编》卷206，治平二年十月癸卯。

主之;武官违失,左巡主之"①。监祭使"掌受誓戒致斋,检视纠劾"。廊下使"专掌入阁监食"。监香使"掌国忌行香"②。宋初多以台吏充左右巡使,咸平四年(1001年)以后,以殿中侍御史兼左右巡使,监察御史兼监祭使。元丰改制后,"使名悉罢"③。

御史台"置推直官二人,专治狱事"④。推直官一般由三院御史充任,三院御史员缺,"则他官权充"⑤。

此外,御史台置主簿一人,负责"受事发辰勾检稽失,兼簿书钱谷之事"⑥。

宋真宗天禧元年(1017年),御史台"始置言事御史六员"⑦,"不兼他职"⑧,专门负责言事,"其或诏令不允,官营涉私,措置失宜,刑赏逾制,诛求无节,冤滥未伸"⑨,言事御史皆可奏论弹劾。其后,言事御史曾一度废去。庆历五年(1054年)正月,宋仁宗又复置了言事御史,以殿中侍御史梅挚和监察御史李京充任⑩。元丰七年(1084年)二月,宋神宗"以言事官为殿中侍御史"⑪,自此,言事御史不复存在。

宋代御史里行定员为四人或二人。景祐元年(1034年)四月,宋仁宗设置了殿中侍御史里行和监察御史里行,"凡四人"⑫,"既

---

① 《宋会要辑稿》职官55之1。
② 《宋史》卷164《职官四》。
③④ 《文献通考》卷53《职官七》。
⑤ 孙逢吉《职官分纪》卷14《御史台》。
⑥ 《宋会要辑稿》职官17之1。
⑦⑩ 《长编》卷154,庆历五年正月乙亥。
⑧ 《长编》卷89,天禧元年二月丁丑。
⑨ 《宋会要辑稿》职官3之51。
⑪ 《长编》卷343,元丰十年二月丙戌。
⑫ 《长编》卷145,庆历三年十一月辛未。

而久阙不除",庆历三年(1042年)十一月,又复置了御史里行,"以两人为额"①,由李京和包拯充任。元丰改制后,御史里行也被罢除。

北宋前期的御史组织结构,人数由少到多,由无定员到定员,经历了一个演变过程。宋太祖、太宗两朝,御史无定员也无专职,真宗大中祥符五年(1012年),三院御史定员六人,加上御史中丞一人,侍御史知杂事一人,御史台共有人数为八员。仁宗景祐年间,三院御史常有人数为二十员,加上御史中丞、侍御史知杂事各一人,御史台人数达到二十二员,较之唐代的二十三员②,仅少一员。

二、北宋后期御史台组织结构的变化

元丰年间,宋神宗对宋初以来的官僚制度进行了一次较大的改革,是谓"元丰改制"。改制后的御史台,组织结构发生了以下几点变化。

(一) 罢除使名差遣,定员分职

元丰改制,宋神宗罢去了殿中侍御史里行、监察御史里行、左右巡使、监祭使、廊下使、监香使等御史台内的一切使名差遣③,并对御史的部分官名作了更改,"以侍御史知杂事为侍御史,不带知杂事,以言事御史为殿中侍御史,六察官为监察御史"④。改制后,御史台"不除大夫","以中丞为(台)长"⑤,侍御史为副台长。御史

---

① 《长编》卷145,庆历三年十一月辛未。
② 《通典》卷24《职官六》载:唐御史大夫一人,中丞二人,侍御史四人,殿中侍御史六人,监察御史十人,共计二十三员。
③ 《文献通考》卷53《职官七》。
④ 《长编》卷343,元丰七年二月丙戌。
⑤ 林駧《古今源流至论·续集》卷6《台官》。

中丞与侍御史各设一人。殿中侍御史二人,"掌言事,分纠大朝会及朔望六参官班序"①。监察御史六人,"掌分察六曹及百司之事,纠其谬误,大事则奏劾,小事则举正"②。御史台自中丞而下,定额编制为十员③。

元丰八年(1085年),高太后、吕公著、司马光等人掌握了朝政。十月,下诏"减监察御史二员"④,御史台的总人数减少到八员。宋哲宗亲政后,又复置监察御史三人⑤。此后一直到北宋灭亡,御史台的人员编制没有大的变化。

(二) 台院名存职废,隋唐以来的三院组织结构趋向合并

唐代御史台的台、殿、察三院结构严密,职掌分明,各有定员。台院设官四人,负责纠举百僚及入阁承诏知推弹公廨杂事。殿院定额六员,掌殿廷供奉之仪式及按劾狱讼。察院定额十员,主要负责监察地方官等⑥。北宋前期,御史台虽无定员无专职,但台、殿、察三院的组织结构尚无变化。元丰改制后,台院仅设侍御史一人,而且侍御史已升为副台长,其纠举百僚及入阁承诏治狱之职,已被殿院和察院取代。《宋会要辑稿》职官一七之三记载了元丰改制后御史台的组织结构:

> 御史台,大夫从二品,中丞从三品,侍御史从六品,各一人。大夫掌肃正朝廷纲纪及以仪法纠治百官之罪失,而中丞、侍御史为之贰。凡其属有四:殿中侍御史二人,正七品,掌言

---

① 《宋会要辑稿》职官17之3。
② 《宋史》卷164《职官四》。
③ 赵汝愚《宋名臣奏议》卷53,刘挚《上哲宗乞增谏员及许察官言事》。
④ 《宋会要辑稿》职官17之32。
⑤ 李埴《皇宋十朝纲要》卷13,绍圣二年十一月乙丑。
⑥ 徐连达《唐代监察制度述论》《历史研究》1981年第5期。

事,分纠大朝会及朔望六参官班序;监察御史六人,从七品,掌以吏、户、礼、兵、刑、工之事,分京百司而察其谬误及监祠祭定谥。

宋初以来台、殿、察三院组织结构在元丰改制后已发生了明显的变化,它主要表现在:侍御史地位提高,已不是御史台的属官,其所在的台院也随之名存职废,从而使隋唐以来的御史台三院组织结构出现了合并的趋势。这一变化开明清时期三院御史合一之端。清代永瑢等人已隐约地看出了元丰改制后御史台三院组织结构的变化。他们在《历代职官表》卷十八的按语中写道:

> 谨按:宋初以知杂御史副中丞判台事,及元丰改制,遂以侍御史为中丞之贰。当时虽名三院,其实侍御史班位特崇,盖今副都御史之职任也。

清代永瑢等人虽看出了宋代元丰改制后侍御史地位提高,但尚未明确指出三院御史合一的变化趋势。

(三) 设六察司于御史台,发展了唐代的六察制度

以监察御史分察尚书省六部的制度始于唐代。北宋前期,三省六部制度名存实废,六察制度也随之破坏。元丰二年(1079年)十一月,由于"京师之官府乃漫不省治"①,而御史却不能监察。监察御史舒亶和御史中丞李定请求依照唐制,建立宋朝的六察制度。元丰三年(1080年),宋神宗"始置六察司于御史台"②。同年四月,"以吏部及审官东西院、三班院等隶吏察;户部、三司及司农寺等隶户察;刑部、大理寺、审刑院等隶刑察;兵部、武学等隶兵察;礼祠部、太常寺等隶礼察;少府、将作等隶工察"③。并根据御史中丞李

---

① 《长编》卷301,元丰二年十一月丙午。
② 《宋会要辑稿》职官17之35。
③ 《长编》卷303,元丰三年四月戊申。

定的意见,用六察司按察诸路监司。具体的办法是:"以户案察转运、提举官,以刑案察提点刑狱"①。五月,宋政府又把"开封府界提点提举司、发运、辇运、拨发、提点盐事、籴便粮草、市易、盐税、坑冶、铸钱、茶场、淤田、营田司,及河北屯田司、陕西制置解盐司、经制熙河路边防财用司、措置陕西缘边四路边防公事司、外都水监丞司、提举买马监牧司、麟府路军马司、诸路经略总管安抚钤辖司"等,皆隶御史台台察②。由于六察司职掌过于繁多,元丰五年(1082年)十一月,宋神宗对御史台内部的职掌作了一些调整:"罢(监察)御史察诸路官司,如有不职,令言事御史弹奏",且"著为令。"③

宋代六察司虽因袭唐代六察官的名称,但其职已大不相同。唐代六察官主要是巡按十道和"分察尚书省六司"④,而宋代六察司所按察的不仅是尚书省六司,而是京师的所有官府机构;唐代六察官按察的最高机构仅限于六部,而对中书、门下及尚书等三省是不能按察的,宋代元丰察案法明确规定:御史台"岁遣御史诣三省、枢密院检察,付受稽失"⑤。元丰改制后的三省"统领百职"⑥,已成为中央政府的最高行政机构,枢密院是最高军事机构。六察司对三省、枢密院的按察,标志着宋代的六察制度已比唐代的六察法大有发展。

元祐更化,吕公著攻击元丰六察法是"废国家治乱之大计,察

---

① 《宋会要辑稿》职官17之9。
② 《长编》卷304,元丰三年五月辛未。
③ 《长编》卷331,元丰五年十一月戊寅记事。并参校《宋会要辑稿》职官17之11。
④ 《玉海》卷121《台省·唐御史台》。
⑤ 《宋会要辑稿》职官17之3。
⑥ 《皇宋十朝纲要》卷10下,元丰五年四月癸酉。

官司簿领之细过"①,宣仁太后令减监察御史二员,并下诏"监察御史兼言事"②,六察制度遭到了破坏。宋哲宗亲政后,又恢复了六察法。

宋徽宗崇宁年间,六察制曾一度因人废法。如皇城司以郓王(赵楷)提领,阁门宾省四方馆以内侍邓文诰提领,皆"不隶台察"③。大观二年(1108年)三月,宋政府把辟雍、大晟府及算学、太官局、翰林、仪鸾司等"皆隶六察"④。宣和三年(1121年)三月,又把东西上阁门客省引进四方馆等原不隶台察的机构并以旧制隶台察⑤。

三、南宋御史台人数的减少及六察制度的变化

南宋偏安江左,各种制度比较简陋,御史台的人数也明显少于北宋。

御史中丞仍为御史台台长,但常阙而不除授,如孝宗朝"自乾道五年之后,不除中执法(御史中丞)者十四年"⑥。侍御史仍为御史台副台长,置一员。殿院设殿中侍御史二人,也不常除满员。察院的监察御史,人数多有变化。宋高宗朝置六员,孝宗朝置三人,宁宗庆元初,只有胡纮、姚愈二人充职,其后又恢复到三员⑦。理宗朝御史台不但常缺台长,而且殿院和察院也仅有二人充职,杜范上疏

---

① 赵汝愚《宋名臣奏议》卷53,吕公著《上哲宗选置台谏罢御史察案》。
② 《长编》卷360,元丰八年十月丁丑。
③ 《宋会要辑稿》职官17之20。
④ 《宋会要辑稿》职官17之17。
⑤ 《宋会要辑稿》职官17之32、17之33。
⑥ 留正《皇宋中兴两朝圣政》卷60,淳熙十年正月壬辰。
⑦ 《宋会要辑稿》职官55之27。

称当时御史台人数至少是"端平之羞"①。此后一直至南宋灭亡,殿院和察院的御史总人数一般为二至三员。

北宋灭亡后,六察制度荡然无存。南宋初年,宋高宗在金兵的追逐之下,四处逃难,六察制度未能恢复。绍兴元年(1131年)九月,宋高宗根据侍御史沈与求的请求,下诏恢复了六察法②。绍兴三年(1133年)八月,根据三省合一的变化需要,宋政府对御史台按察三省、枢密院的时间又重新作了规定即:"诸上下半年轮两院御史四人就三省、枢密院取摘诸房文簿等点检";以仲月中旬按察三省,仲月下旬按察枢密院③。同年十一月,高宗又下诏把原不隶台察的三馆秘阁隶吏察,阁门宾省四方馆隶礼察,皇城司隶兵察④,使六察制度基本上得以恢复。

南宋时期,察院成为御史台最繁忙的机构。元丰改制后,台院名存职废,殿院负责言事、分纠大朝会及朔望六参官班序。监察御史不但要察举在京百司,而且还要与殿中侍御史轮治台狱,掌监祠祭等,事务繁杂。尤其是大地主土地私有制发展,土地争诉案件日益增多,御史台"日受词状多是争讼婚田事"⑤,这些案件由察院的户察负责推审。因此,使察院的事务更为繁多。同时,察院的户察还要到户部五司、仓场库务五十余处点检文簿,以致使户察的一名贴司"支搨书写不及",宋廷特增置户察贴司一名⑥。宁宗朝的黄黼说:"窃惟御史台有三院,其一为监察御史,列职甚众","常有日不

---

① 杜范《清献集》卷6《端平三年三月奏事第二札》。
② 《宋会要辑稿》职官17之18。
③ 《宋会要辑稿》职官17之19。
④ 《建炎以来系年要录》卷70,绍兴三年十一月乙丑。
⑤ 《宋会要辑稿》职官55之24、55之25。
⑥ 《宋会要辑稿》职官55之25。

暇给之忧"①。清代永瑢等人在总结御史台三院组织结构的沿革变迁时也说:"唐宋三院御史,今惟存监察一名,其侍御史及殿中职事均已归并察院掌辖。"② 其实,御史台三院御史职掌逐渐集中于察院的变化从北宋元丰改制后就开始了,南宋时,这一变化更为明显。

第二节 宋代御史台的职能

两宋时期,御史台的人数虽不及隋唐,但其职能却远远超过了隋唐。归纳起来,主要有以下几个方面。

一、监察百官,弹劾纠察违犯封建统治秩序的行为

(一) 监察的对象范围

唐代御史"虽职在抨弹,然进退从违皆出宰相"③,因此,御史在实际政治生活中,只能监察宰相之外的百官,并不能有效地监察一人之下,万人之上的宰相。进入宋代以后,随着君主专制的发展,御史选任与转迁制度的更为完备,御史才真正掌握了"肃正纪纲,纠劾不法,自朝廷至州县,由宰相及于百官不守典法皆合弹奏"④的职权。

宋太祖、太宗和真宗三朝,宰相权力虽比较强大,但御史弹劾宰相者仍不罕见。如殿中侍御史雷德骧弹劾开国功臣宰相赵普"强

---

① 《宋会要辑稿》职官55之26、55之27。
② 永瑢《历代职官表》卷18《都察院上》。
③ 洪迈《容斋四笔》卷11《唐御史迁转定限》。
④ 赵汝愚《宋名臣奏议》卷57,刘挚《上哲宗乞议经历付受官吏之罪以正纪纲》。

市人第宅,聚敛财贿"①。真宗朝宰相张齐贤呼参知政事温仲舒为"乡弟",被御史中丞张咏弹劾"失大臣体"②。

自宋仁宗朝始,御史弹劾宰相蔚然成风。皇祐三年(1051年),殿中侍御史唐介弹劾宰相文彦博"守蜀日造间金奇锦,缘阉侍通宫掖,以得执政"③。至和元年(1054年),殿中侍御史里行吴中复"上殿弹宰相梁适奸邪"④。至和二年(1055年),御史中丞孙抃弹劾宰相陈执中"务徇私邪,曲为占庇"⑤。嘉祐年间,权御史中丞韩绛"弹奏宰臣富弼"⑥。治平四年(1067年),御史中丞王陶"奏弹宰相不押常朝班"⑦。

元丰改制后,宋神宗把执政官听御史弹劾立为定制。元丰五年(1082年),神宗下诏:"新除省台寺谏监官,详定官制所已著所掌职事,如被选之人不徇循守法,敢有僭紊,其申谕中外,违是令者,执政官委御史台弹奏,尚书以下听长官纠劾以闻。"⑧自此,执政官不循分守法听御史台弹劾正式作为制度固定下来。

北宋后期至南宋,虽权相擅权连绵不断,但御史弹劾宰相者仍不乏其人。如大观年间,蔡京为相,御史中丞石公弼与殿中侍御史张克公"论其罪"⑨,蔡京罢相。建炎三年(1129年)三月,御史中丞

---

① 朱熹《宋名臣言行录·前集》卷1《赵普》。
② 王辟之《渑水燕谈录》卷2。
③ 《宋史》卷316,《唐介传》。
④ 《长编》卷176,至和元年六月癸丑。
⑤ 《长编》卷178,至和二年二月庚子。
⑥ 《长编》卷191,嘉祐五年五月戊申。
⑦ 朱熹《宋名臣言行录·后集》卷1《韩琦》。
⑧ 《长编》卷326,元丰五年五月壬午。
⑨ 《宋史》卷348《石公弼传附张克公》。

张澄"论左右仆射黄潜善、汪伯彦辅政无状,有大罪二十"①。建炎四年(1130年)四月,御史中丞赵鼎等"交论(宰相)吕颐浩之失"②。绍兴二年(1132年),殿中侍御史黄龟年弹劾右仆射秦桧"专主和议,阻止国家恢复远图,且植党日众,将专国自恣"③。绍熙五年(1178年)七月,侍御史张叔椿弹"劾留正擅去相位"④。淳祐十年(1250年),丁大全为台属,"劾奏丞相董槐"⑤。

御史动辄弹劾宰相,这是唐代和唐代以前所少见的,所以,宋人林駉评论说:"国朝之任御史者亦如唐人按劾之任,其清劲忠列尤过之"⑥。

从御史监察的范围上看,宋代也比唐代更为广泛。唐代监察制度虽已逐渐健全,但御史尚不能监察宦官及军事机构。特别是唐中期以后,宦官掌握了军权,"北军职在禁密,但移牒而已,御史未尝至"⑦。宋代御史不但可以监察行政部门,而且还可以监察军事和宦官机构。元丰五年(1082年)八月,宋神宗下诏:"三省、枢密院、秘书、殿中、内侍、入内内侍省听御史长官及言事御史弹纠"⑧,把军事、宦官等机构也纳入御史的监察之内,使中国封建社会的监察制度更为严密。

宋代皇亲贵戚也要受御史的监察。端拱元年(988年)闰五月,御史中丞尝劾奏开封尹许王元僖,元僖愤愤不平,申诉于宋太宗

---

① 徐自明《宋宰辅编年录》卷14,建炎三年二月己巳。
② 徐自明《宋宰辅编年录》卷14,建炎四年四月乙未。
③ 徐自明《宋宰辅编年录》卷15,绍兴二年八月甲寅。
④ 《宋史》卷37《宁宗一》。
⑤ 《宋史》卷405《刘黻传》。
⑥ 林駉《古今源流至论·续集》卷6《台官》。
⑦ 《唐会要》卷60《御史台上》。
⑧ 《长编》卷329,元丰五年八月癸丑。

说："臣天子儿,以犯中丞故被鞠,愿赐宽宥。"宋太宗回答道："此朝廷仪制,孰敢违之！"①宋哲宗朝,权殿中侍御史石豫弹劾驸马都尉王诜"辄恃豪贵抑勤雇人,取舍之间,不畏公法。"②

(二) 弹劾的行为范围

列宁指出："用什么来保证法律的实行呢？第一,对法律的实行加以监督。第二,对不执行法律的行为加以惩办。"③宋代御史台的主要职能是保证封建法律的实行,弹劾不执行封建法律和违犯封建统治秩序的种种行为。

1. 弹劾违犯朝仪行为

朝仪是封建时代一项重要活动。朝仪中有很多行为规范和准则,凡违犯这些规范与准则者,由御史台和阁门负责弹劾。

宋政府曾几次制订供御史台和阁门弹劾失仪的规范准则及惩罚办法。其中淳化三年(992年)制订的就有十五项：

一、朝堂行私礼；二、跪拜；三、待漏行立失序；四、谈笑喧哗；五、入正衙门执笏不端；六、行步迟缓；七、至班列行立不正；八、趋拜失仪；九、语言微喧；十、穿班；十一、仗出阁门不即就班；十二、无故离位；十三、廊下食行坐失仪,语喧；十四、入朝及退朝不从正衙门出入；十五、非公事入中书④。

凡朝仪中有以上行为者,由御史台和阁门负责弹劾,并"罚一月俸"⑤。

2. 弹劾玩忽职守,办事效率低下及贪惰不法者

仁宗景祐二年(1035年),宋政府明确规定：审刑院、大理寺及

---

① 《长编》卷29,端拱元年闰五月丙申。
② 《长编》卷516,元符二年闰九月乙亥。
③ 《列宁全集》卷1,第253页。
④⑤ 《宋会要辑稿》仪制8之25、8之26。

刑部等司法部门,凡在司官员不许供职懈慢,"并须早入晚出,所有公案文字仰逐旋结绝",违者"令御史台觉察"①。元丰三年(1080年)四月,恢复六察制度后,监察御史必须定时到三省、枢密院、六部等京师各部门中点检文簿,如发现办事效率低下,文书积压者要及时弹奏,否则,御史本人也受罚。如元丰三年(1080年)五月,御史台点检三司自熙宁八年至元丰二年的文簿,发现"不结绝百九十事",神宗诏令"大理寺劾官吏失销簿罪"②。次年,司农寺积压"未了文字二千四百余件,未了帐七千余道,失催罚钱三百九十余千,未架阁文字七万余件",前任监察御史王祖道、满中行二人因未及时弹奏,分别给予罚铜十斤和六斤的惩罚③。南宋绍兴二十八年(1158年),高宗下诏:"监司贪惰不法,台谏自当弹奏。"④

3. 弹劾贪赃枉法、行贿受赂和请托行为

在宋代,不论官品职位高低,只要有贪赃行为,御史皆可弹劾。如殿中侍御史雷德骧弹劾宰相赵普"聚敛财贿"⑤。宣和七年(1125年),宋徽宗"诏御史察赃吏"⑥。绍兴元年(1131年)五月,高宗也下诏:"如人吏受赂及故违条限,仍许御史台检举送大理寺,依法断遣,所有京朝官、大使臣亦依此"⑦。《庆元条法事类》中明确规定:地方官"请给坐赃","委御史台觉察"⑧。景定五年(1264年)七月,

---

① 《宋会要辑稿》刑法1之66。
② 《长编》卷304,元丰三年五月丙戌。
③ 《长编》卷313,元丰四年六月戊辰。
④ 《宋会要辑稿》职官3之61。
⑤ 朱熹《宋名臣言行录·前集》卷1《赵普》。
⑥ 《宋史》卷22《徽宗四》。
⑦ 《宋会要辑稿》职官55之17。
⑧ 《庆元条法事类》卷6《职制门三》。

"马天骥以台臣劾其贪赃夺职罢祠"①。同年十一月,监察御史弹劾宦官李忠辅、何舜卿等赃罪②。

宋代御史不仅弹劾贪赃受贿,而且还要弹劾请托行为。皇祐二年(1050年)九月,仁宗下诏:"自今内降指挥,百司执奏毋辄行,敢因缘干请者,谏官、御史察举之。"③ 嘉祐三年(1058年)十一月,知谏院陈旭上疏说:"有司断狱而事连权幸者,多缘中旨得释,自今乞劾其干请之罪"④,仁宗同意了陈旭的请求。元祐六年(1091年)四月,宋政府进一步规定:"私请大臣堂除差遣",由"御史台觉察弹奏"。⑤ 自此,弹劾请托行为成了宋代御史台的重要职能之一。

4. 弹劾交结权势,连朋结党者

宋朝鉴于唐后期朋党之祸的历史教训,常以御史"司察奸邪",防范朝臣当中结党拉派。天圣元年(1023年),仁宗下诏:"驸马都尉自今毋得于清要权势官私第往还,仍令御史台察视之。"⑥ 大观四年(1110年)闰八月,宋徽宗手诏:"交结权近,饬巧驰辩,沽举躁进,阴构异端,附下罔上,腾播是非,分朋植党","宜令台谏觉察弹劾以闻"⑦。绍兴三年(1133年),宋高宗也下诏令台谏伺察弹劾朋比结党者,其诏云:"士大夫趋向尚多,趋附征利盖奔竞之不息,则朋比之势渐成,可令台谏伺察其微,即行纠劾。"⑧ 宋代御史往往迎合皇帝忌讳朋党的心理,动辄以"交结"或"朋党"的罪名弹劾百官。

---

① 《宋史》卷45《理宗五》。
② 《宋史》卷46《度宗》。
③ 《宋史》卷12《仁宗四》。
④ 《长编》卷188,嘉祐三年十一月壬申。
⑤ 《长编》卷457,元祐六年四月辛丑。
⑥ 《长编》卷101,天圣元年十一月丙子。
⑦ 《宋大诏令集》卷196,《申饬百僚御笔手诏》。
⑧ 留正《皇宋中兴两朝圣政》卷14,绍兴三年十月戊戌。

熙宁八年(1075年)十二月,御史中丞邓绾弹劾李定、徐禧、沈季长等人"皆有连朋结党,兼相庇护,对制不实之罪"①。绍圣中,殿中侍御史陈次升"论章惇、蔡卞植党为奸"②。南宋时,御史王十朋弹劾前知临安府林安宅奸邪交结等事③。足见交结权势,连朋结党已成为宋代御史台弹劾的重要范围之一。

5. 弹奏越职论事和议改政府法令者

宋代皇帝常令御史台弹劾越职论事和议改政府法令者。景祐三年(1036年)五月,宋仁宗"戒百官越职言事"④。崇宁三年(1102年)六月,宋徽宗诏令:"内外官毋得越职论事,侥幸奔竞,违者,御史台弹奏。"⑤ 政和二年(1112年),徽宗又下诏:"应今日已行法令,三省恪意遵守,无容妄自纷更,非甚窒碍,而辄议改易者,以违制论,仍令御史台觉察弹奏。"⑥

6. 弹劾举官非其人者

荐举是宋代选官制度的重要一项。臣僚荐举官员要负法律责任。如果荐举非其人,令御史台弹劾。皇祐五年(1053年)七月,仁宗下诏:"荐举非其人,令御史台弹奏。"⑦ 熙宁八年(1075年),权御史中丞邓绾弹劾章惇"举官私邪"⑧。元丰改制后,宋政府规定:

---

① 《长编》卷271,熙宁八年十二月辛卯。
② 《宋史》卷346《陈次升传》。
③ 杨士奇《历代名臣奏议》卷184《去邪》。
④ 《长编》卷118,景祐三年五月丙戌。
⑤ 《宋史》卷19《徽宗一》。
⑥ 《宋大诏令集》卷197《诫约不许更改已行法令诏》。
⑦ 《宋史》卷12《仁宗四》。
⑧ 《长编》卷271,熙宁八年十二月辛卯。

荐举官员,必须把举状关报御史台,以供御史考索弹奏①。

7. 弹劾不忠不孝,破坏封建伦理纲常的行为

在宋代,不忠不孝,违犯封建伦理纲常的行为也要遭到御史台弹劾。熙宁八年(1075年),御史中丞邓绾弹劾章惇"徇私作过,欺君罔上,不忠之罪","父年八十,不肯归养,隳伤教义,不孝之恶"②。熙宁十年(1077年),侍御史周尹请求惩治李稷"父死不葬之罪"③。元祐六年(1091年)八月,宋哲宗诏令御史台:"臣僚亲亡十年不葬,许依条弹奏。"④

8. 弹劾强买田产

宋代商品经济发展,田产也进入买卖之列,但违法强买,由御史台弹劾。如仁宗朝,御史中丞包拯弹劾三司使张方平强买豪民产,张方平罢三司使⑤。神宗朝,御史中丞邓绾弹劾参知政事吕惠卿"借富民钱买田产",吕惠卿出知陈州⑥。

9. 弹劾不输税者

赋税是宋政府的重要财政来源之一。偷税漏税行为直接危害了封建国家的利益,由御史台予以弹劾。如转运使姚铉"纳部内女口及鬻扣器抑取其直,又广市绫罗不输税,真宗遣御史台推勘官储拱劾(姚)铉,得实,贬连州文学"⑦。

10. 纠察法官便服上街,市肆下马者

---

① 赵汝愚《宋名臣奏议》卷71,上官均《上哲宗乞举官限三日关报御史台》。
② 《长编》卷269,熙宁八年十月庚子。
③ 《长编》卷280,熙宁十年正月癸亥。
④ 《宋史》卷17《哲宗一》。
⑤ 《宋史》卷316《包拯传》。
⑥ 王偁《东都事略》卷98《邓绾传》。
⑦ 《宋史》卷305《薛映传》。

宋代司法部门的官员上街必须穿法服,市肆不能下马。为维护法容纪纲,大中祥符八年(1015年),宋真宗下诏,令御史台纠察法官不穿法服上街和市肆下马者。其诏云:"京官充大理寺、刑部职任及御史台主簿、三司检法官不得便服街行及市肆下马,委御史台纠察之。"①

11. 纠察致斋日不沐浴及不浣濯衣服者

郊庙祭祀是封建社会中一项十分严肃而又隆重的活动。宋代郊庙祭祀之前的致斋日,文武百官必须沐浴及浣濯衣服,准备参加郊庙祭祀。致斋日不沐浴及不浣濯衣服者,由御史台负责纠察。太平兴国六年(981年)十一月,宋太宗下诏云:"自今奉郊庙行事,文武官于致斋日,并须沐浴浣濯衣服,务于虔肃以供祀事,敢有违者,并以不恭论,宜令御史台专行纠察。"②

12. 纠察私入三司、开封府及御史台者

北宋前期的三司"掌天下钱帛",是国家的财政机构。开封府是京师的首脑机构,御史台"总持宪纲",是国家的司法监察机构。为了防止私自进入,"别有寄嘱,妨废公务",宋政府自淳化年间始,曾多次下令强调,不准私自进入三司、开封府和御史台,违者,"许御史台纠奏"③。

宋代御史台弹劾纠察的行为规范极为广泛,除上述诸项外,还有违犯百官回避法④、"筵宴臣僚戴花过数"⑤等等。凡一切违犯封建统治秩序、政府法令、伦理纲常的行为,无不在御史台的弹劾与

---

① 《宋会要辑稿》刑法1之64。
② 《宋大诏令集》卷190《诫饬郊庙行事官虔肃诏》。
③ 《宋会要辑稿》刑法2之21。
④ 《宋会要辑稿》职官63之8。
⑤ 《宋会要辑稿》职官55之20。

纠察之列。

二、规谏皇帝，参议朝政

唐代及其之前，御史主监察而"不专言职"①。入宋后，这一制度发生了变化。天禧元年(1017年)二月，宋真宗在御史台内"始置言事御史六员"②，使御史台的职能由监察扩大到言事。元丰改制后，殿院的殿中侍御史"掌言事"③。察院的六员御史"三分察，三言事"④，从制度上，正式确立了御史言事的职能。所谓言事，即包括两方面的内容，一是规谏皇帝，二是参议朝政。

(一) 规谏皇帝

宋人石介在讲到御史台的职能时说："君有佚豫失德，悖乱亡道，荒政怫谏，废忠慢贤，御史府得以谏责之；相有依违顺旨，蔽上罔下，贪宠忘谏，专福作威，御史府得以纠绳之；将有骄悍不顺，恃武肆害，玩兵弃战，暴刑毒民，御史府得以举劾之。君，至尊也；相与将，至贵也，且得谏责纠劾，馀可知也。"⑤石介的这段文字，概括了宋代御史台上可以规谏皇帝，下可以纠劾文官武将的职能。与石介同时代的胡宿也说："御史者，天子耳目之官，所以上广聪明，下防威福。"⑥梁焘在给哲宗的上疏中写道："御史者，守法度，持纪纲之官，人主或有阙失，犹得直言正论，至于犯颜逆耳，无所迴忌，况臣下过失安得畏避不言哉？"⑦陈师锡也认为，"谏官、御史专以犯颜

---

① 《长编》卷154，庆历五年正月乙亥。
② 孙逢吉《职官分纪》卷14《御史台》。
③ 《宋会要辑稿》职官17之3。
④ 《玉海》卷121《台省》。
⑤ 石介《徂徕石先生文集》卷13《上孔中丞书》。
⑥ 胡宿《文恭集》卷8《乞留三御史札子》。
⑦ 《长编》卷399，元祐二年四月甲辰。

婴鳞,排击奸邪为职。若论而不切,则不能起人主之意;辩之不早,则不能折祸乱之萌。"①

在宋代实际政治生活中,特别是仁宗、英宗两朝,御史动辄谏诤皇帝。明道年间,宋仁宗废郭皇后,御史中丞孔道辅率领御史蒋堂、郭劝、杨偕、马绛、段少连等人"诣垂拱殿伏奏"②,规谏仁宗不应该废郭皇后,并请求赐对"以尽其言"③。皇祐三年(1052年),外戚张尧佐除宣徽、节度、景灵、群牧四使,御史中丞王举正,殿中侍御史里行唐介等人,皆不以为然,竭力相争,王举正说:"人君御天下,维爵赏为大公,授受非当,则天下窃议。(张)尧佐本常才,但以夤缘后宫,叨据非分。"④经过台官的纠弹,"卒夺尧佐宣徽、景灵二使"⑤。治平年间,宋英宗尊其生身之父濮安懿王为亲,御史"全台论列"⑥,"力争以为不可"⑦。御史中丞彭思永谏诤英宗说:"濮王生陛下,而仁宗以陛下为嗣,是以仁宗为皇考,而濮王于属为伯,此天地大义,生人大伦,乾坤定位,不可得而变也。陛下为仁庙子,曰考曰亲,乃仁庙也;若更施于濮王,是有二亲矣。使王与诸父夷等,无有殊别,则于大孝之心亦为难安。"⑧

无论在制度上,还是在实际生活中,宋代御史皆可以谏诤皇帝,这是前代御史制度所少有的新现象。

---

① 李幼武《宋名臣言行录·续集》卷1《陈师锡》。
② 《宋史》卷297《孔道辅传》。
③ 《长编》卷113,明道二年十二月乙卯。
④ 《长编》卷171,皇祐三年八月乙未
⑤ 《长编》卷171,皇祐三年十月丁酉。
⑥ 林駉《古今源流至论·续集》卷6《台官》。
⑦ 《宋史》卷344《马默传》。
⑧ 《宋史》卷320《彭思永传》。

(二) 参议朝政

宋代御史具有参议朝政职能。

首先,参议朝政阙失。宋制,遇有异常的自然变故,朝廷即令近臣议论朝论阙失,而御史是重要的参议者之一。乾道二年(1166年)四月,"以久雨",孝宗命"侍从、台谏议刑政所宜以闻"①。翌年十一月,"以雷发非时",孝宗又"诏台谏、侍从、两省官指陈阙失"②。绍熙二年(1191年)二月,"以阴阳失时,雷雪交作",光宗令"侍从、台谏、两省、卿监、郎官、馆职各具时政阙失以闻"③。

其次,参预集议仪制。"宋初,刑政典礼之事,当集议者,先下诏都省,省吏以告当议之官,悉集都堂"④。御史是集议官的重要成员之一。都堂内设有御史中丞的专位,其位在"(都)堂之西北,南向",监议御史的专位"于堂之西南,北向"⑤。对于一些颇有争议的仪制,朝廷往往命令专议,御史常参加专议。如景祐二年(1035年),就郭稹"解官行服"一事,仁宗命"下礼院、御史台详定"⑥。治平年间的"濮议",英宗诏三省、御史台等官"集议以闻"⑦。熙宁二年(1069年),御史台与礼仪院"详定臣僚御路上马之制"⑧。绍兴十二年(1142)六月,高宗"命侍从、台谏、礼官杂议权奉攒官"⑨。

其三,参加集议军事策略。宋代民族矛盾尖锐,战事繁多,朝廷常召集一些重要官员议定和战策略,御史是其中重要的一员。如符

---

① 《宋史》卷33《孝宗一》。
② 《宋史》卷34《孝宗二》。
③ 《宋史》卷36《光宗》。
④⑤⑧ 《宋史》卷120,《礼二三》。
⑥ 《长编》卷117,景祐二年八月辛酉。
⑦ 杨士奇《历代名臣奏议》卷282《谥号》。
⑨ 《宋史》卷30《高宗七》。

离之战败后,金朝"移书索地",孝宗诏:"侍从、台谏集议。"① 嘉定十一年(1218年),宁宗"诏侍从、两省、台谏官集议平戎、御戎、和戎三策"②。

其四,参议节费和钱币利害。宋代御史常参加议论节省浮费问题。如天圣元年(1023年)正月,仁宗"命御史中丞刘筠、提举诸司库务薛贻廓与三司同议裁减冗费"③。隆兴元年(1163年)四月,孝宗"诏户部、台谏议节浮费"④。南宋不断出现货币问题,御史常参加议论这一问题。如庆元元年(1195年)三月,宁宗"命侍从、台谏、两省集议江南沿江诸州行铁钱利害条具以闻"⑤。嘉定元年(1208年)八月,宁宗"命侍从、台谏、两省详议会子折阅利害"⑥。

此外,宋代御史有时还"参预集议考课法"⑦、参议治河方案⑧等。

宋代御史谏诤皇帝和议论朝政制度的出现,并不意味着皇权的降低,恰好相反,它是皇帝借以巩固皇权的措施。正如宋人黄履翁所言:"以天下之责任大臣,以天下之平委台谏,以天下之论付士夫,则人主之权重矣。"⑨

---

① 《宋史》卷372《尹穑传》。
② 《两朝纲目备要》卷15,嘉定十一年五月丁亥。
③ 《长编》卷100,天圣元年正月癸未。
④ 《宋史》卷33《孝宗一》。
⑤ 《两朝纲目备要》卷4,庆元元年三月庚寅。
⑥ 《宋史》卷39《宁宗三》。
⑦ 《宋史》卷35《孝宗三》。
⑧ 《长编》卷171,皇祐三年九月己未。
⑨ 黄履翁《古今源流至论·别集》卷2《君权》。

三、维护朝会和朝廷宴会秩序

宋代的朝会分大朝和常朝两类。"以元日、五月朔、冬至行大朝会之礼",称大朝会;起居、常参为常朝。宋初,因袭后唐明宗时的常朝制度,"群臣每五日一随宰相入见,谓之起居。""文武官日赴文德殿正衙曰常参"。"遇假并三日以上即横行常参,宰臣、参知政事及免常朝者悉集"。元丰改制后,常参制度略有变化。"侍从官而上,日朝垂拱,谓之常参官,百司朝官以上,每五日一朝紫宸,为六参官,在京朝官以上,朔望一朝紫宸,为朔参官、望参官"①。以上众多朝会的秩序,多由御史台负责维持。

(一) 纠察朝会失仪者

北宋前期,遇百官起居,由御史台的左右巡使负责分纠朝班。文班失仪,右巡使弹奏;武班失仪,左巡使弹奏。"左右巡使失仪,即互相弹奏"②。元丰改制后至南宋,"殿中侍御史二员,分立东、西,相向纠弹失仪之官"③。

(二) 负责常朝官员的考勤

宋代每次朝会,御史台根据文武常参班簿进行考勤。对无故或托病不参加朝会的官员,要依法弹劾。如天圣二年(1024年),右巡使张亿弹劾户部郎中、史馆修撰石中立等三十三人,"皆称疾不赴横行",仁宗下诏警告百官,遇横行动辄称病不参加者,朝廷"并遣医官验视以闻"④。绍兴九年(1139年)二月,高宗"诏御史台:将不

---

① 《宋史》卷116《礼一九》。
② 《宋会要辑稿》仪制8之25。
③ 《宋会要辑稿》职官17之29。
④ 《长编》卷102,天圣二年五月庚子。

赴朔望在告最多之人核实弹奏"①。

（三）传达有关朝会的旨意

宋代御史台在朝会中除分纠朝班,负责朝官的考勤外,还要承担传达皇帝有关朝会的旨意。如大中祥符五年(1012年),真宗下诏:"自今每遇百官起居,合赐茶酒,仰御史台前一日牒报翰林仪鸾司,令准备祗应。"② 天圣七年(1029年)二月,刘太后"令御史台告示百官,遇起居日依旧仪转对,其馀内外文武臣僚未预转对者,亦许具章疏实封闻奏"③。

（四）维护朝廷宴会的秩序

宋代朝廷宴会的位次预定并告示百官,以及宴会秩序的维持工作,皆由御史台承担。景德二年(1005年)九月,真宗下诏:"自今宴会宜令御史台预定位次告示,各令端肃,不得喧哗,违者,殿上委大夫、中丞,朵殿委知杂御史、侍御史,廊下委左右巡使察视弹奏。"④ 北宋后期至南宋,一直因袭此制。

四、参预司法工作,监察司法部门

唐初,御史"不主刑狱,惟主案劾提纲而已"⑤。御史台内不设监狱,御史若必须留问禁囚,则往往把禁囚"寄系于大理寺"⑥。太宗贞观年间,御史台寄系于大理寺的禁囚常"自大理(寺)滋奸,又按事多为棘寺所反"⑦,御史大夫李乾祐请求"别置台狱"⑧。贞观

---

① 《宋会要辑稿》职官55之20。
② 《宋会要辑稿》仪制2之9、2之10。
③ 《宋会要辑稿》职官60之2。
④ 《宋会要辑稿》仪制8之26。
⑤⑦ 林駉《古今源流至论·续集》卷6《台官》。
⑥⑧ 《唐会要》卷60《御史台上》。

二十二年(648年),唐太宗在御史台内设置了监狱。再者,唐初大理卿"掌鞫狱,定刑名,决诸疑谳"①,重大的刑事案件或五品以上官犯罪者,由刑部侍郎、大理卿和御史大夫共同审理。高宗永徽以后,"以尚书刑部、御史台、大理寺官杂按"②的审判形式立为定制。

两宋时期,打破了御史台不能独立审判重大刑狱案件的制度,御史在司法监察方面的职能进一步扩大。

(一) 参预议定刑名

宋代御史台常参预刑名的议定。如宝元元年(1038年),右司谏韩琦上疏说:"大中祥符八年敕,犯销金者斩。比下诏申警,其捕获者固宜准敕从事,而审刑院创意定罪止徒三年,恐坏先朝之法,启奢僭之渐,请复用祥符旧敕"。仁宗诏"御史台、刑部与审刑院、大理寺详定以闻"③。

(二) 审定疑难刑事案件

宋代重大的疑难刑事案件多由御史台负责审定。遇到疑狱,"州郡不能决,而付之大理,大理不能决而付之刑部,刑部不能决,而后付之御史台"④。

(三) 承诏治狱

宋代各州郡及开封府、大理寺等皆设有监狱,均可以承诏治狱。御史台也不例外,凡御史台所承诏推审的狱案,都是案情重大或主犯官品高,职权大,其他司法机构所不能鞫审的。这些案件的种类大致如下:

其一,与宰相有牵连,而迟迟得不到审理的案件。如宋初,"堂

---

① 《通典》卷25《大理卿》。
② 《资治通鉴》卷201《唐纪一七》龙朔三年三月胡注文。
③ 《长编》卷122,宝元元年五月甲寅。
④ 《长编》卷335,元丰六年五月丙戌。

后官胡赞、李可度受赇枉法及刘伟伪作摄牒得官,王洞尝纳赂(李)可度,赵孚授西川官称疾不上"等,皆赵普包庇,"太祖怒,下御史府按问,悉抵罪"①。

其二,受贿枉法案件。王钦若知贡举,接受应举者任懿贿赂银三百五十两,"事下御史台劾治"②。"梁前知普州,受赇枉法",也"下御史台按劾"③。

其三,讥讽朝政或谋反案件。咸平初,冯拯"坐试开封进士,赋涉讥讪,下(冯)拯御史台"④,经推审,案情不实,得以释放。仁宗时,王文吉告发陈尧佐谋反,仁宗令御史中丞范讽亲自审理,得王文吉诬告陈尧佐状⑤。

其四,冤假错案。宋代司法机构已作出判决的案件,皇帝一旦发现案情不实,即付御史台重新审理。如真宗朝,京师无赖崔白与梁文尉居邻。梁文尉死后,其妻张氏领着两个幼小的孩子过活。崔白觊觎梁家的房舍,不择手段,"日夕遣人投瓦石以骇之,张氏不得已徙去",以其舍求质钱一百三十万,崔白以九十万强行买去,张氏申诉于开封府,崔白遂增钱三十万,"潜减赁课以已仆为证",并贿赂开封府审理此案的胥吏。张氏"坐妄增屋课",且被杖打。崔白洋洋自得,四处张扬,被皇城司觉察,真宗诏"捕(崔)白付御史台鞫问,得实"⑥,崔白被决配。

宋代御史台通过奉诏审理棘手的受贿枉法、营私舞弊及欺凌

---

① 《宋史》卷256《赵普传》。
② 《宋史》卷283《王钦若传》。
③ 《长编》卷54,咸平六年二月庚寅。
④ 《宋史》卷285《冯拯传》。
⑤ 《长编》卷112,明道二年七月癸未。
⑥ 《宋会要辑稿》刑法4之70。

寡弱等各种案件,不仅打击了贪官污吏,惩治了腐败,而且客观上也有利于缓和社会矛盾,促进社会的稳定。

为保证御史台秉公断狱,不拖延时间,宋代对御史台诏狱作出了若干规定。第一,御史在承诏治狱期间,"不得与在外官吏往还"①。案情中牵连到和当推御史同科、同年及第者,要回避②。第二,在审狱过程中,御史"不得言语怕吓,虚令招罪,违者,重置之法"③。第三,"当推御史并须当面推鞫,不得垂帘只委所司取状",且"不得淹延"④。第四,严禁毒死囚犯。庆历六年(1046年)六月,仁宗诏御史台:"凡大辟囚将决,而狱吏敢饮以毒药及非理预致死者,听人告论,支赏钱十万"⑤。第五,不准向当推御史请托,干扰御史台的治狱工作。"如有人请求行用,许人陈告,支赏钱二佰千"⑥。

(四) 监察司法机构

唐代及其以前,御史台对司法机构的监察是通过参预具体刑狱案件的审理来实现的。宋代御史台对司法机构的监察措施更为具体。

首先是检查司法机构的文卷。宋代御史台令规定:监察御史"每季诣大理寺及应有刑狱去处点检"⑦。若发现某一机构有积压刑狱案件,即要把负责此案官员的姓名上报皇帝。端平年间,监察御史吴昌裔到常州、平江等地点检刑狱。此地有一桩田地争讼案,迟迟不能判决。吴昌裔到平江后,"视其牍"⑧,主犯乃赵善湘的两

---

① 《宋会要辑稿》职官 55 之 10。
② 《长编》卷 90,天禧元年十一月辛丑。
③ 《宋会要辑稿》职官 55 之 5。
④ 《宋会要辑稿》职官 55 之 2。
⑤⑥ 《宋会要辑稿》职官 55 之 7。
⑦ 《宋会要辑稿》职官 55 之 18。
⑧ 《宋史》卷 408《吴昌裔传》。

个儿子赵汝櫄和赵汝榟。他俩仗势欺人,强买平江府苗田三百馀亩,包占常州沙田一万四十馀亩,被夺去土地者,如有上诉,他们便派人"领兵以张其势,持执枪杖以示其威,孀妇为之衔冤,平民为之掩泣"①。吴昌裔不畏权势,向朝廷连上九疏,宋理宗罢去了赵汝榟的职务。

其次是参预按实"狱空",弹奏假报狱空者。所谓狱空,即监狱中无犯人。宋代统治者为粉饰太平,推行一种奖励狱空的制度。凡有关部门上奏狱空,朝廷"皆除诏敕奖谕"②。一些官员往往谎报狱空,而邀功请赏。如神宗时,"开封官吏将大辟罪人寄厢,妄奏狱空"③。此后被御史台举劾。为防范假报狱空,元丰七年(1084年)四月,宋神宗下诏:"自今有司上狱空,令御史台刑察按实"④。南宋"诸州申奏狱空","多令监司验实,如有妄诞,即按治,仍令御史台觉察弹奏"⑤。

再次是弹劾非法用刑。宋代凡禁囚死去,所在监狱必须上报,然后由有关部门进行验尸,若属非法用刑而致禁囚死去者,御史台要予以弹劾。如元祐七年(1092年),殿中侍御史杨畏弹劾"在京刑狱奸弊,近开封县申李宝病痢死,及本台牒府差官覆检,乃拷掠致死"⑥。南宋绍兴十年(1140年),高宗明确规定:"应刑狱去处,狱具违戾,令御史台弹劾以闻"⑦。次年,高宗又命令各地刑狱部门,

---

① 杨士奇《历代名臣奏议》卷185《去邪》。
② 《宋会要辑稿》刑法4之85。
③ 刘安世《尽言集》卷2《论开封官吏妄奏狱空冒赏事》。
④ 《宋会要辑稿》职官17之14。
⑤ 《太平宝训政事纪年》卷5《太上皇帝》。
⑥ 《宋会要辑稿》刑法6之3。
⑦ 《宋会要辑稿》职官55之20。

将"讯囚非法之具并行毁弃,尚或违戾,委御史台弹劾以闻"①。

此外,御史台每季第二个月与刑部"亲录囚徒"②。这些措施表明,宋代御史台对司法部门的监察已超过了前代。

(五) 受理申诉案件

北宋初年,御史台尚不受理申诉案件。景德四年(1007年),真宗"诏以鼓司为登闻鼓院,登闻院为登闻检院","诸人诉事,先诣鼓院,如不受,诣检院,又不受,即判状付之,许邀车驾,如不给判状,听诣御史台自陈"③。自此,御史台始受理申诉案件。天圣七年(1029年),仁宗"在登闻检院侧近别置理检院",且"置理检使,以御史中丞充"④任,"其登闻检院瓯函改为检匣,如指除军国大事、时政得失,并投检匣,令画时进入,常时五日一进,其称冤滥枉屈而检院、鼓院不为进者,并许诣理检使审问以闻"⑤。理检院受理的案件有范围限制,即必须是陈述军国大事或冤屈案,争论多年且已经过其他部门审判过的婚田争讼案,仍由登闻鼓院进状,而理检院不予受理⑥。

元丰改制后,使名差遣悉罢,御史中丞"衔内始不带理检使","而御史台犹存理检院之名"⑦。申诉案件由登闻检院鼓院受理。元祐更化时,高太后为给反变法派翻案,专门设置了诉理所,由御史中丞充任所长,审理自熙宁元年正月至元丰八年三月六日大赦以

---

① 《宋会要辑稿》职官55之20。
② 留正《皇宋中兴两朝圣政》卷61,淳熙十一年三月辛卯。
③ 《长编》卷65,景德四年五月戊申。
④ 《职官分纪》卷14《御史台》。
⑤ 《长编》卷107,天圣七年闰二月癸丑。
⑥ 《宋会要辑稿》刑法3之17。
⑦ 《宋会要辑稿》职官3之70。

前的判罪案件,"凡得罪于元丰之间者,咸为雪除"①。宋哲宗亲政后,命令御史中丞安惇和谏官蹇序辰对元祐年间诉理所雪除的判罪案又重新予以审理②。

南宋高宗朝,理检院"之名虽存,其实已废"③。检鼓院虽依然把接受的申诉案件"旬申理检院",但所申报的只不过是上诉人的姓名,"至于所诉之曲直详悉曾不与闻"。孝宗朝御史台受理申诉案件的职能又得以恢复。乾道三年(1167年)六月,宋政府命令:"如遇进状人称冤滥沉屈者",检鼓院须将申状人"引送御史中丞子(仔?)细审问,如中丞缺,即付以次官"④。御史台又掌握了审理上诉案件的职能,此制一直到南宋灭亡未有变更。

宋代御史台受理上诉案件的职能虽曾一度略有变化,但总体上看,御史台在勾通民情,督促冤滥案件的及时解决,以缓和社会矛盾方面,起到了一定的积极作用。

(六) 侦缉案情

宋代御史台有侦缉案情的职能。如太宗朝,许仲宣为西川转运使,有人举报他在江表用兵时,"乾没官钱",太宗召还许仲宣,"令御史台尽索财计簿钩校凡数年而毕,无有欺隐"⑤。又如熙宁初,"知明州苗振以贪闻,"⑥致仕后"归郓州,多置田产,又自明州市材为堂,舟载归郓"。王逵作诗云:"田从汶上天生出,堂自明州地架来。"此诗传到京师开封,宋政府"即出御史王子韶使两浙廉访其事"⑦。御史王子韶不但察清了苗振的贪赃案情,而且还顺藤摸瓜,

---

① ② 《宋会要辑稿》职官3之76。
③ ④ 《宋会要辑稿》职官3之70。
⑤ 《宋史》卷270《许仲宣传》。
⑥ 《宋史》卷331《祖无择传》。
⑦ 魏泰《东轩笔录》卷12。

发现了龙图阁学士、谏议大夫祖无择在知杭州时的贪赃行为。

五、参预文武百官的管理工作

宋代官僚队伍庞大，任官制度复杂。在文武百官的管理工作中，御史台起到了一定的作用。

（一）修订并参预管理文武百官的档案

北宋初年，百废待兴，文武百官的档案制度尚不健全。太平兴国七年（982年）十二月，宋太宗命令御史台修订文武百官的档案，"诏御史台：应见任文武官悉具乡贯、历职、年纪著籍以闻"[①]。当时，太宗命令御史台修订文武百官档案的目的，是为了更好地在西蜀、岭表、荆湖、江浙等新征服地区推行本贯人"不得为本道知州、通判、转运使及诸事任"[②]的回避制度，以防止藩镇割据局面的再现。所以，太宗在命令御史台修文武百官档案时特别指出："贡举之日解荐于别州，即须兼叙本坐乡贯，或不实者，许令纠告，当置其罪。"[③]对此后入官者，也必须如以上格式建立档案。真宗时，为了使御史台修订文武百官档案的内容更为具体，大中祥符五年（1012年）八月，宋政府命令："南省及诸司五品已下官各具本贯、三代出身、历任有无遗阙、家状上御史台"[④]。

宋代文武百官档案管理工作十分复杂，它需要审官院、诸州进奏院等有关机构准确无误地将内外官员的姓名、替罢、差遣去处及时申报御史台，这样，御史台才能管理好档案。熙宁元年（1068年），中书门下提出："御史台季进班簿所供逐官职任去处并不开说某人见在任、某人见待阙及无明具系堂除、堂选，审官院差遣诸路

[①][②][③] 《长编》卷23，太平兴国七年十二月戊寅，并参校《宋会要辑稿》职官59之3。
[④] 《宋会要辑稿》职官55之6。

分兼多错误"①。其原因是审官院、诸州进奏院多不及时地将内外官员的替罢情况"供伸赴(御史)台,致无凭勾凿"②。神宗根据中书门下的意见,"令三司、开封府、大宗正司、都水监、群牧司、三馆、秘阁、尚书都省、诸司寺监、鼓院、检院、铨曹官诰院遍令所辖诸司库务到任替罢勾当京朝官书时具职位、姓名"等详细情况申报御史台,"庶得修班簿齐整"③。自此,御史台所管理的文武百官档案的内容更为准确。

元丰改制后,审官东西院皆罢归吏部,但御史台掌管文武百官档案的制度未变。南宋对地方官档案的管理措施更为具体。如绍兴十三年(1143年)闰四月,高宗"诏四川、二广定差窠阙令吏部四选逐色阙置号簿各二扇,一纳御史台,一留本部"④。嘉泰四年(1204年)三月,宁宗重申:"诸州诸司将来所差见任人时暂兼权考试官职事者并即时具职位、姓名申御史台照应"⑤。

宋代京朝官差遣的除授、替移、丁忧、免官、请假、身亡等凡与档案有关的情况,必须申报御史台。太平兴国七年(982年),宋太宗下诏:"应监临物务京朝官及知州、军监、通判兼监物务者替日,令御史台晓谕"⑥。淳化三年(992),太宗再次下诏:"京朝官除授、替移及丁忧、免官、请假、身亡除朝旨出落班簿外,仍令进奏院画时抄录报(御史)台。"⑦咸平元年(998年)六月,真宗也诏令:"应丁忧京朝官所在具名衔及闻哀月日、持服去处报(御史)台置簿抄上,

---

① ② ③ 《宋会要辑稿》职官55之8。
④ 《宋会要辑稿》职官55之20。
⑤ 《宋会要辑稿》职官62之55、62之56。
⑥ 《宋会要辑稿》职官59之3。
⑦ 《宋会要辑稿》职官55之2。

候服阕前预奏候朝旨。"①

宋代文武百官的档案是多层次管理制,御史台只是其中的管理机构之一,其他的如北宋前期的审官院、磨勘院、阁门也著有文武百官的阅历册。英宗治平元年(1064年)闰五月以前,御史台与阁门每十天须将文武百官"细书班簿"上报朝廷一次,此后改为月申报制②。

(二) 参预监司、郡守的考课

宋代监司包括诸路转运使、提点刑狱、提举常平等,是监察知州、知府与县令的重要差遣。太祖、太宗、真宗三朝,监司体系尚不完整,朝廷对监司的磨勘尚未有定制。仁宗时,为了加强对监司的考课,朝廷"命翰林学士承旨孙抃、权御史中丞张升磨勘转运使及提点刑狱课绩"。同时,仁宗还"诏:今后常以御史中丞、学士典领。"③ 景祐三年(1036年)十月,"置磨勘诸路提点刑狱司,以翰林学士承旨章得象、学士丁度、权御史中丞张观领其事"④。

宋代考课法规定,监司以"四善四最法"考课州县官,并定时把州县官政绩分等级上报朝廷。北宋后期,吏治腐败,监司往往不能据法守正,对州县官政绩等第的划分,弄虚作假,与实不符。因此,朝廷命令御史台对监司所上州县官课绩等第加以核实。元符二年(1099年)二月,哲宗"诏吏部:守(知州、知府)、令(县令)课绩,从御史台考察,黜其不实者"⑤。而监司仍"交结请托,无所忌惮",崇宁五年(1106年),徽宗下诏:自今有请托者,监司为之保奏,"仰三

---

① 《宋会要辑稿》职官55之4。
② 《宋会要辑稿》职官55之8。
③ 《宋会要辑稿》职官59之7。
④ 《宋会要辑稿》职官59之6。
⑤ 《宋史》卷18《哲宗二》。

省、御史台觉察弹劾以闻,当重行黜责"①。大观四年(1110年),提举学事司对学官的考课也出现了名不符实的现象,为革除此弊,宋廷规定:"提举学事司所定教官考课等第,委御史台常切觉察,有未允当,弹劾以闻。"②

南宋御史台内设置了考课司和考课簿。绍兴六年(1136),高宗根据殿中侍御史周秘的请求,重申"以十五事考校监司,以四善四最法考校守令","如违,仰御史台纠劾以闻"③。孝宗时,又强调监司考课郡守,"考之不实者,令御史台纠劾"④。宁宗朝,监司对州县官考课,"多徇私情",遂于御史台别立考课一司,"岁终各以能否之实闻于上,以诏升黜。其贪墨昏懦致台谏奏劾者,坐监司郡守以包庇之罪"⑤。嘉定四年(1211年),宁宗又"诏御史台考课监司"⑥。嘉定六年(1213年),在"御史台置考课监司簿"⑦。总之南宋御史台对监司郡守的考课和监察措施较北宋更为严密。

(三) 负责台参、台谢和台辞,审察在职官员的健康状况

台参、台谢、台辞是宋代任官制度中的重要事项。"外官任满到阙",必须先到正衙⑧,御史台"视其言辞仪矩,验其能否盛衰,然后就郡差注","给关子付之,以凭参部"⑨,谓之台参。"所有在京除授

---

① 《宋会要辑稿》职官59之13。
② 《宋会要辑稿》职官59之14、59之15。
③ 《宋会要辑稿》职官59之19。
④ 《宋会要辑稿》职官59之21。
⑤ 《宋史》卷160《选举六》。
⑥ 《两朝纲目备要》卷13,嘉定六年闰九月戊辰。
⑦ 《宋史》卷39《宁宗三》。
⑧ 《宋史》卷116《礼一九》载:唐以宣政殿为前殿,谓之正衙,宋因其制。
⑨ 《宋会要辑稿》职官55之28。

及转官",赴正衙参见御史台,谓之台谢。赴外任差遣者到正衙参见,御史台付给关子"付本官照应"①,谓之台辞。

宋代统治者比较重视台参、台谢、台辞。如太宗一即位,就下诏严申台参、台谢、台辞制,"诏令中外官除拜出入,自今并于正衙辞谢,违者,有司议其罪"②。淳化二年(991年)年,宋政府又规定:"出使急速免衙辞者,亦须具状报(御史)台,违者罚一月俸"③。翌年,李继隆受命河朔征讨,不赴台辞,御史中丞李昌龄"纠之,遣吏追还,罚俸"④。

宋代台参、台谢、台辞法虽曾几次更改,但御史台审察在职官员健康状况的实质未变。北宋初,文武官台参、台谢、台辞的程序是:"先赴三院御史幕,次又赴中丞幕,次拜揖,得以体按老疾之人"⑤。熙宁二年(1069年)正月,神宗根据权监察御史王子韶的建议,对台参、台谢、台辞法作了修改。修改后的台参法规定:御史台"每日令御史一人接见,详加询察,遇有老病昏懦之人,即白(御史中)丞、杂(侍御史知杂事)、再同审核,若委实不堪厘务者,并许弹奏"⑥。新的台参法仅实行一年之余,不少臣僚上疏提出,新台参法仅与御史一人对拜,不仅有失旧仪,而且御史台不能"公共参验"台参者健康状况。熙宁三年(1070年)十一月,神宗下诏又恢复了旧的台参法⑦。第三次更改台参法是在宁宗嘉定年间,其背景是部分官员不赴台参、台谢、台辞。更改后的台参法采用发凭证的措施。

---

① 《宋会要辑稿》职官55之28。
② 《长编》卷17,太平兴国元年十一月丁卯。又见《长编纪事本末》卷14《朝仪》。
③ 《宋会要辑稿》仪制4之4。
④ 《宋史》卷287《李昌龄传》。
⑤⑦ 《长编》卷217,熙宁三年十一月庚寅。
⑥ 《宋会要辑稿》职官55之9。

即：凡在外任差遣者，任满入朝，先赴台参，经御史台审验，发给"关子"，然后凭"关子"参部，出外任者，也必须赴台辞，御史台也发给"关子"，"付本官照应"①。

宋代御史台对在职官员健康状况的审察，有利于防止年老多病和昏愦不职者充任各级差遣，提高行政效率。

宋代文武百官的管理事务，御史台几乎无处不涉足，除上述之外，有时还要押送贬官。如乾德二年（964年）知制诰高锡责莱州司马，"仍令御史台差人监送贬所"②。太平兴国八年（983年）四月，威塞军节度使判颍州事曹翰削夺在身官爵，"御史台遣吏护送登州禁锢"③。

六、参预荐举官员

宋代大批官员来自荐举，御史是重要的荐举者之一。其荐举的对象主要有以下几类。

首先是监司守令。南宋御史常参预荐举监司郡守。绍兴五年（1135年）三月，高宗"诏侍从至监察御史、馆职以上，""各举所知充监司守令者"④。淳熙九年（1182年），孝宗诏"侍从、台谏举官堪充监司者各一、二名"⑤。嘉定二年（1209年）正月，宁宗诏侍从、两省、台谏各举治行尤异者二、三人充任监司郡守⑥。

其次是军事将领。北宋末年至南宋，战争频繁，朝廷急需统兵

---

① 《宋会要辑稿》职官55之28。
② 《宋会要辑稿》职官64之1。
③ 《宋会要辑稿》职官64之2。
④ 《宋史》卷28《高宗五》。
⑤ 留正《皇宋中兴两朝圣政》卷59，淳熙九年六月辛酉。
⑥ 《两朝纲目备要》卷12，嘉定二年正月庚申。

将领,多令臣僚荐举,御史是荐举者之一。靖康元年(1126年)四月,钦宗"令在京监察御史,在外监司、郡守及路分钤辖已上,举曾经边任或有武勇可以统众出战者人二员"①。嘉定八年(1215年)正月,宁宗诏侍从、两省、台谏各举将才三人②。嘉定十二年(1219年)五月,宁宗再次诏令:"侍从、两省、台谏各举文武可用之才二、三人"③。

此外,宋代御史有时还参预荐举学官。如元祐元年(1086年)闰二月,哲宗"诏侍从、御史、国子司业各举经明行修可为学官者二人。"④

七、兼任侍讲

宋代御史兼为皇帝讲史说经。太祖、太宗、真宗三朝,尚未确立御史兼任侍讲的制度。庆历二年(1042年)二月,御史中丞贾昌朝"长于讲说",仁宗特诏令其"侍讲迩英阁"⑤。神宗初,御史中丞吕公著"亦止命时赴讲筵"⑥。哲宗元祐元年(1086年),御史中丞刘挚也兼侍读⑦。

南宋御史兼侍讲逐渐形成制度。王宾为御史中丞,上疏"请复开经筵",高宗遂命其兼侍讲。绍兴十二年(1142年),御史中丞万俟卨兼侍讲⑧,自此,御史中丞多兼任侍讲。绍兴二十五年(1155

---

① 《宋史》卷23《钦宗》。
② 《两朝纲目备要》卷15,嘉定八年正月辛未。
③ 《两朝纲目备要》卷16,嘉定十二年五月癸亥。
④ 《宋史》卷17《哲宗一》。
⑤ 《长编》卷135,庆历二年二月丁丑。
⑥⑧ 《宋史》卷162《职官二》。
⑦ 《长编》卷385,元祐元年八月丁酉。

年),殿中侍御史董德元也兼侍讲①。宁宗以后,御史几乎"无不预经筵者"②。

综上所述,宋代御史台不仅监察的层次之高范围之广超过了前代,司法监察方面的职权进一步扩大,而且还能规谏皇帝,制约皇权;议论朝政,参预国家政事;荐举官员,参预选官;修订管理百官档案,审察在职官员的健康状况等,在当时的政治生活中发挥了重要作用。

第三节 宋代御史的选任与升迁制度

两宋时期,君主专制进一步发展,在此基础上,御史的选任与升迁制度也更为健全。

一、宋代御史的选任制度

秦汉御史台粗具规模,对御史的选任尚未有定制。魏晋以降,御史职任"甚重,必以对策高第者补之"。隋朝初年,任用御史"犹踵后魏革选"③,"自开皇后,始自吏部选用"④。唐朝贞观年间,太宗"以法理天下,尤重宪官",除拜御史"皆吏部与(御史)台长官、宰相议定,然后依选例补奏"⑤。在武则天统治的半个世纪里,御史"选授之命,不由铨管"⑥,多出自皇帝。唐中宗复位后,"选择御史令本

---

① 《宋史》卷162《职官二》。
② 《建炎以来朝野杂记·乙集》卷15《祖宗时台谏不兼经筵》。
③ 《通典》卷24《职官六》。
④ 《隋书》卷28《百官下》。
⑤⑥ 《文献通考》卷53《职官七》。

司(御史台)长官共中书门下商量,并录由历进奏者"①。自此,御史的选任正式脱离了吏部。唐玄宗开元十四年(726年)以后,御史"虽职在抨弹,然进退从违皆出宰相"②。宋代立国后,吸取前代的经验教训,在御史的选任方面,采取了种种措施,如不准"宰相自用台官"③ 等,逐渐形成了一套比较完备的制度。

(一) 宋代御史的选任方式

宋代御史包括台长御史中丞、副台长侍御史知杂事(元丰七年二月改为侍御史)、台院的侍御史、殿院的殿中侍御史、察院的监察御史和资格浅的侍御史里行、殿中侍御史里行、监察御史里行等。从御史中丞到御史里行,官品、职位差别甚大,选任方式也不尽相同。

御史中丞和侍御史知杂事一般由皇帝亲擢。北宋前期,官员的选任有三种方式。第一,"自两府而下至侍从官,悉禀圣旨,然后除授,此中书不敢专也"。第二,"自卿监而下及已经进擢,或寄禄至中散大夫者,皆由堂除,此吏部不敢预也。"第三,"自朝议大夫而下,受常调差遣者,皆归吏部,此中书不可侵也"④。御史中丞的选任属上述第一种方式,即皇帝亲自任命。北宋后期至南宋,任官方式虽几经变化,但皇帝亲擢御史中丞的制度始终未变。御史台副台长侍御史知杂事(元丰七年二月改为侍御史),"专决庶务,实总邦宪"⑤,职任重要,其选任方式也多由皇帝亲自任命。如隆兴元年

---

① 《唐会要》卷62《御史台下》。
② 洪迈《容斋四笔》卷11《唐御史迁转定限》。
③ 《长编》卷113,明道二年十二月丁未。
④ 《长编》卷370,元祐元年闰二月丁巳。
⑤ 《曾巩集》卷24《御史知杂制》。

(1163年),孝宗亲擢王十朋为侍御史①。

台院的侍御史(仅指元丰七年二月以前的侍御史)、殿院的殿中侍御史、察院的监察御史及资格浅的侍御史里行、殿中侍御史里行、监察御史里行等御史台属官的选任方式比较复杂,既有皇帝亲擢,也有通过荐举而任命的。

归纳起来,宋代御史的选任方式有以下两种。

其一,皇帝亲擢。

皇帝亲擢御史在宋代以前虽已屡见不鲜,但真正作为选任御史的一项制度则在宋代。历宋一代,特别是宋仁宗以后,代代君主都把选任御史"必由中旨"② 作为祖宗之法来奉行,尤其对御史台台长御史中丞的选任,更强调"当出圣意"③。如治平元年(1064年),英宗亲擢唐介为御史中丞,并面谕其云:"卿在先朝有直声,故用卿,非繇左右言也。"④ 建炎四年(1130年),高宗"御笔赵鼎依旧御史中丞"⑤。在两宋,皇帝亲擢御史中丞的事例不胜枚举。

一般情况下,侍御史(仅指元丰七年二月以前的侍御史)、殿中侍御史、监察御史、侍御史里行、殿中侍御史里行、监察御史里行等御史台属官的选任,多采用荐举制,但在某些时期荐举制出现了问题,或者御史台缺员,而臣僚又未荐举出合适的人选时,皇帝往往要亲自选任。如庆历八年(1048年),御史台缺侍御史知杂事,"执政欲进其党",仁宗亲擢何郯充其职,并面谕何郯说:"卿不阿权势,

---

① 《宋史》卷387《王十朋传》。
② 吕祖谦《类编皇朝大事纪讲义》卷9《台谏》。
③ 魏泰《东轩笔录》卷3。
④ 《宋史》卷316《唐介传》。
⑤ 《建炎以来系年要录》卷32,建炎四年四月丁酉。

故越次用卿"①。治平二年(1065年),御史台缺两员,"举者未上",英宗亲擢范纯仁为殿中侍御史、吕大防为监察御史里行②。徽宗朝,蔡京等人利用种种手段控制了御史的选任权,钦宗即位后,为矫枉过正,收御史选任权归朝廷,于靖康元年(1126年)四月,把皇帝亲擢御史"立为定制"③。南宋时,秦桧、韩侂胄、史弥远、贾似道等人相继专权,皇帝亲擢御史的制度遂纸上谈兵,成为空文。

其二,臣僚荐举,皇帝从中选拔任命。

荐举制是宋代选任御史的重要方式之一。其程序是:皇帝先下诏令臣僚荐举,尔后,再从所荐举的人员中选拔任命。宋初,荐举与任命的比例为三比一。即臣僚荐举三人,皇帝从中"御笔点一人"④。仁宗庆历二年(1042年)以后,荐举与任命的比例又改为二比一。即臣僚荐举二人,皇帝"御笔点其一"⑤。

如前所述,宋代御史的首要职能是弹劾纠察违犯封建统治秩序的不法行为,"上自宰相,下及百僚,苟有非违,皆得纠劾"⑥,因此,御史举主的选择至关重要,"欲除御史,先择举主"⑦。北宋前期,尚比较注意举主的选择。但随着政治局势的不断变化,举主身份日益复杂,总括其演变过程,大致可分为以下三个阶段。

自北宋立国至元丰改制为第一阶段。宋太祖、太宗两朝,"风宪之任以他官领之"⑧,朝廷尚不太重视举主的选择。咸平四年(1001

---

① 《长编》卷165,庆历八年十一月乙卯。
② 《长编》卷205,治平二年六月辛卯。
③ 《宋会要辑稿》职官3之56。
④ 《长编》卷135,庆历二年正月癸亥。
⑤ 《宋会要辑稿》职官17之7。
⑥ 《长编》卷415,元祐三年十一月甲申。
⑦ 林駉《古今源流至论·续集》卷6《台官》。
⑧ 《宋会要辑稿》职官17之31。

年),真宗令御史台"长吏自荐其属"①,举主仅限于御史中丞和侍御史知杂事。此后,御史有阙,"多命两制、给舍、中丞、知杂同举"②。熙宁二年(1069年),神宗罢荐举制,"惟御史荐举法不废",而举主"一委中丞"③。北宋前期的两制(翰林学士和知制诰)、给事中、中书舍人、御史中丞、侍御史知杂事等皆不参预具体的行政事务,又和宰相无直接隶属关系。以他们为御史举主,有利于对宰相的弹劾和对行政部门的监察。

从元丰改制到北宋灭亡,为宋代御史举主身份演变的第二阶段。元丰五年(1082年),神宗批示:"宜诏两省各举敏明不挠,可为御史宣德郎以上各二人"④。元丰七年(1084年)十二月,神宗下诏:"门下、中书外省官同举言事御史"⑤。宋代的两省官指的是门下省的给事中、左谏议大夫和中书省的中书舍人、右谏议大夫等。元丰改制后,两省官"实典职事"⑥,"皆与闻门下、中书政事"⑦,以他们充任御史举主,不利于御史对宰执和行政部门的监察。元祐六年(1091年),御史中丞郑雍提出,不宜委两省官荐举御史之任,请求选任御史"止从本台奏举"⑧。高太后对郑雍的意见不予理睬。依然命令"御史中丞举殿中侍御史二员,翰林学士、中书舍人同举监察御史二员,给事中举监察御史二员以闻"⑨。徽宗即位后,又诏令

---

① 《长编》卷48,咸平四年三月辛巳。
② 《建炎以来朝野杂记·甲集》卷9《近臣举御史》。
③ 《宋史》卷160《选举六》。
④ 《长编》类326,元丰五年五月戊戌。
⑤ 《宋史》卷16《神宗三》。
⑥ 王偁《东都事略》卷8《本纪八》。
⑦ 《宋史》卷160《选举六》。
⑧⑨ 《长编》卷465,元祐六年闰六月己巳。

"宰臣、执政、侍从官各举可任台谏者"①，为宰执控制御史的任用权，打开了方便之门。靖康元年(1126年)四月，钦宗特下诏："宰执不当荐举"② 台谏，但仅仅九个月后，北宋王朝便灭亡于金人的铁蹄之下。

从高宗中兴到南宋灭亡，为宋代御史举主身份演变的第三阶段。南宋初，宰相黄潜善"自除台谏"③，荐举御史的选任方式殆废。建炎三年(1129年)，高宗下诏："侍从公共荐举"④御史。但由于当时南宋政权正处在金兵的追逐之下，四处流亡，动荡不安，因而，荐举御史的选任方式并没有真正恢复。淳熙五年(1178年)，孝宗下诏："可令翰林学士、谏议大夫、给事中、中书舍人各举堪任监察御史二人，以备擢用。"⑤ 此后又下诏："侍御史亦令荐举"⑥ 监察御史，但由于"官皆畏避，鲜敢以闻"⑦，御史的选任多由朝廷直接除授。光宗绍熙五年(1194年)九月，荐举御史的选任方式才得到真正恢复，举主以近臣充任⑧。此后，韩侂胄、史弥远、贾似道等人相继以近臣的身份掌握了御史的荐举权。

从以上宋代御史举主身份演变的三个阶段中可以看出，御史举主成份是随着政治局势的不断变化而更换的，而御史举主成份的不断更换，又对当时的政治产生了一定影响。北宋后期乃至南宋

---

① 《宋史》卷19《徽宗一》。
② 《宋会要辑稿》职官3之56。
③ 《建炎以来系年要录》卷17，建炎二年八月庚申。
④ 《宋会要辑稿》职官55之17。
⑤ 留正《皇宋中兴两朝圣政》卷56，淳熙五年六月甲申。
⑥ 留正《皇宋中兴两朝圣政》卷56，淳熙五年六月壬辰。
⑦ 《建炎以来朝野杂记·甲集》卷9《近臣举御史》。
⑧ 《两朝纲目备要》卷3，绍熙五年九月丁卯；又见周密《齐东野语》卷3。

一代,御史由皇帝防范宰相的工具转变为宰相专权的工具,其原因是多方面的,而宰执以举主身份控制御史的荐举权,甚至借皇帝之命,直接选任御史则是其中重要原因之一。

宋代两种选任御史方式的出现,是封建君主专制发展在监察制度上的一种反映。同时,御史选任方式及其程序的确立,也代表了宋代监察制度规范化的一个方面。

(二) 宋代御史的资格与资序

宋代选任御史比较注意资格与资序,这里所说的资格是指御史的官职品阶(即寄禄官);资序也称资历,即御史的历任情况。

1. 宋代御史中丞的资格与资序

北宋前期,"用职事官寄禄"①,三省六部官皆为寄禄之阶。御史中丞一般以谏议大夫、给事中、尚书侍郎、六部郎中、知制诰等资格充任。熙宁二年(1069年)以前,除拜御史中丞,如果本人寄禄官未至谏议大夫者,"自正言而上皆除谏议大夫"②而后任命。熙宁二年(1069年)闰十一月,根据吕公著的请求,神宗下诏:"官未至谏议大夫,并守本职兼权。"③

如前所述,宋代御史中丞的选任,一般由皇帝亲擢。其资格的制订,因人而设,弹性较大。北宋初,并没有知制诰、尚书右丞入中丞的惯例。雍熙三年(986年),太宗以屯田郎中、知制诰赵昌言为御史中丞,"知制诰正(式)为中丞始此"④。咸平五年(1002年)五月,真宗以礼部尚书温仲舒兼御史中丞,"尚书兼中丞始也"⑤。天禧二年(1018年)正月,真宗又以尚书右丞兼宗正卿赵安仁为御史

---

① 洪迈《容斋三笔》卷3《侍从转官》。
② ③ 《宋会要辑稿》职官17之24。
④ 《长编》卷27,雍熙三年六月乙巳。
⑤ 《宋会要辑稿》职官17之23。

中丞,"左右丞兼中丞始此"①。

按照元丰以前的转迁制度,"自谏议大夫转给事中(学士转中书舍人),历三侍郎(学士转左曹礼、户、吏部,馀人转右曹工、刑、兵部)、左右丞(吏侍转左,兵侍转右),然后转六部尚书,各为一官。"② 换句话说,北宋前期的谏议大夫、给事中、六部侍郎与六部尚书并不是同一等级的寄禄官。所以,出任御史中丞者,因其本人寄禄官等级不一样,其差遣的称谓也不一样。本人寄禄官为六部尚书,其差遣则曰"某官兼御史中丞";寄禄官为尚书右丞或六部郎中,其差遣则曰"御史中丞兼某官";寄禄官为给事中或谏议大夫,其差遣则曰:"某官权御史中丞事"③。如温仲舒以尚书任御史中丞,其差遣称谓则曰:尚书兼(御史)中丞④。赵安仁以尚书右丞任御史中丞,则称"御史中丞兼尚书右丞"⑤。凌策以给事中充任御史中丞,其差遣称谓则曰:"给事中权御史中丞"⑥。薛奎以右谏议大夫充任御史中丞,则称右谏议大夫权御史中丞⑦。

为深入探讨宋代御史中丞的资格与资序情况,特列下表以资考察。

---

① 《长编》卷91,天禧二年正月己亥。
② 洪迈《容斋三笔》卷3《侍从转官》。
③ 《宋会要辑稿》职官55之1。
④ 《长编》卷52,咸平五年五月癸丑。
⑤ 《长编》卷91,天禧二年正月己亥。
⑥ 《长编》卷88,大中祥符九年九月丙午。
⑦ 《长编》卷102,天圣二年七月己亥。

表 I：

北宋前期御史中丞资格资序考察表

目次	御史中丞姓名	资格资序	材料来源
1	刘温叟	刑部侍郎	《宋史》卷262《刘温叟传》
2	边光范	判吏部铨曹	《宋史》卷262《边光范传》
3	侯陟	迁左谏议大夫	《宋史》卷270《侯陟传》
4	滕中正	拜右谏议大夫	《宋史》卷276《滕中正传》
5	刘保勋	拜右谏议大夫	《宋史》卷276《刘保勋传》
6	辛仲甫	加右谏议大夫	《宋史》卷266《辛仲甫传》
7	赵昌言	知制诰	《宋会要辑稿》职官17之23
8	张宏	右谏议大夫	《宋史》卷267《张宏传》
9	王化基	右谏议大夫	《宋史》卷266《王化基传》
10	李昌龄	右谏议大夫	《宋史》卷287《李昌龄传》
11	许骧	擢右谏议大夫	《宋史》卷277《许骧传》
12	李惟清	迁右谏议大夫加刑部侍郎	《宋史》卷267《李惟清传》
13	张咏	加左谏议大夫	《宋史》卷293《张咏传》
14	宋太初	拜右谏议大夫	《宋史》卷277《宋太初传》
15	温仲舒	拜右谏议大夫	《宋史》卷266《温仲舒传》
16	吕文仲	左谏议大夫	《宋史》卷296《吕文仲传》
17	王嗣宗	改左谏议大夫	《宋史》卷287《王嗣宗传》
18	冯拯	刑部尚书	《宋史》卷285《冯拯传》
19	张知白	右谏议大夫	《宋史》卷310《张知白传》
20	凌策	拜给事中	《宋史》卷307《凌策传》
21	赵安仁	尚书右丞	《长编》卷91，天禧二年正月己亥

目次	御史中丞姓名	资格资序	材料来源
22	马亮	右谏议大夫	《宋史》卷298《马亮传》
23	李虚己	右谏议大夫	《宋史》卷300《李虚己传》
24	薛映	工部尚书	《宋史》卷305《薛映传》
25	刘筠	右谏议大夫	《宋史》卷305《刘筠传》
26	薛奎	右谏议大夫	《宋史》卷286《薛奎传》
27	王臻	右谏议大夫权知开封府	《宋史》卷302《王臻传》
28	程琳	右谏议大夫	《宋史》卷288《程琳传》
29	李及	枢密直学士、工部侍郎	《长编》卷106,天圣六年五月丁巳
30	晏殊	礼部侍郎	《宋史》卷311《晏殊传》
31	王曙	给事中	《宋史》卷286《王曙传》
32	王随	给事中	《宋史》卷311《王随传》
33	蔡齐	右谏议大夫	《宋史》卷286《蔡齐传》
34	范讽	右谏议大夫	《宋史》卷304《范正辞传附》
35	孔道辅	右谏议大夫	《宋史》卷297《孔道辅传》
36	韩亿	右谏议大夫	《宋史》卷315《韩亿传》
37	李仲容	右谏议大夫	《宋史》卷262《李涛传附》
38	杜衍	右谏议大夫	《宋史》卷310《杜衍传》
39	张观	给事中	《宋史》卷292《张观传》
40	柳植	谏议大夫	《宋史》卷294《柳植传》
41	贾昌朝	右谏议大夫	《宋史》卷285《贾昌朝传》
42	王拱辰	权知开封府	《宋史》卷318《王拱辰传》
43	张方平	翰林学士	《宋史》卷318《张方平传》
44	郭劝	右谏议大夫	《宋史》卷297《郭劝传》
45	高若纳	右谏议大夫	《宋史》卷288《高若纳传》
46	鱼周询	右谏议大夫	《宋史》卷302《鱼周询传》

第二章 宋代御史制度

目次	御史中丞姓名	资格资序	材料来源
47	杨察	右谏议大夫	《宋史》卷295《杨察传》
48	田况	给事中	《宋史》卷292《田况传》
49	王举正	礼部侍郎	《宋史》卷266《王化基传附》
50	孙抃	谏议大夫	《宋史》卷292《孙抃传》
51	张昇	知杂御史兼侍读	《宋史》卷318《张昇传》
52	包拯	谏议大夫	《宋史》卷316《包拯传》
53	韩绛	翰林学士	《宋史》卷315《韩绛传》
54	赵概	知应天府	《宋史》卷318《赵概传》
55	王畴	右谏议大夫	《宋史》卷291《王博文传附》
56	唐介	枢密直学士、知瀛州	《宋史》卷316《唐介传》
57	贾黯	给事中	《宋史》卷302《贾黯传》
58	彭思永	知江宁府召为御史中丞	《宋史》卷320《彭思永传》
59	王陶	枢密直学士	《宋史》卷329《王陶传》
60	司马光	翰林学士	《宋史》卷336《司马光传》
61	滕甫	知谏院	《宋史》卷332《滕元发传》
62	吕诲	知谏院	《宋史》卷321《吕诲传》
63	吕公著	知开封府	《宋史》卷336《吕公著传》
64	韩维	知开封府	《宋史》卷315《韩维传》
65	冯京	翰林学士	《宋史》卷317《冯京传》
66	杨绘	翰林学士	《宋史》卷322《杨绘传》
67	邓绾	侍御史知杂事	《宋史》卷329《邓绾传》
68	邓润甫	谏议大夫	《文献通考》卷53《职官七》
69	蔡确	右谏议大夫	《长编》卷289,元丰元年四月丁卯
70	李定	知制诰	《宋史》卷329《李定传》
71	徐禧	知制诰	《宋史》卷334《徐禧传》

表Ⅱ：

北宋后期至南宋御史中丞资序考察表

目次	御史中丞姓名	资序	材料来源
1	舒亶	给事中权直学士院	《宋史》卷329《舒亶传》
2	黄履	崇政殿说书兼知谏院	《宋史》卷328《黄履传》
3	刘挚	侍御史	《宋史》卷340《刘挚传》
4	傅尧俞	吏部尚书	《宋史》卷341《傅尧俞传》
5	胡宗愈	给事中	《宋史》卷318《胡宿传附》
6	孙觉	右谏议大夫	《宋史》卷344《孙觉传》
7	李常	户部尚书	《宋史》卷344《李常传》
8	梁焘	左谏议大夫	《宋史》卷342《梁焘传》
9	苏辙	吏部尚书	《宋史》卷339《苏辙传》
10	赵君锡	刑部侍郎	《宋史》卷287《赵安仁传附》
11	郑雍	左谏议大夫	《宋史》卷342《郑雍传》
12	李之纯	户部侍郎	《宋史》卷344《李之纯传》
13	邢恕	吏部尚书	《宋史》卷471《邢恕传》
14	安惇	谏议大夫	《宋史》卷471《安惇传》
15	丰稷	左谏议大夫	《宋史》卷321《丰稷传》
16	王觌	工部侍郎	《宋史》卷344《王觌传》
17	赵挺之	礼部侍郎	《宋史》卷351《赵挺之传》
18	钱遹	侍御史	《宋史》卷356《钱遹传》

第二章 宋代御史制度

目次	御史中丞姓名	资序	材料来源
19	石豫	侍御史	《宋史》卷356《钱遹传附》
20	席旦	给事中	《宋史》卷347《席旦传》
21	许敦仁	殿中监（蔡京州里之旧）	《宋史》卷356《许敦仁传》
22	朱谔	给事中	《宋史》卷351《朱谔传》
23	侯蒙	殿中侍御史	《宋史》卷351《侯蒙传》
24	余深	殿中侍御史	《宋史》卷352《余深传》
25	吴执中	兵部侍郎	《宋史》卷356《吴执中传》
26	石公弼	殿中侍御史	《宋史》卷348《石公弼传》
27	张克公	兵部侍郎	《宋史》卷348《石公弼传附》
28	俞桌	给事中	《宋史》卷354《俞桌传》
29	王黼	给事中	《宋史》卷470《王黼传》
30	蒋猷	由进士直进中丞兼侍读	《宋史》卷363《蒋猷传》
31	王安中	中书舍人	《宋史》卷352《王安中传》
32	陆蕴	中书舍人	《宋史》卷354《陆蕴传》
33	陈过庭	礼部侍郎	《宋史》卷353《陈过庭传》
34	何桌	知遂宁府	《宋史》卷353《何桌传》
35	许翰	翰林学士	《宋史》卷363《许翰传》
36	吕好问	谏议大夫	《宋史》卷362《吕好问传》
37	曹辅	谏议大夫	《宋史》卷352《曹辅传》
38	秦桧	左司谏	《宋史》卷473《秦桧传》
39	许景衡	给事中	《宋史》卷363《许景衡传》

目次	御史中丞姓名	资序	材料来源
40	郑 珏	谏议大夫	《宋史》卷399《郑珏传》
41	张 守	起居郎兼直学士院	《宋史》卷375《张守传》
42	赵 鼎	侍御史	《宋史》卷360《赵鼎传》
43	范宗尹	中书舍人	《宋史》卷362《范宗尹传》
44	富直柔	给事中	《宋史》卷375《富直柔传》
45	沈与求	侍御史	《宋史》卷372《沈与求传》
46	辛 炳	侍御史	《宋史》卷372《辛炳传》
47	常 同	礼部侍郎	《宋史》卷376《常同传》
48	勾龙如渊	给事中	《宋史》卷380《勾龙如渊传》
49	廖 刚	给事中	《宋史》卷374《廖刚传》
50	王次翁	工部侍郎兼侍读	《宋史》卷380《王次翁传》
51	何 铸	右谏议大夫	《宋史》卷380《何铸传》
52	万俟卨	右正言	《宋史》卷474《万俟卨传》
53	罗汝楫	右谏议大夫	《宋史》卷380《罗汝楫传》
54	杨 愿	权直学士院	《宋史》卷380《杨愿传》
55	汪 勃	右谏议大夫兼侍读	《新安志》卷7《汪枢密》
56	汪 澈	侍御史	《宋史》卷384《汪澈传》
57	辛次膺	敷文阁待制	《宋会要辑稿》职官17之27
58	黄 洽	右谏议大夫	《宋史》卷387《黄洽传》
59	谢 谔	右谏议大夫兼侍讲	《宋史》卷389《谢谔传》
60	谢深甫	焕章阁待制知建康府	《宋史》卷394《谢深甫传》

从表Ⅰ中可以看出,北宋前期七十一名出任御史中丞者中,寄禄官为谏议大夫者三十八人,为给事中、六部尚书、六部侍郎者十三人,共五十一人,占总人数的百分之七十二,尤其寄禄官为谏议大夫者最多,占总人数的百分之五十四。资序为翰林学士、知开封府、知谏院、侍御史知杂事、知应天府等重要差遣者十九人,占总人数的百分之二十七,起复而用的只有彭思永一人,不足总人数的百分之一。同时,我们还可以看出,宋神宗以前,御史中丞的选任较重视资格,多以谏议大夫至六部尚书充任。神宗即位后,御史中丞多从翰林学士、知开封府、知谏院等重要差遣中选任。

元丰改制后,六部尚书、六部侍郎、给事中、谏议大夫等皆由寄禄官变为职事官,而御史中丞仍从其中选任。以上表Ⅱ所统计的六十名御史中丞中,六部尚书、六部侍郎、中书舍人等二十七人,占总人数的百分之四十五;谏议大夫、司谏、侍御史、殿中侍御史二十六人,占总人数的百分之四十三;翰林学士、权直学士院、敷文阁待制等四人,占总人数的百分之七;殿中丞、知遂宁府及由进士直接除授者三人,占总人数的百分之五。

2. 宋代御史台属官的资格与资序

宋代御史台属官主要指台院的侍御史、殿院的殿中侍御史、察院的监察御史及资序浅的御史里行等。

宋代御史台属官的资格法始于真宗天禧四年(1021年)。太祖、太宗朝,多不次用人,选任御史尚未有资格的规定。天禧四年(1021)四月,真宗下诏:"知制诰祖士衡、钱易、御史(知)杂刘烨、直龙图阁鲁宗道、冯元各于太常博士已上官举御史一人。"[①]此后,宋政府明确规定:充任御史人选者"须中行(户部与刑部)员外郎以

---

① 《宋会要辑稿》职官17之6。

下,太常博士以上"① 资格。

宋代御史资序法产生于仁宗天圣七年(1029年)。仁宗初,荐举御史尚未有资序的规定。如天圣元年(1023年),皇帝下诏:"翰林学士至三司使、知杂御史,各举太常博士以上堪充谏官、御史者以名闻。"② 天圣七年(1029年)八月,根据臣僚的建议,朝廷下令:"自今御史并举曾历知州、同判人"③。自此,荐举御史有了资序法。

宋代御史资格、资序法由严到宽,历经几次变更。天圣七年(1029年)至景祐元年(1034年),御史人选不仅资格在"中行员外郎以下,太常博士以上"④,而且资序必须是曾任成资通判⑤。由于资格、资序法太严,难以得人,景祐元年(1034年),设置了殿中侍御史里行和监察御史里行。新设御史里行的资格要求在三丞(即太常丞、秘书丞、殿中丞)以上,资序"尝历知县"⑥。庆历二年(1042年)正月,把御史的资序降为"一任通判及三丞该磨勘者"⑦。

严密的御史资格、资序法直接影响了合格御史人才的选拔。自庆历年间始,士大夫纷纷上疏,请求改革御史资格资序法。蔡襄指出:御史选任法"苛细,多不得人"⑧,存在着资格法太严,御史台长官不得荐举属官的严重弊端,并请求令中丞荐举属官,"宽其资限

---

① 司马光《传家集》卷38《乞简省举御史条约上殿札子》。
② 《长编》卷100,天圣元年四月丁巳。
③ 《长编》卷108,天圣七年八月戊戌。
④ 叶梦得《石林燕语》卷1。
⑤ 《长编》卷145,庆历三年十一月辛未。
⑥ 《长编》卷114,景祐元年四月癸丑。
⑦ 《长编》卷135,庆历二年正月癸亥。
⑧ 杨士奇《历代名臣奏议》卷165《选举》。

之格"①。包拯请求复置御史里行②。对改革御史选任法设想比较全面的是欧阳修,其改革方案主要有以下几项。

第一,荐举御史"当先择举主",只令中丞或朝廷特选举主。

第二,荐举御史,"不限资考,惟择才堪者为之"。

第三,用"御史里行之职,以待资浅之人"。

第四,制订"连坐举主,重为约束"法,"以防伪滥"③。

欧阳修的这些改革方案,庆历三年(1043年)上疏仁宗后,如石沉大海。英宗朝,御史资格资序法仍很严密,三院御史在太常博士已上,"曾历任一任通判","或历通判一年已上"④ 中选任。

王安石变法时期,对御史选任法进行了一次较大的改革。其改革的主要措施有以下几项。

其一,"御史有阙,委中丞奏举"。

其二,荐举御史,"不拘职高下"。

其三,如果举主"所举非其人,令言事官觉察闻奏"⑤。

以上这些改革命令下达后,御史中丞吕公著依新令所荐举的御史里行张戬、王子韶"皆京官也"⑥。熙宁三年(1070年)四月,王安石破格提拔拥护新法的幕职官李定为权监察御史里行⑦,知制诰宋敏求、李大临、苏颂等人相继封还辞头,不草李定制诰。神宗罢去了他们的知制诰职务。五月,蔡延庆遂草李定的权监察御史里行

---

① 赵汝愚《宋名臣奏议》卷51,蔡襄《上仁宗乞令中丞举属官宽限资限》。
② 包拯《包孝肃奏议集》卷3《请复御史里行》。
③ 欧阳修《文忠集》卷101《论台官不当限资序考札子》。
④ 《宋会要辑稿》职官17之7。
⑤ 《宋会要辑稿》职官17之8。
⑥ 吕祖谦《类编皇朝大事纪讲义》卷16《罢中丞贬御史》。
⑦ 《长编》卷210,熙宁三年四月己卯。

制文①。

王安石对御史选任制度的改革,遭到了反变法派的强烈反对,侍御史刘琦上疏说:"近又睹中书札子,今后御史中丞独举台官,不拘官职高下。此亦安石之谋也,不过引用门下之人置台中,为己之助耳。己之有过,彼则不言,此得为朝廷之福乎?"② 吏部郎中刘述也攻击新的御史选任法云:荐举御史"专委中丞,则爱憎在于一己,若一一得人,犹不至生事,万一非其人,将受权臣属托,自为党援,不附己者,得以中伤,谋孽诬陷,其弊不一。"③ 胡宗愈对李定为权监察御史里行更是大为不满,他说:今李定以幕职,不以荐举而得任御史,"是殆一出执政意,即大臣不法,谁复言之?"④ 王安石依靠神宗的支持,顶住了反对派的猛烈攻击。

元祐更化时,高太后等人又重新制订了御史资格、资序法。元祐三年(1088年)六月,哲宗下诏:"殿中侍御史、监察御史以升朝官通判资序实历一年以上人充。"⑤ 元祐五年(1090年)五月,御史中丞苏辙上疏说:"士自选人改官,经两任知县、一年通判,若稍有才名者,多为朝廷擢用,其馀碌碌无取,难以复堪台官。"⑥ 他请求放宽御史资序法,具体措施是:今后荐举御史,"举升朝官初任朝通判以上或第三任知县、通判以上及知县人所举各半,从圣意选择。"⑦ "若谓知县资浅,乞依尚书侍郎例,许权监察御史,所贵稍存

---

① 《长编》卷211,熙宁三年五月癸卯。
② 杨士奇《历代名臣奏议》卷176《去邪》。
③ 《宋史》卷321《刘述传》。
④ 《宋史》卷318《胡宿传附胡宗愈》。
⑤ 《长编》卷412,元祐三年六月癸未。
⑥ 苏辙《栾城集》卷45《乞改举台官法札子》。
⑦ 《长编》卷442,元祐五年五月壬辰。

祖宗故事"①。高太后对苏辙的上疏视若罔闻。同年七月,苏辙又一次请求依谏官例,放宽御史资序法,高太后仍不予理睬。

南宋御史资序法逐渐放宽。绍兴二年(1132年)十二月,高宗下诏:"今后台谏官并举未升朝官以上,不拘资序。"② 绍兴十一年(1141年),胡汝明以粮料院除监察御史,遂迁侍御史。此后,检鼓院、粮料院、诸军诸司、审计司、官告院、都进奏院等"六院弥重,号为察官之储矣。"③ 乾道二年(1166年)三月,孝宗明确规定:"县令非两任,毋除监察御史。"④袁说友对这项制度大加赞赏。他说:"盖州县之官皆谙历民事之久,其利与害又前日之所备闻者,彼一旦有能言之隙,而陛下更责以爱民之事,将有竭诚罄虑,尽思其所以在民者以为说。一说行则一利在民,一利兴则天下受赐。"⑤需要指出的是,"县令非两任毋除监察御史"的资序法仅限于荐举选任方式,皇帝亲擢则不计资序。如淳熙八年(1181年)孝宗下诏:"新权发舒州王蔺两经奏对,鲠亮敢言,朕甚嘉之,虽不曾作县,特除监察御史"⑥,即是一例。

御史资格、资序法的出现,标志着宋代御史选任制度的完备。选任御史要求实历通判或知县,有利于保证御史的政治素质。但是,资序法太严,却又影响了合格御史人才的选拔。王安石变法时期,以"资深者入三院,资浅者为里行"⑦ 的改革措施,既注意了御史的资序,又有利于合格御史人才的选拔,因此是值得称道的。

① 苏辙《栾城集》卷45《乞改举台官法札子》。
② 《宋会要辑稿》职官17之33。
③ 《建炎以来朝野杂记·甲集》卷10《六院官》。
④ 《宋史》卷33《孝宗一》。
⑤ 袁说友《东塘集》卷8《论臣职当先民事》。
⑥ 《宋会要辑稿》职官55之25。
⑦ 叶梦得《石林燕语》卷9。

（三）宋代御史的文化修养和政治品德

宋代选任御史已比较重视文化修养。大中祥符四年（1011年）以后，朝廷已把"文学优长"① 作为选任御史的一个重要条件。同时，还明确规定："以荫补入仕"者不能充任御史差遣②，"遇庆恩不得以他官转入"③御史。因此，御史不得不与科举结下不解之缘。下面仅以御史中丞为例，考察一下宋代御史的文化修养情况。

---

① 《宋大诏令集》卷161《令两省、御史台不得以它官转入诏》。
② 《宋会要辑稿》职官55之17。
③ 孙逢吉《职官分纪》卷14《御史台》。

宋代太祖至哲宗七朝御史中丞文化修养一览表

朝代	目次	御史中丞姓名	文化修养	材料来源
太祖朝 3人	1	边归谠	自幼擅长儒学	《宋史》卷262《边归谠传》
	2	刘温叟	七岁能属文,善楷隶	《宋史》卷262《刘温叟传》
	3	边光范	有吏材	《宋史》卷262《边光范传》
太宗朝 11人	1	侯陟	举明经	《宋史》卷270《侯陟传》
	2	滕中正	举进士不第	《宋史》卷276《滕中正传》
	3	刘保勋	习刑名之学,颇工诗	《宋史》卷276《刘保勋传》
	4	辛仲甫	少好学,能吏事	《宋史》卷266《辛仲甫传》
	5	赵昌言	太平兴国三年举进士	《宋史》卷267《赵昌言传》
	6	张宏	太平兴国二年举进士	《宋史》卷267《张宏传》
	7	李巨源	不详	
	8	王化基	太平兴国举进士	《宋史》卷266《王化基传》
	9	朱昌龄	不详	
	10	李昌龄	太平兴国举进士	《宋史》卷287《李昌龄传》
	11	许骧	进士甲科	《宋史》卷277《许骧传》
真宗朝 16人	1			
	2	李惟清	以三史解褐涪陵尉	《宋史》卷267《李惟清传》
	3	张咏	太平兴国五年进士	《宋史》卷293《张咏传》

朝代	目次	御史中丞姓名	文化修养	材料来源
真宗朝16人	4	赵昌言	太平兴国举进士	《宋史》卷267《赵昌言传》
	5	宋太初	太平兴国三年进士	《宋史》卷277《宋太初传》
	6	温仲舒	太平兴国二年进士	《宋史》卷266《温仲舒传》
	7	吕文仲	举进士	《宋史》卷296《吕文仲传》
	8	王嗣宗	开宝八年登进士甲科	《宋史》卷287《王嗣宗传》
	9	冯拯	举进士	《宋史》卷285《冯拯传》
	10	张知白	中进士第	《宋史》卷310《张知白传》
	11	凌策	雍熙二年举进士	《宋史》卷307《凌策传》
	12	赵安仁	雍熙二年登进士	《宋史》卷287《赵安仁传》
	13	马亮	举进士	《宋史》卷298《马亮传》
	14	李虚己	中进士第	《宋史》卷300《李虚己传》
	15	魏庠	不详	
仁宗朝32人	161	薛映	进士及第	《宋史》卷305《薛映传》
	2	薛奎	举进士为州第一	《宋史》卷286《薛奎》
	3	王臻	举进士中第	《宋史》卷302《王臻传》
	4	刘筠	校太清楼书擢第一	《宋史》卷305《刘筠传》
	5	程琳	举服勤辞学科	《宋史》卷288《程琳传》
	6	李及	举进士	《宋史》卷298《李及传》
	7	晏殊	同进士出身	《宋史》卷311《晏殊传》
	8	王晦叔	中进士第	《宋史》卷286《王曙传》
	9	王随	登进士甲科	《宋史》卷311《王随传》

第二章 宋代御史制度

朝代	目次	御史中丞姓名	文化修养	材料来源
仁宗朝32人	10	蔡　齐	举进士第一	《宋史》卷286《蔡齐传》
	11	范　讽	举进士第	《宋史》卷304《范正辞传附范讽》
	12	孔道辅	进士及第	《宋史》卷297《孔道辅传》
	13	韩　亿	举进士	《宋史》卷315《韩亿传》
	14	李仲容	举进士甲科	《宋史》卷262《李涛传附》
	15	杜　衍	进士甲科	《宋史》卷310《杜衍传》
	16	张　观	中服勤辞学科擢第一	《宋史》卷292《张观传》
	17	柳　植	举进士甲科	《宋史》卷294《柳植传》
	18	贾昌朝	同进士出身	《宋史》卷285《贾昌朝传》
	19	王拱辰	举进士第一	《宋史》卷318《王拱辰传》
	20	张方平	举茂才异等，又中贤良方正	《宋史》卷318《张方平传》
	21	郭　劝	举进士	《宋史》卷297《郭劝传》
	22	高若讷	进士及第	《宋史》卷288《高若讷传》
	23	鱼周询	举进士中第	《宋史》卷302《鱼周询传》
	24	杨　察	举进士甲科	《宋史》卷295《杨察传》
	25	田　况	举进士甲科	《宋史》卷292《田况传》
	26	王举正	进士及第	《宋史》卷266《王化基传附》
	27	孙　抃	中进士甲科	《宋史》卷292《孙抃传》
	28	张　昇	举进士	《宋史》卷318《张昇传》
	29	包　拯	举进士	《宋史》卷316《包拯传》
	30	韩　绛	举进士甲科	《宋史》卷315《韩绛传》

朝代	目次	御史中丞姓名	文化修养	材料来源
英宗朝4人	31	赵 概	中进士第	《宋史》卷318《赵概传》
	32/1	王 畴	中进士第	《宋史》卷291《王博文传附》
	2	唐 介	擢第	《宋史》卷316《唐介传》
	3	贾 黯	擢进士第一	《宋史》卷302《贾黯传》
神宗朝16人	4/1	彭思永	第进士	《宋史》卷320《彭思永传》
	2	王 陶	第进士	《宋史》卷329《王陶传》
	3	司马光	中进士甲科	《宋史》卷336《司马光传》
	4	滕 甫	中进士	《宋史》卷332《滕元发传》
	5	吕 诲	进士登第	《宋史》卷321《吕诲传》
	6	吕公著	登进士第	《宋史》卷336《吕公著传》
	7	韩 维	进士	《宋史》卷315《韩维传》
	8	冯 京	举进士	《宋史》卷317《冯京传》
	9	杨 绘	进士上第	《宋史》卷322《杨绘传》
	10	邓 绾	举进士	《宋史》卷329《邓绾传》
	11	邓润甫	第进士	《宋史》卷343《邓润甫传》
	12	蔡 确	第进士	《宋史》卷471《蔡确传》
	13	李 定	登进士	《宋史》卷329《李定传》
	14	徐 禧	博览周游以求古今之事变、风俗利疚,不事科举	《宋史》卷334《徐禧传》
	15	舒 亶	试礼部第一	《宋史》卷329《舒亶传》
	16/1	黄 履	举进士	《宋史》卷328《黄履传》

第二章 宋代御史制度

朝代	目次	御史中丞姓名	文化修养	材料来源
宋哲宗朝12人	2	刘挚	擢甲科	《宋史》卷340《刘挚传》
	3	傅尧俞	不满二十岁中进士	《宋史》卷341《傅尧俞传》
	4	胡宗愈	举进士甲科	《宋史》卷318《胡宿传附》
	5	孙觉	登进士第	《宋史》卷344《孙觉传》
	6	李常	擢第	《宋史》卷344《李常传》
	7	梁焘	举进士中第	《宋史》卷342《梁焘传》
	8	苏辙	年十九，与兄轼同登进士	《宋史》卷339《苏辙传》
	9	赵君锡	登进士第	《宋史》卷287《赵安仁传附》
	10	郑雍	进士甲科	《宋史》卷342《郑雍传》
	11	李之纯	登进士第	《宋史》卷344《李之纯传》
	12	邢恕	登进士第	《宋史》卷471《邢恕传》

从上表可以看出，太祖朝充任御史中丞者三人，其中二人具有初等文化水平；太宗朝充任御史中丞者十一人，其中史书记载不详者二人，其余九名中，五名进士出身，一名诸科，三名不由科第；真宗朝御史中丞十六人，其中史书记载不详者一人，其余十五人，全部出身科第（十四名进士，一名诸科）；仁宗朝御史中丞三十二人，全部出身科第或馆阁，其中进士和同进士出身者二十八人，诸科三人，馆阁出身者一人；英宗朝御史中丞四人，全部为进士出身；神宗朝御史中丞十六人，其中十五人出身科第（进士十四人，诸科一人）；哲宗朝御史中丞十二人，全部为进士出身。此七朝充任御史中丞者共九十四人，其中进士出身者七十七名，占总人数的百分之八十二；诸科五名，占总人数的百分之五；不由科第和史书记载不详者十二名，仅占总人数的百分之十三，而且不由科第者中，大部分

也是"能文"、"工诗"或"习刑名之学",只是由于其他原因未获功名,有的根本就不愿事科举,如神宗朝的徐禧,"博览周游以求古今事变、风俗利疚,不事科举",而他们的实际文化修养并不差。南宋时,非进士出身者为御史,朝廷多赐其进士出身。如绍兴二年(1132年)十一月,高宗赐新除殿中侍御史曾统为进士出身①。

宋代选任御史不仅重视文化修养,而且还比较注意符合封建统治需要的政治品德。大中祥符四年(1011年)八月,宋政府规定:御史须"政治尤异者,乃特除拜"②。皇祐三年(1051年),仁宗明确指出:"必用忠厚淳直、通世务、明治体者"充任御史人选,自此,凡诏令荐举御史,必须把这一规定写在敕令上③。

宋代"御史之道,惟赃为最重"④,御史人选必须"自来别无赃滥"⑤,如果查出御史有赃滥罪者,举主要连坐。如太宗时,"膳部郎中侍知史知杂事滕中正责本曹员外郎",其原因是他所荐举的监察御史张白"坐知蔡州日假贷官钱三百贯,籴粟麦居以射利,弃市,中正坐荐(张)白故也"⑥。

宋代充任御史人选者,还要具有"刚明果敢"⑦,"公忠鲠切"⑧的品质。所谓"刚明果敢",即刚直不阿,遇事敢言。"公忠、鲠切"即忠于朝廷,言事鲠切,如果本人性格"温和软懦,无刚鲠敢言之

---

① 《皇宋中兴两朝圣政》卷12,绍兴二年十一月乙亥。
② 《长编》卷76,大中祥符四年八月丙辰。
③ 《长编》卷171,皇祐三年十月乙巳。
④ 陈次升《谠论集》卷3《奏弹钱遹第一状》。
⑤ 胡宿《文恭集》卷8《举台官状》。
⑥ 《宋会要辑稿》职官64之2。
⑦ 王安中《初寮集》卷3《辞御史中丞》。
⑧ 袁甫《蒙斋集》卷2《轮对札子》。

才"① 而充任御史,是要遭到非议的。但到了南宋末年,贾似道最"忌台谏言事",御史"悉用庸懦易制者为之"②,宋代御史选任法至此大隳。

(四) 宋代选任御史回避法

回避法在宋代任官制度中普遍存在,但由于御史职任"号为雄峻",因而回避的对象又有其不同于一般官僚的特殊性。

宰执是宋代选任御史回避的首要对象。宋代宰相和执政统称宰执。为保障御史有效地监察宰执,宋代对御史的选任是十分慎重的,并对御史的条件和任职作了两项规定:1.选任御史"若系执政之亲,不以有无服纪,并不除授"③。换句话说,宋代执政的亲属,不论关系亲疏,皆不能充任御史人选。2.凡新的宰执上任,若"有亲戚及尝被荐引者见为台臣,则皆他徙"④。也就是说,凡新宰相或执政上任,现任御史中如果有其亲戚或曾荐举者,一律要改授其他差遣。根据这一规定,凡应该回避的御史,必须上疏请求回避,若皇帝同意,则改授此人其他职务,如果皇帝认为不必回避,则须下不回避之诏。

宋代选任御史回避宰执法是仁宗时制订的。庆历新政失败后,统治阶级内部的矛盾更为尖锐。宋仁宗为了防范宰执控制台谏,于庆历四年(1044年)八月下诏:"自今除台谏官,毋得用见任辅臣所荐之人。"⑤十余年后,御史中丞包拯请求皇帝"推心于大臣",嘉祐四年(1059年)仁宗"内降手诏",废除了"见任辅臣所荐之人"不能

---

① 《苏舜钦集》卷11《诣匦疏》。
② 《宋季三朝政要》卷4,咸淳二年春记事。
③ 陈次升《谠论集》卷4《奏弹陈祐》。
④ 洪迈《容斋三笔》卷14《亲除谏官》。
⑤ 《长编》卷151,庆历四年八月戊午。

为御史的规定①。宋英宗以后,御史回避宰执法又得以恢复。靖康元年(1126年)四月,钦宗又下诏强调:"台谏者,天子耳目之臣,宰执不当荐举。"② 历南宋一代,御史回避宰执法行而不废。

御史台内部长官与属官之间避亲嫌,是宋代御史回避法的第二项内容。为了防止御史台长官与其属官结党营私,宋代还制订了御史台内部避亲嫌法。其法规定:凡新的御史台台长上任,其属官中有与新台长亲嫌者,必须上疏请求另改差遣以回避。天禧二年(1018年),赵安仁出任御史中丞后,侍御史知杂事吕夷简因与赵安仁有亲戚关系而请求回避。真宗改授吕夷简为同勾当通进银台司兼门下封驳事,以"避嫌也"③。如果御史台长官和属官有亲嫌隐瞒不报,一旦被皇帝发现,即要受到惩罚。宝元二年(1039年)孔道辅出任御史中丞,侍御史王素的嫂嫂是孔道辅的同族女,王素隐瞒了此事,没有上疏请求回避。同年十二月,仁宗知道后,大为恼火,下诏降侍御史王素为都员外郎知鄂州④。

御史与谏官之间避亲嫌,是宋代御史回避法的内容之三。宋代御史与谏官同居言职,御史能规谏皇帝,谏官也可以监察百官,其职能相互混淆。为防止御史与谏官结党营私,因此御史与谏官之间也要避亲嫌。如靖康元年(1126年)五月,新除授的右正言许景衡是御史中丞陈过庭的堂妹夫,陈过庭请求回避,宋钦宗改许景衡为太常少卿⑤。

宋代御史回避法的制订与推行,对当时的政治起到了一定的

---

① 《宋会要辑稿》职官17之7。
② 《宋会要辑稿》职官3之56。
③ 《宋会要辑稿》职官63之1。
④ 《宋会要辑稿》职官64之39。
⑤ 《宋会要辑稿》职官63之11。

作用和影响。

第一，宋代御史回避法的出台，有利于切断监察权与行政权的裙带关系，以加强封建统治。在中国封建社会里，宰相是"一人之下，万人之上"的最大官僚，居中央政府之首位，掌有"事无不统"的大权。唐代及其以前，在制度上，御史虽是百官的监察者，但由于宰相控制着御史的选任权，因而在实际生活中，御史对宰相并不能施行有效的监察。宋代不仅对御史的选任条件和方式作了明文规定，而且还制订了御史回避宰执法。这些做法不但切断了监察权与行政权的裙带关系，完备了中国古代的监察制度，而且对封建统治的加强也是有其作用的。

第二，宋代御史回避法的制订与推行，有利于制约相权膨胀，维护皇权的相对稳定。宰相权力的膨胀，直接威胁着皇权的相对稳定，历代封建皇帝无不千方百计地削弱宰相权力。宋代御史回避宰执法的制订与推行，有利于加强对宰相的监察，制约相权的膨胀，维护皇权的相对稳定。两宋时期，特别是北宋一代，皇权的相对稳定与御史回避法的推行是分不开的。宋仁宗朝"议者讥宰相但奉台谏风旨"①局面的形成和御史回避宰执法的推行也有密切关系。在北宋后期激烈的党争中，御史回避宰执法的作用更为重要。元丰八年（1085年）三月，神宗死后，高太后根据宰执吕公著、司马光等人的旨意，任命了一批反变法派为台谏，准备向变法派反攻倒算。新任命的台谏官中范纯仁、范祖禹与宰执吕公著、韩缜、司马光有亲嫌，知枢密院事章惇以御史回避法为武器，和司马光等人展开了一场斗争。《长编》卷三六〇，元丰八年十月丁丑记载了这场斗争的过程：

> 惇曰："台谏所以纠执政之不法，故事，执政初除，亲戚及

---

① 苏轼《东坡全集》卷51《上皇帝书》。

> 所举之人见为台谏官,皆徙他官。今皇帝幼冲,太皇太后同听万机,当动循故事,不可违祖宗法"。
>
> 光曰:"不可以臣故,妨贤者进,臣宁避位。"
>
> 惇曰:"缜、光、公著必不至有私,万一他日有奸臣执政援此例引亲戚及所举者居台谏,蔽塞聪明,非国之福。"

高太后无可奈何,只得改授了范纯仁、范祖禹等人的差遣。南宋晁公武对章惇坚持御史回避法给予了公正的评价。他说:"窃见庆历中诏,自今台官毋得用见任辅臣所荐之人;至嘉祐四年诏,自来大臣所荐者不得为台官条约除之;两者具载国书。哲宗初政,中旨除范纯仁、苏辙为谏官,皆大臣吕公著、司马光等人所荐,盖用嘉祐诏也。于是章惇曰:故事,执政除,所荐之人见为台谏者皆徙他官,不可违祖宗法,盖引庆历诏也。议者谓公著、光虽贤,其事不可悉从,惇虽奸,其言不可尽弃。"①

第三,宋代御史回避法的出台,有利于维护封建的伦理纲常。御史是宋代宰执的直接监察者,充任御史者若是宰执的亲属、亲戚或荐举者,遇到宰执的违法行为,御史便十分为难,"若以亲而不言,则负国;舍亲而言则伤恩。"②无论弹劾与不弹劾都违背了封建的伦理纲常。宋代御史回避法的制订,解决了这一矛盾,使御史"弹击之际无所顾避,而得尽公议也。"③

第四,宋代御史回避法的制订与推行,有利于防范朋党弊端。在中国封建社会里,朋党的滋生,影响了君主专制的发展。为防止朋党滋生,历代统治者无不采取种种措施,以铲除滋生朋党的土壤。宋代御史回避法的制订与实行,有利于防范御史台内部长官与

---

① 《宋会要辑稿》职官17之21、17之22。
② 陈次升《谠论集》卷4《奏弹陈祐》。
③ 《长编》卷415,元祐三年十月甲申。

属官之间,御史与谏官之间裙带相依,滋生朋党。

列宁指出:"在分析任何社会问题时,马克思主义理论的绝对要求,就是要把问题提到一定的历史范围之内。"① 对宋代御史回避法的评价也必须遵循这一理论。在中国封建社会里,皇帝的意志超越法律,宋代虽制订了御史回避法,但在实际政治生活中,御史回避不回避宰执,并不完全秉法办事,而往往是皇帝一言定夺。如元丰二年(1079年),蔡确为参知政事,他请求将其昔日为御史中丞时所荐举的现任御史何正臣、黄颜等二人改授其他差遣,宋神宗下诏:"不回避。"②又如靖康元年(1126年)四月,唐恪为中书侍郎,而其本宗兄唐恕为监察御史,唐恪上疏请求回避,宋钦宗却不让回避③。再如绍兴十七年(1147年)九月,王之望出任执政,他所荐举的监察御史王稽中请求回避,宋高宗也下诏:"不回避。"④透过这些不回避的现象可以看出,封建法制对皇帝来说,是没有什么约束力的。因此,对宋代御史回避法积极作用的评价,必须作历史的阶级的分析。

二、宋代御史的升迁制度

(一)升迁的时间

宋代御史台台长御史中丞的任期,在制度上没有明确的规定。其任期时间长短受统治阶级内部斗争影响较大。宋太祖朝,御史中丞的任期较长,如刘温叟出任御史中丞达十二年之久⑤。宋太宗以

---

① 《列宁选集》卷2,第512页。
② 《长编》卷300,元丰二年九月丁酉。
③ 《宋会要辑稿》职官63之11。
④ 《宋会要辑稿》职官17之34。
⑤ 吕祖谦《类编皇朝大事纪讲义》卷2《中丞久任》。

后,御史中丞的任期逐渐缩短。北宋后期,党争激烈,御史中丞任期更短。尤其是元祐更化八年间,相继有十二人出任中丞,今据《长编》对他们的任职情况列表作一考察。

元祐更化时期御史中丞任职时间表

目次	御史中丞姓名	任职起止时间	任职总时间
1	黄　履	元祐元年正月至元祐元年二月	2个月
2	刘　挚	元祐元年二月至元祐元年十一月	9个月
3	傅尧俞	元祐元年十一月至元祐二年五月	6个月
4	胡宗愈	元祐二年五月至元祐三年四月	11个月
5	孙　觉	元祐三年四月至元祐三年九月	5个月
6	李　常	元祐三年九月至元祐四年五月	8个月
7	傅尧俞	元祐四年五月至元祐四年十月	5个月
8	梁　焘	元祐四年十月至元祐五年五月	7个月
9	苏　辙	元祐五年五月至元祐六年二月	9个月
10	赵君锡	元祐六年二月至元祐六年八月	6个月
11	郑　雍	元祐六年八月至元祐七年六月	10个月
12	李之纯	元祐七年六月至元祐八年十二月	18个月

据上表可知,元祐更化时期,御史中丞任职时间最长者十八个月,短者仅有二个月,平均任职时间八个月。

宋代御史台属官的升迁时间,一般为三年或者二年。乾德四年(966年)八月,宋太祖下诏:"自知杂御史、郎中、少卿以下本司莅事满三岁迁其秩。"① 把御史台属官的转迁时间定为三年。大中祥符九年(1016年)二月,宋真宗诏令:"三院御史旧三年为满者,自今在台供职并止二年"②,把三院御史升迁的时间由三年改为二年。宋徽宗时,御史台属官迁转时间又恢复为三年。崇宁元年(1102年)七月皇帝诏令:"省、台、寺、监及监司郡守并以三年为成任。"③崇宁三年(1104年),北宋政府又重审了御史台等官的三年转迁制,其令云:"今后省、台、寺、监官并牧守监官依崇宁元年七月三日手诏,并以三年为任,如未成资已上非缘事故,不得辄有移替。"④南宋中兴以后,御史转迁的时间又由三年改为二年。绍兴六年(1136年)春,宋高宗"命省、台、寺、监及监司守令居职及二年者,许更迭出入除擢"⑤。

(二) **升迁去向**

宋代御史中丞任职后,多升迁为执政。元祐元年(1086),吕公著曾说:"国朝自中丞入二府者,如贾昌朝、张升、赵概、冯京等例甚多。"⑥南宋人洪迈进一步总结说:"国朝除用执政,多从三司使、翰林学士、知开封府、御史中丞进拜,俗呼为'四入头'。"⑦ 宋人的这些总结为我们探讨御史中丞的升迁去向提供了很有价值的资料。为深入研究宋代御史中丞的升迁去向,特列下表进行考察。

---

① 《长编》卷7,乾德四年八月壬寅;又见江少虞《宋朝事实类苑》卷28《官制仪制》。
② 《宋会要辑稿》职官17之5。
③ 《宋史》卷19《徽宗一》;《宋大诏令集》卷162《省台寺监牧守监司以三年为任诏》。
④ 《宋会要辑稿》职官56之26。
⑤ 《宋史》卷28《高宗五》。
⑥ 徐自明《宋宰辅编年录》卷9,元祐元年十一月戊午。
⑦ 洪迈《容斋续笔》卷3《执政四入头》。

宋代御史中丞升迁去向表

目次	御史中丞姓名	升迁去向	材料来源
1	辛仲甫	拜给事中、参知政事	《宋史》卷266《辛仲甫传》
2	赵昌言	除枢密副使	《宋宰辅编年录》卷2
3	张 宏	枢密副使	《宋史》卷267《张宏传》
4	王化基	知河南府	《宋史》卷266《王化基传》
5	李昌龄	参知政事	《宋史》卷287《李昌龄传》
7	吕文仲	翰林学士	《宋史》卷296《吕文仲传》
7	王嗣宗	权判吏部铨	《宋史》卷287《王嗣宗传》
8	张知白	参知政事	《宋史》卷310《张知白传》
9	程 琳	知开封府	《宋史》卷288《程琳传》
10	王 曙	参知政事	《宋史》卷286《王曙传》
11	王 随	翰林侍读学士	《宋史》卷311《王随传》
12	蔡 齐	拜枢密副使	《宋史》卷286《蔡齐传》
13	范 讽	龙图阁直学士、权三司使	《宋史》卷304《范正辞传附》
14	韩 亿	同知枢密院事	《宋史》卷315《韩亿传》
15	杜 衍	改知审官院	《宋史》卷310《杜衍传》
16	张 观	同知枢密院事	《宋史》卷292《张观传》
17	贾昌朝	参知政事	《宋史》卷285《贾昌朝传》
18	王拱辰	权三司使	《宋史》卷318《王拱辰传》
19	赵 概	枢密副使	《宋史》卷211《宰辅二》

目次	御史中丞姓名	升迁去向	材料来源
20	张方平	改三司使	《宋史》卷318《张方平传》
21	高若讷	枢密使	《宋史》卷288《高若纳传》
22	田况	权三司使	《宋史》卷292《田况传》
23	王举正	知河南府	《宋史》卷266《王化基传附》
24	孙抃	翰林承旨兼侍读学士	《宋史》卷292《孙抃传》
25	张昪	擢枢密副使	《宋史》卷318《张昪传》
26	包拯	三司副使	《宋史》卷316《包拯传》
27	韩绛	参知政事	《宋史》卷315《韩绛传》
28	王畴	迁翰林学士数月拜枢密副使	《宋史》卷291《王博文传附》
29	司马光	翰林学士兼侍读学士	《长编拾补》卷2,治平四年九月癸卯
30	滕元发	翰林学士、知开封府	《宋史》卷332《滕元发传》
31	韩维	知开封府	《宋史》卷315《韩维传》
32	冯京	枢密副使	《长编》卷213,熙宁三年七月壬辰
33	邓润甫	翰林学士	《宋史》卷343《邓润甫传》
34	蔡确	参知政事	《宋史》卷471《蔡确传》
35	黄履	翰林学士兼侍讲	《长编》卷365,元祐元年三月癸亥
36	刘挚	尚书右丞	《宋史》卷17《哲宗一》
37	傅尧俞	拜中书侍郎	《宋史》卷341《傅尧俞传》
38	胡宗愈	拜尚书中右丞	《宋史》卷318《胡宿传附》
39	梁焘	权户部尚书	《长编》卷442,元祐五年五月庚寅

目次	御史中丞姓名	升迁去向	材料来源
40	苏 辙	尚书右丞	《长编》卷455,元祐六年二月辛卯
41	赵君锡	天章阁待制、吏部尚书	《长编》卷464,元祐六年八月乙未
42	郑 雍	尚书右丞	《宋史》卷17《哲宗一》
43	丰 稷	工部尚书兼侍读	《宋史》卷321《丰稷传》
44	赵挺之	吏部尚书	《宋史》卷351《赵挺之传》
45	朱 谔	兵部尚书	《宋史》卷351《朱谔传》
46	余 深	因附蔡京而为执政	《宋史》卷352《余深传》
47	吴执中	迁礼部尚书	《宋史》卷356《吴执中传》
48	张克公	吏部尚书	《宋史》卷348《石公弼传附》
49	俞 㮚	改翰林学士迁兵部尚书	《宋史》卷354《俞㮚传》
50	王 黼	进翰林学士	《宋史》卷470《王黼传》
51	蒋 猷	迁兵部尚书	《宋史》卷363《蒋猷传》
52	王安中	迁翰林学士	《宋史》卷352《王安中传》
53	陈过庭	进礼部尚书	《宋史》卷353《陈过庭传》
54	许 翰	同知枢密院	《宋史》卷363《许翰传》
55	曹 辅	签书枢密院事	《宋史》卷352《曹辅传》
56	秦 桧	礼部尚书	《宋史》卷473《秦桧传》
57	许景衡	尚书右丞	《宋史》卷363《许景衡传》
58	张 澄	尚书右丞	《宋史》卷25《高宗二》
59	张 守	迁翰林学士	《宋史》卷375《张守传》
60	赵 鼎	签书枢密院事	《宋史》卷360《赵鼎传》

第二章 宋代御史制度

目次	御史中丞姓名	升迁去向	材料来源
61	范宗尹	参知政事	《宋史》卷25《高宗二》
62	富直柔	签书枢密院事	《宋史》卷375《富直柔传》
63	沈与求	吏部尚书 兼权翰林学士兼侍读	《宋史》卷372《沈与求传》
64	廖刚	工部尚书	《宋史》卷374《廖刚传》
65	何铸	签书枢密院事	《宋史》卷380《何铸传》
66	万俟卨	参知政事	《宋史》卷474《万俟卨传》
67	李文会	签书枢密院事 兼权参知政事	《宋史》卷30《高宗七》
68	罗汝楫	吏部尚书	《新安志》卷7《先君尚书》
69	魏师逊	签书枢密院事 兼权参知政事	《宋史》卷31《高宗八》
70	杨愿	签书枢密院事 兼参知政事	《宋史》卷380《杨愿传》
71	何若	签书枢密院	《宋史》卷30《高宗七》
72	余尧弼	签书枢密院事 兼权参知政事	《宋史》卷30《高宗七》
73	汪勃	签书枢密院事 兼权参知政事	《新安志》卷7《汪枢密》
74	汤鹏举	参知政事	《宋史》卷31《高宗八》
75	宋朴	签书枢密院事 兼权参知政事	《宋史》卷30《高宗七》
76	章复	签书枢密院 兼权参知政事	《宋史》卷30《高宗七》
77	汪澈	参知政事	《宋史》卷384《汪澈传》

目次	御史中丞姓　名	升迁去向	材料来源
78	黄洽	参知政事	《宋史》卷387《黄洽传》
79	辛次膺	同知枢密院事	《宋史》卷383《辛次膺传》
80	谢谔	权工部尚书	《宋史》卷389《谢谔传》
81	谢深甫	签书枢密院事	《宋史》卷394《谢深甫传》
82	何澹	同知枢密院事	《宋史》卷394《何澹传》
83	陈自强	签书枢密院事	《宋史》卷213《宰辅四》
84	卫泾	签书枢密院事	《两朝纲目备要》卷10，开禧三年十一月丙戌
85	章良能	同知枢密院事	《宋史》卷39《宁宗三》
86	王次翁	参知政事	《宋史》卷213《宰辅四》
87	朱倬	参知政事	《宋史》卷213《宰辅四》
88	姚宪	签书枢密院事	《宋史》卷213《宰辅四》
89	雷孝友	参知政事	《宋史》卷213《宰辅四》

从上表对宋代八十九名御史中丞升迁去向考察情况看，其中五十二名直接升入执政，占总人数的百分之五十八；其他三十七名皆转迁为翰林学士、知开封府、三司使副、六部尚书等重要职位。转迁为翰林学士、知开封府者，有的数月即迁入执政，王畴就是一例。从某种意义上说，宋代御史中丞是执政的预备队，对当时的政治起着重要作用。

宋代御史台属官的升迁去向，虽次于御史中丞，但也都升迁为中央或地方的要职。

侍御史知杂事(元丰七年二月改为侍御史)任满后多升迁为内外要职。如兼侍御史知杂事田锡擢右谏议大夫史馆修撰①。兼侍御史知杂事吕端迁户部郎中,判太常寺兼礼院②。兼侍御史知杂事龚鼎臣为集贤殿修撰知应天府③。

殿院的殿中侍御史多升迁为侍御史或左右司谏。如庆历五年(1045年)十一月,殿中侍御史刘湜升迁为礼部员外郎兼侍御史知杂事④。元祐七年(1092年)六月,殿中侍御史杨畏升迁为侍御史⑤。绍圣元年(1094年)四月,殿中侍御史来之邵迁为侍御史⑥。元丰七年(1084年)十一月,殿中侍御史蹇序辰升迁为右司谏⑦。元祐二年(1087年)殿中侍御史吕陶迁为左司谏⑧。元祐五年(1090年)九月,殿中侍御史杨康国迁为左司谏⑨。

察院监察御史的升迁去向更为广阔。正常的升迁可为殿中侍御史或左右司谏。如绍圣元年(1094年)闰四月,监察御史郭知章升迁为殿中侍御史⑩。翌年十一月,监察御史陈次升迁为殿中侍御

---

① 《宋史》卷293《田锡传》。
② 《宋史》卷281《吕端传》。
③ 《长编》卷204,治平二年二月丁巳。
④ 《长编》卷157,庆历五年十一月壬寅。
⑤ 《长编》卷474,元祐七年六月甲戌。
⑥ 《长编拾补》卷9,绍圣元年四月癸亥。
⑦ 《长编》卷350元丰七年十一月戊子。
⑧ 《长编》卷401,元祐二年五月戊辰。
⑨ 《长编》卷448,元祐五年九月丁卯。
⑩ 《长编拾补》卷10,绍圣元年闰四月辛未。

史①。元祐元年(1086年)二月,监察御史王严叟升迁为左司谏②。

御史里行的升迁去向无定制。有的升迁为御史台副台长,如元丰三年(1080年)九月,监察御史里行何正臣迁为直集贤院兼侍御史知杂事③。有的迁为监司,如监察御史里行范锷迁为权发遣提点淮南东路刑狱④。还有的迁为馆职,如权监察御史里行舒亶迁为集贤校理⑤。

宋代三院御史是通向内外要职的一个跳板。如虞策元祐五年(1090年)为监察御史,"寻擢侍御史,不历殿院,至绍圣改元移起居郎。明年遂为给事中。"⑥六年间,虞策由七品的监察御史升迁为正四品的给事中,其升迁速度之快,非它官能比。对于仅有知县资序的人来说,一旦为御史,任满解台职,则可"任省府推判官,便作转运使副"⑦,是一条最佳的仕途晋升捷径。

宋代御史的升迁受政治影响较大,尤其是南宋权臣当政,御史"有及之者,多迁官以宠之,使罢言职"⑧,"稍稍伉直者,多不得久于其职,大率优迁其官以去之。"⑨ 所以杜范总结说:御史"有不数月而出台者,有出未几而复入者,其出也,不为从臣必为卿贰;其入

---

① 《长编拾补》卷12,绍圣二年十一月辛酉。
② 《长编》卷366,元祐元年二月癸酉。
③ 《长编》卷308,元丰三年九月庚午。
④ 《长编》卷309,元丰三年闰九月壬辰。
⑤ 《长编》卷297,元丰二年三月庚午。
⑥ 方勺《泊宅编》卷中。
⑦ 《宋会要辑稿》职官17之6。
⑧ 赵汝愚《宋名臣奏议》卷52,孙觉《上哲宗乞收还给事中新命且在谏职》。
⑨ 彭龟年《止堂集》卷1《论优迁台谏沮抑忠直之弊疏》。

也，又因旧职而升之，则是台谏之官专为仕途之捷径。"① 也就是说，南宋时期由于受权相当政的影响，御史不仅更换勤，而且晋升快。

第四节 宋代对御史的监督及御史风闻言事

一、宋代对御史的监督

唐以前的御史只接受皇帝的监察，唐代时，御史弹劾不当，左右丞"兼得弹之"②。宋代对御史的监督制度有了重大发展。

从宋真宗时始，朝廷就赋予尚书省监察御史的职权。景德四年（1007年）五月，真宗下诏御史谏官，"务遵职业，无或懈慢，令尚书都省纠举之。"③同年八月，真宗又令御史台"采听声誉，不称职者，具以名闻。"④天禧二年（1018年）正月，根据御史中丞赵安仁的请求，朝廷发给三院御史御宝印纸，"历录弹奏事"⑤，依据"言者得失而殿最之"⑥。至和二年（1055年）八月，仁宗"诏中书置台谏官言事簿"⑦，台谏官"每一奏即簿上"⑧。

元丰改制后，宋政府加强了对御史的监察。元丰三年（1080年），神宗"诏御史台六察按官以所纠劾官司稽违失职事多寡为殿

---

① 杜范《清献集》卷8《殿院奏事第一札》。
② 《旧唐书》卷43《职官二》。
③ 《长编》卷65，景德四年五月乙丑。
④ 《长编》卷66，景德四年八月壬戌。
⑤ 《长编》卷91，天禧二年正月庚戌。
⑥ 《宋会要辑稿》职官55之7。
⑦ 《长编》卷180，至和二年八月己未。
⑧ 杨士奇《历代名臣奏议》卷199《求言》。

最,中书置簿以时书之,任满取旨升黜"①。元丰五年(1082年)五月,神宗又下诏:"六察如有违慢,委言事御史弹奏。"② 同年六月,神宗再次下诏:"尚书省得弹奏六察御史失职。"③ 元丰六年(1083年)正月,宋政府在尚书省内设置了"都司御史房,主行弹纠御史察案失职"④。翌年,御史房"置簿,书御史六察官纠劾之多寡当否为殿最,岁终取旨升黜"⑤。

宋代在元丰改制后设专门监察御史的机构——御史房,并置簿对御史的监督措施是前代所没有的。中国封建社会的监察制度在宋代以前,多注意御史对百官的监察,而不太重视对监察机构自身的监察。元丰改制中,宋神宗不仅注意扩大御史台的职能,加强对百官的监察,而且还特别重视对御史的监察,使行政机构与监察机构互相监察,互相牵制。这一措施有利于保持统治阶级内部的协调。

南宋仍比较重视对御史的监督。宋高宗"每除言官即置一簿,考其所言多寡"⑥。其后此制曾一度被废去。庆元元年(1195年)六月,宁宗"复置台谏言事簿,以中书省置"⑦。度宗朝因袭此制,咸淳元年(1265年)"置籍中书,记谏官、御史言事,岁终以考成绩"⑧。

宋代对御史的监察除上述措施之外,还采用御史台内部互相监察的办法,如监察御史来之邵"买倡家女为妾",御史中丞黄履弹

---

① 《宋史》卷160《选举六》。
② 《长编》卷326,元丰五年五月辛卯。
③ 《宋会要辑稿》职官17之11。
④ 《长编》卷332,元丰六年正月庚子。
⑤ 《长编》卷342,元丰七年正月壬戌。
⑥ 留正《皇宋中兴两朝圣政》卷五,建炎三年七月甲戌。
⑦ 《两朝纲目备要》卷4,庆元元年六月乙未。
⑧ 《宋史》卷46《度宗》。

"劾其污行"①。

二、宋代御史的风闻言事

御史风闻言事,在中国古代由来已久。但究竟始于何时,说法不一。宋人吴曾认为,"风闻二字,出《汉书》,尉佗曰风闻老夫父母坟已坏削。贾逵国语注曰:'风,采也,采听商旅之言',故沈约弹王源曰:风闻东海王源嫁女与富阳满氏"②。而洪迈则认为,御史风闻言事始于晋宋③。

论及宋代监察制度者,无不认为宋代"不但自始至终御史可以风闻,而且范围不受限制"④。的确,宋代文献中有不少允许御史风闻言事的记载,但是,也有"不许风闻弹奏,违者坐之"⑤的规定。以笔者拙见,宋代御史风闻言事不但有范围限制,而且有些时期还禁止短卷,要求言事须有出处。

宋太祖、太宗、真宗三朝,御史风闻言事的风气较盛。仁宗庆历以后,地主阶级内部的矛盾更为尖锐,御史风闻言事遂成为统治阶级内部相互攻讦的手段。为革除此弊,皇祐元年(1049年)正月,仁宗下诏制订了御史风闻言事的范围:"自今言事者,非朝廷得失,民间利病,毋得以风闻弹奏,违者坐之。"⑥ 这道诏令表明,皇祐元年(1049年)正月以后,御史风闻言事仅限定在朝廷得失,民间利弊

---

① 《宋史》卷355《来之邵传》。
② 吴曾《能改斋漫录》卷2《事始》。
③ 洪迈《容斋四笔》卷11《御史风闻》。
④ 龚延明、季盛清《宋代御史台述略》,《文献》1990年第1期。此外徐式圭《中国监察史略》、梁天锡《宋代台谏制度之演变》、杨树藩《宋代中央政治制度》等论著皆持此观点。
⑤ 《宋会要辑稿》仪制8之29。
⑥ 《长编》卷166,皇祐元年正月辛酉。

等方面问题。嘉祐五年(1060年)六月,仁宗再次下诏:"戒上封告讦人罪或言赦前事,及言事官弹劾小过或不关政体者。"①

南宋时,朝廷曾几次禁止短卷。所谓短卷,即台谏风闻的弹劾状纸。宋高宗以后,人们"多录事目以纳台谏,谓之短卷"②。一些心术不正者,往往借短卷诬陷无辜。为革除告讦之风,孝宗规定:"纳短卷者,罪至徒配。"③宁宗嘉定年间,朝廷又重审了"台谏不许受短卷"④ 的规定,当时不许台谏纳短卷的目的,是为了"免风闻之误"。历南宋一代,台谏言事,必须有出处,"未得出处,不叶公议"⑤。

由此可知,宋代虽允许御史风闻言事,但不仅有范围限制,而且还要求有证据可凭,如果御史言事不实,有时还要受到惩罚。如至和元年(1054年)七月,殿中侍御史马遵知宣州,殿中侍御史李景初通判江宁府,殿中侍御史里行吴中复通判虔州,皆因"言不实,故并出之"⑥。熙宁二年(1069年),御史中丞吕诲"坐言事失实,夺职降知邓州"⑦。南宋时,侍御史王伯庠"风闻失实"罢台职⑧。御史蒋继周言军中鞭死二妇事失实,也解除台职⑨,诸如宋代御史风闻言事不实而被罢贬的事例甚多,不再一一列举。

---

① 《长编》卷191,嘉祐五年六月乙丑。
②③ 黄淮、杨士奇《历代名臣奏议》卷52《治道》。
④ 吕午《左史吕公家传》。
⑤ 周辉《清波杂志》卷8。
⑥ 《宋会要辑稿》职官65之12、65之13。
⑦ 范纯仁《范忠宣奏议》卷上,《奏乞诏还吕诲》。
⑧ 留正《皇宋中兴两朝圣政》卷29,绍兴十二年五月丙戌。
⑨ 黄淮、杨士奇《历代名臣奏议》卷307《灾祥》。

本 章 小 结

综合本章所述，宋代御史制度的发展主要表现在以下几个方面。

一、宋代御史监察的层次之高，范围之广皆超过了前代。唐代及其以前，宰相控制着御史的选任权，因此，御史不能有效地监察宰相。宋代御史上可以规谏皇帝，下可以弹劾文官武将，监察的层次之高超过了前代。唐朝御史制度虽已比较健全，但还不能监察军政和宦官，特别是唐后期，宦官不仅左右朝政，而且还能废立皇帝，根本谈不上受御史的监察，这不能不是监察制度中的一个漏洞。宋代把军政和宦官机构皆置于御史的监察之列，堵塞了这一漏洞。

二、中国古代御史台的职能在秦汉主要是监察百官，唐代时有所扩大，宋代御史台不仅能监察百官、参预司法工作、监察司法部门，而且还能谏责皇帝、荐举官员、参预百官的管理工作，兼任侍讲等。其职能的广泛性为前代所仅见。

三、宋代御史的选任与升迁制度比前代更为完备。如前所述，宋代御史在选任方式、资格资序、文化修养、政治品德等方面已基本形成了一套制度，尤其是宋代选任御史回避法中的种种措施为前代所不及。

四、宋代发展了唐代的六察制度。六察制度始于唐代，当时的六察官主要是监察尚书省六部。宋代的六察官不仅能监察尚书省六部，而且还可以监察京师的一切行政机构，定时到三省、枢密院检查卷文，使六察制度更为完备。

五、宋代对御史监察制度的出现，不仅健全了中国封建社会的监察制度，同时也发展了宋代的御史制度。如本章第四节所述，宋代统治者对御史采用的种种监督措施,把监察官自身也置于被监察之中,使中国封建社会的单向监察制度变为双向互察制,这不能不是宋代御史制度的长足发展。

第三章 宋代谏官制度及台谏的合一

第一节 宋代谏官制度

我国古代谏官制度历史悠久,早在秦代就设置了"掌议论"[①]的谏议大夫。隋朝时,谏议大夫"属门下省"[②]。唐初因袭隋制,武则天垂拱年间,增设了"补阙、拾遗二官,以掌供奉讽谏"[③]。唐德宗贞元四年(788年)五月,把谏议大夫"分为左、右,各四员,右谏议大夫隶中书省"[④],左谏议大夫隶门下省。补阙和拾遗也分为左、右,左补阙、左拾遗隶门下省;右补阙、右拾遗隶中书省。

两宋时期,谏官不仅从中书省和门下省中独立出来,而且其称谓、职能和选任制度也发生了重要变化。

一、宋代谏官的变化

众所周知,北宋前期的官制中有官、职、差遣的区分,"官以寓

[①][③][④] 《通典》卷21《职官三》。
[②] 谢维新《古今合璧事类备要·后集》卷24《谏议大夫》。

禄秩，叙位著，职以待文学之选，而差遣以治内外之事"①。谏议大夫虽因袭唐朝的名称，但实际上已发生了很大变化。

北宋神宗元丰改制以前的谏议大夫不是谏官，文献中不止一次地说明了这个问题。

其一是李焘的说法："谏议大夫、司谏、正言皆须别降敕赴谏院供职者，乃曰谏官。"②

其二是吕祖谦的说法："国初，官以定俸，实不亲职，有谏议大夫、司谏、正言特以寓禄秩耳，故赴谏院者方得谏官。"③

其三是陈傅良的说法："祖宗朝虽谏议大夫以上皆带出为寄禄官，而以供职谏院者为谏官。"④

其四，林駉认为："我国初，官以定俸，实不亲职，故赴谏院者方得谏官。"⑤

其五，《宋会要辑稿》职官三之五〇载："谏院知院官六人，以两省官充，掌供奉谏诤，凡朝政阙失，大则廷议，小则上封，由他官领者带知谏院，由左右司谏、正言供职者则否；正言、司谏亦有领他职而不与谏诤者。"

其六，马端临在《文献通考》卷四十七《职官考总叙》中写道："左右谏议无言责……补阙、拾遗改为司谏、正言，而非特旨供职也不任谏诤。"

从以上所列举的六条材料中可以看出，北宋前期只有在谏院供职者，才是真正的谏官，而谏议大夫、司谏、正言皆是"寓禄秩，叙

---

① 《文献通考》卷47《职官一》。
② 《长编》卷110，天圣九年七月甲戌。
③ 吕祖谦《类编皇朝大事纪讲义》卷9《台谏》。
④ 陈傅良《止斋文集》卷2《论史官札子》。
⑤ 林駉《古今源流至论·续集》卷6《谏垣》。

位著"的寄禄官。

谏官在称谓上分两种情况：由其他官供职谏院者带知谏院，由左右司谏、正言供职谏院者则仍称左右司谏或正言。北宋前期带左右司谏或正言称谓者，并非皆是谏官，有的是谏官，有的则是寄禄官。判断某个带左右司谏或正言称谓者是不是谏官，关键要看他是否在谏院供职。在谏院供职者是谏官，否则，是寄禄官。如陈执中天圣九年（1031年）以前虽带有右正言称谓，但他不是谏官，因为他不在谏院供职。同年七月，仁宗诏令其"谏院供职"① 后，才是谏官。

北宋前期带谏议大夫称谓者，除李虚己之外②，罕有供职谏院者，皆为寄禄官，正如清朝人钱大昕所说："宋之官制前后不同，元丰以前所云尚书侍郎、给事、谏议，诸卿监郎中员外郎之属皆有其名而不任其职，谓之寄禄官，以为叙迁之阶而已。"③

元丰改制后。官复其职，谏议大夫、司谏、正言皆变为谏官，此制一直沿袭到南宋灭亡。

宋代官制复杂多变，名同实异现象比较严重，谏议大夫在北宋前期是寄禄官，而元丰改制后则变为"谏垣之长"④，即是一例。难怪司马光发议论说：国朝官、职、差遣名称繁多，"于三者之中，复有名同实异，交错难知。"⑤

其次再看宋代谏官组织结构的变化。

---

① 《长编》卷110，天圣九年七月甲戌。
② 《长编》卷93，天禧三年五月乙亥记事载：兵部员外郎龙图阁待制李虚己为右谏议大夫充职。
③ 钱大昕《潜研堂文集》卷28《跋宋史》。
④ 谢维新《古今合璧事类备要·后集》卷24《谏议大夫》。
⑤ 司马光《温国文正司马公文集》卷65《百官表总叙》。

北宋初年,谏官组织机构承袭唐代之制,隶中书、门下两省。端拱元年(988年),太宗"欲立新名",使谏官修其职,"改左右补阙为左右司谏,左右拾遗为左右正言"①。天禧元年(1017年)二月,真宗下诏:"自今两省置谏官六员"②,"增其月俸,不兼他职,每月须一员奏事,或有急务,听非时入对,及三年则黜其不胜任者"③。依照新诏令,"首擢鲁宗道与刘烨为右正言"④。天禧三年(1019年)五月,刘烨改任"判三司户部勾院"⑤,"其后员阙不补"⑥。天圣元年(1023年)八月,"孔延鲁、刘随并为左正言"⑦。自此,谏官势力逐渐强大。

宋仁宗时,谏官机构始从中书省和门下省中独立出来。天圣九年(1031年),陈执中出任谏官后,屡次上疏请求另置谏署。明道元年(1032年)七月,仁宗诏令:"以门下省为谏院,徙旧省于右掖门之西。"⑧谏院的设置,使谏官从中书省与门下省中独立出来,与御史合称台谏,活跃在宋代政治舞台上。

按照制度,北宋前期的谏院设知谏院、同知谏院各一人,左、右司谏各一人,左、右正言各一人,以六员定制⑨。但在实际中,谏院很少除授满员,一般为二员至四员,如天禧元年(1017年),鲁宗

---

① 《长编》卷29,端拱元年二月乙未。
② 《宋会要辑稿》职官3之51。
③ 《长编》卷89,天禧元年二月丁丑。
④ 《宋史》卷286《鲁宗道传》。
⑤ 《长编》卷93,天禧三年五月乙亥。
⑥ 《长编》卷100,天圣元年四月丁巳。
⑦ 《长编》卷101,天圣元年八月乙巳。
⑧ 《长编》卷111,明道元年七月辛卯;又见《宋会要辑稿》职官3之51。
⑨ 《长编》卷89,天禧元年二月丁丑诏:置谏官六员;《长编》卷153,庆历四年十一月庚午又诏:依天禧故事置谏官六员。

道、刘烨为右正言①。此后刘随与孔道辅为谏官②。庆历新政时,余靖、欧阳修、蔡襄、王素为谏官,"时谓四谏"③。皇祐年间,谏院有谏官二员④,熙宁初,谏院有谏官三员⑤。

元丰改制后,谏院废去,门下省与中书省各增设后省,以左散骑常侍、左谏议大夫、左司谏、左正言隶门下后省;以右散骑常侍、右谏议大夫、右司谏、右正言隶中书后省⑥。在制度上,谏官以八员定制,但由于左右散骑常侍虚而不授于人,所以"由谏议大夫而下,有司谏、有正言共六员"⑦。元丰八年(1085年)三月,神宗病故,十月,高太后诏令"仿《唐六典》置谏官"⑧。

南宋初,谏官组织机构承北宋后期之制,隶门下后省与中书后省。建炎三年(1129年)七月,宋高宗诏令"谏院别置局,不隶后省"⑨。新设置的谏官治所在中书门下"后省之侧"⑩。绍兴元年(1131年)十二月,高宗又下诏:"谏院许于行在所都堂相近置局"⑪,自此至南宋灭亡,谏院始终作为一独立机构而存在。淳熙末年,孝宗曾一度"仿唐制,置拾遗、补阙左右各一员,专掌谏诤不许

---

① 《宋史》卷286《鲁宗道传》。
② 赵汝愚《宋名臣奏议》卷51,刘随《上仁宗缴进天禧书乞防漏泄》。
③ 魏泰《东轩笔录》卷13。
④ 《宋会要辑稿》仪制4之16。
⑤ 范纯仁《范忠宣奏议》卷上《奏乞增补谏官》。
⑥ 《宋会要辑稿》职官1之78。
⑦ 《长编》卷510,元符二年五月辛未。
⑧ 《宋史》卷17《哲宗一》。
⑨ 《建炎以来系年要录》卷25,建炎三年七月辛卯。
⑩ 《宋会要辑稿》职官3之50。
⑪ 《建炎以来系年要录》卷50,绍兴元年十二月甲申。

纠弹"①。但仅一年多,光宗即位,就罢去了拾遗、补阙。

南宋时期,谏院仍以六员定制,但缺员现象更为严重。周必大曾记载说:"隆兴二年闰十一月,谏议大夫尹穑罢右正言,王遽又徙吏部郎中,谏院阙官累月。明年四月,方除程叔达为正言,七月迁司谏,九月丁忧,十二月方除汪涓为司谏,谏省全阙官数月。"②

二、宋代谏官的职能

我国历史上汉唐时期的谏官,其主要职能是对皇帝直言极谏。谏官职能发挥得好坏,与当时的历史背景有一定的关系。如雄才大略的唐太宗之所以注意发挥谏官的作用,是因为他亲身经历了剧烈的农民战争,亲眼看到了隋末农民战争的巨大威力,从而深刻认识到"水能载舟,亦能覆舟"的道理,要维护其统治地位的长治久安,就不能不重视谏官的职能。封建帝王能接受谏官的谏诤,固然与皇帝本人的明智有关,但更主要的是客观历史环境造成的。

两宋时期,历史进入了新的发展阶段,不但阶级矛盾尖锐,而且地主阶级内部的矛盾也更为复杂。特别是宋仁宗以后,阶级矛盾、民族矛盾和统治阶级内部的矛盾交织在一起。在新的历史条件下,谏官的职能也比前代更为广泛。总括起来,大致有以下几项。

(一) 谏诤皇帝

谏诤皇帝是中国古代谏官的传统职能。在君主专制发展的宋代,谏官谏诤皇帝的职能不但没有被削弱,恰好相反,士大夫在各种社会矛盾交织的形势下,反而更深刻地认识到皇帝接受谏诤的必要性,如李光就指出:"国朝左右谏议大夫、左右司谏、正言各二人,常不下六人,专论人主过失。夫人非尧舜,谁能无过,赖谏臣以

---

① 《宋会要辑稿》职官3之61。
② 周必大《二老堂杂志》卷2。

正救耳。"① 汪藻也说:"人主之政,公与私不并行,恩与法不两立,以公灭私,以法夺恩者治;以私害公,以恩挠法者乱;此古今不易之道也。"② 陈傅良更明确地指出了皇帝接受谏诤的原因:"人主之有为于天下,其心未尝不欲朝廷之尊,而纪纲之肃也。而人主之所为,则每有以自躗其尊,而坏其所谓肃然者,以其道不足以制欲故也。"③ 南宋末年的高斯得也同样指出了皇帝接受谏诤的必要性。他说:"夫以一人居天下之上,言动几微之间,治乱存亡系焉,是不可以不闻过也。"④

宋制,"自宰臣至百官,自三省至百司,任非其人,事有失当",谏官"皆得谏正。"⑤ 在实际政治生活中,谏官常与御史联合行动,共同谏诤皇帝的过失。如明道二年(1033年)知谏院孙祖德、左正言宋郊、右正言刘涣与御史中丞孔道辅、侍御史蒋堂等人到垂拱殿伏奏,谏诤仁宗不应当废去郭皇后⑥。皇祐年间,外戚张尧佐除三司使,谏官包拯等人谏诤仁宗说:"尧佐妃之族叔,以恩泽进。陛下富之可也,贵之可也,然不可任以政事。"⑦ 治平年间,知谏院傅尧俞与侍御史吕诲等人皆谏诤宋英宗不应当称濮王为皇考⑧。

宋代谏官也可以不与御史联合而独立谏诤皇帝。如庆历年间王素为谏官,规谏皇帝不应当接受王德用所进美女,仁宗命宦官赐

---

① 李光《庄简集》卷12《乞增选台谏状》。
② 汪藻《浮溪集》卷2《奏论邢焕、孟忠厚除授不当状》。
③ 陈傅良《八面锋》卷5。
④ 杨士奇《历代名臣奏议》卷207《听言》。
⑤ 《宋会要辑稿》职官3之55。
⑥ 《长编》卷113,明道二年十二月乙卯。
⑦ 吕希哲《吕氏杂记》卷下。
⑧ 《宋史》卷341《傅尧俞传》。

美女钱各三百千,"押出内东门"①。

由此而论,宋代谏官谏诤皇帝之风,比之唐代有过之而无不及。

(二) 奏劾宰相及百官

唐朝及其以前,谏官仅主谏诤而无弹劾之任,宋代谏官的职能由谏诤扩大到弹劾宰相和百官。

宋代从制度上允许谏官弹奏百官始自天禧元年(1017年)二月。当时,真宗欲令谏官举职,于是下诏允许谏官论奏"官营涉私"②。谏官既要论奏"官营涉私",就不可能不奏劾百官。

自宋仁宗朝始,谏官弹劾宰相百官的现象日益增多。宝元元年(1038年)三月,谏官韩琦弹奏宰相王随、陈尧佐和参知政事韩亿、石中立,"疏凡十上"③,"四人同日罢"④。庆历三年(1043年),谏官蔡襄弹奏吕夷简"谋身忘公,养成天下之患",为宰相二十馀年"屡贬言事者"⑤。吕夷简被迫请求罢去军国大事⑥。谏官余靖"论夏竦奸邪,不可为枢密使;王举正不才,不宜在政府;狄青武人,使之独守渭州,恐败边事"⑦。范镇知谏院,弹奏宰相陈执中"无学术,非宰相器及嬖妾笞杀婢"⑧。钱明逸为谏官"首劾范仲淹、富弼更张纲纪,纷扰国经,凡所推荐,多挟朋党","疏奏,二人皆罢"⑨。谏官刘

---

① 邵博《邵氏闻见后录》卷1。
② 《宋会要辑稿》职官3之51。
③ 《长编》卷121,宝元元年三月戊戌。
④ 《宋史》卷312《韩琦传》。
⑤ 《长编》卷140,庆历三年四月壬戌。
⑥ 《长编》卷140,庆历三年四月甲子。
⑦ 《宋史》卷320《余靖传》。
⑧ 《宋史》卷337《范镇传》。
⑨ 《宋史》卷317《钱惟演传附钱明逸传》。

元瑜弹奏集贤校理陆经"谪官在河南日杖死争田寡妇,且贷民镪"①,陆经贬知袁州。包拯"在谏院逾二年,数论斥大臣权幸"②。知谏院唐介交章弹奏枢密使陈旭③,陈旭罢去枢密副使职务。

元祐更化时,谏官遂成为弹劾变法派的工具。元祐元年(1086年)正月,左正言朱光庭奏劾蔡确、章惇、韩缜"不恭不忠不耻"④。左司谏王觌"极论蔡确、章惇、韩缜、张璪朋邪害正"⑤。此后蔡确、章惇、韩缜、张璪等人相继被贬出朝廷。

刘安世说:"置台谏之臣,付以言责,所以司察中外之乱法者也。"⑥ 王觌也说:"谏官职事,凡执政过举,政刑差谬皆得弹奏。"⑦ 刘安世和王觌的话总结了北宋谏官弹劾宰相和百官的这一职能。

南宋秦桧专权时,"谏官多桧门下,争弹劾以媚桧"⑧。绍兴二十八年(1158年),高宗明确规定:"监司贪惰不法,台谏自当弹奏。"⑨ 绍熙五年(1194年)四月,谏官、御史"交章劾内侍陈源、杨舜卿、林亿离间两宫,请罢逐之"⑩。同年十月(宁宗已即位),右谏议大夫张叔椿奏"劾留正擅去相位"⑪。庆元元年(1195年)二月,

---

① 《宋史》卷304《刘元瑜传》。
② 《长编》卷172,皇祐四年三月丁未。
③ 《长编》卷193,嘉祐六年四月庚辰。
④ 《长编》卷364,元祐元年正月辛亥。
⑤ 《宋史》卷344《王觌传》。
⑥ 刘安世《尽言集》卷10《论都司官吏违法拟赏事第五》。
⑦ 《长编》卷389,元祐元年十月壬辰;又见《宋会要辑稿》职官3之54。
⑧ 《宋史》卷433《洪兴祖传》。
⑨ 《宋会要辑稿》职官3之61。
⑩ 《宋史》卷36《光宗》。
⑪ 《宋史》卷37《宁宗一》。

右正言李沐"上殿乞罢(赵)汝愚政柄,以尊天位,塞绝奸原"①。

(三) 参议朝政

宋制,"谏官职在拾遗补阙,凡朝政阙失,悉许论奏。"②特别是遇有异常的自然变故,或雷发非时,久雨不停,朝廷即令近臣议论朝政阙失,谏官是重要的参议者。乾道二年(1166年)四月,"以久雨",孝宗命"侍从、台谏议刑政所宜以闻"③。翌年十一月,"以雷发非时",孝宗再次"诏台谏、侍从、两省官指陈阙失"④。绍熙二年(1191年),因"雷雪交作",光宗"令侍从、台谏、两省、卿监、郎官、馆职各具时政阙失以闻"⑤。绍熙五年(1194年)十月,宁宗即位后,因"雷电非时","令台谏、侍从各疏朝政阙失以闻"⑥。嘉定元年(1208年)五月,"飞蝗为灾",宁宗"诏侍从,台谏疏奏阙政"⑦。

立皇子是封建王朝政治生活中的一件大事。但由于这个问题往往招致杀身之祸,因而臣僚们不敢议论。宋代则不然,谏官常首发议论。如仁宗后期,"国嗣未立,天下寒心而不敢言,惟谏官范镇首发其议"⑧。尔后谏官吴奎也上疏请求早立皇子⑨。

朝廷"任非其人,事有失当",宋代谏官也可以议论。如元祐四年(1089年)六月,朝廷除授都官员外郎周秩为京东路提点刑狱,

---

① 《两朝纲目备要》卷4,庆元元年二月戊寅。
② 《宋会要辑稿》职官17之16。
③ 《宋史》卷33《孝宗一》。
④ 《宋史》卷34《孝宗二》。
⑤ 《宋史》卷36《光宗》。
⑥ 《宋史》卷37《宁宗一》。
⑦ 《宋史》卷39《宁宗三》。
⑧ 王偁《东都事略》卷87上,《司马光传》。
⑨ 谢维新《古今合璧事类备要·后集》卷24《谏院》。

第三章 宋代谏官制度及台谏的合一

"谏官论其不当",遂改命知宿州①。

宋代谏官是国家大计的参议者之一。欧阳修说:"谏官虽卑,与宰相等,天子曰不可,宰相曰可;天子曰然,宰相曰不然,坐于庙堂之上与天子可否者,宰相也。天子曰是,谏官曰非,天子曰必行,谏官曰必不可行,立殿陛之前与天子争是非者,谏官也。"② 孙觉也说:"谏官虽微,而谋于王体,与闻国论,宰相与人主进退贤不肖于庙堂之上,谏官与人主别白贤不肖于造膝之间。"③ 欧阳修和孙觉的这两段文字概括了宋代谏官参议国是的重要职能。

首先,宋代谏官参议军事政策的制订。两宋时期,民族矛盾尖锐,战争频繁,朝廷多令近臣议论军事策略,谏官是参议者之一。"王禹偁为谏官,上《御戎十策》"④。符离之战,宋军大败,"金帅移书索地",孝宗"诏侍从台谏集议"⑤。嘉定十一年(1218年)五月,宁宗令"侍从、台谏、两省官集议平戎、御戎、和戎三策"⑥。端平三年(1236年)二月,蒙古军队进攻江陵,理宗"诏侍从、台谏、给舍条具边防事宜"⑦。

其二,南宋货币问题严重,朝廷常令臣僚集体议论解决这一问题的措施,谏官是参议者之一。庆元元年(1195年)三月,宁宗"命侍从、台谏、两省集议江南沿江诸州行铁钱利害"⑧。嘉泰元年(1201年)八月,宋廷命"侍从、台谏、两省集议沿江八州行铁钱利

---

① 《长编》卷429,元祐四年六月丁未。
② 欧阳修《文忠集》卷66《上范司谏书》。
③ 杨士奇《历代名臣奏议》卷135《用人》。
④ 司马光《涑水记闻》卷3。
⑤ 《宋史》卷372《尹穑传》。
⑥ 《宋史》卷40《宁宗四》。
⑦ 《宋史》卷42《理宗二》。
⑧ 《宋史》卷37《宁宗一》。

害"①。嘉定元年(1208年)八月,宋政府又命"侍从、台谏、两省详议会子折阅利害"②。

其三,宋代谏官常参加议论宗庙仪制。如宁宗"以孝宗嫡孙行三年服",胡纮提出皇帝应"止当服期",朝廷即令"侍从、台谏、给舍集议释服"③。李心传指出"宗庙之制,未合于古",理宗诏令"两省、侍从、台谏集议以闻"④。

此外,宋代谏官还参加议论考课法、抑滥赏等。如淳熙五年(1178年),孝宗令"侍从、台谏、给舍集议考课法"⑤。嘉泰四年(1204年)六月,宁宗命"侍从、台谏、两省集议裁抑滥赏"⑥。

(四) 参预荐举官员

宋代谏官具有荐举官员的职能。荐举的主要对象是监司、郡守和军事将领等。

宋代,尤其是南宋,谏官多参预荐举监司和郡守。如淳熙九年(1182年)六月,孝宗"诏侍从、台谏举官堪充监司者各一、二名"⑦。淳熙十六年(1189年)三月,光宗"诏侍从、台谏各举可任湖广及四川总领者一人"⑧。嘉定二年(1209年)正月,宁宗令"侍从、两省、台谏各举治行尤异者二、三人"充任监司、郡守⑨。咸淳七年(1271年)十二月,度宗诏"举廉能材堪县令者,侍从、台谏、给舍各

---

① ⑥ 《宋史》卷38《宁宗二》。
② 《宋史》卷39《宁宗三》。
③ 《宋史》卷394《胡纮传》。
④ 《宋史》卷41《理宗一》。
⑤ 《宋史》卷35《孝宗三》。
⑦ 留正《皇宋中兴两朝圣政》卷59,淳熙九年六月辛酉。
⑧ 《宋史》卷36《光宗》。
⑨ 《两朝纲目备要》卷12,嘉定二年正月庚申。

举十人"①。

南宋战争繁多,急需军事将领,朝廷常令近臣荐举,谏官是荐举者之一。嘉定八年(1215年),宁宗"诏举将才",令侍从、两省、台谏各举三人②。嘉定十二年(1219年)五月,宁宗再次下诏:"侍从、两省、台谏各举文武可用之才二、三人。"③ 宝庆元年(1225年)八月,理宗令侍从、两省、台谏、三衙等"各举堪充将帅三人"④。宝祐元年(1253年)五月,理宗又令"侍从、台谏、给舍、制司各举帅才二人"⑤。

再者,宋代谏官还参预荐举其他官员。如嘉定二年(1209年)五月,孝宗令"侍从、两省、台谏各举有政绩才望者以补郎官之阙"⑥。绍熙二年(1191年)四月,光宗"诏侍从、两省、台谏及在外侍从之臣各举所尝任监司、郡守充郎官、卿监及资历未深可充诸职事官者各三人"⑦。

(五) 受理臣民的上奏章疏

宋代谏官始终负责受理臣民的上奏章疏。

北宋初年,承袭唐制,设检匦"以通下情"⑧。太平兴国九年(984年)十月,太宗改匦院为登闻院,"令谏官一员判院"⑨。景德

---

① 《宋史》卷46《度宗》。
② 《两朝纲目备要》卷15,嘉定八年正月辛未。
③ 《两朝纲目备要》卷16,嘉定十二年五月癸亥。
④ 《宋史》卷41《理宗一》。
⑤ 《宋史》卷43《理宗三》。
⑥ 《两朝纲目备要》卷12,嘉定二年五月庚子。
⑦ 《宋史》卷36《光宗》。
⑧ 《宋会要辑稿》职官3之74。
⑨ 《宋会要辑稿》职官3之62。

四年(1007年),真宗改鼓司为登闻鼓院①,"掌诸上书而进之,以达万人之情,隶司(谏)正言"②。元丰改制后,宋政府明确规定:登闻鼓院隶司谏、正言,登闻检院隶谏议大夫,"掌受文武官及士民章奏表疏"③,"凡言朝政得失,公私利害,军期机密,陈乞恩赏,理雪冤滥及奇方异术,改换文资,改正过名,无例通进者,先经鼓院进状,或为所抑则诣检院,并置局于阙门之前"④。

南宋初,检闻鼓院和检院"因旧制,置局于阙门之前"⑤。建炎三年(1129年),谏院从中书、门下省中独立出来后,检闻鼓院和检院专隶谏院,负责接受臣民所进的机密军国重事,军期朝政阙失、论诉在京官员不法及公私利济之事"⑥。宁宗庆元以后,谏官不但受理臣民上奏章疏,而且还要审理章疏⑦,检察章疏建议的执行情况,"朝廷遇有施行事件,即札下谏院照会,俾得以随事稽考。若送官司理断之不当,结绝之淹延,并许劾奏"⑧。

(六) 兼任修起居注与侍讲

北宋前期,门下省的起居郎及中书省的起居舍人均为寄禄官,朝廷另设起居院负责记录皇帝的言与行,充任其职者谓之修起居注。修起居注的人选,常"以制科、进士高第与馆职有才望者兼用"⑨。自仁宗朝始,修起居注之职,"多以谏臣为之"⑩。熙宁二年(1069年)四月,神宗"欲令谏官兼修起居注",遂命知谏院陈襄、同

---

① 《宋会要辑稿》职官3之64。
② 潘自牧《记纂渊海》卷29《登闻鼓院》。
③④ 《宋史》卷161《职官一》。
⑤ 《宋会要辑稿》职官3之67。
⑥ 《宋会要辑稿》职官3之68。
⑦⑧ 《宋会要辑稿》职官3之73。
⑨ 《宋会要辑稿》职官2之13。
⑩ 《宋会要辑稿》职官2之17。

知谏院范纯仁"同修起居注"①。元丰改制后,罢修起居注,由起居郎和起居舍人"掌记天子言动"② 之职,谏官兼任修起居注的制度遂被废去。

北宋谏官一般不参预侍讲。南宋绍兴十二年(1142年),正值秦桧专权,宋政府以谏议大夫罗汝楫兼任侍讲。自此,"每除言路,必兼经筵矣"。秦桧死后,谏议大夫与御史中丞兼任侍讲的制度遂被罢去。但时隔不久,此制又得以恢复。宁宗庆元以后,不但谏议大夫兼任侍读,而且司谏、正言几乎"无不预经筵者"③。自此谏议大夫、司谏、正言兼任侍讲的制度一直沿袭至南宋灭亡。

综上所述,宋代谏官不但具有传统的谏诤职能,而且又增加了奏劾宰相百官的监察职能,同时还具有议论朝政、荐举官员及受理臣民上奏章疏等其他职能。其职能的广泛性远远超过了前代。

三、宋代谏官的选任与升迁制度

(一) 宋代谏官的选任制度

唐朝谏官"掌供奉讽谏"④,其选任与升迁尚无定制。特别是武则天统治时期,任官制度较滥,"举人无贤愚咸加擢用,高者试凤阁侍郎、给事中,次或试员外郎、侍御史、补阙、拾遗、校书郎",故当时民谣云:"补阙连车载,拾遗平斗量",唐玄宗开元以后,谏官"尤为清选"⑤。宋代谏官的选任和升迁逐渐形成了一套完整的制度。

---

① 《宋会要辑稿》职官2之13。
② 《宋会要辑稿》职官2之25。
③ 《建炎以来朝野杂记·乙集》卷15《祖宗时台谏不兼经筵》。
④ 《文献通考》卷50《门下省》。
⑤ 《通典》卷21《职官三》。

1. 宋代谏官的选任方式

宋代谏官的选任方式，大致和御史的选任方式相似，共有两种途径，即皇帝亲擢与臣僚荐举。

先看皇帝亲擢的选任方式。唐代选任谏官一般由四方存抚使荐举，朝廷考试任命。宋代谏官职能由谏诤扩大到监察，为了加强对宰相的监察，选任谏官特别强调"须出自宸选"①，宰执不得除任。庆历三年（1043年）四月，宋仁宗亲擢欧阳修、余靖、王素为谏官，蔡襄作诗相庆，其诗云："御笔新除三谏官，喧然朝野竞相欢。"②欧阳修等人把此诗荐于仁宗，仁宗又亲擢蔡襄为谏官。熙宁三年（1070年），吕诲上疏说："国朝故事，谏官除授一出圣选。"③次年六月，杨绘也上奏道：本朝谏官"皆出于清衷之自择。"④ 靖康元年（1126年）四月，钦宗把亲擢谏官"立为定制"⑤。南宋尽管权臣当政，但皇帝亲擢谏官始终为一代制度，尤其是理宗朝，再次强调："台谏官须出宸选，若大臣自除，则大臣过失无敢言者。"⑥足见皇帝亲擢谏官已成为宋代的一项制度。

臣僚荐举是宋代选任谏官的第二种方式。两宋时期，皇帝不断下诏令臣僚荐举谏官。天圣元年（1023年）四月，仁宗"诏翰林学士至三司副使、知杂御史各举太常博士以上一员堪充谏官、御史者以名闻"⑦。元丰八年（1085年）十月（哲宗已即位），哲宗"诏尚书侍

---

① 谢维新《古今合璧事类备要·后集》卷24《司谏》。
② 司马光《涑水记闻》卷4。
③ 赵汝愚《宋名臣奏议》卷53，吕诲《上神宗论台谏阙员宜速选用》。
④ 赵汝愚《宋名臣奏议》卷53，杨绘《上神宗论谏官当人主自择》。
⑤ 《宋会要辑稿》职官55之16。
⑥ 杨士奇《历代名臣奏议》卷151《用人》。
⑦ 《长编》卷100，天圣元年四月丁巳。

郎、给舍、谏议、中丞、待制以上各举堪充谏官二员以闻"①。南宋建炎三年(1129年)三月,高宗下诏:"台谏员阙甚多,令侍从官公共荐举堪充台谏二员。"② 光宗即位,诏令中书舍人罗点荐举可为台谏者。罗点承诏荐举了叶适、吴镒、孙逢吉、张体仁、冯震武、郑湜、刘崇之、沈清臣等八名谏官与御史人选③。宋代臣僚荐举选任谏官的程序是,先由朝廷下诏令臣僚荐举,尔后,皇帝在被荐举人员中点名任命。

需要指出的是,北宋前期谏官的荐举者多以职任清要,且与宰执无直接隶属关系的翰林学士、侍从、御史中丞、侍御史知杂事等充任,这样做,有利于谏官对宰执的监察。北宋后期,尤其是元祐更化时,宰执吕公著、司马光等,亲自物色谏官人选,向高太后荐举说:"孙觉方正有学识,可以充谏议大夫或给事中,直龙图阁范纯仁劲挺有风力,可充谏议大夫或户部右曹侍郎,""承议郎苏辙、新授察官王岩叟并有才气,可充谏官或言事御史"④。宋徽宗即位后,下诏允许"宰臣、执政、侍从官各举可任台谏者"⑤,为宰执控制谏官的任用权打开了方便之门。南宋"秦桧每荐台谏,必先谕以己意"⑥,谏官的任用权,完全控制在权臣手中。北宋后期乃至南宋一代,谏官由皇帝防范宰执的工具变为权相排斥异己的鹰犬,其原因虽比较复杂,但以宰执充任谏官荐举者则是其中的一个重要方面。

宋代两种选任谏官方式的出现,是对唐代谏官选任制度的继

---

① 《长编》卷360,元丰八年十月丁丑。
② 《宋会要辑稿》职官3之56。
③ 《宋史》卷36《光宗》。
④ 《长编》卷357,元丰八年六月戊子。
⑤ 《宋史》卷19《徽宗一》。
⑥ 《宋史》卷381《张阐传》。

承和发展。

2. 宋代谏官的资格资序

唐朝选任谏官尚无资格资序的规定。宋代谏官的两种选任方式中,皇帝亲擢,一般不计资格资序;臣僚荐举方式中,比较注意资格资序。

为了使谏官富有实际经验,天圣元年(1023年)四月,宋政府规定,谏官在"太常博士以上"①中选任。元祐三年(1088年)六月,哲宗又进一步规定:左右司谏、正言"以升朝官通判资序实历一年以上人充"②任。元祐更化时,高太后等人虽规定了谏官资格资序法,但在实际除授中并没有真正执行,如元祐五年(1090年)所除授的谏官吴安诗、司马康等人"并非历通判之人"。御史中丞苏辙对此十分不满,他在给高太后的上疏中说:"检会元祐三年六月九日尚书省札子,三省同奉圣旨,左右司谏、左右正言、殿中侍御史并用升朝官通判资序实历一年以上人,举官准此。臣等窃见后来所用谏官如吴安诗、刘唐老、司马康三人并非实历通判之人。"③南宋绍兴二年(1132年)十二月,高宗下诏:"今后台谏官并举升朝官以上,不计资序。"④ 此后,袁说友请求朝廷"立为一法,凡为台谏者已历州县而后可"⑤。

尽管宋代谏官资格资序法执行得还不够严格,但在制度上已趋于完备。

---

① 《长编》卷100,天圣元年四月丁巳。
② 《长编》卷412,元祐三年六月癸未;又见《宋会要辑稿》职官3之54。
③ 苏辙《栾城集》卷43《再论举台官札子》。
④ 《宋会要辑稿》职官17之33。
⑤ 袁说友《东塘集》卷8《论臣职当先民事》。

3. 宋代选任谏官回避法

宋代选任谏官还制订了回避法,它的主要内容有以下几项。

选任谏官回避宰执,是宋代谏官回避法的首要内容。为保证谏官行之有效地监察宰执,宋代谏官回避法规定:凡新宰执上任,其所荐之人及亲戚现为谏官者,必须改授其他差遣①。按照这一规定,凡应该回避的谏官要先上疏请求回避,如果皇帝同意,则下诏改授此人其他职务,若皇帝不同意回避,此人即可继续充任谏职。如嘉祐年间,右正言吴及与枢密副使张昇的妻子有亲戚关系,吴及上疏请求回避,御史中丞包拯认为,吴及"立身有守,遇事敢言",而且张昇的妻子已死去甚久,理不当回避,仁宗特下诏,令吴及依旧供职谏院②。

宋代皇帝曾多次下诏强调谏官回避法。庆历四年(1044年)八月,仁宗"诏自今除谏官毋得用见任辅臣所荐之人"③。元祐八年(1094年),哲宗"诏执政亲戚不除谏官"④。

从宋代谏官回避宰执法的执行情况看,熙丰年间"持之尤严"⑤,执行得比较好。如熙宁二年(1069年)二月,王安石出任参知政事后,同知谏院吴允因与王安石有亲戚关系,"例合回避言职",神宗罢去了吴允的同知谏院职务⑥。元祐更化期间,谏官回避宰执法实行得较差。如元祐四年(1089年),韩忠彦出任尚书左丞,谏议大夫范祖禹是韩忠彦的内弟,右司谏吴安诗的儿媳是韩忠彦

---

① 《宋会要辑稿》职官17之21、17之22。
② 《宋会要辑稿》职官63之3;《长编》卷187,嘉祐三年七月癸巳。
③ 《宋会要辑稿》职官3之52。
④ 《宋会要辑稿》职官3之55。
⑤ 《宋会要辑稿》职官63之9。
⑥ 《宋会要辑稿》职官63之4。

的妹妹,右正言刘安世的儿媳是韩忠彦的女儿。按照谏官回避宰执法,范祖禹、吴安诗、刘安世等人皆应回避言职,然而高太后却下诏:"特不回避。"① 当时的殿中侍御史孙升对此十分不满。他说:"今谏官、御史七员,而令谏官三人不避大臣之嫌,则是人主耳目已废其半矣。"②

谏官之间避亲嫌和谏官、御史之间避亲嫌,是宋代谏官回避法的内容之二。宋代百官回避法规定:"凡官员亲戚于职事有相统摄或相干者,并回避。"③ 也就是说,百官职务中,凡有上下隶属关系和职能相关连者必须避亲嫌。根据这一规定,不仅谏官之间避亲嫌,而且谏官与御史由于同具有谏诤皇帝、监察百官等职能,因此也要避亲嫌。如靖康元年(1126年)五月,陈过庭出任御史中丞,右正言许景衡是陈过庭的堂妹夫,陈过庭请求回避,钦宗改许景衡为太常少卿④。

宋代谏官回避法的出台,不仅标志着宋朝谏官选任制度的成熟,而且对当时的政治具有重要作用。它不仅有利于切断监察权与行政权的裙带关系,以保障谏官有效地监察宰执,而且也有利于防范谏官内部及谏官与御史之间裙带相依,结为朋党,危及皇权,促进君主专制发展。然而在中国封建社会里,皇帝的言语超越一切法律,宋代谏官回避法也不能例外。具体而言,宋代选任谏官回避不回避宰执,谏官内部及谏官与御史之间避不避亲嫌,都由皇帝一言拍板定案,法律和制度在皇帝面前只不过是一纸空文,因而对宋代谏官回避法积极作用的评价也不能过高。

---

① 《长编》卷429,元祐四年六月丙午。
② 《长编》卷429,元祐四年六月丙午。
③ 《宋会要辑稿》职官63之6、63之7。
④ 《宋会要辑稿》职官63之11。

4. 宋代谏官的文化修养

宋代选任谏官比较注意文化修养。为保证谏官的文化素质,宋政府规定:"任子不为台谏官。"① 谏官无出身者,朝廷有时要赐其进士出身,如绍兴二年(1132年),高宗御笔赐右谏议大夫徐俯进士出身②。下面仅以仁宗朝为例,对宋代谏官的文化修养情况作一考察。

宋仁宗朝谏官文化修养情况考察表

目次	谏官姓名	文化修养	材料来源
1	刘随	进士及第	《宋史》卷297《刘随传》
2	孔道辅	举进士	《宋史》卷297《孔道辅传》
3	陈执中	上《复古要道》三篇,真宗异而召之	《宋史》卷285《陈执中传》
4	范讽	举进士第	《宋史》卷304《范正辞传附》
5	王尧臣	举进士第	《宋史》卷292《王尧臣传》
6	孙祖德	进士及第	《宋史》卷299《孙祖德传》
7	范仲淹	举进士第	《宋史》卷314《范仲淹传》
8	滕宗谅	举进士	《宋史》卷303《滕宗谅传》
9	姚仲孙	擢进士第	《宋史》卷300《姚仲孙传》
10	郭劝	举进士	《宋史》卷297《郭劝传》
11	高若讷	进士及第	《宋史》卷288《高若讷传》
12	韩琦	举进士	《宋史》卷312《韩琦传》

---

① 留正《皇宋中兴两朝圣政》卷12,绍兴二年十月庚子。
② 留正《皇宋中兴两朝圣政》卷12,绍兴二年十月庚子。

目次	谏官姓名	文化修养	材料来源
13	吴育	举进士	《宋史》卷291《吴育传》
14	庞籍	及进士第	《宋史》卷311《庞籍传》
15	程戡	举进士甲科	《宋史》卷292《程戡传》
16	富弼	举茂才异等	《宋史》卷313《富弼传》
17	梁适	举进士	《宋史》卷285《梁适传》
18	孙沔	中进士第	《宋史》卷288《孙沔传》
19	张锡	进士甲科	《宋史》卷294《张锡传》
20	张方平	举茂才异等	《宋史》卷318《张方平传》
21	田况	举进士甲科	《宋史》卷292《田况传》
22	鱼周询	中进士	《宋史》卷302《鱼周询传》
23	王素	赐进士出身	《宋史》卷320《王素传》
24	欧阳修	举进士擢甲科	《宋史》卷319《欧阳修传》
25	余靖	举进士起家	《宋史》卷320《余靖传》
26	蔡襄	举进士	《宋史》卷320《蔡襄传》
27	尹洙	举进士	《宋史》卷295《尹洙传》
28	孙甫	进士及第	《宋史》卷295《孙甫传》
29	钱明逸	策制科	《宋史》卷317《钱惟演传附》
30	李京	进士中第	《宋史》卷302《李京传》
31	杨伟	赐进士及第	《宋史》卷305《杨亿传附》
32	钱彦远	举进士第	《宋史》卷317《钱惟演传附》
33	陈升之	举进士	《宋史》卷312《陈升之传》
34	包拯	举进士	《宋史》卷316《包拯传》

第三章　宋代谏官制度及台谏的合一

目次	谏官姓名	文化修养	材料来源
35	吴　奎	举五经	《宋史》卷316《吴奎传》
36	贾黯	擢进士第一	《宋史》卷302《贾黯传》
37	张择行	进士起家	《宋史》卷301《张择行传》
38	刘元瑜	进士及第	《宋史》卷304《刘元瑜传》
39	杨畋	进士及第	《宋史》卷300《杨畋传》
40	韩绛	举进士甲科	《宋史》卷315《韩绛传》
41	韩贽	登进士第	《宋史》卷331《韩贽传》
42	范镇	举进士	《宋史》卷337《范镇传》
43	吕景初	举进士	《宋史》卷302《吕景初传》
44	吴中复	进士及第	《宋史》卷322《吴中复传》
45	吴　及	以进士起家	《宋史》卷302《吴及传》
46	范师道	进士及第	《宋史》卷302《范师道传》
47	唐介	擢第	《宋史》卷316《唐介传》
48	王陶	第进士	《宋史》卷329《王陶传》
49	赵抃	进士及第	《宋史》卷316《赵抃传》
50	龚鼎臣	第进士	《宋史》卷347《龚鼎臣传》
51	司马光	中进士甲科	《宋史》卷336《司马光传》

　　从上表中可以看出，宋仁宗朝五十一名谏官中，进士、茂才异等及策制科出身者五十名。占总人数的百分之九十八，只有陈执中一人以其父陈恕任而入官，他虽无出身，但在知梧州时就上《复古要道》三篇，真宗"异而召之"，其文化修养并不低。

　　5. 宋代谏官选任制度的特征

　　与前代相比，宋代谏官选任制度出现了以下几个特征。

宰执不得干预，是宋代谏官选任制度的第一个特征。唐代及其以前，谏官是宰相的属官，其主要职能是谏诤皇帝，和宰相无直接的利害冲突。宋代谏官由宰相的属官变为宰执的监察者，为保证谏官有效地监察宰相，选任谏官特别强调出自宸选，宰执不得干预，同时还制订了谏官回避宰执法，所有这些都是前代谏官选任制度所未有的新现象。当然也应该看到，在实际政治生活中，选任谏官有时并没有完全摆脱宰执的干预，甚至某些时期还有宰相亲选谏官的现象，如庆历年间，晏殊"初入相，擢欧阳修等为谏官"①。但宰执不得干预谏官的选任，已成为宋代谏官选任制度的主流。

制订资格、资序法是宋代谏官选任制度的第二个特征。唐代和唐代以前，选任谏官尚无资格、资序的规定。宋代天圣元年（1023年）制订了谏官资格法，元祐三年（1088年）又制订了左右司谏、左右正言的资序法，尽管宋代谏官资格、资序法还不十分健全，而且执行得也不太严格，但与前代无资格资序法相比，不能说不是一个特征。

其三，宋代选任谏官更注意文化修养。唐代开元以后，谏官虽为清选，但唐代科举制度尚不太发展，进士科取人甚少，因而谏官与进士的关系尚不太密切。宋代科举制度发展，特别是宋太宗朝，取士人数大增，谏官与科举制度的关系更为密切，宋仁宗朝百分之九十八以上的谏官皆出身于科举，这是宋代谏官选任制度的又一特征。

此外，宋代不少人还对谏官人选提出了具体的道德标准。如至和年间，欧阳修提出，应该"择沉默、端正、守节难进之臣置之谏署"，而王安石"德行、文学为众所推，守道安贫，刚而不屈"②，是谏

---

① 徐自明《宋宰辅编年录》卷5，庆历四年九月庚午。
② 欧阳修《文忠集》卷110《荐王安石、吕公著札子》。

官的极好人选。司马光也提出,选任谏官"当以三事为先,第一不爱富贵,次则重惜名节,次则晓知治体"①。

上述特征表明,中国古代的谏官选任制度在宋代已有了重大发展。

(二) 宋代谏官的升迁制度

1. 宋代谏官升迁的时间

宋代谏官升迁的时间和御史基本相似,一般为三年或者二年。宋太祖、太宗、真宗、仁宗四朝,谏官和其他差遣一样,"三岁迁其秩"②。治平三年(1066年)七月,英宗下诏:"自今台谏官并以二年为一任"③,把谏官升迁的时间改为二年。崇宁元年(1102年)七月,徽宗又把谏官升迁的时间改为"并以三年成任"④。南宋谏官的升迁时间一般为二年。

2. 宋代谏官升迁的去向

如前所述,北宋前期的谏议大夫不是谏官,因此这里所探讨的谏议大夫的升迁去向,仅限于北宋后期和南宋。请看下表。

北宋后期至南宋谏议大夫升迁去向考察表

目次	谏议大夫姓名	升迁去向	材料来源
1	孙 觉	吏部侍郎	《宋史》卷344《孙觉传》
2	范纯仁	除给事中	《宋史》卷314《范纯仁传》
3	梁 焘	进御史中丞	《宋史》卷342《梁焘传》

---

① 司马光《传家集》卷42《举谏官札子》。
② 《长编》卷7,乾道四年八月壬寅。
③ 《宋会要辑稿》职官17之8。
④ 《宋史》卷19《徽宗一》。

目次	谏议大夫姓名	升迁去向	材料来源
4	孔文仲	中书舍人	《宋史》卷344《孔文仲传》
5	范祖禹	迁给事中	《宋史》卷337《范镇传附》
6	刘安世	改中书舍人	《宋史》卷345《刘安世传》
7	郑雍	御史中丞	《宋史》卷342《郑雍传》
8	安惇	御史中丞	《宋史》卷471《安惇传》
9	丰稷	御史中丞	《宋史》卷321《丰稷传》
10	董敦逸	户部侍郎	《宋史》卷355《董敦逸传》
11	张舜民	吏部侍郎	《宋史》卷347《张舜民传》
12	贾易	权刑部侍郎	《宋史》卷355《贾易传》
13	张克公	兵部侍郎	《宋史》卷348《石公弼传附》
14	吕好问	御史中丞	《宋史》卷362《吕好问传》
15	曹辅	签书枢密院事	《宋史》卷352《曹辅传》
16	卫肤敏	迁中书舍人	《宋史》卷378《卫肤敏传》
17	郑珏	御史中丞	《宋史》卷399《郑珏传》
18	富直柔	给事中	《宋史》卷375《富直柔传》
19	徐俯	翰林学士	《宋史》卷372《徐俯传》
20	何铸	御史中丞	《宋史》卷380《何铸传》
21	罗汝楫	御史中丞	《宋史》卷380《罗汝楫传》
22	史才	签书枢密院事兼参知政事	《宋史》卷31《高宗八》
23	程松	同知枢密院事	《宋史》卷38《宁宗二》

目次	谏议大夫姓名	升迁去向	材料来源
24	郑昭先	签书枢密院事 兼权参知政事	《宋史》卷39《宁宗三》

从上表中可以看出,谏议大夫升迁为六部侍郎、御史中丞,甚至执政者共二十二人,占总人数的百分之八十七点五;升迁为给事中者三人,占总人数的百分之十二点五。尤其是秦桧专权时,谏议大夫和御史中丞升迁为执政者"凡十有二人"①。

宋代知谏院、同知谏院、左右司谏、左右正言等谏官往往也是不次擢用,为说明问题,现不厌其烦,列表如下。

宋代谏官升迁去向考察表

目次	姓名	谏官名称	升迁去向	材料来源
1	刘烨	右正言	判三司户部勾院	《宋史》卷262《刘温叟传附》
2	刘随	右正言	右司谏	《宋史》卷297《刘随传》
3	孔道辅	右司谏	判户部流内铨	《宋史》卷297《孔道辅传》
4	范讽	右司谏	兼侍御史知杂事	《宋史》卷304《范正辞传附》
5	王尧臣	右司谏	擢知制诰 同知通进银台司	《宋史》卷292《王尧臣传》
6	郭劝	同知谏院	兼侍御史知杂事	《宋史》卷297《郭劝传》
7	高若讷	左司谏	知谏院	《宋史》卷288《高若讷传》
8	韩琦	右司谏	迁权知制诰	《宋史》卷312《韩琦传》
9	吴育	右正言	迁同修起居注	《宋史》卷291《吴育传》
10	程戡	知谏院	兼侍御史知杂事	《宋史》卷292《程戡传》

---

① 《宋史》卷473《秦桧传》。

目次	姓名	谏官名称	升迁去向	材料来源
11	孙沔	右正言	提举两浙刑狱	《宋史》卷288《孙沔传》
12	张锡	权知谏院	度支、盐铁副使	《宋史》卷294《张锡传》
13	张方平	知谏院	知制诰权开封府	《宋史》卷318《张方平传》
14	田况	右正言	权修起居注	《宋史》卷292《田况传》
15	鱼周询	知谏院	兼侍御史知杂事	《宋史》卷302《鱼周询传》
16	王素	知谏院	擢天章阁待制、淮南都转运按察使	《宋史》卷320《王素传》
17	欧阳修	知谏院	知制诰	《宋史》卷319《欧阳修传》
18	余靖	右正言	进修起居注	《宋史》卷320《余靖传》
19	蔡襄	知谏院	进直史馆兼修起居注	《宋史》卷320《蔡襄传》
20	钱明逸	右正言	进修起居注、知制诰	《宋史》卷317《钱惟演传附》
21	吴鼎臣	知谏院	升为河北体量安抚使	《宋史》卷302《吴鼎臣传》
22	贾黯	左正言	徙判盐铁勾院,迁左司谏	《宋史》卷302《贾黯传》
23	张择行	右司谏	迁侍御史知杂事	《宋史》卷301《张择行传》
24	刘元瑜	右司谏	除盐铁副使	《宋史》卷304《刘元瑜传》
25	韩绛	右正言	迁知制诰乞守河阳,诏判流内铨	《宋史》卷315《韩绛传》
26	范镇	知谏院	除兼侍御史知杂事	《宋史》卷337《范镇传》
27	马遵	右司谏	兼侍御史知杂事	《宋史》卷302《吕景初传附马遵》
28	吕景初	右司谏	兼侍御史知杂事	《宋史》卷302《吕景初传》
29	吴中复	右司谏	同知谏院	《宋史》卷322《吴中复传》

目次	姓名	谏官名称	升迁去向	材料来源
30	吴 及	右正言	管勾登闻检院	《宋史》卷302《吴及传》
31	范师道	知谏院	迁兼侍御史知杂事	《宋史》卷302《范师道传》
32	龚鼎臣	同知谏院	迁户部员外郎兼侍御史知杂事	《宋史》卷347《龚鼎臣传》
33	司马光	同知谏院	改天章阁待制兼侍讲知谏院	《宋史》卷336《司马光传》
34	王严叟	左司谏	侍御史	《宋史》卷342《王严叟传》
35	苏 辙	右司谏	迁起居郎、中书舍人	《宋史》卷339《苏辙传》
36	王 觌	右正言	右司谏	《宋史》卷344《王觌传》
37	吕 陶	左司谏	出为梓州路转运使	《宋史》卷346《吕陶传》
38	刘安世	起居舍人兼右司谏	进左谏议大夫	《宋史》卷345《刘安世传》
39	虞 策	右正言	迁左司谏	《宋史》卷355《虞策传》
40	张商英	右正言	迁左司谏	《宋史》卷351《张商英传》
41	董敦逸	左司谏	侍御史	《宋史》卷355《董敦逸传》
42	陈 瓘	右正言	左司谏	《宋史》卷345《陈瓘传》
43	席 旦	左正言	右司谏	《宋史》卷347《席旦传》
44	石公弼	右正言	迁左司谏	《宋史》卷348《石公弼传》
45	吕好问	左司谏	谏议大夫	《宋史》卷362《吕好问传》
46	秦 桧	左司谏	除御史中丞	《宋史》卷471《秦桧传》
47	辛次膺	右正言	迁直秘阁、湖南提刑	《宋史》卷383《辛次膺传》
48	万俟卨	右正言	御史中丞	《宋史》卷474《万俟卨传》

从上表中可以看出,在十八名左右正言中,升迁为左右司谏、修起居注、同修起居注、知制诰、判三司户部勾院御史中丞者等十

六名,占左右正言总人数的百分之八十九;转迁为提举两浙刑狱、湖南提刑者二名,占左右正言总人数的百分之十一。在十七名左右司谏中,升迁为御史中丞、侍御史知制事、侍御史、谏议大夫、盐铁副使、中书舍人等中央职任者十六人,占左右司谏总数的百分之九十四;转迁为梓州路转运使者一名,占左右司谏总数的百分之六。元丰改制前的十三名知谏院、同知谏院中,升迁为权知开封府、侍御史知杂事、直史馆等中央差遣者十一名,占知谏院、同知谏院总数的百分之八十五;转迁为河北体量按抚使、淮南都转运按察使者两名,占知谏院、同知谏院总数的百分之十五。据此而论,宋代的左右正言、左右司谏和元丰改制前的知谏院、同知谏院等谏官也多升迁为中央或地方统治机构的重要职任。

第二节　宋代的台谏合一

台谏合一是宋代政治制度中的一个重要问题。对于这一问题,史学界虽有提及,但罕有专门论述。本节试图对宋代台谏合一的程度、原因及其对当时政治的影响作一初步探讨。

一、宋代台谏已经形成了合一之势

所谓台谏合一,是指台官(御史)和谏官制度合二为一。论及中国古代监察制度者,无不认为宋代台官与谏官职能混淆,开台谏合一之端。其实,宋代不仅仅是开台谏合一之端,而且已经形成了合一之势。为论证此说,有必要对宋代御史和谏官的职能、选任制度及其关系变化作一比较。

(一) 宋代御史与谏官职能比较

两宋时期,御史与谏官职能相互渗透,已经形成了以下几个共同点。

第三章 宋代谏官制度及台谏的合一

主谏诤是宋代御史与谏官职能的第一个共同点。谏诤是中国古代谏官的传统职能，宋代不仅谏官谏诤职能加强，而且御史也具有谏诤职能。关于宋代谏官谏诤职能加强和御史也具有谏诤职能的具体情况，本编第三章第一节和第二章第二节中已作详细述论，不再一一赘述。

监察宰相百官，是宋代御史和谏官职能的共同点之二。宋代以前，监察百官是御史的职能，而谏官是宰相府的属官，主谏诤而无监察宰相百官之任。宋代不仅御史监察的层次之高，范围之广皆超过了前代，而且谏官和御史一样，也具有监察弹劾宰相百官的职能，其详细论述，参见本编第二章第二节和第三章第一节。

参议朝政，是宋代御史和谏官职能的共同点之三。唐代及其之前，议论朝政是谏官的职能，御史一般不得参议。宋代御史地位提高，职权扩大，常和谏官共同参议朝政得失。如乾道三年（1167年）十一月，孝宗"诏台谏、侍从、两省官指陈阙失"[1]。绍熙五年（1194年）十月，宁宗即位后，"令台谏、侍从各疏朝政阙失以闻"[2]。再者，宋代御史和谏官还常共同参议仪制和政策制订。如嘉祐四年（1059年），判三班院韩缜提出，"今武臣遭父母丧，不得解官行服，非天下通制，下台谏官详定，而具为令"[3]，九月，朝廷根据台谏官的议案，对武臣丧服制作了一些具体规定。绍兴三十一年（1161年）四月，"以久雨伤蚕麦，盗贼间发"，高宗"命侍从、台谏条上弭灾除盗之策"[4]。淳熙五年（1178年）正月，孝宗"诏侍从、台谏、两省官集议

---

[1] 《宋史》卷34《孝宗二》。
[2] 《宋史》卷37《宁宗一》。
[3] 《长编》卷192，嘉祐四年九月丙午。
[4] 《宋史》卷32《高宗九》。

考课法"①。嘉定十一年(1218年)五月,宁宗"诏侍从、两省、台谏官集议平戎、御戎、和戎三策"②。

参预荐举官员,是宋代御史和谏官职能的共同点之四。宋代御史和谏官常共同参预举官。首先是共同参预荐举监司、郡守等地方官。如淳熙九年(1182年)六月,孝宗"诏侍从、台谏举官堪充监司者各一、二名"③。淳熙十六年(1189年)三月,光宗即位后"诏侍从、两省、台谏各举任湖广及四川总领者一人"④。嘉定二年(1209年)正月,宁宗"诏侍从、两省、台谏各举监司、郡守治行尤异者二、三人"⑤。咸淳七年(1271年)十二月,度宗"诏举廉能材堪县令者,侍从、台谏、给舍各举十人"⑥。其次,宋代御史和谏官还常参预荐举军事将领。如嘉定八年(1215年)正月,宁宗"诏侍从、台谏各举将材三人"⑦。嘉定十二年(1219年)五月,宁宗再次"诏两省、台谏各举文武可用之才二、三人"⑧。宝庆元年(1225年)八月,理宗下诏令侍从、两省、台谏、三衙等"各举堪充将帅三人"⑨。宝祐元年(1253年)五月,理宗又令"侍从、台谏、给舍、制司各举帅才二人"⑩。此外,御史和谏官还常共同参预荐举其他官员,如嘉定二年(1209年)五月,宁宗令"侍从、两省、台谏各举有政绩才望者二人,

---

① 《宋史》卷35《孝宗三》。
② 《两朝纲目备要》卷15,嘉定十一年五月丁亥。
③ 留正《皇宋中兴两朝圣政》卷59,淳熙九年六月辛酉。
④ 《宋史》卷36《光宗》。
⑤⑦ 《宋史》卷39,《宁宗三》。
⑥ 《宋史》卷46《度宗》。
⑧ 《宋史》卷40《宁宗四》。
⑨ 《宋史》卷41《理宗一》。
⑩ 《宋史》卷43《理宗三》。

以补郎官之阙"①。

兼任侍讲，是宋代御史和谏官职能的共同点之五。宋太祖、太宗、真宗三朝，御史和谏官皆不兼任侍讲。自庆历二年（1042年）二月，御史中丞贾昌朝"侍讲迩英阁"②始，御史中丞逐渐参预侍讲，而谏官仍不参预其职。南宋绍兴十二年（1142年），御史中丞万俟卨、谏议大夫罗汝楫并兼侍讲③，此后每除御史中丞和谏议大夫"必兼经筵矣"④。绍兴二十五年（1155年），"正言王珉、殿中侍御史董德元并兼侍讲"⑤。宁宗以后，御史和谏官几乎"无不预经筵者"⑥。

以上宋代御史和谏官职能的五个共同点，几乎囊括了宋代谏官的全部职能，而宋代御史的职能除上述的五点之外，还有维护朝仪秩序、参预司法工作、监察司法部门、参预百官管理等。据此而言，宋代御史和谏官在职能上已形成了合一趋势，而这种趋势的发展方向，必然是谏官被取消，明朝都察院的设置就证明了这一点。

（二）宋代御史与谏官选任制度比较

两宋时期，御史和谏官在选任方式、资格资序法、回避法等项具体制度方面也出现了合一趋势。

从选任方式上看，宋代御史和谏官几乎完全相似，皆有两种选任方式。皇帝亲擢，是宋代御史和谏官共同的选任方式之一。宋朝立国后，就强调"台谏须出宸选"⑦。靖康元年（1126年）四月，钦宗

---

① 《两朝纲目备要》卷12，嘉定二年五月庚子。
② 《长编》卷135，庆历二年二月丁丑。
③⑤ 《宋史》卷162《职官二》。
④⑥ 《建炎以来朝野杂记·乙集》卷15《祖宗时台谏不兼经筵》。
⑦ 谢维新《古今合璧事类备要·后集》卷24《司谏》。

下诏:"台谏者天子耳目之司","当出亲擢,立为定制"①。历南宋一代,皇帝亲擢台谏制度行而不废,即使权臣秦桧有时也不敢明目张胆地违反这一制度。《宋会要辑稿》和《皇宋中兴两朝圣政》皆记载了这样一个故事:

> (绍兴九年二月)六日,宰执进呈。上曰:朕欲用谢祖信为台官,恐祖信不知朝廷今日事机,卿等可召赴都堂与之议论。臣桧等奏陈:台谏乃天子耳目,自朝政阙失所当论列,恐召至朝堂然后除授,外间不知陛下之意,不能无嫌。上曰:大臣朕股肱,台谏朕耳目,本是一体,若使台谏机察大臣岂朕责任之意耶?臣桧等荷上眷知,卒不敢召祖信②。

秦桧不召谢祖信只不过是为了遮人耳目,但另一方面也反映出宋代皇帝亲擢台谏制度影响之深。臣僚荐举是宋代选任御史和谏官共同的方式之二。天圣元年(1023年)四月,仁宗"诏翰林学士及三司副使、知杂御史各举太常博士以上一员堪充谏官、御史者以名闻。"③宋徽宗即位后,"诏宰臣、执政、侍从各举可任台谏者"④。建炎三年(1129年)三月,"台谏员阙甚多",高宗"令侍从官公共荐举堪充台谏二员"⑤。淳熙十六年(1189年)二月,光宗即位,"诏中书舍人罗点具(举?)可为台谏者"⑥。

从宋代选任御史和谏官的资格、资序法上看,二者也大体相似。天圣元年(1023年)四月,仁宗下诏:谏官、御史皆在"太常博士

---

① 《宋会要辑稿》职官3之56。
② 《宋会要辑稿》职官55之20;《皇宋中兴两朝圣政》卷35,绍兴九年二月戊午与此记载大致相同。
③ 《长编》卷100,天圣元年四月丁巳。
④ 《宋史》卷19《徽宗一》。
⑤ 《宋会要辑稿》职官3之56。
⑥ 《宋史》卷36《光宗》。

第三章 宋代谏官制度及台谏的合一

以上"① 中选任。元祐三年(1088年)六月,哲宗规定:"左右司谏、正言、殿中侍御史、监察御史以升朝官通判资序实历一年以上人充"② 任。

从宋代御史和谏官回避法的内容上看,二者基本相似。宋代御史和谏官回避的主要对象皆是宰执。它规定:凡"除台谏官,若系执政之亲,不以有无服纪,并不除授"③;执政子弟"不为台谏"④;且多次强调宰执所荐举之人不得为台谏官。如庆历四年(1044年)八月,仁宗下诏:"自今除台谏官,毋得用见任辅臣所荐之人。"⑤ 靖康元年(1126年),钦宗下诏强调:"台谏者,天子耳目之臣,宰执不当荐举。"⑥ 南宋在制度上,御史和谏官回避的主要对象仍为宰执。

最后看一下宋代御史与谏官关系的变化。唐朝御史和谏官互不相见。北宋仍因袭此制,既不许御史和谏官相见,也不许他们互相往来。如嘉祐六年(1061年),同知谏院司马光"上章乞立宗室为继嗣,对毕,诣中书",宰相韩琦问殿中侍御史陈洙:司马光"上殿言何事?"陈洙回答道:"彼此台谏官不相往来,不知言何事"。到了南宋,御史和谏官"合为一府,居同门,出同幕"⑦,"所居别为六宅,而合为一门,得以邻墙往来"⑧,在组织机构及居住条件方面也出现了合一趋势。

---

① 《长编》卷100,天圣元年四月丁巳。
② 《长编》卷412,元祐三年六月癸未。
③ 陈次升《谠论集》卷4《奏弹陈祐》。
④ 《两朝纲目备要》卷6,庆元六年闰二月辛亥。
⑤ 《长编》卷151,庆历四年八月戊午。
⑥ 《宋会要辑稿》职官55之16。
⑦ 洪迈《容斋续笔》卷3《台谏不相见》。
⑧ 魏了翁《鹤山全集》卷18《应诏封事》。

二、宋代台谏合一之势形成的原因及其影响

毛泽东同志指出:"每一事物的运动都和它周围他事物互相联系和互相影响着。"① 同样,某种制度的变化也往往是由多种因素促成的。宋代台谏合一之势形成的原因也不例外。

首先,宋代御史职能由监察弹劾扩大到谏诤议论是台谏合一之势形成的重要原因之一。如本编第二章第二节所述,宋代御史不但主监察弹劾,而且还具有谏责皇帝、参议朝政的职能。御史职能的扩大,必然要分割谏官主谏诤及议论朝政的传统职能,而谏官职能的被分割又必然使谏官在朝廷中的作用日益减轻。所以,至金朝、元代以后,谏官遂被废除,清朝永瑢等人说得好:"御史遂尽得建言,不专弹劾,逮金元以后,而谏议之官遂废,亦台臣积重之势然也。"②

其次,谏官职能由谏诤议论扩大到监察宰相百官,是宋代台谏合一之势形成的原因之二。如本编第三章第一节所述,唐代及其以前,谏官主谏诤而无监察弹劾之任,宋制,"谏官职事,凡执政过举,政刑差谬皆得弹奏"③。宋代谏官主监察弹劾之任,直接促进了台谏合一之势的形成,使台谏成为明清时期御史的代名词,清朝永瑢等人在《历代职官表》中写道:"流俗相沿,遂称御史为台谏。"④

其三,三省制度变化,对宋代台谏合一之势的形成有一定的影响。谏官在唐代分隶中书省和门下省,北宋前期,三省制度名存实

---

① 《矛盾论》《毛泽东选集·一卷本》第276页。
② 永瑢《历代职官表》卷18《都察院上》。
③ 《长编》卷389,元祐元年十月壬辰。
④ 永瑢《历代职官表》卷19《都察院下》。

废,明道元年(1032年)七月,仁宗根据陈执中的请求,设置了谏院①。元丰改制后,神宗罢去谏院,以谏官分隶中书后省和门下后省②。南宋建炎三年(1129年)四月,"始合三省为一"③,谏官不得不于同年七月"别置局,不隶后省"④。元朝以后,"不置三省,而谏议、司谏、正言之在门下者随之俱废"⑤。可见谏官的废除与三省制度的变化有密切关系。而谏官的废除是明清时期台谏彻底合一的重要原因之一。

其四,庞大的学士队伍取代了谏官的部分职能,间接地促进了宋代台谏合一之势的形成。学士的出现,在中国历史上由来已久。唐代时,学士逐渐成为皇帝的顾问集团。武德四年(621年),秦王李世民于"宫城之西作文学馆,收聘贤才","每暇日访以政事,讨论坟籍,榷略前载,无常礼之间",杜如晦、房玄龄等十八人"并以本官为学士"。⑥ 李世民即位后,"置宏文馆,悉引学士番宿更休,参帷幄,论文史,其职渐重"⑦。两宋时期,学士不但种类增多,而且成为皇帝的近臣内职,得以参议朝政阙失。据南宋人洪迈的统计,宋代学士"自观文殿大学士至直秘阁几四十种"⑧。这些学士"高以备顾问,其次与论议,典校雠"⑨,取代了谏官的部分职能。关于宋代学士具有参议朝政阙失的史料甚多,如范仲淹以龙图阁直学士出任

---

① 《长编》卷111,明道元年七月辛卯。
② 《宋会要辑稿》职官1之78。
③ 《宋会要辑稿》职官1之28。
④ 《建炎以来系年要录》卷25,建炎三年七月辛卯。
⑤ 永瑢《历代职官表》卷19《都察院下》。
⑥ 《新唐书》卷102《褚亮传》。
⑦ 赵翼《陔馀丛考》卷26《学士》。
⑧ 洪迈《容斋五笔》卷2《西汉以来加官》。
⑨ 《文献通考》卷54《职官八》。

陕西都部署兼领经略安抚招等使,仁宗把他的龙图阁直学士改换为邠州观察使,范仲淹连上三表,请求朝廷不要更换他的龙图阁直学士职。他在上疏中写道:

> 臣辈亦以内朝之职(龙图阁直学士),每睹诏令之下,或有非便,必极力议论,覆奏不已,期于必正,自以近臣当弥缝其阙,而无嫌矣。今一旦落内朝之职,而补外帅……则今而后,朝廷诏令之出或不便于军中,或有害于边事,岂敢区别是非,与朝廷抗论①?

范仲淹之所以不愿意免去内职的主要原因,正是学士有议论朝政阙失的职能。学士得以议论朝政阙失,使谏官的作用减轻,间接地促进了宋代台谏合一之势的形成。

宋代台谏合一之势的形成,对当时的政治产生了一定的作用和影响。

第一,它不仅有利于加强对宰相百官的监察,而且也有利于监察与行政抗衡机制的形成。宋代御史和谏官皆可以监察弹劾宰相百官,使监察力量强大,形成了一股敢于和宰相抗争的政治势力,活跃在宋代政治舞台上,宰相百官动辄要遭到台谏弹劾,从而使行政与监察抗衡机制得以形成,宰相为保其相位,有时不得不顺从台谏旨意,如仁宗朝,"议者讥宰相但奉台谏风旨而已"②。

第二,有利于提高对皇帝的谏诤意识。在宋代,无论是御史还是谏官,动辄可谏诤皇帝,尤其是御史与谏官联合行动,指责皇帝过失,大大提高了人们对皇帝的谏诤意识。如宋人陈傅良指出:"唐世之法大抵严于治人臣而简于人主之身,遍于四境而不及于乎其家,州闾乡井断断然施之实政,而宗庙朝廷之上所谓礼乐者皆虚文

---

① 范仲淹《范文正公集》卷16《让观察使第一表》。
② 苏轼《东坡全集》卷51《上皇帝书》。

也。"① 同时,他还进一步指出皇帝接受规谏的原因:"人主之有为天下,其心未尝不欲朝廷之尊而纪纲之肃也,而人主之所为,则每有以隳其尊而坏其所谓肃然者,以其道不足以制欲故也。"② 高斯得更明确提出:"夫,以一人居天下之上,言动几微之间,治乱存亡系焉,是不可以不闻过也。"③ 宋代士大夫公开提出谏诤皇帝,实属前代所仅见。这一思想意识的出现与台谏合一之势的形成有密切关系。

第三,有利于加强舆论监督。两宋时期,御史和谏官共同监察宰相百官,共同谏诤皇帝过失,共同议论朝政,已成为社会的舆论监察中心,"台谏之论,每以天下公议为主,公议之所是,台谏必是之;公议之所非,台谏必非之"④。尤其宋仁宗朝,"天下是非付之台谏",甚至"进退宰相皆取天下公议"⑤。宋代御史和谏官之所以在社会中能发挥重要的舆论监督作用,与台谏合一之势的形成是分不开的。

本 章 小 结

综合本章所述,宋代谏官制度与台谏合一问题,可归纳为以下几点。

一、宋朝谏官制度复杂,称谓名同实异问题突出,如谏议大夫,在北宋前期是"寓禄秩,叙位著"的寄禄官;元丰改制后,官复其职,

---

① 陈傅良《八面锋》卷1。
② 陈傅良《八面锋》卷5。
③ 杨士奇《历代名臣奏议》卷207《听言》。
④ 刘安世《尽言集》卷3《论胡宗愈除右丞不当第十》。
⑤ 王偁《东都事略》卷73《唐介传赞》。

谏议大夫方成为"谏垣之长"。

二、宋代谏官机构从中书省和门下省中分离出来,脱离宰相府;职能由谏净皇帝扩大到监察宰执百官。这一制度的出现,是宋代君主专制发展在谏官制度上的一种反映。

三、宋代谏官选任制度比较完备,如制定了选任方式、资格资序法、回避法等,特别是回避宰执法的制定与推行,在中国古代谏官制度发展史上,具有划时代的特征和意义。

四、宋代谏官的文化素质高于前代,特别是宋仁宗朝,谏官出身于科举者,竟达百分之九十八。这不仅说明宋代统治者重视谏官人选的文化修养,而且也是宋代科举制度发展的一个重要标志。

五、宋代御史和谏官,无论在职能上还是在选任制度上均形成了合一之势。宋代台谏合一之势的形成,有利于加强对宰执百官的监察,有利于提高对皇帝的谏净意识,有利于强化社会舆论监督机制。

六、宋代台谏合一之势的形成,开明清时期台谏彻底合一之端,在我国封建社会政治制度发展史上具有重要意义。

第四章 台谏与宋代政治

第一节 台谏与宋代专制统治

两宋时期,君主专制进一步发展。台谏作为皇帝的耳目之臣,在君主专制中具有重要作用。宰相是百官之首,要探讨台谏与君主专制问题,必须先从台谏与宰相的关系入手。北宋前期,特别是仁、英两朝和神宗即位之初,台谏在牵制宰相,巩固君主专制中发挥了一定的作用。

一、鼎铛有耳之说

北宋初年,宰相权重①,御史很少敢于弹劾宰相,即使对宰相的违法行为,宋太祖有时也持庇护态度,不许台谏弹劾,史载:

> 太祖宠待赵韩王(普)如左右手。御史中丞雷德骧劾奏赵普强市人第宅,聚敛财贿。上怒,叱之曰:"鼎铛尚有耳,汝不闻赵普吾之社稷臣乎?"命左右曳于庭数匝,徐使复冠,召升殿

---

① 罗大经《鹤林玉露·丙编》卷2《论事任事》。

曰:"今后不宜尔,且赦汝,勿令外人知也。"①
宋人罗大经把这件事称之谓"鼎铛有耳之说"。他对此事评论说:"余谓国初相权之重,自艺祖鼎铛有耳之说始。赵韩王定混一之谋于风雪凌厉之中,销跛扈之谋于杯觞流行之际,真社稷臣矣。雷德骧何人?乃敢议之,宜艺祖之震怒也。"② 宋初宰相权重确实是从"鼎铛有耳之说"开始的。罗大经对"鼎铛有耳之说"持肯定态度也是有道理的。

北宋初年,新政权刚刚建立,摆在宋太祖面前的主要任务,是如何统一南北,结束分裂割据,杜绝唐末五代以来武人飞扬跋扈的局势。而宰相与皇权的矛盾暂时处于次要地位。"鼎铛有耳之说"就是在这一背景下出现的。

据不少材料记载,宋初宰相赵普比较专横,"尝设大瓦壶于视事前阁中,中外表疏,普意不欲行者,必投之壶中,束缊焚之。"③台谏尚不能干预此事。

二、宋仁宗朝台谏与宰执的矛盾冲突

宋仁宗朝,台谏势力逐渐强大,并与宰执"分为敌垒,以交战于廷"④。

宋代台谏和宰执的第一次冲突是在仁宗明道年间。明道二年(1033年),仁宗下诏废去了郭皇后。围绕该不该废去郭后问题,台

---

① 司马光《涑水记闻》卷1,《宋朝事实类苑》卷6,《宋名臣言行录·前集》卷1。
② 罗大经《鹤林玉露·丙编》卷2《论事任事》。
③ 徐自明《宋宰辅编年录》卷1,开宝六年八月甲辰;李元纲《厚德录》卷2与此记载大致相同。
④ 王夫之《宋论》卷4。

谏官孔道辅、范仲淹等人和宰相吕夷简展开了一场激烈的论战。《长编》卷一一三,明道二年十二月乙卯详细记载了这场论战的情况:

> (孔道辅)语夷简曰:"人臣之于帝后,犹子事父母也。父母不和,固宜谏止,奈何顺父出母乎?"众哗然,争致其说。
>
> 夷简曰:"废后自有故事。"
>
> 道辅及仲淹曰:"公不过引汉光武劝上耳,是乃光武失德,何足法也!自馀废后,皆前世昏君所为。上躬尧、舜之资,而公顾劝之效昏君所为,可乎?"
>
> 夷简不能答,拱立曰:"诸君更自见上力陈之。"道辅与范仲淹等退,将以明日留百官揖宰相廷争。而夷简即奏:台谏伏阁请对,非太平美事。乃议逐道辅等。
>
> 丙辰旦,道辅等始至待漏院,诏道辅出知泰州,仲淹知睦州,(孙)祖德等各罚铜二十斤。

在这次论战中,台谏官孔道辅、范仲淹等人把宰相吕夷简问得张口结舌,无言对答。论战虽以台谏官贬逐、罚铜而结束,但是,台谏第一次在宋代政治舞台上亮了相,自此,台谏与宰相矛盾冲突白热化。

宋代台谏与宰相的第二次矛盾冲突发生皇祐初年。皇祐初,外戚张尧佐除宣徽、节度、景灵、群牧四使。殿中侍御史唐介和谏官包拯、吴奎等人竭力相争,唐介又请求御史中丞王举正"留百官班庭论,夺其二使"①。在台谏的压力下,张尧佐被免去宣徽、景灵二使。不久,朝廷命张尧佐以宣徽使知河阳。不少人认为,张尧佐已出外任,"不足再争",殿中侍御史唐介却认为,"宣徽使次二府,不计内外,独争之"。仁宗告诉唐介说:张尧佐官职的"除拟,初出中书"。唐

---

① 《宋史》卷316《唐介传》。

介提出:"当责执政退,请全台上殿",仁宗没有答应。唐介请求罢台职,"亦不报"。于是,唐介遂弹劾宰相文彦博"专权任私,挟邪为党,知益州日,作间金奇锦,因中人入献宫掖,缘此擢为执政"①,"今显用尧佐,益自固结,请罢之而相富弼"②。唐介当面质责宰相文彦博说:"彦博宜自省,即有之,不可隐于上前"③。文彦博"拜谢不已"。仁宗"怒益甚"④,枢密副使梁适叱责御史唐介下殿,而唐介"辞益坚,立殿上不去",仁宗"令送御史台劾(唐)介"。唐介退出殿后,宰相文彦博再拜说:"台官言事,职也,愿不加罪。"仁宗没有答应,"乃召当制舍人即殿庐草制而责之。"当时,仁宗"怒不可测",群臣莫敢谏。左正言、直史馆、同修起居注蔡襄独进言:"介诚狂直,然容受尽言,帝王盛德也,必望矜贷之。"翌日,御史中丞王举正上疏提出唐介责之太重,宋仁宗"亦中悔,恐内外惊疑,遂敕朝堂告谕百官,改授(唐)介英州别驾",并遣中使护送唐介至英州,且告诫护送者:必须保全唐介,无令道死。此后,宰相文彦博也罢知许州⑤。

从以上台谏与宰相第二次矛盾冲突的过程中可以看出,台谏以咄咄逼人之势,始终在舆论上占据上风。最后以台谏、宰相双方具罢而结束。

台谏与宰相的第三次矛盾冲突是在至和元年(1054年)。至和初,殿中侍御史马遵等人弹劾宰相梁适"奸邪贪黩,任情徇私,且弗戢子弟,不宜久居重位"。宰相梁适请求与御史马遵辩论。马遵又进一步揭发梁适说:"光禄少卿向传师、前淮南转运使张可久,尝以赃废,乃授左曹郎中;又留豪民郭秉在家卖买,奏与恩泽;张揆还自益州,赂(梁)适得三司副使,故王逵于文德殿廷厉声言:'空手冷

---

① ③ ⑤ 《长编》卷171,皇祐三年十月丁酉。
② ④ 《宋史》卷316《唐介传》。

面,如何得好差遣!'"① 接着,御史中丞孙抃、殿中侍御史吕景初、吴中复等人纷纷上疏弹劾梁适。宋仁宗知道,不罢梁适"清议弗平"②。同年七月,梁适罢相,尔后,御史马遵、吕景初、吴中复等人也罢台职③。台谏和宰相的第三次矛盾冲突,仍以双方皆罢职而结束。

台谏和宰相的第四次矛盾冲突也是在至和年间。至和元年(1054年),宰相陈执中的家奴迎儿死去。"移开封府检视,有疮痕"。传说是陈执中的嬖妾张氏杀死的。殿中侍御史赵抃上疏弹劾陈执中说:"臣窃闻宰臣陈执中本家捶挞女奴迎儿致死,开封府见检覆行遣,道路喧腾,群议各异。一云执中亲行杖楚,以致毙踣;一云嬖妾阿张酷虐,用他物殴杀。臣谓二者有一于此,执中不能无罪"④,与此同时,御史中丞孙抃也竭力论奏陈执中不当为相。在御史的弹奏下,宰相陈执中"家居待罪,不敢出"⑤。至和二年(1055年)四月,陈执中"复入中书视事"⑥。御史中丞孙抃、殿中侍御史赵抃等人又纷纷上疏弹劾陈执中,陈执中也上疏攻击御史朋党。同年六月,御史中丞孙抃"乞解宪职补外以避执中朋党中伤之祸"⑦。仁宗罢去了陈执中的宰相职务。

台谏与宰相的第五次矛盾冲突是在嘉祐年间。嘉祐元年(1056年)八月,知谏院范镇改授侍御史知杂事,侍御史范师道、殿中侍御史赵抃因在论奏宰相陈执中时,曾和范镇意见不一致,不肯就台

① 《长编》卷176,至和元年七月戊辰。
② 《长编》卷176,至和元年七月戊辰。
③ 《长编》卷176,至和元年七月己巳。
④ 《长编》卷177,至和元年十二月癸丑。
⑤ 《长编》卷179,至和二年四月庚子。
⑥ 《长编》卷179,至和二年四月庚戌。
⑦ 《长编》卷180,至和二年六月戊戌。

职。宰相刘沆也因赵抃、范师道"尝攻其短,阴上书出之"①。九月,侍御史范师道出知常州,殿中侍御史赵抃出知睦州②。范师道、赵抃被罢台职以后,御史中丞张昇抗议说:"天子耳目之官,进退用舍必由陛下,奈何以宰相怒斥之?愿明曲直以正名分。"③殿中侍御史吴中复揭宰相刘沆的老底说:"沆治温成丧,天下谓之'刘弯',俗谓鬻棺者为弯,则沆素行可知。"④宰相刘沆"亦力诋台官朋党"。张昇怒不可遏,"益论辩不已,凡上十七章,沆知不胜,乃请以本官兼一学士守南京"⑤。十二月,刘沆罢相知应天府,御史取得了胜利。

以上台谏与宰相五次矛盾冲突的事实表明,宋仁宗朝的台谏已和宰相形成了抗衡之势,正如吕祖谦所说:"自孔道辅、范仲淹敢于抗(吕)夷简,唐介敢于抗(文)彦博,一梁适之用事,则冯(马?)遵率数人言之;一刘沆之得政,则张昇凡十七疏论之而后,台谏之权敢与宰相为抗矣。"⑥

三、濮议中台谏与宰执的抗争

治平年间,围绕宋英宗该不该尊生身之父濮安懿王为皇考的问题,引起了台谏与宰执的一场激烈的抗争。治平二年(1065年)四月,宋英宗下诏令臣僚"议崇奉濮安懿王典礼以闻"⑦。宰相韩琦、参知政事欧阳修皆主张尊濮王为皇考⑧。御史中丞彭思永、侍御史知杂事吕诲、侍御史范纯仁、监察御史里行吕大防、同知谏院

---

① 徐自明《宋宰辅编年录》卷5,嘉祐元年十二月壬子。
② 《宋会要辑稿》职官17之7。
③⑤ 徐自明《宋宰辅编年录》卷5,嘉祐元年十二月壬子。
④ 《长编》卷184,嘉祐元年十二月壬子。
⑥ 吕祖谦《类编皇朝大事记讲义》卷9《台谏》。
⑦ 《长编》卷204,治平二年四月戊戌。
⑧ 《宋史》卷319《欧阳修传》。

傅尧俞等台谏官主张尊奉濮王为皇伯。宋英宗听取宰执意见,下诏尊濮王为皇考。侍御史知杂事吕诲弹劾宰相韩琦不忠五罪,并且上疏说:"昭陵(仁宗)之土未乾,遽欲追崇濮王,使陛下厚所生,而薄所继,隆小宗而绝大宗",且与御史里行吕大防、侍御史范纯仁共同弹劾参知政事欧阳修"首开邪议,以枉道说人主,以近利负先帝,陷陛下于过举"①。翌年,侍御史知杂事吕诲等人"各纳台官告牒家居待罪",宋英宗命"关门以告牒还之,及令中书降札子趣使赴台供职"②。吕诲等人坚决要求辞去台职,"且说与辅臣势难两立"③。宋英宗"问执政当如何",宰相韩琦回答说:"臣等忠邪,唯陛下所知。"参知政事欧阳修道:"御史以为理难并立,臣等有罪即留御史,若以臣等无罪则取旨。"宋英宗犹豫了很久,"乃令出御史",并说:"不宜责之太重。"④于是,侍御史知杂事吕诲降知蕲州,侍御史范纯仁通判安州,监察御史里行吕大防知歙州休宁县⑤。持续半年的濮议之争,以台谏的贬逐而宣告结束。

　　濮议虽为一区区仪礼小事,但濮议中台谏与宰执的抗争却反映出北宋前期台谏与宰相关系的变化,正如吕祖谦所概括的:"自庆历以来,台谏之职始振。自治平以来,台谏之权始盛,盖庆历言者直攻大臣,深斥其过,略不为之掩护,而元老宿望受之亦不愠也,以为台谏之职当如此。迨至治平濮邸之事,不过议制礼耳,台谏、执政交相争辩。……故政府、台谏之相攻,自治平始。"⑥吕祖谦的这段话,说明了宋英宗治平年间台谏与宰执的关系,已由互相抗争,转变为相互攻击。

————————

①③　《宋史》卷321《吕诲传》。
②④⑤　《宋会要辑稿》职官65之26。
⑥　吕祖谦《类编皇朝大事记讲义》卷13《台谏》。

四、宰相不押班的风波

宋初仪制："皇帝日御垂拱殿,文武官日赴文德殿正衙曰常参,宰相一人押班"①。宋英宗后期,宰相常不押班。神宗初年,宰相韩琦仍"不及押班便归第"②。御史中丞王陶上疏弹劾韩琦"自嘉祐末专执国柄"③,"不押常朝班"④。宋神宗遣近侍以王陶疏文示韩琦。韩琦上奏云："臣非跋扈者,陛下遣一小黄门至则可缚臣以去矣。"⑤神宗看过韩琦的奏疏后,十分感动。参知政事吴奎和赵概等人请求黜贬王陶,神宗不同意。吴奎等人又请求授王陶枢密直学士领群牧使,神宗答应了。但时隔不久,神宗又手批中书："以(王)陶为翰林学士。"参知政事吴奎等人坚决不同意,并上疏弹劾王"陶天资薄险,势利是视,巧诈反覆、情态万状,索其深蕴,真市井小人之不若也。陛下念此东宫之旧,首加任使,擢为中丞,今乃挟持旧恩,专为险恶,轻视狷愤,织罗交搆,摧辱大臣,排抑端良,意欲天下权势一归于己。"⑥次日,参知政事吴奎"遂称疾卧家乞罢政事"⑦。神宗把吴奎的弹劾疏文给王陶看。王陶针锋相对,寸步不让,上疏弹劾参知政事吴奎"附宰相欺天子六罪"⑧。侍御史吴申请求留王陶依旧供台职,且上疏弹劾吴奎"有无君之心,数其五罪"⑨。在双方互相弹劾攻击无比激烈的时候,宋神宗批附中书："御史中丞王陶、侍御史吴申、吕景过毁大臣;王陶除枢密直学士知陈州,吴申、吕景

---

① 《宋史》卷116《礼一九》。
② 朱熹《朱子语类》卷128《法制》。
③ 《长编拾补》卷1,治平四年四月乙卯。
④ 朱熹《宋名臣言行录·后集》卷1《韩琦》。
⑤ 邵伯温《邵氏闻见录》卷3。
⑥ 《长编拾补》卷1,治平四年四月戊辰。
⑦⑧⑨ 《长编拾补》卷1,治平四年四月己巳。

各罚铜二十斤。吴奎位在执政而弹劾中丞,以手诏为内批,三日不下除资政殿大学士知青州"①。不久,王陶出知陈州②,宰相开始押班,司马光出任御史中丞。

御史中丞王陶、参知政事吴奎罚铜出补外任后,宰相不押班的风波并没有彻底平息。治平四年(1067年)五月,宰相韩琦、曾公亮就宰相该不该押班问题,"乞下太常礼院详定典故"。宋神宗同意了他们的请求,新上任的御史中丞司马光竭力反对,他说:"今王陶既补外官,宰相已赴押班,臣谓朝廷可以无事矣,而宰相复有此奏,万一礼官有希旨迎合者,以为宰相不合押班,台谏欲默而不言,则朝廷之议遂成隳废;欲论是非,则无时休息也,""伏望陛下特降圣旨,令宰臣依国朝旧制押班,所有下礼院文字,乞更不令详定"③。宋神宗手诏:"下太常礼院详定指挥更不施行。"④至此,宰相不押班的风波才算基本平息。

宰相不押班的风波,反映了宋神宗初期台谏与宰执的矛盾斗争。这一矛盾斗争是宋仁、英两朝以来台谏与宰相由抗争到攻击的发展和继续。

五、台谏与宰执的任免

北宋前期,尤其是"仁宗朝,委任执政而台谏实参论议"⑤。如庆历三年(1043年)八月,谏官欧阳修等人"咸言枢密副使范仲淹有宰辅才"⑥,仁宗遂除范仲淹为参知政事。至和元年(1054年),

---

① 《长编拾补》卷1,治平四年四月庚午。
② 邵伯温《邵氏闻见录》卷3。
③④ 杨仲良《长编记事本末》卷57《宰相不押班》。
⑤ 王偁《东都事略》卷59下,《范纯仁传》。
⑥ 徐自明《宋宰辅编年录》卷5,庆历三年八月丁未。

宋仁宗对殿中侍御史里行吴中复说:"朕每进用大臣,未尝不采公议所归"①。王偁在《东都事略》中写道:"天下是非,付之台谏,其进退宰相,皆取天下公议。"② 苏辙也说:"臣窃见仁宗皇帝在位四十余年,海内乂安,近世少比,当时所用宰相二、三十人,其进退皆取天下公议,未尝辄出私意,公议所发常自台谏。"③以上这些材料皆不免有夸张之处,但它反映出宋仁宗朝台谏在宰相任免中的重要作用,这一作用和唐代御史"进退从违皆出宰相"④,形成了鲜明的对照。

为说明北宋前期台谏在宰相罢免中的作用,仅以仁宗朝为例,列表作一考察。

宋仁宗朝宰相罢免原因考察表

目次	宰相姓名	罢免原因	材料来源
1	丁 谓	因与宦官交通而罢	《宋史》卷283《丁谓传》
2	冯 拯	疾作,五上表愿罢相	《宋宰辅编年录》卷4
3	王 曾	以使领不严,累表待罪罢相	《宋宰辅编年录》卷4
4	王钦若	死于相位	同上
5	张志白	死于相位	同上
6	张士逊	由御史中丞范讽劾奏,遂与枢密使杨崇勋俱罢	同上
7	吕夷简	与知开封府范仲淹争辩官人之法于宋仁宗面前而罢	同上

---

① 徐自明《宋宰辅编年录》卷5,至和元年七月丁卯。
② 王偁《东都事略》卷73《唐介传赞》。
③ 《长编》卷372,元祐元年三月癸酉。
④ 洪迈《容斋四笔》卷11《唐御史迁转定限》。

目次	宰相姓名	罢免原因	材料来源
8	李迪	以范讽狱而罢相	同上
9	王随	右司谏韩琦奏劾而罢	《宋宰辅编年录》卷4
10	陈尧佐	右司谏韩琦奏劾而罢	同上
11	章得象	畏言者将讦其私事而请求罢相	《宋宰辅编年录》卷5
12	晏殊	谏官孙甫、蔡襄奏劾而罢	同上
13	杜衍	庆历新政失败后罢相	同上
14	贾昌朝	御史中丞高若讷言阴阳不和,责在宰相,遂罢相	《宋宰辅编年录》卷5;《长编》卷160,庆历七年二月乙未
15	陈执中	台谏奏劾,执中以足疾辞相位	《宋宰辅编年录》卷5
16	文彦博	御史弹劾而罢	同上
17	宋庠	谏官包拯等弹奏而罢相	同上
18	庞籍	谏官韩绛奏劾而罢	《宋史》卷211《宰辅二》
19	梁适	由殿中侍御史里行吴中复等人弹劾而罢	《宋宰辅编年录》卷5
20	刘沆	由御史中丞张昇等人弹劾而罢	同上
21	富弼	丁母忧罢	同上
22	韩琦	神宗初,御史中丞王陶弹劾后称疾请罢	《宋宰辅编年录》卷7
23	曾公亮	神宗朝自请致仕	同上

据上表可知,宋仁宗朝二十三名宰相中,韩琦、曾公亮为相时间较长,一直到神宗初才罢相,其他二十一名,死于相位及丁忧罢相者三人,剩下的十八名中,有十三名因台谏弹奏而罢,占总人数

的百分之五十六。足见台谏在仁宗朝宰相罢免中的作用。

综上所述,台谏与宋专制统治的关系可概括为以下几点。

1. 宋初,统一南北,结束分裂割据局势是当务之急,台谏尚不被朝廷重视,尤其太祖朝,对宰相赵普信而不疑,因而出现了"鼎铛有耳"之说。

2. 统一南北战争结束后,皇权与相权的矛盾日益尖锐。仁宗即位之初,刘太后欲借台谏力量牵制宰相,台谏势力遂日益强大,自明道年间始,台谏对宰相的牵制作用越来越大。

3. 对宋仁宗朝台谏与宰执的关系,宋人有两种截然不同的看法。其一,欧阳修认为,宰执势力强大,御史和谏官"规切人主则易,欲言大臣则难"①。其二,汪辅之、苏轼等人认为,台谏势力强大,宰相"但奉行台谏风旨而已"②。

为什么欧阳修,汪辅之和苏轼等人会对宋代台谏与宰执的关系得出不同的结论呢?以笔者拙见,即使对同一事物、同一史料,人的政治立场及其动机不同,得出截然不同的结论,是不足为奇的。

先看欧阳修得出"方今言事者规切人主则易,欲言大臣则难"结论的背景、动机及其立场。嘉祐六年(1061年)六月,富弼丁母忧,宰相韩琦独掌国柄。谏官唐介、御史范师道等人因弹奏枢密副使陈旭而罢台谏职务,欧阳修站在反对贬逐台谏官的立场上,请求宋仁宗早下诏恢复唐介、范师道等人的台谏职务。因此,他在给宋仁宗的上疏中写道:"臣自立朝,耳目所记,景祐中范仲淹言宰相吕夷简贬知饶州。皇祐中,唐介言宰相文彦博贬春州别驾。至和初,

---

① 欧阳修《文忠集》卷113《论台谏官唐介等宜早牵复札子》。
② 《长编》卷190,嘉祐四年八月乙亥;苏轼《东坡全集》卷51《上皇帝书》。

吴中复、吕景初、马遵言宰相梁适并罢职出外,其后赵抃、范师道言宰相刘沆亦罢职出外。前年韩绛言富弼贬知蔡州,今又唐介等五人言陈旭得罪。自范仲淹贬饶州后,至今凡二十年间,居台谏者多矣,未闻有规谏人主而得罪者,臣故谓方今谏人主则易,言大臣则难。"①

再看汪辅之、苏轼言"宰相但奉行台谏风旨"的背景、动机及其立场。嘉祐四年(1059年)八月,宋仁宗"御崇政殿策试应才识兼茂明于体用科明州观察推官陈舜俞、贤良方正直言极谏旌德县尉钱藻、汪辅之"。陈舜俞和钱藻"所对策并入第四等",因此朝廷授陈舜俞著作佐郎、签书忠正军节度判官事,钱藻试校书郎、无为军判官。汪辅之"亦入等,监察御史里行沈起言其无行,罢之。辅之躁忿,因以书诮让富弼曰:'公为宰相,但奉行台谏风旨而已,天下何赖焉!'"② 显然,汪辅之言"宰相但奉行台谏风旨",是因为直接受到御史里行沈起弹劾而丢掉了官,他恨宰相不给自己做主。而苏轼则是借汪辅之的话规劝宋神宗效法仁宗,以台谏限制参知政事王安石的权限,从而达到反对变法的目的。熙宁四年(1071年),他在给宋神宗的上疏中说:"历观秦汉以及五代,谏诤而死盖数百人。而自建隆以来,未尝罪一言者,纵有薄责旋即超迁,许以风闻,而无官长,风采所系不问尊卑,言及乘舆则天子改容,事关廊庙则宰相待罪,故仁宗之世,议者讥宰相但奉行台谏风旨而已。""臣自幼小所记及闻长老之谈,皆谓台谏所言常随天下公议,公议所与,台谏亦与之,公议所击,台谏亦击之","今者物论沸腾,怨讟交至,公议所在亦可知矣。而相顾不发,中外失望。""臣恐自兹以往习惯成风,尽

---

① 欧阳修《文忠集》卷113《论台谏官唐介等宜早牵复札子》。
② 《长编》卷190,嘉祐四年八月乙亥。

为执政私人,以致人主孤立,纪纲一废,何事不生?"①

宋仁宗朝台谏与宰执的关系比较复杂。台谏既可以牵制宰执,但又常因为和宰执斗争激烈而遭贬逐。欧阳修所说的正是台谏与宰执斗争激烈而遭贬逐的一面。而苏轼所抓住的却是台谏牵制宰执的一面。他们各取所需,用以表现自己的政治立场,论证自己的观点。至于汪辅之所言,则完全是受御史弹劾而罢官的牢骚话。

4. 宋英宗朝和神宗初期,台谏与宰执的争辩更为激烈。濮议中台谏与宰执"交相争辩",宰相不押班的风波中,台谏与宰执互相弹劾攻击的事实都说明了这一点。

总之,北宋前期台谏与宰执的关系经历了一个变化过程。宋仁、英两朝和神宗即位之初,台谏与宰执抗争实为前代所仅见。这些抗争的事实表明,台谏在北宋前期的政治舞台上具有一定地位,对巩固宋专制统治是有其重要作用的。用毕仲游的话说,即:"禁止大臣,使不得自放之术也。"②

第二节　台谏与宋代改革

宋代真正称得起改革的,一是庆历新政,二是王安石变法。台谏在这两次改革中的作用至关重要。

一、台谏与庆历新政

宋仁宗时期的庆历新政与台谏有不解之缘,从新政首领范仲淹登上政治舞台,到新政的彻底失败,无不与台谏密切相关。

---

① 苏轼《东坡全集》卷51《上皇帝书》。
② 毕仲游《西台集》卷7《上门下侍郎司马温公书》。

（一）谏官与范仲淹的上台

范仲淹是靠谏官的支持才登上改革舞台的。确切地说，范仲淹和谏官欧阳修、余靖、蔡襄等人是一个强有力的政治集团。为说明谏官在范仲淹上台中的作用，有必要对范仲淹政治集团的形成及如何保护、荐举范仲淹的过程作一叙述。

景祐三年（1036年），吕夷简为宰相，"进者往往出其门"。知开封府范仲淹"言官人之法，人主当知其迟速、升降之序，其进退近臣，不宜全委宰相"。又上"百官图"，指其次第曰："如此为序迁，如次为不次，如次则公，如此则私，不可不察也。"① 宰相吕夷简对此怀恨在心，利用仁宗问及迁都之机，说范仲淹"迂阔，务名无实"。范仲淹闻之，作"四论以献"，并说："汉成帝信张禹不疑舅家，故终有王莽之乱，臣恐今日朝廷亦有张禹坏陛下家法，以大为小，以易为难，以未成为已成，以急务为闲务者，不可不早辨也"。吕夷简大怒，和范仲淹争辩于仁宗面前，"且诉仲淹越职言事，荐引朋党，离间君臣，仲淹亦交章对诉"。侍御史韩渎"希夷简意，请以仲淹朋党牓朝堂，戒百官越职言事"。同年五月，范仲淹被贬知饶州。天章阁待制李纮、集贤校理王质"皆载酒往饯"，给范仲淹送行。尤其是王质，"又独留语数夕"，有人责备王质，王质却说："希文（范仲淹字）贤者，得为朋党幸矣。"② 范仲淹被贬后，集贤校理余靖上疏说："陛下自专政以来，三逐言者，恐非太平之政也，请追改前命"，余靖落职贬监筠州酒税③。馆阁校勘尹洙也站出来说："仲淹既以朋党得罪，臣固当从坐"，"不可幸于苟免"，遂也被贬为崇信军节度掌书记，监郢州酒税④。余靖、尹洙被贬后，欧阳修移书于高若讷，骂其"不复

---

①② 《长编》卷118，景祐三年五月丙戌。
③ 《长编》卷118，景祐三年五月辛卯。
④ 《长编》卷118，景祐三年五月乙未。

知人间有羞耻事",高若讷申诉于宋仁宗。欧阳修也被贬为夷陵县令①。欧阳修被贬后,西京留守推官蔡襄作"四贤一不肖诗"。四贤指的是范仲淹、余靖、尹洙、欧阳修;一不肖即高若讷。此诗"都人士争相传写,鬻书者市之,得厚利"②。泗州通判陈恢请求加罪于作诗者,左司谏韩琦奏劾陈恢"越职希恩,宜重行贬黜"③。士大夫为范仲淹言者不已。宝元元年(1038年),河东地震,大理评事监在京宅务苏舜钦,抓住天变的有利时机为范仲淹鸣不平。他说:"见范仲淹以刚直忤奸臣,言不用而身窜谪,降诏天下,不许越职言事,臣不避权右,必恐横罹中伤,无补于国,因自悲嗟,不知所措。"④在士大夫的压力下,宋仁宗降御札说:朝廷贬范仲淹是因为其"密请建立皇太弟侄,非但诋毁大臣"⑤。足见景祐、宝元之际,范仲淹、余靖、尹洙、王质、欧阳修、蔡襄、苏舜钦、韩琦等人,已形成了一个反对宰相吕夷简的政治集团。

这个集团的韩琦、孙沔等人,利用谏官的有利位置,为范仲淹起用鸣锣开道,并在关键时刻保护了范仲淹,为庆历新政提供了可能。宝元元年(1038年),左司谏韩琦奏劾"执政非才",并竭力向宋仁宗举荐杜衍、孔道辅、范仲淹等人。极言这些人"众以为忠正之臣,可备进擢"⑥。康定元年(1040年)二月,宋夏战争局势紧张,左司谏韩琦再次向仁宗举荐说:"宜召越州范仲淹委任之",且以身家性命担保道:"若涉朋比,误国家事,当族!"⑦同年三月,仁宗"始用

---

① 《长编》卷118,景祐三年五月戊戌。
② 《宋史》卷320《蔡襄传》。
③ 《长编》卷118,景祐三年五月戊戌。
④ 《长编》卷121,宝元元年正月乙卯。
⑤ 《长编》卷122,宝元元年十月丙寅。
⑥ 《长编》卷121,宝元元年三月戊戌。
⑦ 《长编》卷126,康定元年二月癸丑。

韩琦之言"①，复范仲淹天章阁待制知永兴军，未上任，又改为陕西都转运使。五月，范仲淹出任陕西经略安抚副使同勾当都部署司事②。范仲淹的起用，谏官韩琦起了重要作用。

范仲淹为经略安抚使后，元昊假意向宋朝求和。范仲淹派韩周持书信入西夏境内。宋将任福在好水川被夏军打败，元昊令其亲信野利旺荣给范仲淹写回信，书信中骄慢无礼，甚至侮辱宋朝。元昊遣使携带书信与韩周同归。范仲淹看到元昊的书信后，十分生气，当着西夏使者的面，把元昊的信焚烧了一部分，然后把剩下的略加删改，上缴朝廷。仁宗责备范仲淹不应动辄与元昊通信，更不该当着西夏使者的面"焚其报"。吕夷简责难韩周不禀朝命，擅入西夏境内，韩周回答道："经略专杀，不敢不从"，宋庠提出，"仲淹可斩也。"在此紧急关头，知谏院孙沔竭力"为仲淹辨"。仁宗"悟，乃薄其责，降范仲淹为户部侍郎知耀州，职如故"③。范仲淹免于再次重贬，与谏官孙沔的保护是分不开的。

以范仲淹、欧阳修等人为首的政治集团，生而逢时，赶上了改革的好机遇，谏官的有利位置，使他们如虎添翼，把范仲淹举上了改革的舞台。庆历三年（1043年）三月，京东西路农民起义此起彼伏，辽和西夏又不断侵扰西北边境，宋王朝内外交困。在此形势下，仁宗"欲更天下之弊"，遂以欧阳修知谏院，余靖为右正言谏院供职④。四月，蔡襄也被擢为知谏院。七月，御史李徽之弹劾参知政事王举正"妻悍不能制，何以谋国家事？"谏官余靖、蔡襄等人趁此机会"咸言举正懦默不任职，枢密副使范仲淹有宰辅才，不宜局在兵

---

① 《长编》卷126，康定元年三月戊寅。
② 《长编》卷127，康定元年五月乙卯。
③ 《长编》卷131，庆历元年四月癸未。
④ 《长编》卷140，庆历三年三月癸巳。

府,愿罢举正以仲淹代之"①。仁宗遂罢去王举正职,除范仲淹为参知政事。范仲淹辞而不拜,且说:"执政可由谏官而得乎?"②请求与韩琦同任边事。范仲淹之所以辞而不拜参知政事,是因为他已经看出,要改革弊政,并非轻而易举的事,仅靠谏官的支持是不够的,必须取得皇帝的信任和支持。八月,范仲淹出任参知政事。九月,庆历新政正式开始。

总而言之,范仲淹是靠本集团成员的肝胆相照,积极支持,才几次化险为夷,登上改革舞台的。而谏官在这一过程中起到了关键作用。

(二) 谏官的革新主张

在庆历新政前夕,谏官欧阳修、孙沔、余靖等人就提出过不少革新措施。如谏官欧阳修主张"求治革弊","按文责实,其恶者黜,其善者升,中才之人尽使警励"③。庆历元年(1041年)五月,谏官孙沔请求仁宗实行明黜陟。他上疏"乞今后应京官、升朝官并依旧许三周年一次磨勘,如明有理迹廉名者即与转官,有公私罪者,等第降黜,无功过者且守旧资"④。他还指出恩荫制太滥,应该改革,以减少恩荫数目,请求"今后带职员外正郎只许荫叙一名子弟,少卿、给谏与二人,丞郎三人,尚书四人,仆射以下与五人,致仕及物故各更与一人;武职等比类官品;皇亲、母后之族及两府大臣,亦乞约束人数"⑤。庆历三年(1043年)六月,谏官余靖请求朝廷立明赏罚法,"严为督责捕贼赏罚"⑥。

---

① 《长编》卷142,庆历三年七月丙子。
② 《长编》卷142,庆历三年七月丁丑。
③ 赵汝愚《宋名臣奏议》卷66,欧阳修《上仁宗乞罢诸路按察使》。
④⑤ 《长编》卷132,庆历元年五月壬戌。
⑥ 《长编》卷141,庆历三年六月甲子。

以上谏官欧阳修、孙沔和余靖的改革主张奠定了庆历新政明黜陟内容的基础。

（三）谏官在庆历新政中的作用

庆历新政中,谏官欧阳修、蔡襄、孙甫等人打击反对派,劝说宋仁宗,为新政出谋献策,起到了中流砥柱般的作用。

先看谏官对反对派的奏劾。吕夷简是庆历新政反对派的重要人物。庆历三年(1043年)九月,吕夷简虽已罢政,但暗地里仍在拨弄是非,企图搞垮新政派。谏官欧阳修一马当先,揭露吕夷简的罪恶,以打击其嚣张气焰。他奏劾说:"风闻吕夷简近日频有密奏,仍闻自乞于御药院暗入文字,不知实有此事否？但外人相传,上下疑惧","虽陛下至圣至明,苟夷简奸谋邪说,必不听纳,但外人见夷简所入文字,恐非公论,若误国计,为患不轻。夷简所入文字,伏乞明赐止绝。臣闻任贤勿贰,去邪勿疑,见今中外群臣各有职事,苟有阙失,自可任责,不可令无功已退之臣转相眩惑。"①在谏官欧阳修的奏劾下,吕夷简被迫请求致仕。

李淑是吕夷简的死党之一,也是庆历新政反对派的重要人物。庆历新政开始后,李淑先为端明殿学士兼翰林侍读学士,以后又改为翰林学士。谏官欧阳修奏事延和殿,"面论李淑奸邪",并请求早给李淑外任差遣,"使正人端士安心作事,不忧谗毁之言"。不久,仁宗令李淑知寿州,但由于中书的阻拦,李淑出外任差遣的命令没有执行。谏官欧阳修再次上疏,请求仁宗除李淑外郡差遣②。由于谏官欧阳修的两次奏劾,使李淑不得不把尾巴紧缩,不再敢明目张胆地攻击新政。

谏官欧阳修对反对派吕夷简、李淑等人的奏劾,打击了反对派

---

① 《长编》卷143,庆历三年九月戊辰。
② 《长编》卷143,庆历三年九月丙子。

的嚣张气焰,扫清了政治障碍,保证了庆历新政的顺利进行。

其次看谏官在稳定政局方面的作用。庆历新政的主要宗旨是限制大官僚阶层特权,即"抑侥幸"。"抑侥幸"措施的推行,必然要遭到大官僚阶层的反对。庆历三年(1043年)十月,宋仁宗在大官僚阶层的反对声中,犹豫不决,在此关键时刻,谏官欧阳修及时上疏劝说宋仁宗。他说:

> 臣所虑者,仲淹等所言,必须先绝侥幸、因循、姑息之事,方能救今世之积弊。如此等事,皆外招小人之怨怒,不免浮议之纷纭,而奸邪未去之人,须时有谗沮,若稍听之,则事不成矣。臣谓当此事初,尤须上下协力。凡小人怨怒,仲淹等自以身当,浮议奸谗,陛下亦须力拒。待其久而渐定,自可日见成功。伏望圣慈留意,终始成之,则社稷之福,天下之幸也①。

欧阳修的这番话,使宋仁宗对大官僚阶层议论纷纷的原因及其真象有所认识,坚定了支持新政的决心,从而使改革的局势逐渐稳定。

其三,谏官积极为新政出谋献策。庆历新政中,谏官孙甫、欧阳修等人多次上疏为新政出谋献策。如庆历三年(1043年)十一月,谏官欧阳修针对发运使、转运使也授贴职及馆阁中荐举请托现象严重等问题,请求"今后任发运、转运使、知州等更不依例帖职","举馆职一节,添入遇馆职阙人,即朝廷先择举主方得荐人","别定馆阁合存员数,以革沉滥"②。欧阳修的这些意见,有利于把新政推向深入。

此外,谏官有时还直接参预庆历新政内容的议定。如庆历四年(1044年)三月,范仲淹等人"意欲复古劝学",谏官孙甫、监察御史

---

① 《长编》卷144,庆历三年十月甲辰。
② 《长编》卷145,庆历三年十一月癸未。

刘滉等皆奉诏参议兴学校等事①。

在肯定谏官对庆历新政所起积极作用的同时,也必须指出,谏官对庆历新政时期统治阶级血腥镇压士兵暴动和农民起义负有不可推卸的责任。如庆历三年(1043年)十一月,王伦领导的士兵起义杀主将,自置官称、著黄衣、改年号,锐不可挡。起义军所到之处,地方官"依前迎奉",尤其顺阳县令李正己还把起义军"鼓送出城外"。谏官欧阳修对起义军恨之入骨,提出把参加兵变的家族"尽戮于光化市中,使远近闻之悚畏,以止续起之贼"。并请斩顺阳县令李正己于邓州,"使京西一路官吏闻之畏恐,知国法尚存,不敢奉贼"②。欧阳修的计谋,充分暴露了宋代谏官的阶级本质。

(四) 台谏与庆历新政的失败

庆历四年(1044年),保守派夏竦等人攻击新政派为朋党,范仲淹和富弼"始恐惧,不敢自安于朝,皆请出按西北边"③。六月,范仲淹、富弼遂出任陕西、河东路宣抚使,新政派杜衍仍为宰相。保守派吕夷简、王拱辰等人无不在寻找时机,把杜衍排挤出朝廷。

宋代每年秋天京师百司胥吏要举行一次赛神会。赛神会这一天,京师百司库务"各以本司余物货易以具酒馔",或者吏人醵资买酒馔,"吏史列坐,合乐终日"④。庆历四年(1044年)赛神会,提举进奏院苏舜钦不愿"燕集非类","遂与同监院刘巽,出俸钱十缗,又于寻常公用卖故纸钱四五十索,相兼使用"⑤。"预会之客,亦醵金

---

① 《长编》卷147,庆历四年三月甲戌。
② 《长编》卷145,庆历三年十一月辛巳。
③ 《长编》卷150,庆历四年六月壬子。
④ 魏泰《东轩笔录》卷4。
⑤ 《苏舜钦集》卷9《上集贤文相书》。

有差"。酒酣,苏舜钦"命去优伶,却吏史,而更召两军女伎"①。王益柔喝醉酒后,作诗云:"醉卧北极遣帝扶,周公孔子驱为奴。"②御史中丞王拱辰"讽其僚鱼周询、刘元瑜举劾之"③。事下开封府狱审问,苏舜钦、刘巽"俱坐自盗"④,"并除名勒停"⑤。史馆检讨王诛因与女伎杂坐而落侍讲、检讨知濠州。殿中丞集贤校理王益柔以谤讪周公、孔子之罪名贬逐。同遭贬者共十多人。御史中丞王拱辰洋洋得意地说:"吾一举纲尽矣。"⑥苏舜钦、王益柔皆由范仲淹荐举入官,而苏舜钦又是杜衍的女婿。御史中丞王拱辰讽其僚鱼周询、刘元瑜弹劾苏舜钦、王益柔等人的目的,一是"欲摇动(杜)衍"⑦,把杜衍排出朝廷;二是用"(王)益柔以累仲淹也"⑧。自苏舜钦等人被贬斥,宰相杜"衍迹危矣"⑨。庆历五年(1045年)正月,谏官钱明逸迎合宰相章得象、陈执中的旨意,弹劾范仲淹、富弼"更张纲纪,纷扰国经,凡所推荐,多挟朋党。乞早罢免,使奸诈不敢效尤,忠实得以自立"⑩。范仲淹以资政殿学士知邠州,富弼以资政殿学士、京东西路安抚使兼知郓州。同日夜晚,杜衍罢相。改革派蔡襄、孙甫等人也请求出外任差遣,保守派控制了朝政,庆历新政彻底失败。

二、台谏与王安石变法

王安石一登上宋代的政治舞台,就立即遭到台谏的激烈反对。

---

① 魏泰《东轩笔录》卷4。
② 《长编》卷153,庆历四年十一月甲子注文。
③ 《宋史》卷318《王拱辰传》。
④⑥⑧ 《长编》卷153,庆历四年十一月甲子。
⑤ 《宋会要辑稿》职官64之48。
⑦ 《宋史》卷442《苏舜钦传》。
⑨ 《长编》卷154,庆历五年正月乙酉。
⑩ 《宋史》卷317《钱惟演传附钱明逸》。

因此，王安石要进行改革，必须控制台谏，要控制台谏，不能不和反变法派作坚决斗争。

（一）王安石和反变法派台谏的斗争

熙宁二年（1069年）二月，王安石出任参知政事以后，御史中丞吕诲上疏弹劾王安石"外示朴野，中藏巧诈，骄蹇慢上，阴贼害物"①。并捏造了十大罪状，对王安石进行人身攻击。王安石深深懂得，没有宋神宗的支持，自己即使有天大的本事也摆脱不了台谏的攻击。于是，他上疏神宗，请求辞职。此时的宋神宗正欲依靠王安石摆脱内外困境，下诏罢去了吕诲的御史中丞职务。

在台谏与宰执的关系问题上，王安石有其独特的看法。早在宋仁宗朝他就说："方今大臣之弱者，则不敢为陛下守法以忤谏官御史，而专为持禄保位之谋；大臣强者，则挟圣旨造法令，恣改所欲，不择义之是非，而谏官御史亦无敢忤其意者。"②在王安石看来，台谏与宰执之间，关键是一个强与弱的问题。大臣强，则台谏不敢忤其意；台谏强，则大臣持禄保其位。宰执要有所作为，必须摆脱台谏的牵制。正是在这一思想的指导下，他顶住了反变法派台谏的攻击。

变法初期，保守派以台谏为基地，向变法派及其新法发动了猛烈进攻。因此，王安石与反变法派的斗争是从台谏开始的。熙宁二年（1069年）七月，均输法颁布后，"台谏章疏攻击者无虚日"③。侍御史知杂事刘琦、御史里行钱顗等人"交论王安石专肆胸臆，轻易宪度"④，且皆言均输法不可行。知谏院陈襄上疏竭力反对推行均

---

① 《长编拾补》卷4，熙宁二年五月癸未。
② 王安石《王文公文集》卷31《论舍人院条制》。
③ 朱熹《宋名臣言行录·后集》卷5《唐介》。
④ 王偁《东都事略》卷79《王安石传》。

输法①。同知谏院范纯仁攻击"王安石变祖宗法度,掊克财利"②,并在《奏论薛向》、《再论薛向》、《又论薛向》、《奏乞罢均输》等疏文中,反复请求朝廷罢去均输法③。不罢除这些人的台谏职务,新法难以推行。八月,宋神宗以刘琦监处州酒税,钱颛监衢州盐税,范纯仁出知河中府。当时,反变法派气焰十分嚣张,御史里行钱颛临出御史台前,破口大骂暂时还没有攻击王安石和均输法的殿中侍御史孙昌龄道:"平日士大夫未尝知君名,徒以昔官金陵,媚事王安石,宛转荐君,得为御史。亦当少思报国,奈何专欲附会以求美官?颛今当远窜,君自谓得策邪?我视君犬彘之不如也"④。骂后拂衣上马而去。反变法派的重要人物司马光竭力反对贬逐刘琦和钱颛,他攻击朝廷贬御史刘琦、钱颛等人是"违众议","重失天下之心"⑤。

　　青苗法颁布后,台谏又一马当先,充当了攻击新法的急先锋。御史中丞吕公著四次上疏"乞罢提举官吏及住散青苗钱"⑥。侍御史知杂事陈襄连上五疏攻击"青苗之法扰民为害",并请求"寝罢"⑦。监察御史里行张戬和程颢也纷纷上疏,请求朝廷罢去青苗法,并攻击王安石"尤欲饰非,所持甚隘,信感险人,力排正论"⑧。右正言孙觉不但上疏请求罢去青苗法,而且还编造了王安石"援引经义以傅会先王之法与防微杜渐,将以召怨贾祸者"⑨ 三大罪状,攻击王安石。谏官李常连上五疏请罢青苗法,且攻击青苗法是"敛

---

① 黄淮、杨士奇《历代名臣奏议》卷266《理财》。
② 《宋史》卷314《范纯仁传》。
③ 范纯仁《范忠宣奏议》卷上。
④ 《宋史》卷321《钱颛传》。
⑤ 《长编拾补》卷5,熙宁二年八月乙巳。
⑥⑦⑧ 黄淮、杨士奇《历代名臣奏议》卷266《理财》。
⑨ 《长编拾补》卷7,熙宁三年三月丙申;《历代名臣奏议》卷266《理财》。

散之法","毒流海内,大小惊扇,疾视其上"①。同时还造谣说:青苗法"勒民出息"②,"州县有钱未尝出而徒使民入息者"③。宋神宗"诘安石,安石请令(李)常具官吏主名"④。神宗下诏令李常列举出"有钱未尝出而徒使民入息者"州县官吏的具体姓名五至六人⑤。李常以"非谏官体"⑥为借口,"终不肯举,而求罢职"⑦。曾公亮提出:"台谏官自前许风闻言事,难令分析也"。神宗回答说:"欲令说是何人言,或以所言不实罪谏官,即壅塞言路,今令说违法官吏是何人,因何却不肯?"王安石也反驳曾公亮道:"许风闻言事者,不问其言所从来,又不责言之必实,若他人言不实,即得诬告及上书诈不实之罪,谏官、御史则虽失实亦不加罪,此是许风闻言事。今所令分析,止欲行遣官吏,何妨风闻?"⑧结果,朝廷罢去了李常的谏官职务。

在免役法问题的斗争中,御史中丞杨绘和监察御史里行刘挚充当了反变法派的政治打手。熙宁四年(1071年),免役法在开封府界诸县试行后,御史中丞杨绘和监察御史里行刘挚不但攻击免役法有十害⑨,而且还弹劾奉行新法的赵子几"力行司农之政"⑩,为故意提高户等、破坏免役法的贾蕃开脱罪责⑪。六月,王安石请求罢去杨绘的御史中丞职务。他说:"但如绘者使在言路,四方宣力

---

① 黄淮、杨士奇《历代名臣奏议》卷265《理财》。
②④⑥ 《宋史》卷344《李常传》。
③ 《长编》卷210,熙宁三年四月壬午。
⑤⑦⑧ 《长编》卷210,熙宁三年四月壬午。
⑨ 《宋史》卷322《杨绘传》,卷340《刘挚传》。
⑩ 《长编》卷225,熙宁四年七月戊子。
⑪ 参考漆侠先生《王安石变法》,上海人民出版社1979年版,第189页。

奉法之臣，更疑畏沮坏，政令何由成！"①宋神宗没有听取王安石的意见。七月，曾布针对杨绘、刘挚攻击免役法的谬论，写了一篇很有说服力的疏文，对杨绘、刘挚攻击免役法的"十害"，一一予以驳斥。王安石把曾布的疏文进呈于宋神宗，神宗"遂以（曾）布所言与（杨）绘、（刘）挚，令分析以闻"②。御史中丞杨绘和监察御史里行刘挚不但不承认错误，反而变本加厉地攻击免役法，神宗罢去了他们的御史职务，以刘挚监衡州盐仓，杨绘知郑州③。

王称在《东都事略》卷七十九《王安石传》中，对王安石与反变法台谏的斗争持否定态度。他说：

> 自安石变法以来，御史中丞吕诲首论其过，安石求去位，神宗为其出诲；御史刘琦、钱顗、刘述又交论安石专肆胸臆，轻易宪度；殿中侍御史孙昌龄亦继言坐贬；同知谏院范纯仁亦论安石欲求近功，忘其旧学罢谏职；吕公著代吕诲为中丞，亦力请罢条例司并青苗等法；谏官孙觉、李常、胡宗愈，御史张戬、王子韶、陈襄、程颢皆论安石变法非是，以次罢之……御史中丞杨绘、御史刘挚陈免役之害，坐黜；御史林旦、薛昌朝、范育皆以忤安石罢。

吕祖谦在《类编皇朝大事记讲义》卷一六中，以《王安石逐谏臣》、《罢谏院》、《排中丞》、《罢中丞、贬御史》为顺序，把王安石罢除反变法派台谏的过程一一作了叙述。吕祖谦记述的目的，旨在攻击王安石有计划有预谋地罢皇帝的耳目之官。其实，王称和吕祖谦记载的这些材料，恰恰反映了王安石不避矛盾，不畏人言，敢于和反变法派台谏作斗争的气概。

---

① 《长编》卷224，熙宁四年六月甲寅。
② 《长编》卷225，熙宁四年七月戊子。
③ 《长编》卷225，熙宁四年七月丁酉。

（二）王安石运用台谏的措施

王安石在罢除反对派台谏职务的同时，根据政治局势的实际需要，采用了一些具体的措施，使台谏为推行新法服务。

首先，以拥护变法者充任台谏，减少改革的阻力。熙宁三年（1070年）四月，王安石以秀州军事判官李定为太子中允权监察御史里行。李定坚决拥护新法，认为朝廷推行青苗法，淮南老百姓"皆便之"。王安石本"欲用（李）定知谏院"①，但曾公亮、陈升之皆"以为前无此例，固争之"②。在不得已的情况下，王安石决定改授李定权监察御史里行职务。

邓绾是王安石变法的支持者。他在通判宁州时就上疏说：朝廷"作青苗、免役等法，民莫不歌舞圣泽。以臣所在宁州观之，知一路皆然；以一路观之，知天下皆然。诚不世之良法，愿勿移于浮议而坚行之"③。反变法派把邓绾视为小人。王安石力排众议，将邓绾举荐于宋神宗。熙宁三年（1070年），邓绾被擢为同知谏院，翌年正月，升迁为侍御史知杂事。熙宁五年（1072年），邓绾又被擢为御史中丞。

常秩原是一位隐士，王安石变法之前，朝廷曾"三使往聘"，请他出来做官，皆辞而不出。推行新法后，"天下沸腾，以为不便"，而常秩在"闾阎，见所下令，独以为是，一召遂起"④，出任谏官。

熙宁四年（1071年）七月，侍御史知杂事邓绾上疏说："本台推直官宋飞卿、孙奕皆前御史中丞吕公著所（荐）举，台主簿赵同亦薛昌朝、谢景温荐引，各怀所知，意趣乖异，欲乞别选推直官二员，主簿一员"，神宗接受了邓绾的请求，下诏将"宋飞卿、孙奕、赵同并送

---

① ② 《长编》卷210，熙宁三年四月己卯。
③ 《宋史》卷329《邓绾传》。
④ 《宋史》卷329《常秩传》。

审官东院,其御史台推直官、主簿令不依名次选人"①。自此,台谏基本上由变法派充任。所以,吕祖谦评论道:"熙宁四年之后,为台谏者皆大臣之私人也。"②

其次,以台谏兼领司农寺。变法初期,反变法派台谏官纷纷上疏攻击新法,使阻力本来就已经很大的变法运动又加上了一层舆论压力。严峻的时势使王安石深刻认识到,不采用新的措施,不足以摆脱困境。自熙宁三年(1070年)四月起,宋神宗与王安石采用了以台谏官兼领司农寺职务的措施。

司农寺在北宋初期是闲散机构。宋真宗以后,其职权有所扩大③。熙宁三年(1070年),制置三司条例司罢归中书后,宋神宗"诏以新法付司农寺,而农田、水利、免役悉自司农寺讲行"④,使司农寺成为主持新法的重要机构。为减少保守派的攻击,熙宁三年(1070年)四月,神宗以同知谏院胡宗愈同判司农寺⑤。同年九月,又以太子中允、监察御史里行林旦判司农寺⑥。翌年正月,林旦被贬知黄县后,又以侍御史知杂事邓绾判司农寺⑦。熙宁八年(1075年)五月,侍御史知杂事张琥兼判司农寺⑧。熙宁十年(1077年)十二月,知谏院蔡确兼判司农寺⑨。

---

① 《长编》卷225,熙宁四年七月戊申。
② 吕祖谦《类编皇朝大事记讲义》卷16《诸君子与王安石争论新法》。
③ 参考王曾瑜《北宋的司农寺》,1989年河北教育出版社《宋史研究论文集》。
④ 谢维新《古今合璧事类备要·后集》卷35《九卿门》。
⑤ 《长编》卷210,熙宁三年四月戊寅。
⑥ 《长编》卷215,熙宁三年九月乙未。
⑦ 《长编》卷219,熙宁四年正月戊申;《宋会要辑稿》职官26之7。
⑧ 《长编》卷264,熙宁八年五月丙寅。
⑨ 《长编》卷286,熙宁十年十二月丁酉。

（三）台谏在变法中的作用

在王安石的积极斗争下，自熙宁四年（1071年）起，台谏官逐渐由变法派充任，自此，台谏在变法中发挥了重要作用。

第一，台谏在威慑反变法派及督察官吏方面，起到了一定的积极作用。王安石以台谏官兼任变法领导机构职务后，使反变法派不再敢明目张胆地攻击新法了，反变法派对此十分不满。熙宁四年（1071年）五月，御史中丞杨绘说："今判司农寺乃邓绾、曾布，一为知杂，一为都检正，非臣言之，谁敢言者！"① 另一个反变法派的重要人物刘挚也发牢骚云："助役敛钱之法，有大臣主之于中书，有大臣之亲中书之属官及御史知杂者讲画于司农寺，有大臣所选所谓能者为监司提举官行之于诸路，上下布置，其势若比，可谓易行矣。"② 元朝脱脱等人在《宋史》卷三二九《邓绾》传中更清楚地写道：

> 时常平、水利、免役、保甲之政皆出司农，故安石藉（邓）绾（侍御史知杂事）以威众。绾请先行免役于府界，次及诸道。利州路岁用钱九万六千缗，而转运使李瑜率三十万，绾言："均役本以裕民，今乃务聚敛积宽余，宜加重黜。"富弼在亳（州），不散青苗钱，绾请付吏究治。畿县民诉助役，诏询其便否两行之，绾与曾布辄上还堂帖。

上述反变法派杨绘、刘挚的牢骚话和《宋史》中的这段材料表明，御史在威慑反变法势力、督察不奉行新法官吏，以保证新法顺利推行中起到了重要作用，特别是侍御史知杂事邓绾，表现得非常出色。

第二，御史在捍卫新法中发挥了重要的作用。郑侠是反变法派的忠实走狗，他趁天"久旱不雨"之机，在冯京等人的唆使下，绘制

---

① 《长编》卷223，熙宁四年五月癸卯。
② 《长编》卷225，熙宁四年七月丁酉。

"流民图",搅得天下大乱,使王安石被迫罢相。王安石第一次罢相后,新法面临着夭折的危险,在此关键时刻,邓绾利用御史中丞的有利位置,"遂以(郑)侠付御史,治其擅发马递罪",并和吕惠卿进谏宋神宗说:"陛下数年以来,忘寝与食,成此美政,天下方被其赐,一旦用狂夫之言,罢废殆尽,岂不惜哉?"邓绾与吕惠卿"环泣于帝前,于是新法一切如故。"① 多少年来,人们一直称吕惠卿为"护法善神",而骂邓绾是"好官须我为之"的无耻小人。其实,邓绾虽具有下层士大夫那种渴望获得好官的心理,但在充任侍御史知杂事和御史中丞期间,对捍卫王安石新法还是作出过不少贡献的,对此,应给予公正的评价。

第三,台谏官献计献策,有利于推动改革的深入。王安石变法时期,台谏官曾提出过不少好的建议。如熙宁五年(1072年)闰七月,监察御史蔡确提出:"朝廷患官冗而事不举,其弊在任官不考其能,故近者补京朝官、选人皆立试法,而独未及使臣,则任官之弊未为尽革。伏望指挥枢密院详议立法以闻。"宋神宗欣然接受了御史蔡确的这一建议,"诏都承旨曾孝宽详议试格具奏"②。

第四,台谏官在王安石变法时期做了一些具体的工作。编敕是宋代司法工作中的一件大事。熙宁三年(1070年)十一月,宋神宗命同知谏院邓绾"同详定编敕"③。舍人院是宋代撰写制、敕、诏、令的重要机构,同年十二月,同知谏院邓绾"兼直学士院"④。同月,侍御史知杂事谢景温兼考校诸路转运使、提点刑狱课绩⑤。

---

① 《宋史》卷321《郑侠传》。
② 《长编》卷236,熙宁五年闰七月丙辰。
③ 《长编》卷217,熙宁三年十一月癸卯。
④ 《长编》卷218,熙宁三年十二月丁卯。
⑤ 《长编》卷218,熙宁三年十二月己巳。

第五，台谏在打击反变法派中发挥了重要作用。苏轼是王安石变法的反对者之一。元丰二年(1079年)，他以诗文发泄对新法的不满情绪。朝廷"发钱以本业贫民"，苏轼作诗讥讪云："赢得儿童语音好，一年强半在城中"；朝廷"明法以课试群吏"，苏轼作诗云："读书万卷不读律，致君尧舜知无术"；朝廷令兴修水利，苏轼又作诗云："东海若知明主意，应教斥卤变桑田"；朝廷谨盐禁，苏轼又作诗说："岂是闻韶解忘味，尔来三月食无盐"。苏轼这些攻击朝政的诗句，"小则镂板，大则刻石，传播中外"①，影响极坏。御史中丞李定、御史舒亶、何正臣等纷纷上疏弹劾苏轼。在御史的弹劾下，宋神宗下诏置狱，命"知谏院张璪、御史中丞李定推治以闻"②。同年十二月，苏轼被责降黄州团练使，本州安置，不得签书公事。与此同时，太子少保致仕张方平、知制诰李清臣、端明殿学士司马光及范镇、钱藻、陈襄、曾巩、李常、刘攽、刘挚等二十多名参预攻击朝政和新法者皆受到了惩罚。其中张方平、李清臣罚铜三十斤，司马光等人罚铜二十斤③。通过对苏轼讥讪朝政及新法案件的处理，打击了苏轼、司马光、张方平、刘挚等人反对新法的嚣张气焰，而台谏在这件案子的处理中起到了重要作用。

(四) 台谏与王安石变法的失败

元丰八年(1085年)三月，宋神宗死去，十岁的赵煦即位，高太后垂帘听政，反变法派控制了朝政和台谏，把熙宁、元丰年间实行的新法全部废罢，王安石倡导的变法运动遭到了失败。

在废罢青苗法的过程中，台谏充当了急先锋。元祐元年(1086年)正月，监察御史王严叟上疏说："今天下之大害莫若青苗、免役

---

①② 《长编》卷299，元丰二年七月己巳。
③ 《长编》卷301，元丰二年十二月庚申；《宋会要辑稿》职官66之10。

之法"①。同年闰二月,高太后下诏废罢了青苗法。但由于青苗法罢除后,弊端甚多,四月,三省申明前令,使青苗法"行之如初"。于是,左司谏王严叟、右司谏苏辙、御史中丞刘挚、监察御史上官均"交疏争之",请求罢去青苗法,并和枢密院"连名同上",攻击青苗法"四害,以申三省"②。在台谏和枢密院的弹劾攻击下,八月,青苗法被废罢。

在废罢免役法的过程中,台谏也同样充当了反变法派的舆论工具。元祐元年(1086年)正月,侍御史刘挚上疏请求罢去免役法,他说:"臣故以谓役钱宜一切罢之。"接着,殿中侍御史刘次庄、监察御史王严叟等人皆向免役法发难,王严叟说:"免役之法行之已久,深见其弊","乞罢免役法复差法如嘉祐敕"③。同年二月,免役法被废罢。

元祐更化时期,台谏还充当了贬逐变法派的鹰犬。元祐元年(1086年)正月,监察御史王严叟攻击蔡确、章惇"为奸臣之杰也"④,特别是当章惇把司马光在免役法上"前后不相照应",自相矛盾的论点一一给"敲点出来"⑤后,反变法派理屈词穷,台谏对章惇的攻击更为凶猛,侍御史刘挚前后弹劾章惇"乞行罢黜章十余"⑥疏。其后,苏辙、王觌、王严叟、孙升等台谏官"交章击之"⑦,章惇遂被罢政知汝州。在对变法派吕惠卿的弹劾攻击中,台谏官争

---

① 《长编》卷364,元祐元年正月甲辰。
② 徐自明《宋宰辅编年录》卷9,元祐元年闰二月庚寅。
③ 《长编》卷364,元祐元年正月戊戌。
④ 《长编》卷364,元祐元年正月甲辰。
⑤ 朱熹《朱子语类》卷130《自熙宁至靖康用人》。
⑥ 《长编》卷365,元祐元年二月丙寅。
⑦ 《宋史》卷471《章惇传》。

先恐后,"交章弹论"①。左司谏王严叟、左正言朱光庭、右司谏苏辙、右正言王觌等人纷纷上疏请求贬逐吕惠卿②,御史中丞刘挚"数其五罪"③,吕惠卿被贬为光禄卿,分司南京。吕惠卿被贬逐后,王严叟、朱光庭、苏辙、王觌等台谏官又纷纷上疏,"弹纠不已"④,请求把吕惠卿"投畀无人之境"⑤,吕惠卿被再贬为建宁军节度副使,本州安置,"不得签书公事"⑥。

一言以蔽之,王安石新法的废罢与变法派的贬逐,台谏官起了极坏的作用。

第三节 台谏与宋代权臣当政

北宋末年至南宋一代,蔡京、秦桧、韩侂胄、史弥远、贾似道等人相继专权。他们之所以能够专权,无不与台谏有密切关系。

一、台谏与权臣的上台

宋代台谏虽为言事之官,但在一定的条件下,它对权臣的上台,具有重要作用,韩侂胄的上台即是一例。

绍熙五年(1194年)五月,宋孝宗死去,光宗"以疾不能出"⑦,在知枢密院事赵汝愚和知閤门事韩侂胄的操纵下,嘉王赵扩即位,是为宋宁宗。在立宁宗的过程中,赵汝愚只和韩侂胄商议,而与韩

---

① 《长编》卷380,元祐元年六月癸卯。
② 《长编》卷380,元祐元年六月丙午。
③ 《宋史》卷471《吕惠卿传》。
④⑥ 《长编》卷380,元祐元年六月辛亥。
⑤ 《长编》卷380,元祐元年六月丙午。
⑦ 《宋史》卷37《宁宗一》。

侂胄同知阁门事的刘弼"弗得与闻",心中"内怀不平"①。宰相赵汝愚在朱熹等人的策划下,准备用右正言黄度弹奏韩侂胄,把其贬逐出朝廷,不料走漏了风声。刘弼告诉韩侂胄说:"赵丞相欲专此大功,日引虚名之士以植党,君岂但不得节钺,将恐不免岭海之祸。"②韩侂胄听了十分恐惧,向刘弼请教对策。刘弼道:"惟有用台谏耳。"韩侂胄又问:"若何而可?"刘弼回答曰:"御笔批出是也。"③韩侂胄点头称赞。此时宰相赵汝愚也正准备除授刘光祖为侍御史攻击韩侂胄。韩侂胄利用他与李太后的特殊关系,"以御笔除大理簿刘德秀为御史,杨大法为殿院(殿中侍御史)",罢监察御史吴猎,"以刘三杰代之","于是言路皆韩党矣"④,而宰相赵"汝愚之迹始危"⑤。在台谏的弹劾下,庆元元年(1195年)二月,赵汝愚罢相知福州⑥。韩侂胄凭借台谏的力量取得了胜利。开禧元年(1205年)七月,韩侂胄正式入相,成为宋代历史上的一位外戚权相。足见台谏在宋代统治阶级内部争权夺利中的作用是多么重要。

二、权臣控制台谏的措施

宋代权臣从蔡京、秦桧、韩侂胄、史弥远到贾似道,无不千方百计地控制台谏,为自己专权打下基础。概括其控制措施,主要有以下几项。

(一) 抓住台谏的任用权,是宋代权臣控制台谏的首要措施

先看蔡京是如何抓台谏的任用权的。蔡京为相时,宋代御史回

---

① 《宋史》卷474《韩侂胄传》。
② 周密《齐东野语》卷3《绍熙内禅》。
③⑤ 《宋史》卷474《韩侂胄传》。
④ 周密《齐东野语》卷3《绍熙内禅》。
⑥ 《宋史》卷213《宰辅四》。

避法荡然无存。他利用职权,把自己的门客、故里引为御史,作为专权的工具。如许敦仁,因与蔡京是"州里之旧",崇宁初年被擢为监察御史,"亟迁右正言"。蔡京把其"倚为腹心"。许敦仁对蔡京感恩戴德,每上言"悉受京旨",很快又被提拔为御史中丞,一上任,"即上章请五日一视朝",以便蔡京"颛窃国命"①。又如朱谔"出蔡京门,善附合",也被蔡京擢为殿中侍御史,升迁为侍御史,其后又进御史中丞②。

秦桧善于阳奉阴违,他表面上装作恪守朝廷制度,不参预台谏官的选任,但实际上"每除台谏,必以其耳目"③,"必先谕以己意"④,而后任命。如他对秘书郎张阐说:"君久次,欲以台中相处如何?"张阐毫不客气地回答道:"丞相苟见知,老死秘书幸矣!"⑤秦桧默然。张阐遂遭到殿中侍御史汪勃弹劾,罢秘书监,主管台州崇道观。

韩侂胄是凭借着台谏力量当上权臣的。因此,他专权时期更注意抓台谏官的任用权,其选任台谏"皆用私人"⑥。如监察御史刘德秀、殿中侍御史杨大法、右正言刘三杰、谏议大夫姚愈皆是韩侂胄的心腹。

史弥远对台谏官的选任是采用酒肉拉拢,订立约言,然后除授的措施。他专权时期"凡除台谏,必先期请见,饷以酒肴"⑦,"约言已坚,而后出命"⑧。当时的台谏官李知孝、梁成大、莫泽等"皆其私

---

① 《宋史》卷356《许敦仁传》。
② 《宋史》卷351《朱谔传》。
③ 李幼武《宋名臣言行录·别集》卷6《张阐》。
④⑤ 《宋宰辅编年录》卷16,绍兴二十五年十月丙申。
⑥⑦ 魏了翁《鹤山全集》卷18《应诏封事》。
⑧ 杜范《清献集》卷5《入台奏札》。

人"①,是史弥远的得力鹰犬,被人们称为"三凶"②。

贾似道抓台谏官的任用权别出心裁。他专权时期,台谏官"悉用庸懦易制者为之,弹劾不敢自由","惟取远州太守及州县小官毛举细过应故事而已"③。台谏的奏疏,凡有涉及到贾似道者,理宗"宣谕去之,谓之节贴"④。当时的台谏官皆由贾似道认为比较容易驾驭者充任。

(二) 附己者优迁,不附己者贬逐,甚至封官许愿,使台谏官听己弹劾

宋代权臣为培植党羽势力,对甘愿充当自己鹰犬的御史优先升迁。如崇宁年间,朝廷命御史中丞余深和开封府尹林摅等人推审张怀素狱事。张怀素和蔡京交"游最密"⑤。御史中丞余深和知开封府林摅在审狱过程中,"曲为掩覆,狱辞有及(蔡)京者,辄焚之"⑥。为此,蔡京竭力提拔余深,使余深"骤至执政"⑦。而对于不附己的御史,蔡京竭力贬逐。如石公弼的族弟之妻是蔡京妻子的妹妹,蔡京擢石公弼为侍御史。石公弼虽和蔡京有亲戚关系,但他并不附蔡京,为侍御史后,即上疏陈述造作局"扰民之苦",并"请革技巧之靡丽者,稍纳进奉"。石公弼的这些话都是针对蔡京、童贯等人而发的,"意寝异,(蔡)京忌焉",遂罢台职,徙太常少卿⑧。又如贬逐御史沈畸一事。崇宁年间,蔡京更"盐钞法,凡旧钞皆弗用,富商巨贾尝赍持数十万缗,一旦化为流丐,甚者至赴水及缢死。提点淮东刑

---

① 杜范《清献集》卷5《入台奏札》。
② 《宋史》卷415《王遂传》。
③ 《宋季三朝政要》卷4,咸淳元年十月记事。
④ 《宋史》卷474《贾似道传》。
⑤ 《宋史》卷351《林摅传》。
⑥⑦ 《宋史》卷352《余深传》。
⑧ 《宋史》卷348《石公弼传》。

狱章绚见而哀之",上疏朝廷,奏劾蔡京"改法误民"。蔡京大怒,"夺其官,因铸当十大钱"①,大兴苏州钱狱,陷害章绚兄弟。朝廷遣开封府尹李孝寿和御史张茂直前去推审苏州钱狱。李孝寿和张茂直到苏州后,"株逮至千百人,强抑使承(认)盗铸",死者甚多,蔡京犹以为缓,又命令沈畸等人前去代审此案。蔡京"不五日"迁沈畸为左正言,"又迁侍御史",企图以迁官引诱沈畸,"以利为己用也"②。侍御史沈畸到苏州后,"即日决释无证者七百人",并深有感触地说:"为天子耳目司,而可傅会权要杀人以苟富贵乎?""遂阅实平反以闻。"蔡京大为恼火,削沈畸官阶三秩,贬信州酒税。不久,沈畸死去,而蔡京又令羁管沈畸于明州,"使者持敕至家,将发棺验实,(沈)畸子浚泣诉,乃止"③。蔡京对不附己御史的打击报复达到了何等地步!

蔡京四次出入宰相府,屡遭御史弹劾。他对曾弹劾过自己的御史一一贬官报复。如石公弼大观二年(1108年)为御史中丞时,弹劾蔡京"章数十上",蔡京罢相。政和二年(1112年)五月,蔡京再次入相,罗织罪名,贬石公弼秀州团练副使,台州安置④。又如御史黄葆光因上疏论蔡京所行"乃背元丰之法",而被贬责知立山县⑤。殿中侍御史张汝明,上疏奏"劾政府市恩招权,以蔡为首"。宋徽宗"奖其直",而蔡京"颇惮之,徙司门员外郎,犹虞其复用,力排之,出通判宁化军"⑥。宣和二年(1120年),陈过庭出任御史中丞,正值方

---

① 《宋史》卷472《蔡京传》。
② 陈均《宋九朝编年备要》卷27,大观元年九月记事。
③ 《宋史》卷348《沈畸传》。
④ 《宋史》卷348《石公弼传》。
⑤ 王偁《东都事略》卷105《黄葆光传》。
⑥ 《宋史》卷348《张汝明传》。

腊起义爆发,陈过庭上疏说:"致寇者蔡京、养寇者王黼,窜二人,则寇自平",蔡京用"翻陷以不举劾之罪",把陈过庭贬知蕲州①。

秦桧步蔡京后尘,用封官许愿的办法拉拢台谏,使他们成为自己的鹰犬。秦桧为相时,御史中丞和谏议大夫凡听己弹劾者,"辄以政府报之","然甫入即出,或阅一月,或半年即罢去,惟王次翁阅四年,以金人败盟之初,持不易相之论,桧德之深也"②。从绍兴二十二年(1152年)至二十四年(1154年)十月,两年之余,御史中丞、谏议大夫章复、史才、魏师逊等人相继出入政府。其中章复从绍兴二十二年(1152年)四月拜签书枢密院,至九月罢,任执政四个月;谏议大夫史才从绍兴二十二年(1152年)十月为签书枢密院事至二十四年(1154年)六月罢去,任职一年零八个月;御史中丞魏师逊自绍兴二十四年(1154年)六月为签书枢密院事至同年十一月罢去,任执政五个月。台谏官升为执政后之所以任期短暂,正是秦桧为了腾出执政位置,以收买更多的台谏官听己弹劾。当然,对于那些不听己弹劾的台谏官,秦桧和蔡京一样,也是一律贬逐,此不再赘述。

此外,在蔡京专权的二十多年中,他自除门客、故旧为御史,而谏官则很少除授于人,其目的是为了削弱台谏力量。所以,太庙斋郎方轸在给宋徽宗的上疏中指出:"久虚谏院不差人,自除门人为御史,(蔡)京有反状,陛下何从而知?"③

三、权臣运用台谏的手段

宋代权臣控制台谏的目的是为了运用。他们运用台谏的卑鄙

---

① 《宋史》卷353《陈过庭传》。
② 《宋史》卷473《秦桧传》。
③ 徐自明《宋宰辅编年录》卷11,崇宁五年二月丙寅。

手段大致如下：

其一，利用台谏排斥政治对手。

宋代权臣从蔡京、秦桧、韩侂胄、史弥远到贾似道，无不利用台谏，把自己的政治对手排斥于朝廷之外，以解除心腹之患。

崇宁元年（1102年）七月，蔡京入相后，韩忠彦、曾布等人成为其专权的政治对手。蔡京阴使御史钱遹、石豫、左肤"连章论韩忠彦等信一布衣狂言，复已废之后"①。韩忠彦等二十一人皆被贬出朝廷，"以尝议元符皇后故也"②。对当初不同意自己入相的曾布，蔡京更是怀恨在心，他借御史之口制造舆论，一贬曾布分司南京，太平州居住；二贬曾布为武泰节度副使，衡州安置③。

秦桧在利用台谏排斥政治对手方面，比蔡京有过之而无不及。他唯恐前宰相张浚与赵鼎复用，就千方百计地予以排斥，台谏窥测出秦桧的旨意，"每有弹章，语必及之（张）浚"，甚至在弹劾知洪州张宗元的奏章中"谓（张）浚为国贼"④。秦桧忌赵鼎复用，讽御史中丞王次翁弹劾"其尝受伪命，乾没都督府钱十七万缗，谪官居兴化军"⑤。谏议大夫何铸又论奏赵鼎罪重罚轻，赵鼎遂降朝奉大夫，移漳州。接着，秦桧令御史中丞王次翁再次弹劾赵鼎"闻边警，喜于颜色，绳以汉法，当伏不道之诛"，"漳州比兴化尤为善地，以此示罚，人将玩刑"。赵鼎再移潮州安置⑥。

贾似道步蔡京、秦桧等人后尘，也是利用台谏排斥自己的政治

---

① 《宋史》卷243《后妃下》。
② 徐自明《宋宰辅编年录》卷11，崇宁元年七月戊子。
③ 《长编拾补》卷20，崇宁元年九月丁酉、壬寅。
④ 徐自明《宋宰辅编年录》卷16，绍兴二十五年十月丙申。
⑤ 《宋史》卷360《赵鼎传》。
⑥ 《宋史》卷380《王次翁传》。

对手。咸淳三年(1267年),贾似道和程元凤并为宰相,"似道恐其侵权,欲去之",监察御史陈宜中承贾似道旨意,"首劾(程)元凤纵丁大全肆恶,基宗社之祸"①。同年三月,程元凤罢相②。

其二,利用台谏,打击异己。

利用台谏打击异己,是宋代权臣惯用的伎俩。蔡京专权,对持不同政见的人,皆利用台谏予以打击。如编次元祐奸党籍,户部尚书刘拯提出了不同看法。他说:"汉唐失政,皆朋党始,今日指前日之人为党,知后日不以今日为党乎?大抵人之过罪,自有公论,因论之轻重,以正典刑,谁不悦服?何必悉拘于籍而禁锢之哉!"蔡京因此对刘拯怀恨在心,"风台臣劾之",刘拯被贬知蕲州③。

秦桧为相,也是利用台谏打击异己。万俟卨为御史中丞时曾是秦桧的忠实走狗,升迁为参知政事后又与秦桧争权夺利。一日,万俟卨与秦桧同奏事退,秦桧"坐殿庐中批上意,辄除所厚者官,吏铨纸尾进"④,万卨俟说:"偶不闻圣语"⑤,"却不视"。秦桧大怒,自此和万俟卨"不交一语"⑥。于是,御史中丞李文会、右谏议大夫詹大方,"皆论(万俟)卨违诏"⑦。万俟卨遂罢执政。

史弥远利用台谏打击异己的手段比蔡京、秦桧更为阴险狡诈,他有时避开与异己者尖锐事端,令台谏另找理由弹劾,然后再行贬逐。如史弥远废去赵竑,立赵昀为帝,大理评事胡梦昱上疏说"济王不当废",史弥远"讽御史李知孝劾之"⑧,胡梦昱遂被贬于象州。魏

---

① 《宋史》卷418《陈宜中传》。
② 《宋史》卷214《宰辅五》。
③ 陈均《宋九朝编年备要》卷27,崇宁三年正月记事。
④⑥ 《宋史》卷474《万俟卨传》。
⑤⑦ 徐自明《宋宰辅编年录》卷16,绍兴十四年二月丙午。
⑧ 吕邦燿《续宋宰辅编年录》卷4,宝庆元年记事。

了翁出关为胡昱饯行,御史李知孝"又指了翁首倡异论","将击之",史弥远怕引起公议,对魏了翁来了个曲线贬逐,先优迁为权尚书工部侍郎①,不久,即令谏议大夫朱端常弹奏魏了翁"欺世盗名,朋邪谤国"。魏了翁落职夺三秩,靖州居住②。又如真德秀,屡进鲠言,宋理宗"皆虚心开纳",而史弥远"益严惮之,乃谋所以相撼,畏公议未敢发",不久,讽殿中侍御史莫泽劾之,真德秀以焕章阁待制提举玉隆宫。谏议大夫朱端常也劾之,真德秀落职罢祠;监察御史梁成大又劾之,请加窜殛③,由于宋理宗的保护,真德秀才免于遭难。再如江东提点刑狱徐侨,"以连丞相史弥远"④,也被台谏弹劾而罢官。

贾似道专权,台谏完全变为其打击异己的工具。景定元年(1260年),"台谏何梦然、孙附凤、桂锡孙、刘应龙承顺风旨,凡为(贾)似道所恶者,无贤否皆斥"⑤。景定三年(1262年),参知政事皮龙荣因"不肯降志"⑥ 屈从贾似道,台谏相继论奏,皮龙荣罢政,以资政殿学士出知湖南安抚使。

其三,利用台谏,攻击反对派。

宋代权臣专权时期,台谏已成为他们打击反对派的重要工具。秦桧第二次入相后,专主和议,"中外汹汹",坚决反对,尤其是枢密院编修官胡铨,义愤填膺,上疏言与秦桧不共戴天,"愿斩三人(秦桧、孙近、王伦)头,竿之藁街"⑦。中书舍人勾龙如渊给秦桧献计

---

① 《宋史》卷437《魏了翁传》。
② 吕邦燿《续宋宰辅编年录》卷11,端平二年记事。
③ 《宋史》卷437《真德秀传》。
④ 《宋史》卷422《徐侨传》。
⑤ 《宋史》卷45《理宗五》。
⑥ 吕邦燿《续宋宰辅编年录》卷18,景定三年记事。
⑦ 《宋史》卷374《胡铨传》。

说:"何不择人为台官,使尽击去,则相公之事遂矣。"①秦桧以勾龙如渊为御史中丞。勾龙如渊上任后,"首劾(胡)铨"②,胡铨被贬至昭州编管。秦桧还利用御史,把抗金将领岳飞陷害致死。绍兴十一年(1141年)十月,秦桧令台谏罗织罪名,诬陷岳飞。他令谏官万俟卨奏"劾岳飞对将佐言山阳不可守"③,命御史中丞何铸治岳飞狱。何铸引岳飞至庭,"诘其反状",岳飞袒而示之背,背上刺有"尽忠报国"四个大字,何铸经过验实,发现岳飞冤屈。秦桧对何铸说:"此上意也。"何铸回答道:"铸岂区区为一岳飞者,强敌未灭,无故杀一大将,失士卒心,非社稷之长计。"④ 秦桧无言对答,改命万俟卨为御史中丞,万俟卨遂"诬(岳)飞与其子云致书张宪,令虚申警报以动朝廷,及令(张)宪措置使还飞军;狱不成,又诬以淮西逗遛之事"⑤。由于秦桧和御史中丞万俟卨的诬陷,岳飞、岳云及张宪皆被害死。秦桧第二次为相,宋金战争正处在关键时刻,他利用台谏攻击贬逐抗金派胡铨,陷害抗金将领岳飞,不但严重破坏了抗金斗争,而且也给南宋初期的社会经济发展带来了不良影响。

韩侂胄也是利用台谏攻击反对派。朱熹是韩侂胄掌权的反对者之一。宋宁宗即位之初,朱熹曾不止一次地手书宰相赵汝愚,提醒他"防微杜渐,谨不可忽"⑥,并献策说:对韩侂胄"当用厚赏酬其劳,而疏远之。"⑦ 赵汝愚罢相后,朱熹已看到了政治局势的转机,"以疾再求休致",宋宁宗没有同意。韩侂胄掌权后,对朱熹等人耿

---

① 留正《皇宋中兴两朝圣政》卷24,绍兴八年十一月甲辰。
② 《宋史》卷473《秦桧传》。
③⑤ 《宋史》卷474《万俟卨传》。
④ 《宋史》卷380《何铸传》。
⑥ 《宋史》卷429《朱熹传》。
⑦ 《宋史》卷474《韩侂胄传》。

耿于怀。庆元元年(1195年)六月,谏官刘德秀上疏"请考核真伪"①,打响了台谏官向反对派朱熹等人攻击的第一炮。次月,御史中丞何澹上疏"请禁伪学"②。翌年,"台谏汹汹,争欲以(朱)熹为奇货",监察御史沈继祖遂弹劾朱熹"剽窃张载、程颐之余论,寓以吃菜事魔之妖术,以簧鼓后进张浮驾诞,私立品题收召四方无行义之徒,以益其党","及不忠、不孝、不仁、不义、不公、不廉等十罪"③。朱熹落职罢祠。庆元三年(1197年)刘三杰入对说:"前日伪学,今变而为逆党。"④ 韩侂胄即日除刘三杰为右正言。右谏议大夫姚愈"论道学权臣结为死党,窥伺神器"⑤。在台谏的弹劾下,因伪党"凡得罪者五十九人,省部籍记姓名,降诏禁伪学。"⑥ 韩侂胄利用台谏达到了报复朱熹等人的政治目的。

贾似道专权,动辄以台谏攻击反对派。如贾似道推行买公田,给事中徐经孙上疏指出江西买公田的弊端,贾似道"讽御史舒有开劾之"⑦。又如知江陵府汪立信投书贾似道,陈述抗蒙三策。贾似道看信后,大怒,将书信投之于地,破口大骂道:"瞎贼敢尔妄语!""遂讽台谏"⑧ 弹劾而罢其官。

其四,利用台谏欺上瞒下。

宋代权臣下控制台谏,使其成为自己的口舌,然后再以所谓的台谏公论,去要挟皇帝,从而达到种种目的。如韩侂胄专权,台谏

---

① 《两朝纲目备要》卷4,庆元元年六月丁巳。
② 《两朝纲目备要》卷4,庆元元年七月丁酉。
③ 《两朝纲目备要》卷4,庆元二年十二月庚午。
④ 《宋史》卷474《韩侂胄传》。
⑤ 《宋史》卷429《朱熹传》。
⑥ 周密《齐东野语》卷3《绍熙内禅》。
⑦ 吕邦燿《续宋宰辅编年录》卷18,景定五年甲子。
⑧ 《宋季三朝政要》卷4,咸淳四年十月记事。

"凡有所言,无非阴授风旨,而每告陛下,必谓台谏公论不可不听"①。史弥远也同样如此,开禧三年(1207年)十一月,史弥远勾结杨次山、夏震等人杀死韩侂胄后,欺骗宋宁宗,命右谏议大夫叶时、殿中侍御史黄畴若、监察御史章燮、余崇龟等人奏弹韩"侂胄专政无君,僭上不道,乞枭其首"②。"及台谏交章论列三日后,(宁宗)犹未悟其死","遂下诏暴侂胄首开兵端等罪,官籍其家"③。贾似道利用台谏欺上瞒下的行为比史弥远更甚。他为了让宋理宗同意推行买公田,乃命殿中侍御史陈尧道、右正言曹孝庆、监察御史虞忞、张希颜等上疏说:推行买公田可使军饷"沛然有余,可免和籴,可以饷军,可以住造楮币,可平物价,可安富室。一事行,而伍利兴矣"④。宋理宗在台谏的"公论"下,诏令推行买公田。其后,浙西安抚使魏克愚极言"未见买公田之利,而适见其害",并陈述买公田为害者八事,理宗下诏暂停推行买公田。贾似道一面假装愤然求去,暗地里又讽台谏官何梦然、陈尧道、曹孝庆"抗章留之",理宗"趣似道出视事",贾似道具陈其制,理宗一一答应⑤。在抗蒙斗争中,贾似道常利用台谏,欺上瞒下。咸淳四年(1268年),蒙古军队把襄阳和樊城团团围住,贾似道表面上请求前去督战,而暗地里却"又嗾台臣以留之"⑥。咸淳八年(1273年),樊城被元朝军队攻陷,襄阳告急,贾似道又假惺惺地请求亲自领兵前行,背地里又唆使台谏官挽留自己。监察御史陈坚说:"师臣出,顾襄未必能及淮;顾淮未必能及襄,不若居中以运天下为得"。此后,"乃就中书置机速房以调

---

① 叶绍翁《四朝闻见录·戊集》《臣寮雷孝友上言》。
② 《两朝纲目备要》卷11,嘉定元年正月戊寅。
③ 周密《齐东野语》卷3《诛韩本末》。
④⑤ 吕邦燿《续宋宰辅编年录》卷18,景定五年记事。
⑥ 《宋季三朝政要》卷4,咸淳四年闰正月记事。

边事"①。再者,贾似道还利用台谏作为恐吓宋度宗,邀取美名的工具。他每隔二、三年即上疏请求辞去相位,同时又讽台谏官上章挽留自己,使宋度宗折腾一翻,而后了事,正如宋人高斯得所总结的:"臣若崇观之(蔡)京、绍兴之(秦)桧、嘉定之(史)弥远,未尝不贪权位也,然安其为奸邪而不敢求名。似道则不然,每二、三岁必一求去,内以要君,外邀名誉,每一求去,披猖矫饰,使上下皇扰久而后定,其至使人主仓皇迫遽,匍匐恸哭。"②

其五,利用台谏,为所欲为。

宋代权臣利用台谏为所欲为。如蔡京为相时,"创立违御笔之罪"③,"凡私意所欲为者,皆谓御笔行之"④,"违者,以大不恭论"⑤,由"御史台觉察纠奏"⑥。御史成了蔡京维护御笔行事和箝制士大夫之口的工具。秦桧为相,欲罢去某人官职,"则微示颜色,而台官已探知之,次日即有言章,略不敢少缓",或者秦桧遣人"谕意与台官,令有言,台谏仓皇应语,承顺而已"。当时有个叫杨愿的,常向台谏官传递秦桧的旨意,被人们称之谓"内简牌",意思是杨愿向台谏官递"传桧旨意为多也"⑦。韩侂胄当政,凡欲所为,"或明示风指,或迎合时意"⑧,必先以台谏官制造舆论,而后为之。史弥远为相,台谏"尺简往复,先缴全稿,是则听之,否则易之",甚至台谏上奏,皆由权臣"府第付出全文"⑨。贾似道"虽深居,凡台谏弹劾,

---

① 《宋史》卷474《贾似道传》。
② 高斯得《止堂存稿》卷5《书咸淳五年事》。
③ 《太平宝训政事纪年》卷4《徽宗皇帝》。
④ 吕祖谦《类编皇朝大事记讲义》卷22《小人创御笔之令》。
⑤ 《宋史》卷352《吴敏传》。
⑥ 《宋大诏令集》卷197《诫谕不更改政事手诏》。
⑦ 徐自明《宋宰辅编年录》卷16,绍兴二十五年十月丙申。
⑧⑨ 魏了翁《鹤山全集》卷18《应诏封事》。

诸司荐辟及京尹畿漕一切事,不关白不敢行"①。足见台谏已完全变为权臣为所欲为的工具。

四、月课与禁青盖事件

宋代自绍兴末年始,台谏官"每月必一请对,察官(监察御史)每月必一言事"。否则,谓之失职。韩侂胄专权,台谏官"多牵掣顾望,凡所论列,若位望稍高之人盖皆有所受"。此外,"每月将终必举按小吏一、二人谓之月课"。开始,月课举按的对象"犹及厘务官与郡守之属;已而,浸及属官曹椽;最后,则簿尉监当皆在月课之列矣。"② 还有的台谏在应付月课时,"泛论君德时政,皆以陈熟缓慢者言"③。有一监察御史应付月课,实在找不到举按对象,乃说:"都城货炒栗者,皆以黄纸包之,非便,乞禁止,闻者哂之。"④

嘉定年间,台谏官被权臣史弥远控制得更严,"不敢妄有指议",但又不得不应付月课,因而引起了一场禁青盖风波。当时,监察御史郑昭先为充塞月课,"奏疏请京辇下勿用青盖"。宋宁宗下诏从之。太学生们因不许用青盖,则用"皂绢为短檐伞,如都下卖冰水檐上所用,人已同嗤笑"。京师巡逻者以首犯禁条为名,用绳"系持盖仆并盖赴京兆",京尹程覃"遂杖持盖仆"。翌日,太学生们纷纷到京兆申诉,程覃告诫"闻者勿受谒"。太学生们又"至诣阙诉覃,覃亦白堂及台自辨,诸生攻之愈急,至作为《覃传》云:程覃,字会元,一字不识,湖徽人也。"在当时,俗谚称无所有,而敢于强聒谓之"胡挥"。太学生们借"湖徽"与"胡挥"之同音讽刺程覃。此后,太学生们"遂治任尽出太学,寘绫卷于崇化堂,皆望阙遥拜而去",太"学为

---

① 《宋史》卷474《贾似道传》。
②④ 《两朝纲目备要》卷7,嘉泰二年闰十二月乙卯。
③ 刘时举《续宋编年资治通鉴》卷13,嘉泰二年闰十二月乙未。

之空",出现了宋代立国以来少见的空学运动。外戚杨次山把此事转告于宋宁宗,宁宗御批:令学官宣谕诸生,"亟就斋事,免(程)覃所居官"①。至此,禁青盖风波才算结束。这场禁青盖的空学运动完全是由于月课引起的,正如叶绍翁所说:"嘉定间禁止青盖事,盖起于郑昭先无以塞月课。"②

月课及其所引起的禁青盖事件,生动而又形象地反映了南宋后期权臣控制台谏给政治带来的不良后果。

第四节 台谏与宋代党争

两宋时期,台谏势力强大,党争激烈,台谏与党争的关系,无疑是一个重要的研究课题。

史学界对台谏与宋代党争的关系,已进行了一些探讨。如梁天锡先生认为:第一,北宋台谏合一之势形成,是党争的根源。他在《北宋台谏制度之转变》一文指出,"北宋台谏互兼,遂以为常,合一之势成,党争之祸起矣";第二,北宋"相权既受制于台谏,则台谏权重,发空言而不负言责,互荐互引,党祸遂起";第三,北宋馆职、台谏为"宰辅升迁之阶,夫一国之大,唯此极少之职位,以作树立至高功名之凭藉,人乃相率争之,于是台谏遂成为牵政潮之地,而党争之祸迄于徽、钦不已也"③。以上梁先生从不同的方面分析了台谏与北宋党争的关系。

本节就台谏合一之势形成是否宋代党争的根源及台谏在党争

---

① 叶绍翁《四朝闻见录·甲集》《太学诸生寘绫纸》。
② 叶绍翁《四朝闻见录·丙集》《草头古》。
③ 梁天锡《北宋台谏制度之转变》,台湾《宋史研究集》第9辑第281、290、311页。

中的作用等问题,谈一些自己的看法。

一、台谏合一之势形成不是宋代党争的根源

党争在我国历代封建王朝中屡见不鲜,它与台谏制度本身的变化没有必然的联系。汉代时,御史制度尚不健全,根本谈不上台谏合一之势的形成,而汉灵帝朝却出现了两次"党锢"。唐代时,御史和谏官职掌分明,也没有出现台谏合一之势,而唐后期却出现了"牛李党争"。这些历史事实表明,党争的出现与台谏合一之势的形成,没有必然的联系。

就宋代而言,台谏合一之势的形成也不是党争的根源。宋代的首次党争发生在宋真宗末年,斗争的双方为寇准和丁谓,斗争的起因是"真宗寝疾,章献明肃太后渐预朝政,真宗意不能平",寇准"探知此意,遂欲废章献,立仁宗,策真宗为太上皇,而诛丁谓、曹利用等"①。这与台谏制度毫无关系,与台谏合一之势的形成更无任何牵连。

对王安石新党与司马光旧党产生的历史背景及其原因,漆侠先生在《王安石变法》一书中,论述得极为清楚透彻。漆先生在对王安石变法作精辟的论述之后指出:"王安石变法有其深厚的社会历史的背景。它是历史发展过程中的一个产物,是宋代政治经济发展过程中各种矛盾关系的集中表现。"② 不言而喻,围绕变法与反变法的王安石新党与司马光旧党的斗争,也是各种矛盾关系的集中表现,与台谏合一之势的形成无必然关系。

北宋后期的蜀、洛、朔三党之争产生的主要原因,也多是来自政治方面的,直接原因则是苏轼等人触犯了以司马光、吕公著为代

---

① 魏泰《东轩笔录》卷3。
② 漆侠《王安石变法》,上海人民出版社1979年第2版,第252页。

表的旧党正宗势力,与台谏合一势力的形成无任何关系。

总之,宋代几次党争产生的原因各式各样,比较复杂,但台谏合一之势的形成决不是党争的根源。

二、台谏在党争中的作用

宋代台谏作为言事之官,在党争中具有重要作用。

首先,宋代台谏在党争中起到了推波助澜的作用,蜀、洛、朔三党的斗争就说明了这一点。元祐元年(1086年)九月,蜀党的苏轼与翰林学士邓温伯共同撰写了策试馆阁考题三首。其中第一、二首是邓温伯撰写的,第三首为苏轼所撰写。宋哲宗御笔点用了苏轼所撰写的第三首。苏轼所撰写的策试考题中有这样几句话:

> 欲师仁祖之忠厚,而患百官有司不举其职,或至于偷;欲法神考之励精,而恐监司守令不识其意,流入于刻。……汉文宽大长者,不闻有怠废不举之病;宣帝综核名实,不闻有督察过甚之失。

洛党朱光庭利用左司谏的有利位置,抓住苏轼策题中的"偷"、"刻"二字大作文章,并攻击苏轼说:

> 今来学士院考试不识大体,以仁祖难名之盛德、神考有为之善志,反以"偷"、"刻"为议论,独称汉文、宣帝之全美,以谓仁祖、神考不足以师法,不忠莫大焉。伏望圣慈察臣之言,特奋睿断,正考试官之罪,以戒人臣之不忠者①。

左司谏朱光庭对苏轼的攻击,使蜀、洛、朔三党矛盾加深。高太后下诏特免去苏轼之罪,左司谏朱光庭上疏反对,并且"攻(苏)轼愈峻","称(苏)轼尝骂司马光及程颐"。苏轼闻而自辨道:"臣之所谓偷与刻者,专指今之百官有司及监司守令不能奉行,恐致此病,于

---

① 《长编》卷393,元祐元年十二月壬寅。

二帝何与焉？"朔党傅尧俞和王严叟听说高太后将贬逐朱光庭,利用御史的有利位置皆上疏论苏轼"不当置祖宗于议论之间,犹未显斥其有讥讽意也。"① 而蜀党吕陶利用殿中侍御史的有利位置,上疏反对加罪于苏轼。他说："台谏当徇至公,不可假借事权以报私隙,议者皆谓轼尝戏薄程颐,光庭乃其门人,故为报怨。夫欲加轼罪,何所不可,必指其策问以为讥谤,恐朋党之敝,自此起矣。"② 元祐二年（1087年）正月,高太后下诏："傅尧俞、王严叟、朱光庭以苏轼撰试策题不当,累有章疏,今看详得非是讥讽祖宗,只是论百官有司奉行有过。令执政召诸人面谕,更不须弹奏。"③ 同年三月,侍御史王严叟、左司谏王觌、殿中侍御史孙升、监察御史上官均等人,以苏轼建议"买田募役事"④ 为口实,又攻击苏轼,使蜀、洛党争再起高潮,足见台谏在宋代党争中所起的推波助澜作用。

其次,台谏对党争的具体作用,取决于党派自身的性质。党争是封建统治阶级内部的政治斗争,政治党派有革新与保守之分,革新党控制了台谏,台谏则促进社会政治经济的发展。保守党控制了台谏,台谏则阻碍社会的进步。如庆历新政初期,革新党充任了谏官,在新政中发挥了重要作用,使谏官成为推动当时社会进步的重要力量。王安石变法后期,改革党控制了台谏,台谏成了新法的维护者与捍卫者,促进了宋神宗时期社会经济的发展。而保守党控制了台谏,台谏则成为阻碍社会进步的重要因素。如庆历新政后期,保守党控制了御史台,台谏则成了破坏改革,阻止社会进步的力量。

① 《长编》卷393,元祐元年十二月壬寅。
② 《宋史》卷346《吕陶传》。
③ 《长编》卷394,元祐二年正月乙丑。
④ 《长编》卷397,元祐二年三月辛巳。

第五节 宋代政治对台谏的影响

毛泽东同志指出:"我们承认总的历史发展中是物质的东西决定精神的东西,是社会的存在决定社会的意识,但是同时又承认而且必须承认精神的东西的反作用,社会意识对于社会存在的反作用。"① 我们在分析台谏对宋代政治所起种种作用的同时,还应该看到宋代政治对台谏官的情操、名利观、心态等方面的影响。

一、宋代台谏官经济状况和情操的变化

两宋时期,由于政治、经济的发展变化,台谏官的经济状况、思想意识也随之发生了一些明显的变化。

从俸禄上看,宋代台谏官在整个官僚队伍中比较偏低。而北南两宋,台谏官的实际生活状况相差甚大。

宋代宰相、枢密使的月俸为三百千,而御史中丞的月俸禄只有五十五千,侍御史、左右司谏、殿中侍御史月俸为三十千,左右正言、监察御史月俸二十千②。显然,台谏官的平均月俸仅为宰相、枢密使的十分之一左右。

宋代春冬衣赐制度中,宰相、枢密使也比台谏官优厚得多。宋制:宰相、枢密使春冬各赐绫二十匹、绢三十匹、冬绵百两;御史中丞春冬各赐绫七匹、绢二十匹③;左右谏议大夫春冬各赐绫三匹、绢十五匹;侍御史、殿中侍御史、左右司谏春冬各赐绢十三匹;左右

---

① 《毛泽东选集·一卷本》人民出版社1969年版,第300页至301页。
② 《宋会要辑稿》职官57之1。
③ 《宋会要辑稿》职官57之4。

正言、监察御史春冬各赐绢十匹①。

天禧元年(1017年)二月,宋真宗下诏:侍御史以下每月"添支十五千"② 钱。元丰三年(1080年)五月,宋神宗又下诏:月增御史中丞添支钱二十千,察案御史十千③。尽管宋政府曾几次给御史增加俸钱,但台谏官仍处于俸禄微薄,家境贫困的状况。如太宗朝谏官右补阙范杲"家贫,负人息钱数百万"④。孝宗朝的监察御史王牧同样家中贫穷,"其兄遣女议月以十缗助之"⑤,都无力相助。

北宋时期的台谏官虽然俸禄薄,家境贫困,但由于当时政治比较清明,因而能安贫守道,高风亮节,不接受别人的钱财。如北宋初年的御史中丞刘温叟身患重病,"太祖知其贫,就赐器币",晋王赵匡义"闻其清介,遣吏遗钱五百千,温叟受之,贮厅西舍中,令府吏封署而去。明年重午,又送角黍、执扇,所遣吏即送钱者,视西舍封识宛然"。吏人回去把此事告诉赵匡义,赵匡义感叹地说:"我钱尚不用,况他人乎?昔日纳之,是不欲拒我也;今周岁不启封,其苦节愈见"。命令吏人把所送之钱物又运回了晋王府。其后,赵匡义称其是有"清操"的"当世名节士"⑥。宋仁宗朝的监察御史曹修古"慷慨有风节",死后"家贫不能归葬,宾佐赙钱五十万",曹修古的女儿为保全父亲的节操,哭着对其母说:"奈何以是累吾先人也","卒拒不纳"⑦。和曹修古同时代的谏官刘随,"以清直闻","人号为水晶

---

① 《宋会要辑稿》职官57之5。
② 《宋会要辑稿》职官17之5。
③ 《宋会要辑稿》职官57之43。
④ 《长编》卷28,雍熙四年二月丁未。
⑤ 《两朝纲目备要》卷8,嘉泰三年五月戊寅。
⑥ 《宋史》卷262《刘温叟传》。
⑦ 《宋史》卷297《曹修古传》。

灯笼",死后,仁宗"怜其家贫,赐钱六十万"①。

南宋光宗以后,社会上"贿赂盛行"②,台谏官也多因受贿赂而暴富起来。因宋代台谏有荐举官员的职权,所以一些平庸无能之辈为了得到某一官职,"必竞于宰执、台谏之门"③,行贿者"馈酒于宰执、台谏之门率以千计,久以恶其重,则又折以钱,故一为台谏者皆致富"④。《两朝纲目备要》里记载了一个行贿求茶马差遣的故事:

> 有某路某司吏,余旧使令也。一日枉道来拜,自言南士持节者俾之入都问之曰某官,令押信匦大小五百七十枚,求茶马耳。余甚骇之,且不信。居数月,果报榷牧之命某年某月也⑤。

这个求茶马的有趣故事,生动形象地反映了南宋宁宗以后,官以贿成的腐败现象。台谏正是在这种背景下受贿致富的。宋初以来台谏那种安贫守道、高风亮节的情操,此时已荡然无存。北南两宋台谏官情操的这一变化,除了台谏个人修养的内在因素之外,与政治腐败、贿赂之风盛行等有密切关系。

二、宋代台谏言事风气和名利观的变化

历宋一代,随着政治经济的变化,台谏的言事风气和名利观也发生了重要变化。

从言事风气上看,北宋时期,特别是仁、英、哲三朝,台谏言事风气甚浓,动辄接二连三地弹劾宰执百官,并请求罢其官职,如果朝廷不从,则家居待罪,不达目的,誓不罢休。如宋仁宗庆历年间,夏竦除枢密使,"御史中丞王拱辰,谏官欧阳修等十一疏追(夏)竦

---

① 《宋史》卷297《刘随传》。
②④ 《两朝纲目备要》卷8,嘉泰三年五月戊寅。
③ 《宋史》卷387《黄洽传》。
⑤ 《两朝纲目备要》卷8,嘉泰三年五月戊寅。

枢密使敕"①。哲宗元祐年间,御史中丞胡宗愈、谏官刘安世等人为了把知枢密院事章惇排挤出朝廷,"曾"十九章劾章惇"②。刘安世弹劾胡宗愈至二十余章③。傅尧俞充任御史、谏官四年,所上一百六十余章,"多触忌讳诋权幸","名重朝廷,而风节凛然,闻于天下"④。蔡京专权以后,此风大变,正如宋人魏了翁所总结的:"祖宗盛时,给舍、台谏未有知而不言,言而不行,亦未有言之不行而不争,争之不胜而不去者。如论陈执中、论夏竦、论李定、论胡宗愈、论蔡确等事,至于十五、六疏,十七、八疏至二十余疏,不见于施行不已也。绍圣、崇宁以后,此风遂泯。"⑤

南宋时期,权臣当政,台谏言事之风气远不如北宋。对此,当时的士大夫们议论纷纷。王十朋说:"祖宗时台谏论事,或一章不从,至于十余章,而未尝遽已,言苟不行,则继之"。"今之论事者或一再不从,遂不敢复言。"⑥ 彭龟年在给宋光宗的上疏中写道:"臣观南渡以来,台谏忠鲠,大率不逮祖宗盛际,每有所言,亦不过三数章而止"⑦。"至于全台弹击,近时罕闻。"⑧宁宗朝的卫泾也曾说:"近日台谏虽稍为振职,若较之祖宗时言论风采,犹未能十之二、三"⑨。理学家朱熹进一步指出:"今日言事官欲论一事一人,先探上意如何,方进文字。"⑩

---

① ② 黄淮、杨士奇《历代名臣奏议》卷206《听言》。
③ 彭龟年《止堂集》卷1《乞留侍御史刘光祖》。
④ 朱熹《宋名臣言行录·后集》卷10《傅尧俞》。
⑤ 魏了翁《鹤山全集》卷20《乙未秋七月特班奏事》。
⑥ 王十朋《梅溪集·奏议》卷1《应诏陈弊事》。
⑦ 彭龟年《止堂集》卷1《论优迁台谏沮抑忠直之弊疏》。
⑧ 彭龟年《止堂集》卷1《论雷雪之异为阴盛侵阳之证疏》。
⑨ 卫泾《后乐集》卷10《同馆职乞留刘光祖札子》。
⑩ 朱熹《朱子语类》卷112《论官》。

第四章 台谏与宋代政治

对于南宋台谏言事风气委靡的原因,宋人袁说友作过分析。他说:

> 台谏之气所以委靡者,盖有二说。其一曰,将以论某人也,而某人为有权,则某之论且不行矣,又未几,而黜之,他官意曰某人不当论某人而致此黜也。夫有权者以有罪而论,而论事者以无罪而黜,彼人臣之心莫不以迁为荣,以黜为戒,今且以论事黜也,其敢复有言哉!……其二曰,朝廷之官固有数路,就其间而推之,如台谏尤清且要也。然比年以台谏而久为侍从者止一、二人,由他官而安于侍从者亦多有矣,岂非既以言事为职,一有所言或犯众怒,已不朝夕而又去,固不若舍台谏而为他官,唯唯不言者之速且久也。使人人而果怀是心,则臣见台谏之司亦几于虚文矣。此气之所从靡也①。

显然,袁说友认为南宋台谏言事风气委靡的原因主要有两个方面。第一,宰执权力过大,动辄利用手中的职权,罢除敢于言事的台谏,当时的风气又不像北宋时期台谏官以敢言罢台职为荣,而是以升迁为荣,以罢黜为戒,台谏官因怕罢黜而不敢言事。第二,台谏虽为清要之官,但宋宁宗以后,其升迁为侍从者远不如其他官之多,并且一有所言,惹怒宰执则很快被罢去。一言以蔽之,权臣当政,使台谏不敢随便弹劾论奏,是南宋台谏言事风气委靡的根本所在。

从台谏的名利观上看,北南两宋大不一样。北宋时,台谏多重惜名节。天圣中,监察御史曹修古"论事鲠切,忤宫闱意,谪守小郡",自此,"忠言谠论源源而来"②,出现了一批重惜名节,敢于言事,不怕贬逐的台谏官,如孔道辅、包拯、韩琦、富弼、欧阳修、余靖、王素、蔡襄、唐介、赵抃等就是其中的重要代表人物。在北宋前期,

---

① 袁说友《东塘集》卷8《论台谏当伸其气》。
② 袁燮《絜斋集》卷1《论对陈人君宜纳谏札子》。

台谏弹劾对象的层次越高,名气越大,如宋仁宗朝的监察御史里行唐介,因敢于弹劾宰相文彦博,"由是直声动天下,士大夫称真御史"①。殿中侍御史赵抃"弹劾不避权幸,声称凛然,京师目为铁面御史"②。宋神宗以后,国是屡变,台谏的名利观念为之一变,出现了一些惟利是图的台谏官,杨畏则是其中的一个典型代表。杨畏在王安石变法时期拥护变法,"尊安石之学",被擢为监察御史里行。元祐更化时又吹捧司马光说:"畏官夔峡,虽深山郡獠,闻用司马光,皆相贺,其盛德如此",被任命为监察御史,升迁为殿中侍御史。绍圣时,杨畏又遣其亲信对宰相章惇说:"畏迹在元祐,心在熙宁,首为相公开路者也。"③宋人高斯得一针见血地评论道:"小人反覆莫如杨畏,利在王安石则附安石;利在吕大防、苏辙则附大防、苏辙;利在章惇、安焘、李清臣则附惇、安焘、清臣,天下之人谓之三变。"④南宋时期,台谏官惟利是图的现象更为严重,尤其是宋宁宗以后,台谏"惟利是视,以慷慨敢言为卖直,以循然谨畏为当然"⑤。

北南两宋,台谏言事风气和名利观的变化,是一个涉及到经济发展、社会变化等多方面的复杂问题,但与当时政治的变化有直接关系。

三、宋代台谏官的社会地位

宋人章如愚在总结当时御史的社会地位时说:

御史过宰相、翰林仕官有三荣,秉钧当轴宅揆代工坐庙朝

---

① 《宋史》卷316《唐介传》。
② 《宋史》卷316《赵抃传》。
③ 《宋史》卷355《杨畏传》。
④ 高斯得《耻堂存稿》卷2《九月二十三日进故事》。
⑤ 真德秀《西山文集》卷2《奏札二》。

> 以进退百官为宰相之荣;瀛州妙选,金銮召对,代天子丝纶之命为翰苑之荣;乌府深严,豸冠威肃,得以振纪纲而警风采为御史之荣。就是三者而轻重之,则御史之荣为尤甚①。

以上章如愚的御史为百官中最荣的提法不免有些过分,但它在一定程度上反映出御史在宋代官僚队伍中的重要地位。

与前代相比,宋代台谏官略有人身保障。据文献记载,宋朝自太祖赵匡胤始,就"有约藏之太庙,誓不杀大臣、言官,违者不祥"。对此,当时的士大夫就有不少议论,如王明清就评论道:"此诚前代不可跂。"②叶适也说:"前世之臣,以谏诤忤旨而死者皆是也;祖宗不惟不怒,又迁之以至于公卿。"③特别是宋神宗熙宁以前,御史"例少贬责,间有补外者,多是平出,未几,复召还",所以御史台吏人对遭贬责的御史官也不敢怠慢。南宋时,御史虽"进退既速,贬责复还者无几",但"吏习成风,独不敢懈"。时称"孝顺御史台,忤逆开封府"④。台谏官的下场至少比开封知府要好一些。

宋代台谏虽职任清要,略有人身保障,但也有为难之处。在宋代,"御史入台满十旬未抗章疏,例输金以佐公用,谓之辱台钱"。也就是说,充任御史台官满一百天没有弹劾章疏,要罚款以补充办公费用,此钱被称之为"辱台钱"。一些御史官常为找不到抗章的内容而犯愁。他们为了不被罚"辱台钱",不得不找一些鸡毛蒜皮的事来应付抗章。如宋仁宗朝的一御史官,入台已九十余日,未尝有抗章,再过几天就要罚辱台钱了,"忽一日,削蒿拜囊封,众伫听以为所言

---

① 章如愚《群书考索·续集》卷36《台谏》。
② 王明清《挥麈后录》卷1。
③ 叶适《水心别集》卷2《国本》。
④ 叶梦得《石林燕语》卷10。

必甚大事,乃斥御庖造膳误有遗发于间者"①。像这样用无补于政事的疏文来应付抗章,以免除"辱台钱"的御史,在宋代为数不少。熙宁年间,御史失职,要受到罚金的经济制裁,因而使一些官员不愿充任台官,就连宋神宗也说:"台官只有罪绌无赏,近日都无人可作。"②

宋代台谏官一方面职任清要,略有人身保障,使人羡慕;但另一方面入台十旬未有抗章要罚"辱台钱",加之南宋时期还要应付月课,因而不少人已不愿意充任御史。宋代御史这种矛盾的社会地位与当时的政治也有密切关系。

本 章 小 结

综合本章所述,台谏与宋代政治的关系,可归纳为以下几点。

一、宋代台谏可以巩固专制统治。宋王朝是在唐末五代废墟上建立起来的。立国之初,摆在宋统治者面前的主要历史使命是如何结束唐末五代以来的分裂割据局势,宋太祖、太宗采用了"稍夺其权"、"制其钱谷"、"收其精兵"、"以文臣知州事"、"罢支郡"等种种措施完成了这一使命。自宋真宗朝始,相权与皇权的矛盾日益尖锐,如何限制宰相权力,以巩固专制统治,已成为当时政治中的一个重要问题。在这一背景下,台谏制度得到了发展,台谏官也逐渐成为监察宰相,"折奸臣之萌,而救内重之弊"③,"破奸雄之胆,救陵夷之患"④ 的重要工具。宋仁宗朝台谏与宰执的几次矛盾冲突,

---

① 王得臣《麈史》卷1《台议》。
② 《长编》卷263,熙宁八年闰四月乙巳。
③ 苏轼《东坡全集》卷51《上皇帝书》。
④ 赵汝愚《宋名臣奏议》卷55,陈尧臣《上徽宗乞重惜宪台之权》。

濮议中台谏和宰执的抗争、宰相不押班风波中台谏与宰相的矛盾斗争等历史事实，都说明了台谏在牵制宰相，巩固宋专制统治中的重要作用。

二、宋代台谏可以推动改革，也可以阻碍甚至破坏改革。庆历年间谏官把范仲淹举上改革舞台，并在新政中冲锋陷阵；王安石变法期间御史威慑反变法派，督察不法官吏、捍卫新法等历史事实，说明了台谏可以成为改革的重要力量。庆历新政后期，御史中丞王拱辰讽其寮弹劾苏舜钦、王益柔，谏官钱明逸迎合宰相章得象、陈执中旨意弹劾范仲淹、富弼导致新政彻底失败；王安石变法初期，御史中丞吕诲、侍御史知杂事刘琦、监察御史里行张戬、程颢、谏官李常等交章攻击王安石及其新法，给变法带来困扰；元祐更化，台谏在废罢新法所起极坏作用等事实表明，台谏可以成为改革的阻力，甚至破坏改革。

三、宋代台谏也可以成为权臣擅权的工具。宋代自蔡京当政以后，"一相去，台谏以党去；一相拜，台谏以党进"①。台谏成了蔡京、秦桧、韩侂胄、史弥远、贾似道等权臣排斥政治对手、打击异己、攻击反对派、欺上瞒下、为所欲为的鹰犬。"宰相但奉行台谏风旨"②的时代一去不复返了，取而代之的是"台谏不敢违中书之诮"③。就此而言，台谏可以成为权臣当政的工具。

四、宋代台谏的作用具有强烈的阶级属性。如上所述，宋代台谏可以巩固专制统治，可以在改革中起推动或阻碍正反两方面的作用，也可以成为权臣当政的工具，由此而论，宋代台谏的作用具有强烈的阶级属性，是为一定的政治服务的。早在八百多年前的宋

---

① 张端义《贵耳集》卷下。
② 苏轼《东坡全集》卷 51《上皇帝书》。
③ 《宋史》卷 408《陈宓传》。

代,吕祖谦已看出了台谏的不同作用。他说:台谏是"治世之药石而乱世之簧鼓也。"① 当然,吕祖谦不会也不可能用马列主义的阶级分析法去评价宋代台谏的不同作用。

五、掌握台谏官任用权的人对台谏的作用至关重要。如前所述,北宋前期,皇帝牢牢控制台谏官的任用权时,台谏是牵制宰相,巩固专制统治的工具。北宋末年乃至南宋一代,当蔡京、秦桧、韩侂胄、史弥远、贾似道等人掌握了台谏官的任用权后,台谏则成为权臣当政的鹰犬。正如吕祖谦所说:"君子得其人,则朝廷之疾愈,非其人则适以生疾矣。"②

六、充任台谏官的人,对台谏的作用也极为重要。台谏机构是靠人来充任的,台谏在宋代政治中的作用是通过人而体现的。人的政治立场不同,所起的作用也大相径庭。改革派充任了台谏官,台谏则为改革服务,甚至成为改革的骨干力量,谏官在庆历新政中的作用就证明了这一点。反对改革派充任了台谏官,台谏则成为攻击改革的舆论工具,给改革带来阻力,王安石变法初期,反变法派以台谏为基地向王安石及其新法发动猖狂进攻的事实就说明了这一点。王安石那种不避矛盾,不恤人言,敢于大胆罢除反变法派台谏职务,力排众议,破格选任变法派充任台谏的做法是值得称道的。

七、宋代台谏势力的大小与当时政治的清明和不清明,不是成正比关系。也就是说,台谏势力不强大,政治不一定不清明;台谏势力强大,政治不一定清明。如熙丰年间,台谏势力并不强大,而政治却比较清明;元祐年间,台谏势力强大,而政治却比较腐败。考察某一时期的政治清明或不清明,关键要看这一时期是什么人掌权,推行什么政策,当台谏掌握在正直有作为者的手中时,它就服务于进步政策,则对政治清明起到了积极作用,否则,可能是政治腐败的

---

①② 吕祖谦《类编皇朝大事记讲义》卷17《议新法者罢》。

促化剂。

八、在中国封建社会里，人治和法治具有同等重要的地位，因此我们对宋代政治的研究，不仅要重视制度，同时也不能忽视掌握和充任统治机构的人。

九、台谏虽不是宋代党争的根源，但对党争起到了推波助澜的作用。如台谏官在北宋后期蜀、洛、朔三党的斗争中所起作用即是如此。

十、宋代政治清明时，台谏官一般能安贫守道，高风亮节，敢于弹劾；政治腐败时，一些台谏官惟利是图，看风使舵，甚至附会权贵。这些事实说明，宋代政治的变化对台谏官的思想情操、言事风气和名利观等均具有重要影响。

第五章　宋代封驳制度

我国封建社会的封驳制度早在汉代就已经出现。西汉哀帝"托傅太后遗诏","益封(董)贤二千户",宰相王嘉"封还诏书"①。东汉桓帝时,张成指使弟子牢修上书诬告李膺等人养太子游士,交结诸郡生徒,诽讪朝廷,疑乱风俗,桓帝对此大为恼怒,诏令郡国,逮捕李膺等人,"案经三府,太尉陈蕃却之",不肯平署,并驳议说:"今所考案,皆海内人誉,忧国忠公之臣"②。这里的"不肯平署",也就是反对汉桓帝逮捕李膺等人,而不肯签字。当时的太尉为三公之一,是宰相之职。可见,两汉时期的封驳权多掌握在宰相手中。

魏晋南北朝时,封驳权开始移向言谏官手中。如北齐后主时,祖珽"求为领军,后主许之,诏须覆奏,取侍中斛律孝卿署名"③。

隋朝初年,在吏部设置了给事郎。隋炀帝时又把给事郎改属于门下省,掌"省读奏案"④。

唐朝时,伴随三省制度的完备,封驳制度有了明显的发展。首

---

① 《汉书·王嘉传》。
② 《后汉书·李膺传》。
③ 《北齐书》卷39《祖珽传》。
④ 《文献通考》卷50《职官四》。

先,门下省正式成为封驳中书省诏敕差失的机构。唐太宗曾对王珪说:"国家本置中书、门下以相检察,中书诏敕或有差失,则门下当行驳正"。唐代的制度规定:"凡诏旨制敕,玺书册命,皆中书舍人起草进画,既下,则署行而过门下省,有不便者,涂窜而奏还,谓之'涂归'。"①南宋人马端临总结道:"盖门下审覆之说始于唐。"②其二,给事中职权加重。唐代给事中不仅具有对人事、司法等封驳权,而且还可以批敕。如唐宪宗时,李藩为给事中,"制敕有不可,遂于黄敕后批之"。吏人说:"宜别连白纸"。李藩回答道:"别以白纸,是文状,岂曰批敕耶!"③ 唐朝末年,给事中掌封驳的制度遂废④。

两宋时期,中国封建社会进入了新的发展阶段,封驳制度也发生了重要变化。

第一节 宋代的封驳机构和封驳官

宋代的封驳机构和封驳官复杂多变,下面分阶段作一述论。

一、北宋前期封驳机构和封驳官的建置

(一) 封驳机构的建立

北宋初年,百废待兴,没有专门的封驳机构,门下省也无封驳之任。朝廷命令及大臣章奏由银台司、发敕司和通进司掌管,具体的分工是:"银台司掌受天下奏状案牍,抄录其目进御,发付勾检,纠其违失而督其淹缓";"通进司掌受银台司所领天下章奏案牍及

---

① 《资治通鉴》卷192,唐纪8,贞观元年十二月。
② 《文献通考》卷50《职官四》。
③ 《旧唐书》卷148《李藩传》。
④ 《宋会要辑稿》职官2之42。

阁门京百司奏牍、文武近臣表疏以进御,然后颁布于外";"发敕司掌受中书、枢密院宣敕、著籍以颁下之"①。

宋太宗即位后,不少大臣上疏请求恢复封驳制度。淳化四年(993年)六月,宋太宗下诏恢复封驳制度,"命左谏议大夫魏庠,司封郎中知制诰柴成务同知给事中事,凡制敕有未便,宜准故事封驳以闻"②。但此时仍无封驳机构。

宋太宗淳化四年(993年)八月以前,银台司、通进司隶属于枢密院,发敕司隶属于中书。朝廷命令"外则内官及枢密院吏掌之,内则尚书内省籍其数以下有司,或行或否,得缘而为奸,禁中莫知,外司无纠举之职"。枢密直学士向敏中从岭南返朝后,竭力主张革除这些弊端,并请求"别置局署,命官专莅,较其簿籍,以防壅遏。"③宋太宗采纳了向敏中的建议,于淳化四年(993年)八月下诏"以宣徽北院厅事为通进、银台司",命令向敏中和张咏同知二司事,"凡内外章奏案牍,谨视其出入而勾稽焉。"④ 自此,银台司、通进司从枢密院中分离出来。不久,银台司又兼领了发敕司。

淳化四年(993年)九月,宋太宗下诏"停废知给事中封驳公事"⑤,其封驳职能由通进、银台司掌领,"应诏敕并令枢密直学士向敏中、张咏详酌可否,然后行下"。都部署张永德笞部下小校至死,宋太宗"诏按其罪",张咏"封还诏书",并驳言道:"永德方任边寄,若以一小校故,摧辱主帅,臣恐下有轻上之心。"⑥也就是说,宋

---

① 《宋会要辑稿》职官2之26。
② 《长编》卷34,淳化四年六月戊寅。
③ 《长编》卷34,淳化四年八月丙辰朔。
④ 《长编》卷34,淳化四年八月癸酉。
⑤ 《宋会要辑稿》职官2之42。
⑥ 《长编》卷34,淳化四年九月乙巳。

太宗淳化四年（993年）九月，通进、银台封驳司正式成为封驳机构。

宋真宗朝，封驳机构的名称由通进、银台封驳司改为门下封驳司。咸平四年（1001年）五月，知通进银台封驳司陈恕上疏说："封驳之任，实给事中之职，隶于左曹，虽别建官局，不可失其故号，请为门下封驳司，隶银台司。"①宋真宗采纳了这一意见，下诏把通进银台封驳司改为门下封驳司，但仍隶属于银台司。同年九月，知封驳司陈恕请求铸封驳司印，宋真宗没有同意，下诏云："如有封驳事，取门下省印用之。"②

宋仁宗初期，朝廷诏令多从中书门下出，封驳机构虽依然存在，但形同虚设。如天圣七年（1029年）三月，群牧判官司马池上疏说："唐制，门下省诏书出有不便者，得以封还。今门下虽有封驳之名，而诏书一切自中书下，非所以防过举也。"③ 皇祐年间，谏官包拯也上疏指出："窃睹国家循旧例，置门下封驳司，以近臣兼领，未尝见封一敕，驳一事，但有封驳之名，而无封驳之实。"④ 嘉祐四年（1059年）四月，吏部郎中天章阁待制何郯同知通进银台司兼门下封驳事，当时"封驳职久废"。他给宋仁宗上疏说："本朝设此司，实代给事中封驳之职，乞准王曾、王嗣宗故事，凡有诏敕，并由银台司"⑤，宋仁宗答应了他的请求，自此，通进银台封驳司又成为封驳机构。此制一直到元丰改制，没有发生大的变化。

---

① 《长编》卷48，咸平四年五月辛卯。
② 《长编》卷49，咸平四年九月乙巳。
③ 《长编》卷107，天圣七年三月癸未。
④ 杨国宜《包拯集编年校补》卷3《请复封驳》。
⑤ 《长编》卷189，嘉祐四年四月丙子。

(二) 封驳官的设置

北宋前期,不仅封驳官的称谓多有变化,而且其他差遣也参预封驳。

先看封驳官称谓的变化。

北宋初年,官、职、差遣相分离,给事中仅为"寓禄秩,叙位著"的寄禄官,而"不领省职"①。淳化四年(993年)六月,宋太宗恢复封驳制度后,以差遣性质的同知给事中事领封驳之职。但仅三个月之久,同知给事中事被废除,其封驳职能由通进银台司掌领,封驳官称谓由同知给事中事改为知通进银台封驳司。

宋真宗咸平四年(1001年)五月,封驳机构由通进银台封驳司改为门下封驳司后,封驳官的称谓也由知通进银台封驳司改为知门下封驳司。同年九月,封驳司用门下省印行封驳事后,封驳官称谓由知门下封驳司改为"兼门下封驳事"②。

宋仁宗嘉祐四年(1059年)四月,银台司兼领封驳职能后,封驳官称谓改为知通进银台司兼门下封驳事。此称谓一直到元丰改制没有大的变化。

北宋前期封驳官称谓变化大致可分为三个阶段。从宋太宗淳化四年(993年)六月恢复封驳制度到同年九月为第一阶段,在这一阶段中,封驳官称同知给事中事,如淳化四年(993年)六月,左谏议大夫魏庠、司封郎中知制诰柴成务同知给事中事③。

从太宗淳化四年(993年)九月至真宗咸平四年(1001年)五月,为第二阶段。在这一阶段中,封驳官称谓大体有四种:1.兼通进

---

① 《文献通考》卷47《职官一》。
② 《长编》卷49,咸平四年九月己巳。
③ 《长编》卷34,淳化四年六月戊寅。

银台封驳司,如太宗至道年间,王禹称兼通进银台封驳司①;真宗咸平初年,陈尧叟兼通进银台封驳司②。2.知通进银台封驳司,如太宗淳化末年,钱若水知通进银台封驳司③,其后,郭贽也出任知通进银台封驳司④;真宗咸平四年(1001年),陈恕知通进银台封驳司⑤。3.同知通进银台封驳司,淳化四年(993年)八月,向敏中与张咏同知银台封驳司⑥。4.勾当通进银台封驳公事,如淳化五年(994年)四月,金部员外郎谢泌"勾当通进银台司封驳公事"⑦。

从宋真宗咸平四年(1001年)五月到神宗元丰三年(1078年)八月,为第三阶段。在这一阶段中,封驳官多称兼门下封驳事或知门下封驳事。如真宗咸平六年(1003年)七月,王嗣宗"兼门下封驳事"⑧。大中祥符八年(1015年)三月,王钦若"知通进银台司兼门下封驳事"⑨。翌年正月,翰林学士晁迥"知通进银台司兼门下封驳事"⑩。天禧二年(1018年)五月,吕夷简"同勾当通进银台司兼门下封驳事"⑪。宋仁宗康定元年(1040年)十二月,李淑"知通进银台司兼门下封驳事"⑫。嘉定五年(1060年)七月,何郯"知门下封

---

① 《宋史》卷293《王禹称传》。
② 《宋史》卷284《陈尧佐传附陈尧叟传》。
③ 《宋史》卷266《钱若水传》。
④ 《宋史》卷266《郭贽传》。
⑤ 《宋史》卷267《陈恕传》。
⑥ 《宋史》卷293《张咏传》。
⑦ 《宋会要辑稿》职官2之26。
⑧ 《宋会要辑稿》职官2之42。
⑨⑪《宋会要辑稿》职官2之27。
⑩ 《宋会要辑稿》职官2之43。
⑫ 《宋会要辑稿》职官2之37。

驳事"①。翌年二月,周沆"知通进银台司兼门下封驳事"②。

再者,知制诰以封还词头的形式也参预封驳。

宋代从仁宗朝起,知制诰开始封还词头,参预封驳。景祐年间,宋仁宗复封刘从德的妻子为遂国夫人,制下,知制诰富弼"缴还词头,封命遂寝"③。直龙图阁钱延年擢天章阁待制,知制诰贾黯"诋延年不才,不宜污侍从,封词目于中书,命遂寝"④。至和元年(1054年)七月,御史马遵、吕景初、吴中复因论奏宰相梁适而被罢职,知制诰蔡襄认为三人无罪"缴还词头"⑤,此后凡官员除授不当,"辄封还之"⑥。宋英宗治平元年(1064年),王景彝自御史中丞除枢密副使,知制诰钱公辅"缴辞头"⑦。宋神宗熙宁年间,李定自幕职官擢监察御史里行,知制诰宋敏求、苏颂、李大临"相继封还词命"⑧。

其三,中书舍人是寄禄官,不参预封驳。

北宋前期的中书舍人是否封还词头,参预封驳呢?宋代文献对这个问题的记载比较杂乱。

苏辙《龙川别志》卷下载:"唐制,惟给事中得封还诏书,中书舍人缴词头盖自郑公(富弼)始。"

李焘《续资治通鉴长编》中的记载基本和苏辙相同:"唐制,惟给事中得封还诏书,中书舍人缴还词头,盖自(富)弼始也。"⑨

---

① 《宋会要辑稿》职官2之43。
② 《宋会要辑稿》职官2之39。
③ 《长编》卷133,庆历元年九月戊午。
④ 《宋史》卷302《贾黯传》。
⑤ 《长编》卷176,至和元年七月己巳。
⑥ 《宋史》卷320《蔡襄传》。
⑦ 《石林燕语》卷9。
⑧ 《宋史》卷331《李大临传》。
⑨ 《长编》卷133,庆历元年九月戊丙。

以上两种文献记载皆认为北宋前期的中书舍人封还词头，参预封驳。其实，北宋前期的中书舍人"为所迁官，实不任职"①，是寄禄官，朝廷复置知制诰及直舍人院"主行辞命，封还词头"②。也就是说，北宋前期的"知制诰，即中书舍人之职"③，负责撰写朝廷命官任职的谕旨，及封还词头。中书舍人只是拿朝廷俸禄，而无实际职权的官员。

二、北宋后期封驳机构和封驳官的变化

（一）封驳机构的变化

元丰改制后，封驳机构发生了一些重要变化。元丰五年（1082年）四月，按照《唐六典》恢复了给事中的封驳职能，但通进银台封驳房尚存在。同年六月二十五日，新除授的给事中陆佃上疏说："三省、枢密院文字已读讫，皆再送（银台司）令封驳，虑成重复"，宋神宗下诏罢去了银台司封驳房。再者，北宋前期银台司具有取索举奏令的职能，即："凡奏状诸处已施行者，有著令得取索行遣看详，若有不当，听举劾"，元丰六年（1083年）三月二十五日，宋神宗下诏罢去了"银台司取索举奏令"④的职能。银台司封驳房被罢除以后，封驳职能由新设置的门下后省与中书后省掌领。

值得注意的是，元丰改制后的封驳机构和唐代已大不相同。唐制，中书省出诏令，门下省掌封驳。元丰改制后，在制度上中书省和门下省皆有封驳职能，"凡政令之失中，赏罚之非当，其在中书则舍

---

① 《文献通考》卷51《职官五》。
② 章如愚《群书考索·后集》卷6《官制门》。
③ 《群书考索·后集》卷21《官制门》。
④ 《宋会要辑稿》职官2之7。

人得以封还,其在门下则给事中得以论驳"①,从而使唐朝以来门下省驳正中书违失的制度遭到破坏。在实际生活中,元丰改制后门下省有封驳之名,而无封驳之实。宋人司马光对此总结说:门下省虽有"驳议,必须却中书取旨,中书或不舍前见,复行改易",所以"门下省一官殆为虚设。"②

（二）封驳官的变化

宋代元丰改制后,封驳官既不同于北宋前期,也不同于唐朝,出现了一些重要变化。

首先,给事中、中书舍人由北宋前期的寄禄官变为职事官,取代了北宋前期兼门下封驳司、知门下封驳事的封驳职能和知制诰封还词头的职能。

其次,中书舍人封驳职权扩大。唐朝前期,中书舍人"专掌诏诰侍从,署敕宣旨"③。唐朝后期,中书舍人始封还封头。宋朝元丰改制后,"三省并建,而中书独为取旨之地","政柄皆归中（书）省"④。作为中书省属官的中书舍人,封驳职权也随之扩大,不仅可以封还词头,而且"制敕有误,许其论奏"⑤。宋哲宗绍圣年间,中书舍人常兼领封驳之任,如绍圣四年（1097年）,叶祖洽在给哲宗的上疏中指出:"两省置给（事中）、舍（中书舍人）,使之互察,今中书舍人兼权封驳,则给事中之职遂废。"⑥ 绍圣末年,朝廷命令"凡给事中不肯书读者",辄命直学士院徐铎"代行之"⑦。此后,凡给事中驳正朝

---

① 《宋会要辑稿》职官 1 之 79、1 之 80。
② 司马光《温国文正司马文集》卷 55《乞合两省为一札子》。
③ 《通典》卷 21《职官三》。
④ 《宋宰辅编年录》卷 9,元丰八年七月戊戌。
⑤ 《建炎以来朝野杂记·甲集》卷 9《给舍不许列衔同奏》。
⑥ 《宋史》卷 161《职官一》。
⑦ 《宋史》卷 329《徐铎传》。

廷命令违失者,令中书舍人审阅签字方能执行,一些士大夫对此大为不满,元符三年(1100年),翰林学士曾肇就上疏反对说:"门下之职,所以驳正中书违失,近日给事中封驳中书录黄,乃令(中书)舍人书读行下,隳坏官制,有损治体。"①

其三,封驳官减少。唐制,门下省的侍中、侍郎、给事中等皆为封驳官,侍中掌"审署奏抄,驳正违失","总判省事";侍郎掌"侍从署奏抄,驳正违失,通判省事";给事中"掌读署奏抄,驳正违失,分判省事"②。宋代元丰改制后,虽制度上规定仍以三省长官为宰相,但实际中因三省长官秩高虚而不除授,"以左仆射兼门下侍郎,行侍中职,别置侍郎以佐之"③,侍中、侍郎已成为执政官。朝廷"内批文字及诸处奏请多降付三省同共进呈",④门下省的侍中、侍郎已经参预奏决,因此不能"自驳已奉之命者",从而使门下省侍中、侍郎的封驳之职"殆成虚文也","惟给事中封驳而已"⑤。也就是说,唐代门下省的侍中、侍郎、给事中皆主封驳,而宋代元丰改制后只有给事中为实际封驳官。

三、南宋时期封驳机构和封驳官的演变

(一) 封驳机构的演变

南宋时期,由于三省制度的变化,封驳机构也随之发生了一些演变。

1. 门下省不主封驳之职。南宋建炎三年(1129年)四月,高宗

---

① 《宋史》卷161《职官一》。
② 《通典》卷21《职官三》。
③ 《文献通考》卷50《职官四》。
④ 司马光《温国文正司马文集》卷55《乞合两省为一札子》。
⑤ 叶梦得《石林燕语》卷3。

采纳吕颐浩的建议,"始合三省为一"①,自此,隋唐以来中书省造令,门下省审议封驳,尚书省执行的三省体制宣告结束,门下省专主封驳的制度也不复存在。

2. 设置门下后省专主封驳。南宋建炎年间门下省不主封驳之后,宋高宗下令设置门下后省"专主封驳书读"。

(二) 封驳官的变化

南宋时期,随着中央政治体制的变革,封驳官也发生了一些变化。

首先,给事中地位提高,职能增多。元丰改制后,谏官和封驳官皆隶属于门下后省。南宋建炎三年(1129年)七月,谏官别置局后,给事中正式成为门下后省的长官,以四员为定额,不仅"专主封驳书读"②,而且还要与中书舍人分治六房事务,如绍兴二十八年(1158年)二月,宋高宗根据门下后省的请求,令给事中"依中书舍人例,分书房分(事?)"③。南宋给事中地位提高,职能增多,为明朝给事中分治六科的制度奠定了基础,清朝永瑢等人在《历代职官表》一书中总结说:

> 谨按:宋初给事中皆以他官兼之,自元丰改制始有专职。其后复置门下外省,以给事中为长官,则已别为一曹,故其官不随省俱废,又唐时中书舍人分署尚书六曹,宋则以给事中分治六房,明之分给事中为六科,其源盖本于此也④。

清代永瑢等人对宋代元丰改制后给事中变化是明代六科给事中制度渊源的看法,是有道理的。

---

① 《建炎以来系年要录》卷22,建炎三年四月庚申。
② 《宋会要辑稿》职官1之78。
③ 《宋会要辑稿》职官2之9。
④ 《历代职官表》卷19《都察院下》。

其次,封驳官的权力名义上大,实际上小。南宋制度规定:"国家命令之出,必先录黄,其过两省,则给(事中)、舍(中书舍人)得以封驳"①。但在南宋初年的实际生活中,由于战争繁多,"军期机速,晷刻淹延",三省"取旨之后,先以白札子经下有司奉行,然后赴给(事中)、舍(中书舍人)书押降敕,循习寖久,凡拟官近狱之类,一切径下有司先次报行,而给(事中)、舍(中书舍人)但书押已行之事而已。"② 也就是说,不管军事机速诏敕,还是有关任官、刑狱等朝廷命令,皆用白札子先让有关机构执行,然后再让给事中和中书舍人在敕文上书押,如果朝廷任官非其人,审理刑狱不当,封驳官"虽欲论执封驳,而成命已行于有司。"③这种"先斩后奏"的封驳制度在当时的政治生活中根本起不了多大作用,只不过成为具文而已。绍兴三年(1133年)九月,中书舍人孙近上疏竭力反映此弊,宋高宗下诏规定:"自今非急速不可待时者,勿报,应给舍书读,如无封驳,令画时行下。"④这一诏令虽制止了部分封驳制度中的"先斩后奏"现象,但历南宋一代,封驳官的作用已远不如北宋。

其三,给事中与中书舍人审议封驳体制几经变化。建炎三年(1129年)四月,三省合一之后,元丰改制以来"凡政令之失中,赏罚之非当,其在中书则舍人得以封还,其在门下则给事中得以论驳"的体制已无法实行,迫切需要建立新的封驳体制。绍兴元年(1131年)四月,宋高宗下诏:"中书、门下两省已并为中书门下省,其两省合送给舍文字,今后更不分送,并送给事中、中书舍人",然后由中书舍人与给事中"分轮看详"⑤,若其间有需要驳正的,则给

---

① 《宋史》卷376《魏矼传》。
②③ 《宋会要辑稿》职官1之80。
④ 《建炎以来系年要录》卷68,绍兴三年九月壬申。
⑤ 《宋会要辑稿》职官1之79。

事中与中书舍人"列衔同奏"。宋孝宗朝,曾一度不许给事中和中书舍人列衔同奏。乾道年间,中书舍人汪养源上疏说:"今给舍列衔同奏,则是中书门下混而为一,非神宗所以明职分,防阙失之意。"①他请求废除给事中和中书舍人"列衔同奏"的制度,宋孝宗采纳了其意见,令恢复了元丰旧制。自此,"三省事无巨细,必先经中书书黄,宰执书押,当制舍人书行,然后过门下,给事中书读,如给舍有所建明,则封黄具奏,以听上旨"。但"枢密院既得旨,即书黄过门下,例不送中书,谓之密白",中书舍人洪迈请求枢密院取旨事宜,也"依三省书黄,以示重出命之意"②,宋孝宗接受了他的意见。宋光宗即位后,又恢复了给事中与中书舍人"分轮看详","列衔同奏"的制度。

第二节　宋代封驳官的职能

宋代封驳官不仅可以监督朝廷的财政、司法、人事、军政等决策权,而且还具有参议朝政、规谏皇帝、参预荐举官员、审察臣僚奏章等多方面的职能。总括起来有以下几项。

一、监督朝廷的决策

宋代封驳官的称谓虽几经变化,但监督朝廷决策的职能始终不渝。淳化年间,宋太宗就明确规定:"凡制敕有不便者",同知给事中"宜准故事封驳"③。元丰改制后,宋神宗又进一步规定:"事有失当及除授非其人",由中书舍人"论奏封还词头",给事中"论奏而驳

---

① 《建炎以来朝野杂记·甲集》卷9《给舍不许列衔同奏》。
② 《宋史》卷373《洪皓传附洪迈传》。
③ 《宋会要辑稿》职官2之42。

正之。"①宋代封驳官监督朝廷决策权的实际内容大致包括以下几个方面。

(一) 监督财政决策

监督朝廷的财政决策,是宋代封驳官的重要职能之一。至道元年(995年)正月,宋太宗诏令三司,凡有关"钱谷刑政利害文字,令中书、枢密院检详前后条贯同共进呈,每月编其应行条敕作策送封驳司,如所降宣敕重叠及有妨碍,并委驳奏。"②

在两宋时期的政治生活中,封驳官监督朝廷财政决策权的事例甚多。如宋太宗时,包括财政方面在内的诏令有不便者,知审官院兼银台封驳司王禹偁"多所论奏"③。哲宗元祐元年(1086年),朝廷根据司马光的请求,下诏约束州县抑配,中书舍人苏轼"不书录黄",上疏论奏并请求罢去这一诏令④。南宋建炎年间的一个冬至节,朝廷"旨下礼部,取度牒四百充赐予"⑤,给事中晏敦复坚决反对,宋高宗被迫收回了这道诏令。绍兴年间,户部上奏请求临安官田授受给被淘汰去的使臣,给事中黄祖舜上疏阻止说:"使臣汰者一千六百余人,临安官田仅为亩一千一百,计其请而给田,则不过数十人"⑥,由于封驳官的及时阻止,使户部的这一请求才没能行使。

(二) 监督司法决策

宋代封驳官无论制度上的规定,还是在实际生活中皆有监督

---

① 《宋史》卷161《职官一》。
② 《宋会要辑稿》职官2之42。
③ 《宋史》卷293《王禹偁传》。
④ 《宋史》卷176《食货上四》。
⑤ 《宋史》卷381《晏敦复传》。
⑥ 《宋史》卷386《黄祖舜传》。

朝廷司法决策的职能。至道元年（995年），宋太宗下诏规定，凡"刑政利害文字"，委封驳官驳奏①。咸平六年（1003年）九月，宋真宗"诏续降宣敕，令大理寺写本送封驳司看详"②。元丰四年（1081年）十一月，宋神宗诏令"大理寺左厅已画旨公案批送门下省"③审议。元丰八年（1085年）八月，根据门下侍郎司马光的请求，宋哲宗下诏规定：今后"应诸州所奏大辟罪人，并委大理寺依法定断；如情理无可悯，其刑名无疑虑，即仰刑部退回本州，令依法施行；如委实有可悯及疑虑，即仰刑部于奏钞后别用贴黄，声说情理如何可悯，刑名如何疑虑，今拟如何施行，令门下省审，如所拟委得允当，则用缴状进入施行；如有不当及用例破条，即仰门下省驳奏"④。自此，诸州疑难大辟案件也由门下省审议驳奏。

历宋一代，封驳官驳奏刑狱案件的具体事例甚多。如元丰六年（1083年）正月，郑青因立战功被擢为副都头，郑青的妻子骂了郑青母亲，郑青一气之下竟把妻子殴打致死，中书依法拟判郑青杖脊刺面发配五百里，门下省驳奏此案"情轻法重，不当舍功而专论其罪"，宋神宗诏令郑青"副都头上降两资，仍杖之"⑤。南宋绍兴五年（1135年）十一月，封驳官权中书舍人潘良贵"缴方州杀人奏案不当"⑥。宋孝宗朝以后，封驳官一直仍有驳奏刑狱案件，监督司法决策的职能。

---

① 《宋会要辑稿》职官2之42。
② 《宋会要辑稿》职官2之43。
③ 《长编》卷320,元丰四年十一月癸卯。
④ 《长编》卷359,元丰八年八月癸酉。
⑤ 《宋会要辑稿》职官2之4。
⑥ 《皇宋中兴两朝圣政》卷18,绍兴五年十一月甲午。

（三）监督人事决策

宋代的人事决策是一个繁杂而又敏感的问题，它涉及到方方面面，如官员的选任、升迁、罢官免职、起复录用、爵秩迁改、勋官加叙等。为了减少决策中的失误，宋代以封驳官监督人事决策中的各个环节。

1. 监督官员选任不当

宋代包括宰执、将领在内的文武百官的选任要经过两道监察岗。

中书舍人（元丰改制前的知制诰）是朝廷选任官员的第一道监察岗。一般而言，宋代官员的选任先由朝廷降旨或中书堂除、吏部提案，然后由中书舍人（元丰改制前知制诰）撰写。中书舍人在撰写时，如果认为"不可行即不书而执奏，谓之缴驳"。也就是说宋代中书舍人（元丰改制前知制诰）有权封还朝廷除授官员不当的制诏，并加以驳论。所以南宋时就流传俗谚说："不到中书不是官。"[1] 两宋时期封驳官缴驳朝廷除授官员不当者甚多。哲宗元祐元年（1086年）九月，中书舍人苏轼封还吴荀除广南东路转运判官词头[2]。元祐五年（1090年）三月，中书舍人王严叟封还邓温伯为翰林学士承旨词头[3]，同年十月，路昌衡除直秘阁知广州，中书舍人韩川"缴词不草"[4]。元祐六年（1091年）三月，中书舍人韩川封还黄庭坚为起居舍人除命[5]，同年八月王彭除刑部郎中，中书舍人孙近封还词

---

[1] 赵升《朝野类要》卷4《书黄》。
[2] 《长编》卷387，元祐元年九月辛未。
[3] 《长编》卷439，元祐五年三月乙卯。
[4] 《长编》卷449，元祐五年十月癸卯。
[5] 《长编》卷456，元祐六年三月丁亥。

头①。元祐八年(1093年)二月,中书舍人孔武仲封还唐义问除集贤殿修撰知广州词头②。绍圣元年(1094年)六月,中书舍人林希封还王钦臣为宝文殿待制知庐州词头③。元符元年(1098年)八月,中书舍人赵挺之封还朱服除知澶州词头④。宋徽宗朝中书舍人邹浩封还梁子美为尚书郎中词头⑤,中书舍人侯绶封还钱遹知秀州词头⑥。南宋建炎初年宰相黄潜善之兄黄潜厚除户部尚书,中书舍人刘珏竭力反对。孝宗朝中书舍人范成大不草张说除签书枢密院词头⑦,中书舍人朱震封还郭千里除将作监词头⑧ 等。

给事中(元丰改制前的知通进银台司或知门下封驳事)是朝廷选任官员的第二道监察岗。宋制,官员的除授制敕令中书舍人(元丰改制前的知制诰)撰写后,由给事中(元丰改制前的知通进银台司或知门下封驳事)审察,如果制敕有不当之处,给事中"依故事封驳"⑨。仁宗嘉祐五年(1060年),朝廷改任谏官唐介为知荆南府,知门下封驳事何郯封驳说:唐"介为谏官有补朝廷,不当出外,以敕封还之。"⑩ 元丰七年(1084年)四月朝廷除授俞希旦权发遣祥符县,给事中韩忠彦封驳说:俞希旦在知滑州时曾"以拷无罪人死冲替,应入监当。祥符为朝廷选阙,始著令,乃首选希旦,恐非立法择

---

① 《长编》卷464,元祐六年八月癸巳。
② 《长编》卷481,元祐八年二月辛亥。
③ 《长编拾补》卷10,绍圣元年六月乙酉。
④ 《长编》卷501,元符元年八月辛巳。
⑤ 《宋史》卷285《梁适传附梁子美传》。
⑥ 《宋史》卷356《钱遹传》。
⑦ 《宋史》卷470《张说传》。
⑧ 《宋史》卷435《朱震传》。
⑨ 《宋会要辑稿》职官2之39。
⑩ 《宋会要辑稿》职官2之43。

人之意。"① 宋神宗下诏令改差其他人知祥符县。元祐元年(1086年)三月,给事中王严叟"封还安焘除知枢密院敕黄"②。元祐五年(1090年)七月,王巩除授权判登闻鼓院,给事中朱光庭竭力反对,哲宗下诏王巩别授其他差遣③。元祐六年(1091年)十一月,王钦臣除给事中,权给事中孔武仲上疏论奏,认为此除命不当,哲宗收回除命④。元祐八年(1093年)正月,孙贲除知兴州,权给事中姚勔上疏反对,哲宗下诏改孙贲知淮阳军。王严叟为权给事中时,朝廷"命执政,其间有不协时望者,严叟即缴录黄"⑤。绍圣四年(1097年)十一月,沈铢除中书舍人兼侍讲,给事中徐铎坚决反对,请求哲宗"追寝成命"⑥。南宋高宗朝除蒋璨权户部侍郎,权给事中辛次膺"驳(蒋)璨不守正,事交结"⑦,朝廷出蒋璨知平江。绍兴末年,以杨存中为江淮、荆襄路宣抚使,给事中金安节、中书舍人刘珙缴奏几次,高宗改命杨存中措置两淮⑧。宋孝宗时"张说再除签书枢密院,给事中莫济封还录黄"⑨。宋光宗任命张荐知阁门事、枢密副承旨,给事中留正"封还词头"⑩。此后一直到南宋灭亡,给事中监察朝廷任官不当的事例甚多,不再赘举。

---

① 《长编》卷345,元丰七年四月丙戌。
② 《长编》卷371,元祐元年三月壬戌。
③ 《长编》卷445,元祐五年七月丁卯。
④ 《长编》卷468,元祐六年十一月戊申。
⑤ 《宋史》卷342《王严叟传》。
⑥ 《长编》卷493,绍圣四年十一月癸丑。
⑦ 《宋史》卷383《辛次膺传》。
⑧ 《宋史》卷32《高宗九》。
⑨ 《宋史》卷391《周必大传》。
⑩ 《宋史》卷391《留正传》。

2. 监督官员迁转或换职不当

监督朝廷对官员迁转或换职不当,是宋代封驳官的重要职能之一。元丰五年(1082年)十一月,吏部拟定把吴审礼由朝请郎、提举玉隆观升迁为朝请大夫,给事中陆佃驳奏说:"缘审礼以老疾乞宫观,法不当迁"①,宋神宗下诏取消了吏部的拟案。南宋建炎初年,显谟阁学士孟忠厚请求"用父任减年迁官",中书舍人滕康封还词头驳奏说:"忠厚,隆祐太后之侄也,太宗以来,凡母后兄弟之子无为侍从者。"武义大夫康义用高宗登极恩,迁遥郡刺史,滕康"又封还词头"②。总制使钱盖进职,试中书舍人朱胜非封还贴黄驳奏说:钱盖为陕西制置使"弃师误国"③。绍兴年间,武功大夫苏易转迁为横行,中书舍人程俱封还词头,驳奏道:"祖宗之法,文臣自将作监主簿至尚书左仆射,武臣自三班奉职至节度使,此以次迁转之官也。武臣自阁门副使至内客省使为横行,不系磨勘迁转之列,其除授皆颁特旨。"④

3. 监督官员降职或贬逐不当

宋制,封驳官有权封驳朝廷对官员降职或贬逐不当。北宋仁宗至和年间,御史马遵、吕景初、吴中复等三人因弹劾宰相梁适被朝廷解除台职,知制诰蔡襄"不草制"⑤。哲宗元祐年间,门下侍郎韩维因论奏范百禄事被高太后降职出知邓州,中书舍人曾肇不草制并驳奏说:(韩)维为朝廷辨邪正是非,不可以疑似逐。"⑥哲宗绍圣

---

① 《长编》卷331,元丰五年十一月庚辰。
② 《宋史》卷375《滕康传》。
③ 《宋史》卷362《朱胜非传》。
④ 《宋史卷》445《程俱传》。
⑤ 《宋史》卷320《蔡襄传》。
⑥ 《宋史》卷319《曾肇传》。

初,安焘降学士,中书舍人叶涛封还命书并执奏说:"(安)焘在元祐初尝诋文彦博弃熙河,全先帝万世之功,不宜加罪。"① 宋徽宗时,走马承受白锷依仗童贯势力"不报师期,朝廷止从薄责",中书舍人李弥达缴奏说:"边报不至,非朝廷福"②,白锷遂被朝廷除名。内侍何欣被谪监衡州酒税,"犹领节度使",给事中吴时竭力缴奏,终于夺去了何欣的节度使官职③。宋钦宗即位,侍御史李光和谏官程瑀因上疏言事"忤执政"而被贬逐,中书舍人许景衡上疏缴奏,竭力为李光、程瑀"辨白"④。北宋末年,宰相李纲被降职,以观文殿学士知扬州,中书舍人刘珏认为朝廷对李纲惩罚太轻,并缴奏说:"韩琦好水之败,韩绛西州之败,皆不免黜责,纲勇于报国锐于用兵,听用不审,数有败衂,宜降黜以示惩戒"⑤,李纲被改为宫祠官。南宋初年,后军统制韩世忠因"不能戢所部,坐赎金,"中书舍人滕康认为朝廷对韩世忠惩罚太轻,缴奏说:"世忠无赫功,只缘捕盗微劳,遂亚节钺,今其所部卒伍至夺御器,逼谏臣于死地,乃止罚金,何以惩后?"⑥宋高宗下诏降韩世忠一官。宋宁宗开禧年间,陈自强被责降武泰军节度副使、韶州安置,中书舍人倪思缴奏,认为朝廷对陈自强责降太轻,请求"远窜,籍其家",宋宁宗下诏从之⑦。

4. 监督起复官员不当

在宋代人事制度中,官员被罢官后,遇朝廷大赦或政治局势变化及其他原因,可以被朝廷起复录用。如果封驳官认为朝廷起复录

---

① 《宋史》卷355《叶涛传》。
② 《宋史》卷382《李弥逊传附李弥达传》。
③ 《宋史》卷347《吴时传》。
④ 《宋史》卷362《许景衡传》。
⑤ 《宋史》卷378《刘珏传》。
⑥ 《宋史》卷375《滕康传》。
⑦ 《宋史》卷394《陈自强传》。

用不当者,可以封驳。元祐七年(1092年)十二月,邢恕遇大赦被甄复,中书舍人乔执中说:"邢恕奔趋权势,鼓唱扇摇,交结蔡确,""今来若遂与复官,恐中外疑之,所有词头难以具草",宋哲宗下诏"邢恕更候一期取旨"①。宋徽宗宣和四年(1122年),已罢职的宦官谭稹将复用,中书舍人李璆坚决反对,"不肯书行"②。南宋孝宗隆兴元年(1163年)三月,将"复以龙大渊知阁门事,曾觌同知阁门事","给事中、中书舍人留黄不行"③。

5. 监督朝廷恩赏不当

宋代,特别是南宋时期,朝廷对官员恩赏不当,封驳官常缴奏封驳。如绍兴年间,在宋金战争中,王德虽收复宿、亳两郡,但擅自退军,使岳飞势孤,金兵猖獗,朝廷不但不予以惩罚,反加授其承宣防御史,中书舍人张嵲"封还词头"④。刘光世除使相,奏请"以文资荫其子",中书舍人王次翁"执奏缴还"⑤。大将张浚死后,其家人奏请"留使臣五十余人理资任",给事中黄祖舜说:"武臣守阙者数年,今素食无代,坐进崇秩,曷以劝功?乞为之限制。"宋高宗遂下诏:"勋臣家兵校留五之一。"⑥ 孝宗朝,凡朝廷"泛恩滥赏",中书舍人陈居仁"封缴无所避"⑦。理宗时,"内侍滥受恩赏",中书舍人陈贵谊"辄封还诏书"⑧。

---

① 《长编》卷479,元祐七年十二月庚戌。
② 《宋史》卷377,《李璆传》。
③ 《宋史》卷33《孝宗一》。
④ 《宋史》卷445《张嵲传》。
⑤ 《宋史》卷380《王次翁传》。
⑥ 《宋史》卷386《黄祖舜传》。
⑦ 《宋史》卷406《陈居仁传》。
⑧ 《宋史》卷419《陈贵谊传》。

此外，宋代封驳官对朝廷命妇、致仕、追复官衔等方面的不当之处，皆可以缴奏封驳。如北宋仁宗朝，外戚刘从愿的妻子复封遂国夫人，知制诰富弼"缴还词头，封命遂寝"①。元祐元年(1086)七月，高太后下旨任命致仕的楚建中为户部侍郎，中书舍人苏轼"缴还词头"，驳奏道："臣窃惟七十致政，古今通义"，宋廷下诏云："(楚)建中除命勿行"②。南宋高宗时，朝廷追复唐恪为观文殿学士，中书舍人胡松年缴奏说：唐恪的儿子唐琢"自陈其父不获伸迎二帝之谋，饮药而死"，此事是关重要，应该下"诏有司详考实状。"③

（四）监督一般的军政决策

宋代除特殊时期以外，一般的军政决策权也受封驳官监督。

至道元年(995年)十月，宋太宗下诏枢密院："自今除该机密外，凡行宣命并付封驳司看详发遣。"④元丰改制后，宋神宗下诏门下省："凡中书省、枢密院文字应覆驳者，若干事体稍大，入状论列；事小即于缴状内改正行下。若事不至大，虽不足论列，而其间曲折难以缴状内改正者，即具进呈，以应改正事送中书省、枢密院取旨。"⑤ 也就是说历北宋一代，枢密院的一般军政事务都要受到封驳机构的监察。

南宋初年，封驳官监督军政决策权的制度曾一度被破坏。乾道元年(1165年)，臣僚上疏请求恢复对枢密院军政决策权的封驳制度，宋孝宗接受了这一请求，下诏令"枢密院已被旨文书并关中书

---

① 《长编》卷133，庆历元年九月戊丙。
② 《长编》卷383，元祐元年七月癸未。
③ 《宋史》卷379《胡松年传》。
④ 《宋会要辑稿》职官2之42。
⑤ 《长编》卷331，元丰五年十二月戊申。

门下,依三省式画黄书读",而对枢密院"机速事则不由中书,直关门下省,谓之密白"①。自此一直到南宋灭亡,封驳官在制度上皆有监督一般军政决策权的职能。

二、参议朝政

参议朝政是宋代封驳官的重要职能之一。两宋时期,封驳官常上疏或者应诏参议军国大事、朝政阙失、具体经济政策的制订及官制、刑名、礼仪等问题。

(一)参议军国大政

民为国之本,宋代封驳官常参议一些有关国计民生的大问题。宋徽宗"宣和末年,高丽入贡,使者所过,调夫治舟,骚然烦费",中书舍人孙傅对此议论说:"索民力以妨农功,而于中国无丝毫之益。"②

南宋初年,赵宋统治者在金军的追逐之下四处逃亡,军政制度不立,国都未定。封驳官对军政不立问题首发议论。建炎元年(1127年)十一月,中书舍人汪藻上疏议论说:"军政不修,则无以立国"③,为此,宋高宗特下诏令侍从以上官员参酌古军制,提出立军制的方案。绍兴二年(1133年)七月,给事中胡安国上疏论奏道:"臣闻保国必先定计,定计必先定都。"④

针对当时军队粮食紧张问题,给事中廖纲上疏说:"国不可一日无兵,兵不可一日无食,今诸将之兵备江淮不知几万,初无储蓄,

---

① 《建炎以来朝野杂记·甲集》卷9《密白》。
② 《宋史》卷353《孙傅传》。
③ 《皇宋中兴两朝圣政》卷2,建炎元年十一月辛亥。
④ 《建炎以来系年要录》卷56,绍兴二年七月乙丑。

日待哺于东南之转饷,浙民已困,欲救此患,莫若屯田。"① 孝宗朝,中书舍人周必大也对边事问题议论道:"蜀民久困,愿招抚谕,事定宜宽其赋。"② 端平三年(1236年)二月,宋理宗下诏"侍从、台谏、给舍条具边防事宜。"③

对与国家安危息息相关的防范武将、宦官专权和农民起义等问题,宋代封驳官也常参议。如南宋高宗朝,针对武将拥兵各据一方的局势,封驳官中书舍人汪藻上疏"论诸大将拥重兵,浸成外重之势",并且向高宗陈述"待将帅者三事"④ 的建议;针对三衙管军以宦寺充任承受问题,封驳官中书舍人虞允文上疏竭力论奏说:"自古人主大权,不移于奸臣,则落于近幸","迩来三衙交结中官,宣和、明受厥鉴未远",宋高宗"大悟"⑤,立即下诏罢去了宦官充任三衙管军承受的职务。虔州爆发了农民起义,宋高宗忧心忡忡,准备选拔新太守去慰抚,封驳官中书舍人朱震及时上疏议论道:"使居官者廉而不扰,则百姓自定,虽诱之为盗,亦不为矣,愿诏新太守到官之日,条具本郡及属县官吏,有贪墨无状者一切罢去,听其自择慈祥仁惠之人,有治效者优加奖劝。"⑥ 封驳官朱震的这一建议被朝廷采纳实行。

(二) 参议朝政阙失

宋代封驳官是议论朝政阙失的重要成员之一。宣和六年(1124年),宋徽宗对中书舍人韩驹说:"自今朝廷事有可论者,一切缴

---

① 《宋史》卷374《廖刚传》。
② 《宋史》卷391《周必大传》。
③ 《宋史》卷42《理宗二》。
④ 《宋史》卷445《汪藻传》。
⑤ 《宋史》卷383《虞允文传》。
⑥ 《宋史》卷435《朱震传》。

来。"①

南宋时,人们习惯把给事中、中书舍人和左、右史称之为两省②。两省官常参预议论朝政阙失,乾道三年(1167年)十一月,因"雷发非时",宋孝宗下诏:"台谏、侍从、两省官指陈阙失。"③ 淳熙十年(1183年)七月,因"夏秋旱暵",宋孝宗又下诏令"侍从、台谏、两省、卿监、郎官、馆职各陈朝政阙失"④。淳熙十三年(1185年)七月,因遇到旱灾,宋孝宗再次下诏令"侍从、台谏、两省、卿、监、郎官、馆职,疏陈阙失及当今急务,毋有所隐"⑤。绍熙二年(1191年)二月,因"阴阳失时,雷雪交作",宋光宗令侍从、台谏、两省、卿监、郎官、馆职"各具时政阙失以闻"⑥。

(三) 参议经济问题

两宋时期,封驳官常参加议论一些具体的经济问题。如绍兴二十九年(1159),不少大臣请求恢复永平、永丰两监鼓铸,宋高宗诏令给事中和中书舍人议论此事。中书舍人洪遵上疏议论道:"唐有鼓铸使,国朝以漕臣兼领,或分道置使,厘为三司。自中兴来,置都大提点,官属太多,动为州县之害,间者亟行废罢,又无一定之论,初委运使,又委提刑,又委郡守,贰,号令不一,鼓铸益少。窃以为复置便。"⑦ 淳熙七年(1180年)十月,宋孝宗下诏云:"限田太宽,民役烦重,其令台谏、给舍同户部长贰详论以闻"⑧。庆元元年(1195

---

① 《宋史》卷445《韩驹传》。
② 《朝野类要》卷2《两省》。
③ 《宋史》卷34《孝宗二》。
④⑧ 《宋史》卷35《孝宗三》。
⑤ 《皇宋中兴两朝圣政》卷63,淳熙十三年七月丙午。
⑥ 《宋史》卷36《光宗》。
⑦ 《宋史》卷373《洪皓传附》。

年)三月,宋宁宗"命侍从、台谏、两省集议江南沿江诸州行铁钱利害"①。嘉泰元年(1201年)八月,宋宁宗又命"侍从、台谏、两省集议沿江八州行铁钱利害"②。嘉定元年(1208年)八月,宋宁宗再次"命侍从、台谏、两省详议会子折阅利害"③。

(四) 参议官制、刑名、郊祀、释服等问题

宋代封驳官常参议官制中的一些具体问题。元祐元年(1086年)十月,就三省吏人酬赏法修定问题,宋哲宗"诏令给事中、中书舍人、左右司郎官裁定以闻",于是,封驳官给事中胡宗愈等人论奏说:"臣等按治平以前,诸房缘事陈乞件数不多,近年酬奖,乃有岁转官者。其他因事陈乞回授等,率多如请,比治平以前委是过厚。今将治平以前及熙宁后来条例看详,参酌到合行裁定事凡十有七条"④。胡宗愈等人关于裁减吏人赏奖的十七条意见全部被朝廷采纳。绍圣年间,宋哲宗就寄禄官阶法修改问题,诏"送给事中、中书舍人看详"⑤。徽宗大观年间,封驳官再次参加了议定寄禄官阶法的更改,当时的中书舍人叶梦得就是其中之一。他在《石林燕语》卷四中对此事作了详细记载:

> 官制:寄禄官银青光禄大夫,与光禄、正议、中散、朝议,皆分左右。朝议、中散,有出身人皆超右,其余并以序迁。大观中,余为中书舍人,奉诏以为非元丰本意,下拟定厘正,乃参取旧名,以奉直易右朝议,中奉易左中散,通奉易右正议,正奉易光禄,宣奉易左光禄,而右银青光禄大夫正为光禄大夫,遂为

---

① 《宋史》卷37《宁宗一》。
② 《宋史》卷38《宁宗二》。
③ 《宋史》卷39《宁宗三》。
④ 《长编》卷389,元祐元年十月丁酉。
⑤ 《长编拾补》卷9,绍圣元年四月丁卯。

定制。

以上中书舍人叶梦得参议徽宗大观年间官制更改的材料表明,宋代封驳官具有参议官制的职能。

宋代封驳官还常参加议定刑名。如元祐元年(1086年)二月,司马光等人"议州、县吏因差役受赇,从重法加等配流"问题时,中书舍人范百禄坚决反对,并议论说:"乡民被徭役,今日执事而受赇,明日罢役,复以赇遗人,既以重法绳之,将见面黥衣赭充塞道路矣。"①

宋代封驳官还参议郊祀、礼仪及释服等问题。元祐七年(1093年)三月,就郊祀中的一些具体问题,宋哲宗诏令"侍从官及尚书、侍郎、给舍、台谏、礼官集议以闻"②。同年九月,宋哲宗再次"诏侍从官及六曹长贰、给舍、台谏、礼官集议郊祀典礼"③。南宋光宗时,御史中丞何澹的继母死去,就何澹该不该解官持服一事,按照制度应"下台谏、给舍议之"④。宋宁宗"以孝宗嫡孙行三年服",胡纮提出皇帝应"止当服期",就此问题,朝廷令"侍从、台谏、给舍集议释服"⑤。宋理宗朝,有大臣提出:"宗庙之制,未合于古",理宗诏"两省、侍从、台谏集议以闻。"⑥

此外,宋代封驳官还参议考课法,如淳熙五年(1177年)正月,宋孝宗"诏侍从、台谏、两省官集议考课法"⑦。

---

① 《长编》卷367,元祐元年二月丁亥。
② 《长编》卷471,元祐七年三月辛丑。
③ 《长编》卷477,元祐七年九月戊子。
④ 《两朝纲目备要》卷2,绍熙二年九月。
⑤ 《宋史》卷394《胡纮传》。
⑥ 《宋史》卷41《理宗一》。
⑦ 《宋史》卷35《孝宗二》。

三、规谏皇帝

两宋时期,伴随封驳制度的变化,封驳官不仅可以封驳朝廷命令,而且还可以规谏皇帝。

北宋徽宗朝,太学生张寅亮"应诏论事,得罪屏斥"。封驳官上官均上疏规谏皇帝说:"寅亮虽不识忌讳,然志非怀邪。陛下既招其来,又罪其言,恐沮多士之气。"①

南宋初年,高宗"顷冒海氛",被王继先医治而愈。为此,宋高宗特下诏王继先换武功大夫。封驳官富直柔规谏皇帝说:"武功大夫惟有战功、历边任、负材武者乃迁,不可以轻授"②,王继先既无战功、无边任,又无武才,而授武功大夫,"为法所不可"。宋高宗再次下诏说:"继先诊视之功实非他人比,可特令书读行下",富直柔坚持"不书读",宋高宗"屈意从之"③,收回了王继先迁转武功大夫的命令。建炎四年(1130年),针对当时抗金不利的状况,封驳官上官均规谏宋高宗道:"金人为患,今已五年,陛下万乘之尊,而依然未知税驾之所者由将帅无人,而御之不得其术也"④。宋孝宗朝曾觌、龙大渊受到皇帝宠爱,并迁知阁门事,封驳官周必大不仅"不书黄",而且规谏皇帝说:"陛下于政府侍从,欲罢则罢,欲贬则贬,独于二人委曲迁就,恐人言纷纷未止也"。张说第二次被除授签书枢密院,中书舍人周必大规谏宋孝宗道:"昨举朝以为不可,陛下自知其误而止之矣;曾未周岁,此命复出;贵戚预政,公私两失。"⑤宋光

---

① 《宋史》卷355《上官均传》。
② 《宋史》卷375《富直柔传》。
③ 《宋会要辑稿》职官2之8。
④ 《皇宋中兴两朝圣政》卷7,建炎四年元月辛末。
⑤ 《宋史》卷391《周必大传》。

宗即位,知阁门事韩侂胄破格转迁为遥郡刺史,给事中谢深甫封还内降命令,并规谏皇帝说:"人主以爵禄磨厉天下之人才,固可重而不可轻;以法令堤防天下之侥幸,尤可守而不可易;今侂胄越五官而转遥郡,侥幸一启,攀援踵至,将何以拒之?"① 宋宁宗朝,"刘庆祖已带遥郡承宣使,而以太上(皇)随龙人落阶官",中书舍人彭龟年坚决反对,宋宁宗御批云:"可与书行。"彭龟年规谏宁宗说:"臣非为庆祖惜此一官,为朝廷惜此一门耳。夫,可与书行,近世弊令也,使其可行,臣即书矣,使其不可行,岂敢因再令而遂书哉?"有一次,宋宁宗对臣僚说:"退朝无事,恐自怠惰,非多读书不行,"中书舍人彭龟年趁机规谏皇帝说:"人君之学与书生异,惟能虚心受谏,迁善改过,乃圣学中第一事,岂在多哉!"② 以上史料说明,在实行政治生活中,宋代封驳官有规谏皇帝的职能。

南宋绍兴二年(1132年)九月,宋高宗下诏规定:"墨敕有不当者,许三省、枢密院奏禀,给事中、中书舍人缴驳,台谏论列,有司申审"③,从制度上规定了封驳官谏诤皇帝的职能。宋光宗朝,出现了一些敢于动辄谏诤皇帝的封驳官,如中书舍人楼钥,"缴奏无所回避,禁中或私请",宋宁宗就说:"楼舍人朕亦惮之,不如且已。"④

四、奏劾百官

两宋时期,封驳官职能扩大,除封还词头缴奏失误外,还可以奏劾百官。

北宋前期,封驳官奏劾官员的现象甚少。元丰改制后,封驳官

---

① 《宋史》卷394《谢深甫传》。
② 《宋史》卷393《彭龟年传》。
③ 《宋史》卷27《高宗四》。
④ 《宋史》卷395《楼钥传》。

奏劾百官的现象大增。元丰七年(1084年)六月,朝廷命令陈睦为宝文阁待制、知广州,封驳官给事中韩忠彦奏劾道:陈睦"性行贪狠,才识昏短,偶缘泛海之劳,侥幸至此,擢置侍从,实玷清班"①,宋神宗下诏罢去了陈睦的职务,而改命孙顾充任其职。元祐元年(1086)三月,给事中王严叟奏劾安焘"不才"②。同年四月,中书舍人苏轼、范百禄奏劾知建昌军陈绎"资性倾险,士行鄙恶"③。给事中赵君锡奏劾叶祖洽"对策讪及宗庙"④,叶祖洽自辨,宋哲宗令侍从官定议。元祐四年(1089年)五月,封驳官权给事中梁焘奏劾知郓州蒲宗孟"挟权擅威,坐废诏令"⑤。元祐五年(1090年)三月,中书舍人王严叟奏劾龙图阁学士邓温伯"赋性恂柔,巧于傅会"⑥。七月,给事中朱光庭奏劾新除权判登闻鼓院王巩"资禀憸邪,行迹污下,顷为扬州通判,以私用刑得罪而去,合送吏部"⑦,宋哲宗下诏王巩"别与差遣"。十月,中书舍人韩川奏劾朝奉大夫路昌衡"鄙恶"⑧。元祐六年(1091年)三月,给事中朱光庭奏劾京西南路提刑刘定"天姿刻薄,罪恶不一"⑨。中书舍人韩川奏劾新除龙图阁直学士陆佃"为人污下,无以慰天下之望"⑩。同月,中书舍人韩川又奏劾新除起居舍人黄庭坚"轻翾浮艳,素无士行,邪秽之迹,狼籍道

---

① 《长编》卷346,元丰七年六月辛未。
② 《长编》卷371,元祐元年三月壬戌。
③ 《长编》卷376,元祐元年四月癸丑。
④ 《宋史》354《叶祖洽传》。
⑤ 《长编》卷427,元祐四年五月乙酉。
⑥ 《长编》卷439,元祐五年三月己卯。
⑦ 《长编》卷445,元祐五年七月丁卯。
⑧ 《长编》卷449,元祐五年十月癸卯。
⑨ 《长编》卷456,元祐六年三月辛酉。
⑩ 《长编》卷456,元祐六年三月丁丑。

路"①。同年十一月,权给事中孔武仲奏劾新除授给事中王钦臣"天资浅薄,溺于荣利,强忌好胜,反覆任情"②。元祐八年(1093年)正月,权给事中姚勔奏劾新除授的知兴州孙贲知真州时,曾"以筵会为由,昵近娼女,闻亲弟之哀,匿而不举者数日;既在式假,又引娼女与之饮谑。"③绍圣元年(1094年)六月,中书舍人林希奏劾吏部侍郎王钦臣"资性险邪,本缘附会宰相吕大防以至进用"④。绍圣四年(1097年)闰二月,中书舍人蹇序辰奏劾刘奉世"附会奸恶,谤毁先朝"⑤。宋徽宗朝,封驳官中书舍人翟汝文奏劾"内侍梁师成强市百姓墓田,广其园圃"⑥。

南宋建炎四年(1130年),给事中汪藻奏劾武将刘光世、韩世忠、张俊、王瓛等人"平时飞扬跋扈,不循朝廷法度"⑦。绍兴十年(1140年),中书舍人张嵲奏劾王德"擅退军,使岳飞势孤"⑧。宋理宗朝,权中书舍人陈大方奏劾刘子澄在蒙古军队刚入唐州界时"率先循逃",使宋军"一败涂地,二十年来,为国家患者,皆原于此,宜投之四裔"⑨,理宗下诏罢去了刘子澄的祠禄官。咸淳九年(1274年)六月,给事中陈宜中上疏请求"正范文虎不力援襄之罚",宋度宗下诏降范文虎一官⑩。

---

① 《长编》卷456,元祐六年三月丁亥。
② 《长编》卷468,元祐六年十一月戊申。
③ 《长编》卷480,元祐八年正月壬寅。
④ 《长编拾补》卷10,绍圣元年六月乙酉。
⑤ 《长编拾补》卷14,绍圣四年闰二月壬子。
⑥ 《宋史》卷372《翟汝文传》。
⑦ 《皇宋中兴两朝圣政》卷7,建炎四年正月辛未。
⑧ 《宋史》卷445《张嵲传》。
⑨ 《宋史》卷44《理宗四》。
⑩ 《宋史》卷46《度宗》。

宋朝以前,封驳官的主要职能是封驳朝廷命令的失误,而不能奏劾百官。宋代封驳官奏劾百官职能的出现,标志着中国古代封驳制度在宋朝已发生了重要变化。

五、荐举官员

宋代封驳官和御史、谏官一样,也具有荐举官员的职能。其荐举的对象主要有以下几类。

(一) 参预荐举御史和谏官

荐举制是宋代选任御史和谏官的重要方式之一,封驳官常奉诏参预荐举御史和谏官人选。

北宋元丰五年(1082年)五月,宋神宗诏令"两省官举可任御史者二人"。翌年六月,宋神宗"诏御史中丞、两省官各举可任言事或监察御史五人"①。元丰八年(1085年)十月(宋哲宗已即位),宋哲宗"诏尚书侍郎、给、舍、谏议、中丞、待制以上,各举堪充谏官二员以闻"②。元祐四年(1090年)十二月,因御史缺员,宋哲宗令御史"中丞、两省各举二人"③。元祐六年(1092年)闰八月,宋哲宗诏:"翰林学士、中书舍人同举监察御史二员,给事中举监察御史二员以闻"④。

南宋淳熙五年(1178年)六月,宋孝宗"诏翰林学士、谏议大夫、给事中、中书舍人、侍御史各举堪御史者二人"⑤。淳熙十六年(1189年)二月(宋光宗已即位),宋光宗"诏中书舍人罗点具(举?)

---

① 《宋史》卷16《神宗三》。
② 《长编》卷360,元丰八年十月丁丑。
③ 《宋史》卷17《哲宗一》。
④ 《长编》卷465,元祐六年闰八月庚午。
⑤ 《宋史》卷35《孝宗三》。

可为台谏者"①。此后一直到南宋灭亡,封驳官常应诏荐举台谏官。

(二) 荐举地方官

宋代,特别是南宋孝宗以后,封驳官常应诏参预荐举地方官。

隆兴二年(1164年)闰十一月,宋孝宗下诏,令"台谏、侍从、两省举楚、庐、滁、濠四州守臣"。乾道元年(1165年)十二月,宋孝宗"诏侍从、台谏、两省举堪监司、郡守者各一人"②。乾道三年(1167年)十一月,"诏侍从、两省、台谏、卿监、郎官,举堪郎官、寺监丞、监司、郡守者"。乾道五年(1169年)十一月"诏侍从、台谏、两省官,各举京朝官以上才堪监司、郡守者三人"。淳熙三年(1176年)四月,宋孝宗"诏侍从、台谏、两省官岁举监司、郡守各五人"③。淳熙十六年(1189年)三月(宋光宗已即位),宋光宗"诏侍从、两省、台谏各举可任湖广及四川总领者一人"④。嘉定二年(1209年)正月,宋宁宗"诏侍从、两省、台谏各举监司、郡守治行尤异者二、三人"。嘉定九年(1216年)三月,宋宁宗"诏侍从、台谏、两省举堪监司者各二人"⑤。咸淳七年(1271年)十二月,宋度宗诏令"举廉能材堪县令者,侍从、台谏、给舍各举十人"⑥。

(三) 荐举军事将领

南宋时期,战争繁多,急需军事将领,朝廷多诏令臣僚荐举,封驳官是重要荐举者之一。如宝庆元年(1225年)八月,宋理宗诏侍

---

① 《宋史》卷36《光宗》。
② 《宋史》卷33《孝宗一》。
③ 《宋史》卷34《孝宗二》。
④ 《宋史》卷36《光宗》。
⑤ 《宋史》卷39《宁宗三》。
⑥ 《宋史》卷46《度宗》。

从、两省、台谏、三衙、知阁门等"各举堪充将帅三人"①。宝祐元年(1253年)五月,宋理宗"诏侍从、台谏、给舍、制司各举帅才二人"②。

此外,宋代封驳官还常荐举其他官员及人才。如绍熙二年(1191年)四月,宋光宗"诏侍从、两省、台谏及在外侍从之臣,各举所知尝任监司、郡守可充郎官、卿监及资历未深可充诸事官者,各三人"③。绍熙五年(1194年)闰十月(宋宁宗已即位),宋宁宗"诏两省、台谏、侍从各举宗室有文学器识者二人"④。开禧二年(1206年)七月,宋宁宗"诏侍从、台谏、两省、卿监、郎官、监司、郡守、前宰执侍从,各举人材二、三人"⑤。嘉定二年(1209年)五月,宋宁宗"诏侍从、两省、台谏各举监司、郡守有政绩才望者二人,以补郎官之阙"⑥。嘉定十二年(1219年)五月,宋宁宗"诏侍从、两省、台谏各举文武可用之才二、三人"⑦。

六、审察百官奏章

宋代封驳官在不同时期以不同的方式兼掌审察百官的奏章。

北宋前期,封驳官是以兼领的形式掌审察文武百官奏章的。宋初,银台司、通进司和发敕司职能相混,隶属不一。淳化年间,宋太宗对此三个机构进行了整顿合并。整顿后的通进银台司既有封驳之任,又兼领审察百官奏章。宋真宗时,通进银台封驳司虽改名为

---

① 《宋史》卷41《理宗一》。
② 《宋史》卷43《理宗三》。
③ 《宋史》卷36《光宗》。
④ 《宋史》卷37《宁宗一》。
⑤ 《宋史》卷38《宁宗二》。
⑥ 《宋史》卷39《宁宗三》。
⑦ 《宋史》卷40《宁宗四》。

门下封驳司,但仍隶属于银台司,兼领审察百官奏章。此制一直袭用到元丰改制。

元丰改制后,封驳官的组织机构和称谓都发生了变化,但其兼领审察百官奏章的职能未变,通进司和进奏院皆隶属于给事中①。

南宋时,封驳官直接奉诏审察百官奏章。如绍兴七年(1137年)七月,宋高宗诏令:"今后士庶献陈利害,令给舍仔细看详,其可采者,中书省取旨施行。"绍兴二十六年(1156年)九月,宋高宗再次诏令:"诸路监司、郡守条具到裕民事,可令给舍看详。"②淳熙十三年(1186年)七月,宋孝宗把监司关于州县弊端的奏章,"诏付给舍看详"③。绍熙元年(1190年)二月,宋孝宗下诏令"两省官详定内外封章,具要切者以闻"④。

七、兼任其他差遣

宋代封驳官除上述职能之外,还要兼任其他差遣。

北宋前期,封驳官多兼任知审官院和知三班院差遣。如宋太宗朝钱若水知通进银台封驳司兼知审官院⑤,封驳官郭贽兼任知审官院⑥,张咏兼掌三班院⑦。宋真宗朝,封驳官张宏兼知审官院⑧,陈恕以知通进银台封驳司兼知审官院⑨等。

元丰改制后,封驳官多兼任侍讲。如神宗朝中书舍人陆佃、蔡

---

① 《宋会要辑稿》职官2之29、2之46。
② 《宋会要辑稿》职官1之80。
③ 《皇宋中兴两朝圣政》卷63,淳熙十三年七月戊辰。
④ 《宋史》卷36《光宗》。
⑤⑥ 《宋史》卷266《钱若水传》、《郭贽传》。
⑦ 《宋史》卷293《张咏传》。
⑧⑨ 《宋史》卷267《张宏传》、《陈恕传》。

下皆兼任过侍讲①。宋徽宗朝,封驳官温益以给事中兼侍讲②,薛昂以中书舍人兼侍讲③,此后邓洵武也以给事中兼任侍讲④。

南宋时,封驳官兼任的差遣更多,朝廷常根据具体的需要,不定时任命派遣。如绍兴六年(1136年)正月,宋高宗"命给事中,中书舍人甄别元祐党籍"⑤。乾道九年(1173年)三月,宋孝宗命给事中林机兼经筵⑥ 等。

综上所述,宋代封驳官的职能已比前代明显增多,特别是封驳官奏劾百官职能的出现,使封驳官监察的对象由谏诤朝廷扩大到监察百官,这是宋代君主专制发展在封驳制度上的一种反映。

第三节 宋代封驳官的选任制度

两宋时期,伴随封建政治的成熟,封驳官的选任制度也发生了重要变化。

一、宋代封驳官的选任方式

隋朝时,封驳官的选任和其他五品以上职事官一样,皆"中书门下访择奏闻,然后下制授之"⑦。唐朝前期的任官制度规定:"二

---

① 《长编》卷326,元丰五年五月癸未;《宋史》卷472《蔡卞传》。
② 《宋史》卷343《温益传》。
③ 《宋史》卷352《薛昂传》。
④ 《宋史》卷329《邓洵武传》。
⑤ 《宋史》卷28《高宗五》。
⑥ 《皇宋中兴两朝圣政》卷52,乾道九年三月丙辰。
⑦ 《唐会要》卷74《选部上》。

品、三品册授,五品以上制授"①,给事中正四品,应采用制授的选任方式。唐肃宗以后,由于战争繁多,"官滥而铨法益坏"②,任官制度也发生了变化,"内外文武官五品以上,右请宰相总其进叙,吏部、兵部参议可否"③,作为正四品封驳官给事中的选任,也是由宰相"总其进叙",而后由吏部参议。

宋代封驳官的选任,革除了唐后期宰相"总其进叙"的弊端,由皇帝亲擢。淳化四年(993年)六月,太宗命左谏议大夫魏庠、司封郎中、知制诰柴成务同知给事中事④。同年八月,宋太宗又以向敏中、张咏同知银台通进司兼领封驳事⑤。淳化五年(994年)四月,太宗又以金部员外郎谢泌勾当通进银台司封驳公事⑥。咸平四年(1001年)五月,宋真宗命令吏部侍郎陈恕通进银台封驳司⑦。大中祥符八年(1015年)三月,宋真宗下诏令王钦若知通进银台司兼门下封驳事⑧。由于封驳官的职能以封驳朝廷诏命失误为主,所以宰相总想左右封驳官的选任。如大中祥符九年(1016年)正月,宰相王旦请求以晁迥、盛度同知银台司,以取代封驳官王曾之职,其原因是王曾"尝封驳诏敕,中书衔之"⑨。宋真宗知道这件事后,不仅没有罢去王曾的封驳官之职,反而把宰相王旦等人狠狠斥责了一顿。

元丰改制后,官员除授法明确规定:"自两府而下至侍从官,悉

---

①② 《文献通考》卷39《选举十二》。
③ 《通典》卷18《选举六》。
④ 《长编》卷34,淳化四年六月戊寅。
⑤ 《宋史》卷5《太宗二》。
⑥ 《宋会要辑稿》职官2之26。
⑦ 《长编》卷48,咸平四年五月辛卯。
⑧ 《宋会要辑稿》职官2之27。
⑨ 《宋会要辑稿》职官2之43。

禀圣旨,然后除授,此中书不敢专也。"①,而宋代把封驳官给事中与翰林学士、六部尚书及侍郎合称侍从官,中书舍人与左右史以次谓之小侍从②。所以,封驳官也在皇帝特旨除授之列。如元丰年间,宋神宗亲擢陆佃为中书舍人,此后又擢为给事中③。元祐年间,宋哲宗曾亲擢傅尧俞、赵君锡、孔武仲、顾临等人为给事中④,叶涛为中书舍人⑤。绍圣四年(1097年)十月,宋哲宗"中批"沈铢为中书舍人兼侍讲⑥,这里的"中批"即皇帝特旨除授的称谓之一。建中靖国年间,宋徽宗亲擢王涣之为中书舍人⑦。

南宋时,尽管秦桧、史浩、韩侂胄、史弥远、贾似道等人曾相继擅权,但封驳官由皇帝亲擢的制度始终不渝。绍兴年间,勾龙如渊与楼炤并为中书舍人,有一次勾龙如渊入朝,宋高宗对他说:"卿与楼炤皆朕所亲擢。"⑧此后,宋高宗又擢张嵲为中书舍人⑨。宋宁宗朝,黄度曾说:"近者台谏、给舍屡有更易,中书无所参预"⑩,柴中行也曾上疏指出:"执政、侍从、台谏、给舍之选与三衙、京尹之除,皆朝廷大纲所在,故其人必出人主之亲擢。"⑪

---

① 《长编》卷370,元祐元年闰二月丁巳。
② 《朝野类要》卷2《侍从》。
③ 《宋史》卷343《陆佃传》。
④ 《宋史》卷341《傅尧俞传》;卷287《赵安仁传附》;卷344《孔武仲传》、《顾临传》。
⑤ 《宋史》卷355《叶涛传》。
⑥ 《长编》卷492,绍圣四年十月戊申。
⑦ 《宋史》卷347《王涣之传》。
⑧ 《宋史》卷380《楼炤传》。
⑨ 《宋史》卷445《张嵲传》。
⑩ 袁燮《絜斋集》卷13《龙图阁学士通奉大夫尚书黄公行状》。
⑪ 《宋史》卷401《紫中行传》。

二、宋代封驳官的回避法

宋代为了保证封驳官有效地行使职权，在选任上制订了回避法。回避法的内容主要有以下几个方面。

首先，选任封驳官必须与宰执（宰相和执政）避亲嫌。宋代任官制度规定："父子兄弟及亲近之在两府者，与侍从、执政之官，必相回避"①，根据这一规定，封驳官必须与两府（宰相府与枢密院）避亲嫌，也就是说宰相府和枢密院官员的父子兄弟及其亲属不能充任封驳官人选。

其二，凡新的宰相和执政上任，现任封驳官中如果有其父子兄弟及亲属者，必须上疏请求皇帝改任其他差遣，如若皇帝同意回避，则改任其他差遣；若皇帝认为不需回避，则下不回避之诏。如淳化四年（993年）十月，赵昌言出任参知政事后，现任知制诰王旦是赵昌言的女婿，因而上疏请求回避，宋太宗改任王旦为集贤殿修撰②。庆历五年（1045年）宋庠出任参知政事后，知制诰宋祁因是宋庠的弟弟，而上疏请求回避，宋仁宗下诏改任宋祁为翰林侍读学士③。熙宁年间，吕公弼出任枢密使后，知通进银台司兼门下封驳事吕公著是吕公弼的弟弟，吕公著上疏提出"领封驳非便"，请求回避，宋神宗改任吕公著判尚书兵部④。元丰八年（1085年）七月（宋哲宗已即位），中书舍人杨景略被改任为龙图阁待制知蔡州，其原因是"避亲嫌也"⑤。宣和二年（1120年）十二月，王黼出任宰相后，给事中葛次仲是王黼的妹夫，上疏请求回避，宋徽宗改任葛次仲为

---

① 魏泰《东轩笔录》卷5。
②③ 《宋会要辑稿》职官63之1、63之2。
④ 《宋会要辑稿》职官63之4。
⑤ 《长编》卷358，元丰八年七月戊戌。

大司成①。隆兴二年(1164年),王之望出任参知政事后,给事中吴芾因和王之望连姻而上疏请求回避,宋孝宗下诏改任吴芾为吏部侍郎②。

其三,北宋后期至南宋,封驳官与本省官避亲嫌。即:"门下侍郎亲,则不除给事中;中书侍郎亲,则不除舍人。"③

从宋代封驳官回避制度执行的情况看,北宋前期执行得比较严格,从宋哲宗元祐年间起,执行得比较差。元祐八年(1093年)四月,臣僚给宋哲宗的上疏中写道:"自祖宗以来条制,凡官员亲戚于职事有统摄或相干者并回避,近时朝廷侍从近臣职事或有亲戚相妨,多用特旨更不回避。"④宋徽宗朝,不仅现任封驳官于法应该回避者,往往以特旨形式不回避,而且还明确规定:御笔除授官"不许回避"⑤。南宋隆兴元年(1163年)十一月,陈康伯出任左仆射,而陈康伯是现任中书舍人何甫的妹夫,何甫上疏请求回避,宋孝宗下诏"特免"⑥。

三、宋代封驳官的资格资序和文化修养

1. 资格资序

两宋时期,封驳官的资格资序出现了不同于前代的重要变化。唐代时,谏议大夫"岁满方迁给事中,自给事中迁(中书)舍人"⑦,也就是说具有给事中资序者才能升迁为中书舍人。而宋代元丰改

---

① 《宋会要辑稿》职官63之9。
② 《宋会要辑稿》职官63之14、63之15。
③ 《石林燕语》卷4。
④ 《宋会要辑稿》职官63之6、63之7。
⑤ 《宋会要辑稿》职官63之8。
⑥ 《宋会要辑稿》职官63之15。
⑦ 《石林燕语》卷5。

制后,给事中地位提高,在迁转制度上,"由谏议大夫或中书舍人方为给事中,由给事中方为侍郎"[①]。为了深入考察这一问题,仅以宋哲宗朝为例,特列表如下。

宋哲宗朝封驳官资序考察表

目次	姓名	名称	资序	材料来源
1	范百禄	中书舍人	起居郎	《宋史》卷337《范镇传附》
2	王震	中书舍人	起居舍人	《宋史》卷320《王素传附》
3	邢恕	中书舍人	起居舍人	《宋史》卷471《邢恕传》
4	胡宗愈	中书舍人	起居郎	《宋史》卷318《胡宿传附》
5	苏轼	中书舍人	起居舍人	《宋史》卷338《苏轼传》
6	钱勰	中书舍人	左司郎中	《宋史》卷317《钱惟演传附》
7	林希	中书舍人	起居郎	《宋史》卷343《林希传》
8	苏辙	中书舍人	起居郎	《宋史》卷339《苏辙传》
9	曾肇	中书舍人	起居郎	《宋史》卷319《曾巩传附》
10	刘攽	中书舍人	知蔡州	《宋史》卷319《刘敞传附》
11	孔文仲	中书舍人	左谏议大夫	《宋史》卷344《孔文仲传》
12	彭汝砺	中书舍人	起居舍人	《宋史》卷346《彭汝砺传》
13	范祖禹	中书舍人	起居郎	《宋史》卷337《范镇传附》
14	郑雍	中书舍人	起居郎	《宋史》卷342《郑雍传》
15	王严叟	中书舍人	起居舍人	《宋史》卷342《王严叟传》
16	韩川	中书舍人	枢密都承旨	《宋史》卷347《韩川传》
17	孙升	中书舍人	起居郎	《宋史》卷347《孙升传》
18	陈轩	中书舍人	徐王翊善	《宋史》卷346《陈轩传》
19	孔武仲	中书舍人	起居舍人	《宋史》卷344《孔武仲传》
20	乔执中	中书舍人	权给事中	《宋史》卷347《乔执中传》

---

① 《长编》卷373,元祐元年三月乙酉。

目次	姓 名	名 称	资 序	材料来源
21	吕 陶	中书舍人	起居舍人	《宋史》卷346《吕陶传》
22	吕希纯	中书舍人	秘书丞	《宋史》卷336《吕公著传附》
23	蔡 卞	中书舍人	侍御史	《宋史》卷472《蔡京传附》
24	朱 服	中书舍人	由起居舍人出知州后召为中书舍人	《宋史》卷347《朱服传》
25	盛 陶	中书舍人	权礼部侍郎	《宋史》卷347《盛陶传》
26	蒋子奇	中书舍人	由知州召为中书舍人	《宋史》卷343《蒋子奇传》
27	叶祖洽	中书舍人	起居郎	《宋史》卷354《叶祖洽传》
28	蹇序辰	中书舍人	知开封府	《宋史》卷329《蹇序辰传》
29	叶 涛	中书舍人	起居舍人	《宋史》卷355《叶涛传》
30	沈 铢	中书舍人	起居舍人	《宋史》卷354《沈铢传》
31	赵挺之	中书舍人	吏部侍郎	《宋史》卷351《赵挺之传》
32	郭知章	中书舍人	权工部侍郎	《宋史》卷355《郭知章传》
33	周 常	中书舍人	起居郎	《宋史》卷356《周常传》
34	张商英	中书舍人	权吏部侍郎	《宋史》卷351《张商英传》
1	陆 佃	给事中	中书舍人	《宋史》卷343《陆佃传》
2	蔡 卞	给事中	中书舍人	《宋史》卷472《蔡京传附》
3	范纯仁	给事中	天章阁待制兼侍讲	《宋史》卷314《范纯仁传》
4	王 震	给事中	中书舍人	《宋史》卷320《王震传》
5	孙 觉	给事中	右谏议大夫	《宋史》卷344《孙觉传》
6	傅尧俞	给事中	秘书少监兼侍讲	《宋史》卷341《傅尧俞传》
7	胡宗愈	给事中	中书舍人	《宋史》卷318《胡宿传附》

目次	姓　名	名　称	资　序	材料来源
8	钱勰	给事中	中书舍人	《宋史》卷317《钱惟演传附》
9	顾临	给事中	河东转运使	《宋史》卷344《顾临传》
10	张问	给事中	秘书监	《宋史》卷331《张问传》
11	赵君锡	给事中	左司郎中、太常少卿	《宋史》卷287《赵安仁传附》
12	曾肇	给事中	中书舍人	《宋史》卷319《曾巩传附》
13	郑穆	给事中	国子祭酒	《宋史》卷347《郑穆传》
14	范祖禹	给事中	右谏议大夫	《宋史》卷337《范镇传附》
15	朱光庭	给事中	右谏议大夫	《宋史》卷333《朱光庭传》
16	范纯礼	给事中	刑部侍郎	《宋史》卷314《范仲淹传附》
17	黄廉	给事中	陕西转运使	《宋史》卷347《黄廉传》
18	乔执中	给事中	中书舍人	《宋史》卷347《乔执中传》
19	孔武仲	给事中	中书舍人	《宋史》卷344《孔武仲传》
20	吕陶	给事中	中书舍人	《宋史》卷346《吕陶传》
21	叶祖洽	给事中	中书舍人	《宋史》卷354《叶祖洽传》
22	虞策	给事中	左司谏	《宋史》卷355《虞策传》
23	赵挺之	给事中	中书舍人	《宋史》卷351《赵挺之传》

从以上表中可以看出，宋哲宗朝充任中书舍人者三十四人，其中具有起居郎、起居舍人资序者十九人，约占总人数的百分之五十六；具有侍御史、知开封府、知州等资序者十五人，约占总人数的百分之四十四。出任给事者二十三人，其中具有中书舍人资序者十一人，约占给事中总人数的百分之四十八，具有谏议大夫资序者只有三人，约占给事中总人数的百分之十三，具有天章阁待制、秘书监、国子监等其他资者九人，约占给事中总人数的百分之三十九。在宋

代给事中资序中几乎一半是中书舍人,这和唐代"自给事中迁中书舍人"的制度相比,说明宋代封驳官资序法已和唐代不可同日而语。

2. 宋代封驳官的文化修养

两宋时期,封驳官人选一般都要求有较高的文化修养,下面仅以宋哲宗朝为例,对宋代封驳官文化修养状况作一考察。

宋哲宗朝封驳官文化修养考察表

目次	姓名	文化修养	材料来源
1	陆佃	进士甲科	《宋史》卷343《陆佃传》
2	蔡卞	进士	《宋史》卷472《蔡京传附》
3	范纯仁	进士	《宋史》卷314《范纯仁传》
4	王震	以父任试铨优等,赐及第	《宋史》卷320《王素传附》
5	孙觉	进士	《宋史》卷344《孙觉传》
6	傅尧俞	进士	《宋史》卷341《傅尧俞传》
7	胡宗愈	进士甲科	《宋史》卷318《胡宿传附》
8	钱勰	制举之业成	《宋史》卷317《钱惟演传附》
9	顾临	举说书科	《宋史》卷344《顾临传》
10	张问	进士	《宋史》卷331《张问传》
11	赵君锡	进士	《宋史》卷287《赵安仁传附》
12	曾肇	进士	《宋史》卷319《曾巩传附》
13	郑穆	进士	《宋史》卷347《郑穆传》
14	范祖禹	进士甲科	《宋史》卷337《范镇传附》
15	朱光庭	辞父荫擢第	《宋史》卷333《朱景传附》
16	范纯礼	恩荫入仕	《宋史》卷314《范仲淹传附》

目次	姓名	文化修养	材料来源
17	黄 廉	进士	《宋史》卷347《黄廉传》
18	王钦臣	赐进士及第	《宋史》卷294《王洙传附》
19	乔执中	进士	《宋史》卷347《乔执中传》
20	孔武仲	进士甲科	《宋史》卷344《孔文仲传附》
21	吕 陶	进士	《宋史》卷346《吕陶传》
22	叶祖洽	进士	《宋史》卷354《叶祖洽传》
23	虞 策	进士	《宋史》卷355《虞策传》
24	赵挺之	进士上策	《宋史》卷351《赵挺之传》
25	范百禄	进士	《宋史》卷337《范镇传附》
26	邢 恕	进士	《宋史》卷471《邢恕传》
27	苏 轼	科举出身	《宋史》卷338《苏轼传》
28	苏 辙	进士	《宋史》卷339《苏辙传》
29	刘 攽	进士	《宋史》卷319《刘敞传附》
30	孔文仲	进士	《宋史》卷344《孔文仲传》
31	彭汝砺	举进士第一	《宋史》卷346《彭汝砺传》
32	郑 雍	进士甲科	《宋史》卷342《郑雍传》
33	王严叟	进士	《宋史》卷342《王严叟传》
34	韩 川	进士	《宋史》卷347《韩川传》
35	孙 升	进士	《宋史》卷347《孙升传》
36	陈 轩	进士	《宋史》卷346《陈轩传》
37	吕希纯	进士	《宋史》卷336《吕公著传附》
38	朱 服	进士甲科	《宋史》卷347《朱服传》

目次	姓名	文化修养	材料来源
39	盛 陶	进士	《宋史》卷347《盛陶传》
40	蒋子奇	进士	《宋史》卷343《蒋子奇传》
41	蹇序辰	进士	《宋史》卷329《蹇周辅传附》
42	叶 涛	进士	《宋史》卷355《叶涛传》
43	沈 铢	进士	《宋史》卷354《沈铢传》
44	郭知章	进士	《宋史》卷355《郭知章传》
45	周 常	进士	《宋史》卷356《周常传》
46	张商英	无记载	《宋史》卷351《张商英传》

从以上表中可以看出,宋哲宗朝出任封驳官者四十六人,其中进士出身者四十二人,占总人数的百分之九十二;诸科出身者一人,占总人数的百分之二;恩荫入仕者二人,占总人数的百分之四;文化修养无记载者一人,约占总人数的百分之二。

第四节 宋代封驳制度的作用和局限性

一、宋代封驳制度的作用

两宋时期,封驳官不仅职能广泛,选任制度完备,而且在政治生活中的地位也日益重要,其作用概括起来,主要有以下几个方面。

(一) 制约宰相

在中国封建社会中,宰相对朝廷的财政、司法、人事等决策权无不起着重要作用,而宋代封驳官动辄封还朝廷命令,无疑起到了制约宰相的作用。如北宋徽宗时,宰相除授的五名郎官"皆执政姻戚",封驳官给事中龚原"悉举驳之"①。南宋绍兴元年(1131年),左丞相吕颐浩欲结党拉派,排斥异己,遂除授朱胜非为同都督江、淮、荆、浙诸军事,给事中胡安国竭力论奏,坚决反对。吕颐浩改授朱胜非为侍读,胡安国仍"持录黄不下",左丞相吕颐浩特命检正黄龟年书行。给事中胡安国说:"有官守者,不得其职则去,臣今待罪无补,既失其职,当去甚明","遂卧家不出"②。绍兴七年(1137年),宰相张浚的哥哥张滉"赐出身与郡",中书舍人张焘封还词头,张浚又命中书舍人楼炤"书黄行下",楼炤也封还词头,张浚无可奈何,只得命权起居舍人何抡"书黄行下"。于是中书舍人张焘和楼炤"皆请补外"③。孝宗隆兴元年(1163年),龙大渊、曾觌并除知阁门事,宰相知道给事中金安节必然要反对,就派人对金安节说:"若书行,即坐政府矣。"金安节依然"拒不纳,封还录黄"④。宋宁宗时,张允济"以阘职为州钤",中书舍人王介封还词头,宰相对王介说:"此中宫意。"王介回答道:"宰相而逢宫禁意向,给舍而奉宰相风旨,朝廷纪纲扫地矣。"⑤

两宋时期,出现了一批敢于和宰相对抗的封驳官。如北宋徽宗时,中书舍人曾开"掖垣草制,多所论驳,忤时相意"⑥。南宋高宗朝中书舍人卫肤敏任职二十天,"言事至十数",宰相"黄潜善等人忌之"⑦。给事中刘一止任职百余日"缴奏不已,用事者始忌"⑧。宋宁

---

① 《宋史》卷353《龚原传》。
② 《宋史》卷435《胡安国传》。
③ 《宋史》卷380《楼炤传》。
④ 《宋史》卷386《金安节传》。
⑤ 《宋史》卷400《王介传》。
⑥ 《宋史》卷382《曾几传附》。
⑦ 《皇宋中兴两朝圣政》卷2,建炎元年十二月庚辰。
⑧ 《宋史》卷378《刘一止传》。

宗时,中书舍人王介"缴驳不避权贵。"①

宋代封驳官对宰相的制约,不仅维护了朝廷纪纲,而且巩固了君主专制。

(二) 防范外戚、宦官和武臣势力膨胀

在中国封建社会里,外戚、宦官和武臣势力的膨胀,直接威胁着皇权的稳定,宋代特别重视限制外戚、宦官和武臣势力,封驳官在其中起到了一定的积极作用。

为了排除皇亲国戚对朝政的干扰。宋代制定了种种法规,如"后族勿除从官"②,不得除郡守等,每当违犯这些法规时,封驳官会尽职尽责,坚决反对。如南宋建炎年间,外戚孟忠厚除显谟阁直学士,邢焕徽猷阁待制,给事中刘珏封还词头,并论奏说:"旧制,外戚未有为两禁官者",宋高宗下诏改邢焕、孟忠厚为武阶。孟忠厚请求任郡守,给事中刘一止说:"后族业文如忠厚虽可为郡,他日有援例者,何以却之?"③孟忠厚又请求"用父任减年迁官",中书舍人滕康又上疏反对,结果使孟忠厚既没有转成文资,也未能出任郡守和减年迁官。又如宋宁宗朝的给事中许奕"论驳十有六事,皆贵族近习之挠政体者"④。

宋代封驳官在限制宦官方面的作用也比较明显。如北宋哲宗时,内侍梁从政、刘惟简除内省押班,中书舍人吕希纯持录黄不行,自此,"阉寺侧目",还有的在朝廷中指着吕希纯对别人说:"此缴还二押班词头者也。"⑤ 南宋淳熙八年(1181年),宦官陈源除添差浙

---

① 《宋史》卷400《王介传》。
② 《宋史》卷378《卫肤敏传》。
③ 《宋史》卷378《刘一止传》。
④ 《宋史》卷406《许奕传》。
⑤ 《宋史》卷336《吕公著传附》。

西副总管,给事中赵汝愚上疏说"内侍不当干军政",朝廷随罢去了陈源的添差浙西副总管职务。淳熙十年(1183年),内侍陈源又被除授在京祠禄官,给事中宇文价"封还录黄",陈源又被改为外祠官①。

宋代封驳官在限制武臣方面也起到过一些作用。如绍兴二十九年(1159年),殿前裨将辅逵转迁为防御史,王纲转迁为团练使,中书舍人洪遵上疏驳奏说:"近制管军官十年始一迁,今两人不满岁,安得尔?"②在封驳官的阻止下,使辅逵和王纲均没能不满岁而迁转官阶。

宋代封驳官对外戚、宦官和武臣的限制,有利于皇权的相对稳定。两宋时期外戚、宦官和武臣始终没有形成对皇权的威胁势力,是由多方面因素决定的,其中封驳官的作用也是一个不可忽视的方面。

(三) 减少决策失误,维护皇帝尊严

如前所述,宋代封驳官的主要职能之一就是监督朝廷决策权。这一职能不仅可以减少决策的失误,防患于未然,而且还可以使皇帝过失不公开于外,从而起到维护皇帝尊严的作用。正如包拯所总结的:若朝廷权用未当,则封驳官论列于内,"不显扬于外,盖不欲明君之过"③。

(四) 协调统治阶级内部的关系

在中国封建社会里,官员的选任、升迁、恩赏等是统治阶级十分敏感而又关心的问题,宋朝也不例外。宋朝封驳官以封还词头或缴驳论奏等形式,监督朝廷除官不当,迁转或换职不妥,不仅可以

---

① 《宋史》卷469《陈源传》。
② 《宋史》卷373《洪皓传附》。
③ 杨国宜《包拯集编年校补》卷3《请复封驳》。

维护选官制度的各种法规,而且还可以减少统治阶级内部的人事纷争,协调统治阶级内部的关系。

此外,宋代封驳官在抗金斗争中还起到过积极作用。如南宋绍兴末年,金兵再次南下,宋军出师应战,诏书、檄文,多出自中书舍人刘珙之手,"词气激烈,闻者泣下"①,对激励抗金将士奋起作战起到了重要作用。

二、宋代封驳制度的局限性

宋代封驳制度虽起到以上种种作用,但在君主专制的封建社会里,也有不少局限性。

首先,封驳官能否在政治生活中真正发挥作用,常取决于皇帝的意志。两宋时期,君主专制制度发展,皇帝独揽财政军大权,意志超越法律。当皇帝重视法制时,封驳官在政治体制运作中会发挥较大的作用;当皇帝的意志和法律矛盾时,封驳官的意见不仅得不到采纳,有时甚至会遭贬逐或被罚金。如治平元年(1064年)四月,王畴任翰林学士不久,即擢为枢密副使,知制诰钱公辅认为王畴"素望浅,不草制",宋英宗不仅不采纳这一意见,反而贬知制诰钱公辅为滁州团练使②。王畴却仍被擢为枢密副使。绍圣四年(1097年)五月,权中书舍人沈铢因缴还吴居厚户部尚书词头,被宋哲宗罚铜二十斤,不久又被罢去权中书舍人职务③。南宋绍兴二年(1132年)五月,朝廷除权邦彦为签书枢密院事,给事中程瑀连上三疏论

---

① 《宋史》卷386《刘珙传》。
② 《宋史》卷321《钱公辅传》。
③ 《长编》卷488,绍圣四年五月辛未。

奏权邦彦五罪,宋高宗不予理睬①。同年八月,给事中胡安国因奏论朱胜非,被宋高宗罢职,"宰执、台谏上疏留之,皆不报",给事中程瑀也因论奏朱胜非而落职主宫观②。宋宁宗即位之初,侍讲朱熹因上"上疏忤韩侂胄"而被罢职,封驳官和台谏官交章请留朱熹,宋宁宗对封驳官和台谏官的意见,"亦不听"③。宋理宗朝,中书舍人洪芹缴还吴潜贬职词头,皇帝不理睬④;左丞相留梦炎以同乡徐囊为御史,给事中王应麟缴奏说:"囊与梦炎同乡,有私人之嫌"⑤,宋理宗照样不予理睬。

其二,皇帝以御笔或特诏行事,"阴坏封驳之法"⑥。宋代的御笔行事开始于徽宗朝。大观二年(1108年),蔡京以吴敏充任馆职,中书侍郎刘正夫以除命"未尝过省"而坚决反对,蔡京请求宋徽宗以御笔"特召上殿,除右司郎官,御笔自此始,违者以大不恭论",自此,"权幸争请御笔,而缴驳之任废矣。"⑦ 南宋高宗虽制度上规定封驳官可以缴奏御笔,但在实际执行中,特别是除授官员时,往往以种种借口,除命不等封驳官书读,就直接令新除官员上任。如绍兴三年(1133年),舒清国除试起居郎,中书舍人和给事中还没有书读,宋高宗就下诏说:"以见阙官,日下供职。"自此以后,"职事官除拜不俟给舍书读,率得堂帖即视事"⑧。宋光宗朝,御笔除朱熹宫

---

① 《宋史》卷381《程瑀传》;《建炎以来系年要录》卷54,绍兴二年五月辛酉。
② 《宋史》卷27《高宗四》。
③ 《宋史》卷37《宁宗一》。
④ 《宋史》卷418《吴潜传》。
⑤ 《宋史》卷438《王应麟传》。
⑥ 《长编拾补》卷53,靖康元年二月甲寅。
⑦ 《宋史》卷352《吴敏传》。
⑧ 《皇宋中兴两朝圣政》卷14,绍兴三年十月戊戌。

祠官,"不经宰执,不由给舍,经使快行,直送(朱)熹家"①。宋宁宗即位后,除授百官仍由皇帝独自决定,所以朱熹在给宋宁宗的上疏中指出:"今陛下即位未能旬日,而进退宰执,移易台谏,皆出于陛下之独断,大臣不与谋,给舍不及议正。"② 宋宁宗以后,皇帝多带头破坏封驳法。

其三,封驳官在某些时期还摆脱不了宰相的控制,有的甚至为权相擅政推波助澜。相对而言,宋代封驳官的选任制度已比较完备。但是,在某些时期,宰相利用种种手段控制封驳官,使其不能发挥应起的作用,也有的封驳官经不起宰相的引诱,而变为宰相擅权的工具。如哲宗元祐年间,宰相和御史中丞联合排挤某执政,并先劝告封驳官给事中范纯礼,让他不要缴奏反对。范纯礼当场反对,"宰相即徙纯礼刑部侍郎,而后出命"③。绍圣年间,给事中徐铎附会宰相章惇,"凡给事中不肯书读者,辄命代行之"④。崇宁年间,蒋静附会宰相蔡京而被擢为职方员外郎,中书舍人吴伯举封还词头,蔡京大怒,罢黜了中书舍人吴伯举的中书舍人职务⑤。南宋理宗朝,史嵩之专权时,以自己的心腹充任封驳官,太学生黄恺等人四十四人在给皇帝的上疏中说:"台谏不敢言,台谏嵩之爪牙也;给舍不敢言,给舍嵩之腹心也。"⑥黄恺等人的话,比较形象地反映了理宗朝权相控制台谏和封驳官的历史事实。

---

① 《宋史》卷397《项安世传》。
② 《两朝纲目备要》卷3,绍熙五年十一月戊子。
③ 《宋史》卷314《范仲淹传附范纯礼传》。
④ 《宋史》卷329《徐铎传》。
⑤ 《宋史》卷356《蒋静传》。
⑥ 《宋季三朝政要》卷2,淳祐四年九月。

第五节 宋代封驳官和台谏官职能之异同

唐代及其以前,封驳官、谏官和御史的职能分工明确,封驳官审驳朝命,谏官主谏诤,御史监察百官。两宋时期,伴随君主专制制度的发展,封驳官和谏官的职能关系也发生了一些变化。

一、宋代封驳官和台谏官职能的相同之处

宋代封驳官和台谏官职能已出现了以下两个相同点。

(一)封驳官和台谏官皆可以奏劾百官

唐代及其以前,奏劾百官是御史的职能,谏官和封驳官不能参预。宋代时,不仅台谏官具有奏劾百官的职能,而且封驳官也可以参预奏劾百官,甚至有时比台谏奏劾还要积极。如南宋高宗朝封驳官刘一止,朝中大小违法事皆先奏劾之,使御史很被动,当时的御史台台长廖刚生气地对其属官说:"台当有言者,皆为刘君先矣。"[1]

宋代封驳官和台谏官皆可以奏劾百官,强化了对百官的监察机制,有利于打击百官的违法乱纪行为,维护朝廷的尊严,正如南宋人楼钥所言:"自来中外之臣所以畏朝廷者,以其有给舍台谏也。"[2]

(二)封驳官和台谏官皆可以谏诤皇帝,议论朝政

如前所述,宋代不仅打破了御史"不专言职"的传统制度,而且封驳官也可以谏诤皇帝,参议朝政,特别是对人们所敏感的任官、考课等问题,封驳官和台谏官常共同谏诤或者议论。如北宋哲宗元

---

[1] 《宋史》卷378《刘一止传》。
[2] 楼钥《攻愧集》卷28《缴郑汝谐除吏部侍郎》。

祐六年(1091年)闰八月,李清臣被任命为吏部尚书,给事中范祖禹封还除命,并连上两疏反对,朝廷不予理睬。谏官姚勔等人也纷纷上疏反对,使李清臣"除吏部尚书之命卒罢"①。又如南宋孝宗乾道八年(1172年)二月,朝廷除安庆军节度使张说、吏部侍郎王之奇并签书枢密院事,侍御史李衡、谏官王希吕交章论奏反对,"权给事中莫济封还录黄"②。淳熙十二年(1185年)九月,宋孝宗根据臣僚的建议,特令给舍台谏对诸路守臣考课中"不公不实者,许缴驳论奏"③。

宋代封驳官和台谏官同具有谏诤皇帝,议论朝政职能,使中央政府内形成了一个监督朝政的给舍台谏舆论中心,这个中心对维护统治阶级内部的相对稳定,是有其积极作用的。

二、宋代封驳官和台谏官职能的区别

宋代封驳官和台谏官的职能有以下几点区别。

首先,宋代封驳官和台谏官职能先后有序。宋制,"给事中主封驳,台谏官主论列,交相检察,以补成政令"④。也就是说,封驳官和台谏官在监督朝政的过程中,封驳官为先,谏官次之,御史又次之。"凡政令之乖宜,除授之失当,谏官所未论,御史所未言",封驳官"皆先得以疏驳而封还之"⑤。宋代人称这一制度是:封驳官"正于未然之前,台谏则救于已然之后"⑥。

---

① 《长编》卷465,元祐六年闰八月甲子。
② 《宋史》卷34《孝宗二》。
③ 《皇宋中兴两朝圣政》卷62,淳熙十二年九月乙巳。
④ 《长编》卷370,元祐元年闰二月乙卯。
⑤ 《长编》卷362,元丰八年十二月甲戌。
⑥ 《宋会要辑稿》职官1之83。

其次，从宋代封驳官和台谏官行使职能的形式上看，也不一样。宋制，封驳官以封还词头，缴驳诏令为主，谏官以上疏论奏或直言极谏为主，御史则以弹劾为主。

其三，从宋代封驳官和台谏官监察的对象上来看，也有差别。宋代封驳官和台谏官虽然皆可以规谏皇帝，议论朝政，监察百官，但是，封驳官的首要职能是监察朝廷的决策权，谏官的首要职能是规谏皇帝的过失，御史的首要职能则是监察宰执百官的违法行为。

其四，宋代封驳官和台谏官职能作用，制度上的规定与实际生活中有出入。宋代在制度规定上，封驳官的职能作用比台谏重要，正如南宋人吕祖谦所分析总括的："给舍主封驳，台谏主论列，其职均也。然给舍献替于先，台谏追救于后，命之未下，其正之也，易；命之已下，其夺之也，难；此给舍所以为重也。"① 但是，台谏官在两宋的政治舞台上比较活跃，势力大于封驳官，作用也超过封驳官，特别是当封驳官和台谏官意见不一致时，朝廷往往采用台谏官的意见，而否定封驳官的意见。南宋高宗朝的高阅就给皇帝反映此问题。他说："政事之行，给舍得缴驳，台谏得论列，若给舍以为然，台谏以为不然，则不容不改"，"臣恐朝廷之权反在台谏。"② 高阅的话说明了在实际政治生活中，宋代统治者重台谏而轻封驳官。

本 章 小 结

综合本章所述，宋代封驳制度可归纳为以下几点。

一、宋代封驳机构的变化比较复杂。北宋前期，封驳机构先后被称为通进银台封驳司、门下封驳司、银台司封驳房等。元丰改制

---

① 吕祖谦《类编皇朝大事纪讲义》卷9《给事中》。
② 《宋史》卷433《高阅传》。

后,银台司封驳房被罢去,封驳机构正式从中书省和门下省中分离出来,设门下后省和中书后省掌封驳之职。南宋建炎三年(1129年)三省合一后,门下后省专掌封驳。

二、宋代封驳官称谓变化也比较复杂。北宋前期,封驳官先后被称为同知给事中、知通进银台封驳司、知门下封驳司、兼门下封驳事等。元丰改制后,官复其职,给事中取代了兼门下封驳事的职能。南宋建炎三年(1129年)后,给事中成为门下后省的长官,奠定了明代六科给事中制度的基础。

三、宋代封驳官的职能范围远远超过了前代,特别是奏劾宰执百官职能的出现,为前代所不及,这是宋代君主专制发展在封驳制度上的一种表现,同时也代表了宋代封驳制度发展的一个方面。

四、宋代封驳官选任制度比较完备。如制定了比较完备的选任方式、回避法、资格资序等制度,特别是封驳官人选回避宰执法的制定与推行,有利于强化封驳官对宰相的监督机制。

五、宋代封驳官资序法比唐代有了重要变化。唐代时,"自给事中迁(中书)舍人"①,而宋代恰恰相反,由中书舍人"方为给事中"②。宋代封驳官资序法这一变化的主要原因是给事中从门下省中分离出来,地位提高。

六、宋代封驳官的文化修养高于前代。如宋哲宗朝的封驳官中,进士出身者竟达百分之九十二,这是前代的任何一个王朝所不及的。

七、宋代封驳制度虽在减少朝廷决策失误、制约相权、协调统治阶级内部关系等方面起到了一定的积极作用,但在君主专制发展的宋代,也存在着种种局限性。

---

① 《石林燕语》卷5。
② 《长编》卷373,元祐元年三月乙酉。

宋代中央监察制度比较复杂,除上述御史、谏官和封驳官之外,尚书左右司也有部分监察职能。第一,左右司负责监察御史的失职行为,此问题在本编的第二章第四节中已有论述,此不赘言。第二,左右司监察尚书省六曹的失误。宋神宗元丰改制后规定:尚书左右司"掌受付六曹诸司出纳之事,而举正其稽失"①。第三,左右司监察御史台刑狱。北宋前期,刑狱违慢,由纠察在京刑狱司负责监督。元丰改制后,纠察在京刑狱司被罢去,其职能归御史台刑察。元祐元年(1086年)五月,根据三省的请求,宋哲宗令尚书省右司负责御史台刑狱②。第四,左右司监察尚书省吏人的违法行为。宋徽宗宣和二年(1120年),皇帝根据"省吏强悍"的情况,下诏规定:"自今违法事,其左右司官、尚书具事举劾。"③

另外,宋代东西上阁门也具有部分监察职能。宋制,"凡文武官自宰臣,宗室自亲王,外国自契丹使以下朝见谢辞",东西上阁门"皆掌之,视其品秩以为引班、叙班之次,赞其拜舞之节而纠其违失"④。也就是说,宋代宰相百官和契丹使以下使臣朝见、谢辞的引班、叙班、拜舞礼节等,均由东西上阁门掌领,并纠察其违失行为。

---

① 《宋会要辑稿》职官4之19。
② 《宋会要辑稿》职官4之20。
③ 《宋史》卷161《职官一》。
④ 《宋史》166《职官六》。

第六章 宋代中央监察制度的特征与利弊

一、宋代中央监察制度的特征

宋代统治者吸收唐末五代的历史教训,在中央监察制度方面采用了种种防范前代政治弊端再现的措施。这些措施的推行,使宋代中央监察制度呈现出鲜明的时代特征。

(一) 中央监察官的选任脱离了最高行政长官的干预

在我国封建社会中央监察制度发展史上,唐代及其以前,无论御史、谏官,还是封驳官的选任均未摆脱宰相的干预。如唐代御史的选任,不是宰相参预拟定人选,就是"进退从违皆出宰相"[①];唐代谏官是宰相府的属官,其选任多由宰相左右;唐代封驳官的选任由宰相"总其进叙",吏部"参议可否"[②]。这种最高行政长官干预中央监察官选任的体制,使中央监察官不能有效地监察宰相及其亲近的官员。

两宋时期,随着君主专制的发展,在中央监察官的选任方面,逐渐建立了一套不受宰相和执政干预的制度,如确立了皇帝亲自

---

① 《容斋四笔》卷11《唐御史迁转定限》。
② 《通典》卷18《选举六》。

选任御史、谏官和封驳官的制度,制定了谏官、御史和封驳官人选回避宰执的法规等。这些制度法律的制定与推行,使宋代中央监察官的选任从制度上脱离了最高行政长官的干预。

(二) 中央监察官的监察权相对独立

与前代相比,宋代中央监察制度出现了监察官监察权相对独立的特征。

先看宋代御史监察权的相对独立。唐代及其以前,御史上章弹事虽有直奏皇帝的惯例,但一般情况下,需先告知御史台长官。武则天长安四年(704年),监察御史萧至忠坚决反对御史弹事"先白大夫"①。此后一段时间内,御史台属官弹事不再先告知长官。唐末五代时期,御史台属官弹事先告知长官又成为定制。北宋太祖、太宗和真宗三朝,三院御史言事仍"皆先白中丞"。宋仁宗即位后,新上任的御史中丞刘筠张榜公告:"令台属各举纠弹之职,毋白丞、知杂。"②自此,宋代御史台属官弹劾不再受到长官干预成为制度,和台长"比肩事主",具有相对独立的监察权。

再看宋代谏官言事权相对独立。唐朝前期,谏官言事动辄要受到宰相的干预。至德元年(756年)九月,唐肃宗敕令:"谏议大夫论事,自今以后不须令宰相先知"③。唐末五代时期,政治混乱,谏官言事仍要受到宰相的指令和影响。北宋太祖、太宗两朝,宰相权力较大,"尤不爱士大夫之论事",谏官也不例外。特别是赵普为宰相时,"每臣僚上殿,先于中书供状,不敢诋斥时政,方许登对。田锡为

---

① 《唐会要》卷61《御史台中》。
② 《长编》卷99,乾兴元年十一月戊辰。这里的丞、知杂指的台长御史中丞和副台长侍御史知杂事。
③ 《唐会要》卷55《省号下》。

谏官,尝论此事,后方少息"①。宋仁宗明道元年(1032年)七月,谏院设置后,谏官正式从中书省和门下省中独立出来,言事不仅不受宰相干预,而且还动辄奏劾宰相。自此一直至南宋灭亡,谏官有相对独立的言事权。

其三,宋代封驳官言事权相对独立。唐代时,虽制度上规定封驳官有封驳论事的职能,但在实际政治生活中,封驳官论事也要受到宰相的干预和影响。如唐武宗会昌五年(845年)十二月,"给事中韦弘质上疏论中书权重,三司钱谷不合相府兼领"②,宰相李德裕将其贬官。唐末五代,封驳制度遭到破坏,封驳官监察权相对独立性更无从谈起。北宋初年,太祖赵匡胤忙于统一战争,封驳制度仍处于停废状态。淳化四年(993年),宋太宗下诏恢复了封驳制度,封驳官由他官兼领,不再是宰相的属官,封驳奏事不受宰相的干预。元丰改制后,封驳官隶属于中书后省和门下后省,其职能曾一度受到执政的干预。元丰六年(1083年),宋神宗下诏令给事中"驳正事赴执政禀议"。元丰七年(1084年),给事中韩忠彦坚决反对封驳事先向执政禀议的规定。他说:"朝廷之事执政所行,职当封驳则已与执政异,自当求决于上,尚何禀议之有?"③宋神宗采纳了韩忠彦的意见,自此在制度上给事中封驳论事不再受执政的干预。南宋时,封驳官封驳论事相对独立性更强。特别是给事中已成为门下后省的长官,不仅有独立的监察权,而且还要与中书舍人分治六房④。

---

① 《魏泰《东轩笔录》卷14。
② 《唐会要》卷54《省号上》。
③ 《宋史》卷161《职官一》。
④ 《宋会要辑稿》职官1之78、2之9。

（三）中央监察体制完备严密

如前所述，宋代不仅建立了监察宰执百官的御史、谏官制度和防范决策失误的封驳制度，而且还加强了对监察官自身的监督机制。这些制度的建立与实行，使宋代中央监察制度出现了完备严密的特征。

宋代中央监察制度完备的特征主要表现在御史、谏官、封驳官三大体制的机构独立、职能广泛和选任制度规范化。如御史台已成为和中央行政机构平行的最高监察机构，御史弹劾的行为准则有了明确规定，御史的选任、升迁制度比前代制度化；谏官机构从宰相府中独立出来，谏官职能比前代增多，谏官的选任、升迁由前代的无定制走向制度化；封驳官机构从门下省中分离出来，封驳官职能范围超过前代，封驳官选任制度比前代完备等。

宋代中央监察制度严密的特征主要表现在，不仅把中央各级机构和官员置于严密的监察之列，而且还把中央监察官自身也置于严密的监督之中。如宋朝一改前代对御史监察无定制的状况，北宋元丰年间神宗在尚书省内设置了御史房，以加强对御史的监督。南宋从高宗朝起，设置了台谏官言事簿，以加强对御史和谏官的监督。宋代对封驳官虽没有设置专职监察机构，但其互察制度也为前代所不及。

（四）台谏官职能侧重于监察宰执百官

唐代及其以前，御史和谏官，一个主弹劾，一个主谏诤，各有侧重，相互协调。宋朝时御史和谏官合一之势形成，被称之为台谏。

宋代台谏官虽有监察百官、谏诤皇帝、参议朝政、荐举官员、兼任侍讲等多种职能，但在这些职能中侧重于监察宰执百官。

宋代台谏官职能侧重于监察宰执百官的特征，主要表现在谏官不仅打破前代无弹奏百官职能的制度，而且还常和御史联合起来共同在朝堂上与宰相抗争，这是宋以前的任何封建王朝中所没有的新现象。

宋代台谏官职能侧重于监察宰执百官特征的出现,其原因虽是多方面的,但主要的是君主专制发展的需要。两宋时期,我国封建社会已进入了后期发展阶段,随着君主专制统治的强化,迫切需要从监察体制上解决宰相和执政专权问题,以协调君主与宰执的关系。在这一背景下,不仅御史监察百官的职能进一步得到重视,而且谏官职能的侧重点也转向奏劾百官,从而使台谏官的职能皆侧重于监察宰执百官。换句话说,宋代台谏官职能侧重于监察宰执百官,是君主专制发展在中央监察制度中的一种反映。

(五) 中央监察官的素质高于前代

两宋时期,伴随封建政治、经济、文化的发展,中央监察官的素质明显高于前代。

首先,宋代中央监察官的文化修养高于前代。如前所述,宋代御史、谏官、封驳官等皆有较高的文化修养。如北宋太祖、太宗、真宗、仁宗、英宗、神宗、哲宗等七朝充任御史中丞者九十四人,其中进士出身者,占总人数的百分之八十二,诸科出身者占百分之五。其他不由科第的百分之十三中,也多是"能文",或"习刑名之学"者;宋仁宗朝五十一名谏官中,科第出身者占百分之九十八;宋哲宗朝四十六名封驳官中,进士出身者占百分之九十二。宋代中央监察官文化修养之高,为唐代及其以前的任何封建王朝所不及。

其次,宋代中央监察官的政治品德素质高于前代。唐代及其以前,封建统治者虽比较重视中央监察官人选的政治品德标准,但大多笼统的规定"政治清要",缺乏具体的内容。宋代对中央监察官人选提出了具体的政治品德标准。如对御史官人选作了三项规定:第一,"政治尤异","忠厚淳直,通世务,明治体";第二,"自来别无赃滥";第三,具有"刚明果敢"、"公忠鲠切"等品质。谏官人选要"沉默、端正、守节","安道守贫,刚而不屈"等。这些措施的实行,使宋代中央监察制度出现了监察官政治品德素质高于前代的特征。

（六）中央监察官对皇帝的规谏中，已出现了反对君主专制的思想

两宋时期，中央监察官不仅敢于规谏皇帝"以私害公，以恩挠法"的行为，而且有的甚至公开喊出了"非陛下之天下"的呼声。如监察御史方庭实在反对宋高宗对金朝议和投降的规谏疏中写道：

> 呜呼！谁为陛下谋此也？天下者，中国之天下，祖宗之天下，群臣、万姓、三军之天下，非陛下之天下，……陛下纵未能率励诸将，克复神州，尚可保守江左，何遽欲屈膝于敌乎？陛下纵忍为此，其如中国何？其如先王之礼何？其如百姓之心何①？

方庭实这段规谏疏中的字里行间，已颇有近代民主主义思想的色彩。他直接提出了天下是"中国"、祖宗、群臣、万姓、三军的天下，而不是皇帝一个人的天下，宋高宗对金朝投降，就是把自己处于同"中国"、"先王之礼"、"百姓之心"相对立的地位。宋代御史这种敢于向皇权挑战的思想，在宋朝以前的中央监察制度中是罕见的。

二、宋代中央监察制度的利弊

宋代中央监察制度一方面比前代有了长足发展，在当时的政治生活中起到了积极作用；另一方面由于受君主专制制度的限制，存在着种种弊端。

（一）宋代中央监察制度的作用

完备严密的宋代中央监察制度，在国家的政治生活中起到了维护法律制度和自我调节的功能。具体而言，其主要作用有以下几个方面。

---

① 《皇宋中兴两朝圣政》卷24，绍兴八年十二月癸酉。

第六章 宋代中央监察制度的特征与利弊

1. 监察官吏的违法行为,维护封建统治秩序的相对稳定

在任何封建王朝中,官吏的违法乱纪行为都直接影响了封建统治秩序的相对稳定,宋代统治者非常重视这一点。

宋代统治者为了加强对官吏违法行为的监察,不仅继承并强化了御史的弹劾制度,而且还赋予谏官、封驳官奏劾官吏违法行为的职能,以加大对官吏违法行为的打击力度。

在宋代,官吏凡有违犯朝仪、玩忽职守、贪惰不法、行贿受赂、交结权势、不忠不孝、强买民田等违法行为均在中央监察官的监察之列。

在两宋的政治生活中,中央监察官动辄监察官吏的违法行为,对维护封建统治秩序的相对稳定起到重要作用。

2. 打击贪污渎职,防范封建政治的腐败

对任何封建王朝来说,贪污渎职无疑是政治腐败的催化剂。赵宋统治者为了防范政治的腐败,比较重视发挥中央监察官对贪污渎职行为的监察作用。

宋代的制度规定:官员不论品级职位高低,只要有贪污渎职行为,不仅御史可以弹劾,而且谏官、封驳官皆可奏劾。如宋哲宗元祐二年(1087年)二月,谏官梁焘、王觌共同奏劾军器少监蔡硕"盗用官钱,乞取货赂,计赃共及万缗"[①]。同年三月,右谏议大夫梁焘奏劾御史中丞黄履"失职乱法"[②]。两宋时期,中央监察官弹劾、奏劾官员贪污渎职的事例甚多,此不赘举。

宋代中央监察官对官员贪污渎职行为的监察,虽不能从根本上解决政治腐败问题,但至少可以对防范政治腐败起到一定的积极作用。

---

① 《长编》卷395,元祐二年二月戊戌。
② 《长编》卷396,元祐二年三月乙丑。

此外,宋代中央监察官对官员贪污渎职行为的监察,也有利于缓解社会不满情绪,安抚民心,调整统治阶级与被统治阶级之间的关系。

3. 制约君权和相权,协调统治阶级内部的关系

两宋时期,伴随封建生产关系的变化,中央官僚队伍成份的改变和士大夫观念的更新,统治阶级内部的矛盾也更加复杂化。九五之尊的皇帝,为了维护其统治的长治久安,也不得不接受中央监察官的规谏。与前代不同的是,宋代不仅谏官有谏诤皇帝的职能,而且御史、封驳官也可以规谏皇帝。如绍熙四年(1193年),监察御史黄度规谏宋光宗说:"夫人主有过,公卿大夫谏而改,则过不彰,庶人奚议焉;惟谏而不改,失不可盖使闾巷小人皆得妄议,纷然乱生,故胜、广、黄巢之流议于下,国皆随以亡;今天下无不议圣德者,臣窃危之。"① 宋代皇帝接受中央监察官规诤的制度,有利于调整地主阶级的总代表与其他官僚地主之间的关系,是封建政治发展的一种表现。

此外,宋代中央监察官在减少决策失误,维护朝廷尊严方面也起到了重要作用。具体内容请参阅本书上编的第五章第四节,此不赘述。

(二) 宋代中央监察制度的弊病

宋代中央监察制度作为封建政治的组成部分,它不可避免的有其自身的弊病。

首先,宋代中央监察官的独立监察权是相对的,它不可能摆脱皇帝的控制。与前代相比,宋代中央监察官虽有了独立行使监察权的自由,但是这只是相对的。在君主专制发展的宋代,中央监察官的监察权根本不可能摆脱皇帝的控制。在开明君主统治时期,中央

---

① 《宋史》卷393《黄度传》。

监察官尚能比较独立的行使监察权力,监察体制也能正常运作,并发挥重要作用;而在昏庸皇帝统治时期,皇帝往往自毁其法规制度,中央监察体制也无法运作。如宋徽宗统治时期,动辄御笔行事,不许台谏官言事,就是一例。

其次,宋代中央监察官在某些时期还摆脱不了宰相的控制,甚至成为相权专权的工具。宋代虽在制度上规定中央监察官的选任、奏劾、封驳等权力不受宰相的干预,这些制度在政治清明时期尚能实行,但在政治腐败时,则遭到破坏。如在蔡京、秦桧、韩侂胄、史弥远、贾似道等人专权时,中央监察官不仅不能独立行使监察权,而且还要受到权相的控制,有的甚至成了权相攻击政敌,打击异己的工具。

本 章 小 结

综合本章所述,宋代中央监察制度的特征与利弊问题,可归纳为以下几点。

一、宋代中央监察制度已出现了监察官选任摆脱了宰相干预,监察权相对独立,体制完备,台谏官职能侧重于监察宰执百官,监察官素质高于前代等特征。这些特征不仅仅是君主专制制度发展在宋代中央监察制度上的反映,更重要的是当时政治、经济、文化等发展的结果,如中央监察官文化素质高于前代的特征,与科举制度的发展就有直接关系。

二、宋代中央监察制度的作用至关重要。如在维护封建统治秩序的相对稳定,防范封建政治的腐败,制约君权和相权,协调统治阶级内部关系,减少决策失误等方面均起到了重要作用。宋代中央监察制度能在当时政治中发挥重要作用,原因是多方面的,但关键的是统治阶级的重视和提倡。

三、宋代中央监察制度的弊端是明显的。如监察官的监察权摆脱不了皇帝的控制；某些时期还摆脱不了宰相的控制，甚至成为权相专权的工具等。这些弊端出现的原因，往往是皇帝自毁其制，使权相有机可乘，因此我们说，宋代中央监察制度的根本弊病是封建君主专制制度自身决定的。

四、宋代中央监察制度中的监察权相对独立、体制完备、监察人选要求有政治实践经验和较高的文化修养及回避法等，是我国古代政治制度中的精华之一。

下编

宋代地方监察制度

第七章　我国封建地方监察制度概况与宋代地方监察体制变革

第一节　我国封建社会地方监察制度的发展概况与宋代地方监察制度的地位

宋代地方监察制度上承汉唐,下启元明清,在我国封建社会地方监察制度发展史上,具有极为重要的地位,为考察这一问题,有必要对我国封建社会地方监察制度的发展阶段作一述论。

我国封建社会地方监察制度经历了以经济和阶级关系变化为基础的三个发展阶段。

一、战国秦汉时期

1. 地方监察官的设置

战国时期,封建地方行政制度正处于萌芽时期,地方监察官没有明确的体制,监察的对象主要是违背伦理纲常及不服从国王命令者,如齐国设乡、州、里而治,凡"不慈孝于父母,不长弟于乡里,骄躁淫暴,不用上令者"①,由里尉监视上告。秦国设县而治,实行"什伍法",上下互相监察。

秦朝时,设监御史归御史大夫统领,掌监郡之职。秦始皇分天下为三十六郡,后增为四十一郡。每郡派遣一御史,初为巡察,无固定住所,后渐变为监察官,有了固定官署,所以称"秦一郡置守、尉、监三人"②。秦朝的监御史设有属官从事。《史记》载:秦末,萧何为泗水郡卒史时,"御史监郡者与从事常辨之"③。

西汉惠帝三年(公元前192年),置御史监三辅郡,"察词讼,所察之事凡九条,监者二岁更之,常以十月奏事,十二月还监,其后诸州复置监察御史"④。汉武帝元封五年(公元前106年),设置了部刺史,以刺史"部十三州,每州领若干郡",使地方成为十三个监察区。但此时的部刺史没有行署,"乘传周行郡国,无适所","常以八月巡行,所部录囚徒,考殿最,初岁尽诣京都奏事"⑤。再者,汉武帝时的部刺史无正式属官,其随行人员往往以郡的属吏为其从事。部刺史每到一郡巡察,行部郡国各遣二员吏人迎之界上。

汉成帝绥和元年(公元前8年),罢部刺史,设州牧以代其职。州牧秩由六百石升为二千石,自此权重位崇。

汉哀帝时,州牧正式有了属官,由丞相根据州的大小而设吏员。设置的属官有治中、别驾、诸部从事等,秩皆百石。

东汉时,虽恢复了刺史之名,但和西汉的部刺史已大不一样。首先,西汉的部刺史以巡察郡县为任,而东汉的刺史可代行地方行

---

① 《管子·小匡》卷8。
② 《史记》卷54《曹相国世家·集解注》。
③ 《史记》卷53《萧相国世家》。
④ 《通志》卷56《职官六》。
⑤ 《通典》卷32《职官十四》。

政权。其次,西汉的部刺史"无适所",出巡后,必须亲自返京都奏事;而东汉的刺史"不复自诣京师"。其三,西汉的部刺史举劾的郡守县令,"皆先下三公,三公遣掾史按验,然后黜退";而东汉光武帝时,"用法明察,不复委三府,故权归举刺之吏"①。总之,东汉刺史权力增大后,已不再是巡察郡县的单纯性质的监察官了,而是掌握一州监察与行政大权的最高长官了。

2. 地方监察官的职能

秦朝的监御史和汉代的部刺史皆为中央政府派遣到地方的监察官,他们的监察范围是有限的。"汉制,刺史以六条问事",六条之外是不能监察的。此六条的具体内容如下:

> 一条,强宗豪右,田宅逾制,以强凌弱,以众暴寡;二条,二千石不奉诏书、遵承典制,背公向私,旁诏守利,侵渔百姓,聚敛为奸;三条,二千石不恤疑狱,风厉杀人,怒则任刑,喜则任赏,烦扰刻暴,剥截黎元,为百姓所疾,山崩石裂,妖祥讹言;四条,二千石选署不平,苟阿所爱,蔽贤宠顽;五条,二千石子弟恃怙荣势,请托所监;六条,二千石违公下比,阿附豪强,通行货赂,割损正令②。

以上六条中,除第一条是指向地方豪强,旨在防范地主豪强与地方长官勾结带来的封建割据外,其他五条均是抑制二千石贪赃不法及其子弟依仗权势胡作非为的。

东汉末年,农民起义爆发后,统治者为了加强对郡县的控制,令州牧(刺史)参预地方庶务,并督兵镇压农民起义。汉灵帝中平五年(188年)三月,刘备为徐州牧,董卓为并州牧,朝廷授予其军政大权。自此,州牧成了中央政权的对立物,东汉王朝也终于被州牧割据势力所埋葬。

---

①② 《通典》卷32《职官十四》。

二、三国两晋南北朝隋唐五代时期

三国两晋南北朝时期，由于分裂割据，地方监察制度曾一度遭到破坏。

隋朝时，地方监察制度不仅得以恢复，而且渐趋完备。隋炀帝大业年间，仿照汉代的刺史制度，设置了司隶台，专门负责监察郡县。司隶台设大夫一人，正四品，"掌诸巡察"；别驾二人，从五品，分察畿内，一人按察东都，一人按察京师；刺史十四人，正六品，"巡察畿外诸郡；从事四十人，"副刺史巡察"①。

隋朝的司隶台虽仿照汉代的刺史制度，但和汉代的刺史制度相比，已出现了两点重要区别。第一，隋朝的司隶台与御史台、谒者台并列，号称"三台"。司隶台不再受御史台的领导；而汉代的部刺史尚未脱离御史台。第二，隋朝的司隶台对地方监察官的六条规定，虽仿照汉代的刺史六条问事，但比汉代监察面较宽，如汉代部刺史只限纠察二千石品阶官吏的非法行为，而隋朝司隶台纠察的范围则扩大到"品官以上"②。

唐代的地方监察制度在沿袭隋朝的基础上，又有了新的发展。唐初，御史台察院分巡地方诸州的监察御史官，随时遣派，无定员，如贞观十八年（644年），唐太宗遣十七道巡察使，贞观二十年（646年），太宗又遣巡察使二十二人，"以六条巡察四方"③。唐代的六条比隋朝的六条又有了变化。此六条的主要内容是："其一，察官人善恶；其二，察户口流散，籍帐隐没，赋役不均；其三，察农桑不勤，仓库减耗；其四，察妖猾盗贼，不事生业，为私蠹害；其五，察德行孝

---

① ② 《隋书》卷28《百官下》。
③ 《唐会要》卷77《诸使上》。

悌，茂才异等，藏器晦迹，应时用者；其六，察黠吏豪宗，兼并纵暴，贫弱冤苦，不能自申者。"① 显然，唐代的六条与隋朝的六条相比，也出现了两点区别。第一，隋朝地方官监察的范围是"品官以上"，而唐代对地方的监察，不限品级，监察范围更为广泛。第二，唐代的六条规定，不仅要监察地方官的不法、谋反、不孝等行为，而且还增加了察田赋税籍和农桑不勤等内容，这表明了唐代比隋朝更重视对地方经济方面的监察。

唐代地方监察官的名称变化比较频繁。唐初，御史台察院派往各地的使臣，统称监察官。唐太宗和武则天统治时期，称风俗使、巡察使、廉察使等。唐中宗时，先后名为巡察使、按察使。唐玄宗开元二年（714年），改十道按察使为采访处置使，不久，又复名为按察使。开元二十年（732年），唐玄宗正式设置了十道采访处置使，以监察诸州。天宝末年，采访处置使又兼任黜陟使。唐肃宗乾元元年（758年），采访处置使又改名为观察处置使。

唐代地方监察官的名称虽屡有变更，但其职能性质未变，皆为中央派往地方的监察官。唐肃宗以后，节度使势力日益膨胀，并且兼任了观察处置使。自此，地方监察制度遭到破坏，中央失去了对地方的控制，既有军政之权，又兼监察之职的节度使发展成为藩镇割据势力。

唐代地方监察制度有利也有弊。首先，唐代的地方监察官均为中央派出的官员，在正常的情况下，尚能有效地控制地方。但是，安史之乱后，节度使势力强大，在此情况下，唐朝统治者不仅没有加强对地方的监察，反而让节度使兼任监察之职，最终使地方监察制度和汉代的刺史制度一样，成为中央政权的对立物。其次，唐代的地方监察官在行使职能时，不受御史台的干预，这种使地方监察官

---

① 《新唐书》卷48《百官志》。

不受制约的体制,容易形成新的地方割据势力。

三、宋元明清时期

宋元明清时期,中国封建社会进入了发展后期,伴随封建政治的成熟,地方监察制度不仅继承了封建社会前期的成功部分,而且有了新的发展。

宋朝立国后,吸取汉唐时期地方监察官由于权力太大而变为割据势力的历史教训,采用了"分而察之,互相牵制"的统治政策。第一,在承袭汉代刺史和唐代道区制度的基础上,逐渐把路一级监察权一分为四,即由转运司、提点刑狱司、提举常平司、安抚司等四个机构掌领。第二,明确规定,地方监察机构要接受御史和谏官的监察。第三,创置了通判制度,以加强对府州军监官吏的监察。

元朝将全国划分为二十二道监察区,每个监察区设提刑按察司,后改名为肃政廉访司。每道监察区设正使二人,副使二人,佥司四人。每道监察官对本辖区内的民政、财政、百官奸邪等皆可监察。

元朝地方监察制度与宋代不同的是:元朝在二十二道监察区内,设置了行御史台,作为中央御史台派往地方的执行机构,如在江南地区设置了江南道行御史台,亦称南台,在西部地区设置了陕西道行御史台,亦称西台。

明代的地方监察制度比宋元更为发展,其主要表现是设置了三道监察网。

第一,提刑按察司。明朝洪武九年(1376年),全国除北直隶、南直隶外,设置了十三个布政使司,即十三个省。每省设提刑按察使司,掌管监察和刑政。提刑按察使司设按察使一人,正三品。副使正四品,佥事正五品,均无定员。"按察使掌一省刑名按劾之事,纠官邪,戢奸暴,平狱讼,雪冤抑,以振扬风纪,而澄清其吏治。"①明朝的提刑按察司虽为地方上最高的司法监察机构,但它既受制于布政使司、都指挥使司,又受制于都察院和六司部,不容易滋生割据的土壤。

第二,巡按(即十三道监察御史)。明朝的御史和前代有所不同,身兼两种职能。在京城,则监察两京直隶衙门百官,纠劾官邪;在外,则奉敕专事巡察,谓之"巡按"。同时,明代的监察御史不仅要监察州县官的为政廉洁与否,而且还把监察的范围进一步扩展到乡间里老。如明仁宗朝的巡按四川监察御史何文渊上奏说:里老"比年所用,多非其人或出自仆隶,凭藉官府,肆虐闾阎。"明仁宗命令"户部申旧制,违者并有司置之法"②。

第三,巡抚(加衔都御史)。明朝不仅将全国划分为十三道监察区,设按察司以察之,遣监察御史巡按州县,而且还创置了巡抚制度。明代的巡抚制度"起于懿文太子巡抚陕西"。明成祖永乐十九年(1421年),遇到了特大的自然灾害,为了防范地方官贪暴,老百姓揭竿而起,朝廷派遣尚书蹇义等二十六人"巡行天下,安抚军民",初名"巡抚"或名镇守,为临时差遣性质,"事毕复命,即或停遣"。此后,"以镇守侍郎与巡按御史不相统属,文移窒碍,定为都御史"。明代的巡抚因兼领的职务不同,称谓也不一样,"巡抚兼军务者加提督,有总兵地方加赞理或参赞,所辖多、事重者加总督"③。如果以尚书、侍郎或其他衙门官员为巡抚者,皆加都御史衔,以示有监察之职能。

清朝的地方监察制度在承袭明朝的基础上,又有了发展,其监

---

① 《明史》卷 75《职官四》。
② 《明史纪事本末》卷 28。
③ 《明史》卷 73《职官二》。

察网络也为三道。

1. 监察行署（右都御史等）

清代都察院设右都御史、右副都御史、右佥都御史，专掌地方监察，是地方最高监察机构，但不设专官，皆由总督、巡抚兼领。凡加有右都御史、右副都御史、右佥都御史衔的总督或巡抚，都可以行使监察权，监察本辖区的官吏。

2. 省级监察网（提刑按察使司）

清代的提刑按察使司是省一级专职司法监察机构。按察使司设按察使一人，正三品，"掌振扬风纪，澄清吏治，所至录囚徒，勘辞状，大者会藩司议，以听于部院。""三年大比，充监试官。大计，充考察官。秋审，充主稿官"①。这段史料说明，清代的提刑按察使不仅主监察地方官的弹劾权，而且还掌监察三年大比的考试权，监督官吏的考课权和督责刑狱的司法权。

3. 道级监察网（巡道）

清代在省与府（州、厅）之间，设道。道的性质比较复杂，大致可分为守道、巡道和专职道三大类。守道掌钱谷，巡道主监察和刑狱，专职道负责一省某一方面的事务。清代的巡道长官并加按察副使、按察佥事衔，领监察地方官之职，其属官设经历、知事、照磨、检校等②。

四、宋代地方监察制度的地位

从以上的论述中可以看出，在我国封建社会地方监察制度发展史上，出现了几条值得注意的发展线索。

（一）地方监察体制由单一制向多层次多元化发展

我国封建社会前期的地方监察制度，无论秦朝的监御史，或者

---

①② 《清史稿》卷116《职官三》。

汉代的十三州部刺史均为单一型监察体制，隋的司隶台和唐代的观察使虽比秦汉的监御史、部刺史监察的范围有所扩大，但仍为单一监察体制。宋朝时，伴随封建生产关系的变化，我国封建社会单一的地方监察体制开始向多层次多元化过渡。宋代的地方监察体制出现了监司（路级）和通判（府、州、军、监）两级监察体制，这一多层次多元化的地方监察体制对元明清诸朝产生重要影响。元朝在二十二道监察区设置了提刑按察司（后改名为肃政廉访司），并在提刑按察司之上设置了行御史台。

明清时期，地方监察体制在承袭宋元的基础上，又发展为三级制。明朝设置了提刑按察司、十三道监察御史、加衔都御史等三道监察网。清代建立了监察行署、省级监察网和巡道等三级体制。

（二）地方官监察的对象范围逐渐扩大

在我国封建社会地方监察制度史上，监察官监察的对象范围是不断变化的，汉代的部刺史监察的对象仅限于二千石品秩官，隋朝地方官监察的范围放宽，扩大到"品官以上"。宋朝地方监察官监察的范围进一步扩大，上自曾任宰执，下至幕职官，凡充任地方官者，均在监司、通判的监察之列。这一制度被元、明、清各朝所袭用。

（三）对地方监察官的监察体制逐渐严密

在我国封建社会前期，统治者只注意对地方官的监察，而不重视对地方监察官自身的监察，结果使地方监察官走向反面，成为中央政权的对立物，如汉代的部刺史，汉武帝设置的初衷本是监察二千石，以防范割据势力滋生的，但由于不注意对部刺史本身的监察牵制，反而使其发展成为地方割据势力。

宋代统治者吸取汉唐地方监察制度弊端的教训，在加强对地方官监察的同时，还建立了对地方监察官监察牵制的严密体制，如路级监察官转运使，不仅要接受台谏官的监察，而且还要受到同级监察官提点刑狱和提举常平官的互察。宋代这种对地方监察官纵横交叉的监察体制,为元明清各代所袭用。

综上所述,在我国封建社会地方监察制度几条发展线索中,宋代均具有承上启下的重要地位。

第二节 宋代地方政治制度的特点与监察体制的变革

宋代地方监察体制,是宋代地方政治体系的一个重要组成部分,要了解宋代地方监察体制的变化情况,必须先对宋代地方政治制度的特点作一考察。

一、宋代地方政治制度的特点

宋代继唐末五代藩镇割据后而立国,对地方官的防范措施甚为严密。防范措施的推行,使宋代地方政治制度出现了一些特点。

(一) 实行三级地方行政制度

宋代加强中央集权的策略,是"通过分权而集权"。即:通过增设地方统治机构,分割地方长官职权,从而达到集权于中央的目的。在这一策略的指导下,宋代实行三级行政制度。

宋代地方最高行政机关是路。宋太宗至道三年(997年),将全国分为十五路,宋仁宗朝又析为十八路。宋神宗元丰年间,又增加至二十三路。路下是府、州、军、监,相当于唐代的府州。府州军监之下是县,县分为赤、畿、望、紧、上、中、中下、下八个等级。

宋代地方三级行政制度的确立,是我国封建社会地方行政制度史上的一次重大变革。我国封建社会自秦始皇统一六国,设置郡县后,地方行政制度确立为二级制。两汉时,改郡县二级制为州、郡、县三级制。魏晋南北朝时,随着土地的开垦,地方行政机关也日益增多,以至于纷立州郡,"百室之邑,便立州名,三户之民,空张郡目"①,使州、郡、县三级行政制度紊乱。隋朝开皇三年(583年)十一月,隋文帝下令废除了郡一级制度,以州统县。大业三年(607年),隋炀帝改州为郡,实行郡县两级制。唐太宗时,在州县二级制度的基础上,设置了监察性质的道。安史之乱后,道演变为节镇,当时虽出现了"方镇相望于内地,大者连州十余,小者犹兼三、四"②州的局面,但节镇所辖区域并不固定。宋代时,路正式演变为地方行政机构,并开元朝行省制度之先河。

（二）地方统治机构增多

宋代地方统治机构比前代明显增多,特别是路和府州军监两级机构,更为突出。

宋代路级统治机构,设有转运司、提点刑狱司、提举常平司、安抚司等,比唐朝道的机构多几倍。唐后期,"一道兵政属之节度使,民事属之观察使,然节度多兼观察;又,各道虽有度支、营田、招讨、经略等使,然亦多以节度使兼之"③,马端临对此评价说:"盖使名虽多,而主其事者,每道一人而已。"④而宋代的转运司、提点刑狱司、提举常平司"各自有建台之所,每司专有长官,专有掾佐"⑤。

宋代的府州军监级统治机构,不仅设府州军监行署,而且还设置了通判厅,比唐代的府州级机构多出了一倍。唐代及其之前的府州级政权,只设府州行署,而宋代为了分割府州长官的职权,增设了通判厅。通判厅既参预州郡政务,又是监察机构。

（三）地方官权力缩小

赵宋王朝为了防范藩镇割据局面的再现,对地方官采取了层层收权的措施,即:"收乡长、镇将之权,悉归于县;收县之权,悉归

---

① 《北齐书》卷4《文宣帝纪》。
② 《新唐书》卷50《兵志四十》。
③④⑤ 《文献通考》卷61《职官十五》。

于州;收州之权,悉归于监司;收监司之权,悉归于朝廷。"①

宋初,太祖赵匡胤为改变唐末五代以来"方镇太重,君弱臣强"的局面,根据赵普的建议,制定了"稍夺其权,制其钱谷,收其精兵"②的策略。也就是把地方的财、政、军之权收归中央。乾德二年(964年)十二月,宋太祖"始令诸州自今每岁受民租及筦榷之课,除支度给用外,凡缗帛之类,悉辇送京师"③,把地方长官的财权收归中央,使地方失去了反抗中央的经济基础。翌年八月,宋太祖又"令天下长吏择本道兵骁勇者,籍其名送都下,以补禁旅之阙。又选强壮卒,定为兵样,分送诸道。其后又以木梃为高下之等,给散诸州军,委长吏、都监等召募教习,俟其精练,即送都下"④,把地方兵权收归中央,使地方长官失去了反叛中央的军事基础。在收地方财、兵大权的同时,宋太祖还把地方官员的选任权、地方的司法案件的审理权等也收归了中央。

宋代缩小地方官权力措施的推行,使州郡势力日益困弱,正如宋代的理学家朱熹所说:"本朝鉴五代藩镇之弊,遂尽夺藩镇之权,兵也收了,财也收了,赏罚刑政一切收了,州郡遂日就困弱。"⑤

此外,宋代为了改变唐末五代以来武夫悍将把持地方政权的局面,从太祖乾德元年(963年)起,推行以文臣知州事制度,自此,使宋代的地方权力逐渐掌握在文臣手中。

---

① 《长编》卷468,元祐六年十二月乙卯朔。
② 《长编》卷2,建隆二年七月戊辰。
③ 《长编》卷5,乾德二年十二月。
④ 《长编》卷6年乾德三年八月戊戌朔。
⑤ 朱熹《朱子语类》卷128《法制》。

二、宋代地方监察体制的变革

两宋时期,伴随封建君主专制的加强和中央集权制度的发展,地方监察体制也出现了一些变革。

(一)建立了路和府州军监二级地方监察体制

在我国封建社会地方监察制度史上,无论汉代的部刺史,还是唐代的道采访处置使,均为一级地方监察体制,宋代则建立了完备的二级监察体制。

宋代的路级监察机构,包括转运司、提点刑狱司、提举常平司等,统称监司。

宋代的府、州、军、监级监察机构是通判厅。通判厅不仅要监察府州军监级官吏,而且还要按察本辖区的县级官吏。

宋代路级监察体制除监司之外,某些时期还设走马承受,作为皇帝的耳目。

(二)郡守也有监察县令的职能

宋代的地方监察体制比较严密,除监司、通判有监察职能之外,郡守也有监察县令的职能,如南宋度宗朝明确规定:"监司察郡守,郡守察县令,置籍考核,岁终第其治状"① 上报朝廷。

(三)建立了纵横交错的地方官监察网

宋代为了加强对各级地方官的监察,建立了纵横交错的地方官监察网,把大大小小的地方官皆置于被监察之列。

宋代路级长官,不仅要接受台谏和职能相关的上级机构的监察,而且还要受到监司之间的互察。府州军监级长官,不仅要接受监司的监察,而且还要受到通判的刺举及同级长官之间的互察。县级长官,不仅要接受监司、通判、知州的监察,而且县级长官之间也

---

① 《宋史》卷46《度宗》。

要互察。

（四）监司和通判既是监察官，又参预地方政务

宋代地方监察体制的一个突出特点，是地方监察官既主监察，又参预地方政务。这种体制旨在分割地方官权力，以防范藩镇割据局面的再现。

此外，宋代还建立了严密的对地方监察官自身的监察体制，这一问题在本章第一节中已经论及，不再赘言。

本 章 小 结

综合本章所述，我国封建社会地方监察制度与宋代地方监察体制变革问题，可归纳为以下几点。

一、我国封建社会地方监察制度萌芽于战国，形成于秦汉。西汉武帝时已设置了十三州部刺史，但尚无官署。东汉时，部刺史权力增大，职能由监察扩大到行政，逐渐发展成为中央政权的对立物。

二、隋唐时期，地方监察制度有了较大的发展，如监察对象的层次升高，范围扩大等，但由于监察体制单一，又一次使地方监察制度走向了中央集权的反面。

三、宋元明清时期，我国封建社会的地方监察制度有了长足的发展。如宋代吸取汉唐的历史教训，建立了多元化的地方监察机制，元代设置了行御史台，明、清两朝，地方监察制度形成了三道监察网。

四、宋代地方监察制度在我国封建社会地方监察制度发展史上具有承上启下的地位，监察体制发生了重要变化，如建立了多元化的监察机制、路和府州军监二级监察体制及纵横交错的地方监察网等。这些制度对元明清诸朝的地方监察制度产生了重要影响。

第八章　宋代路级监察制度

宋代的路级监察体制,虽形式上因袭唐朝的道,但实际体制却和唐朝大不相同。

唐代的道有两类,一类是监察性质的道,一类是军事性质的道(即节度使所领)。唐太宗贞观元年(627年)设置的十道,唐玄宗开元二十一年(733年)设置的十五道,均为监察性质的道。唐代军事性质的道,开始仅在边境地区设置,其后逐渐扩展到内地,军事力量逐渐增大。安史之乱后,"分天下为四十余道,大者十余州,少者二、三州"①。这些大大小小的道,变成了地方割据势力。

宋代把道改为路。路的体制也分两大类,即监司路和帅司路。

宋代监司路不再是唐朝那种单一的体制,而是多元化的行政监察体制。各监司虽在行政职能上各有偏重,但在监察职能上大体一致。监司长官互不统属,互相牵制,互相监察。这样多元化的路级行政监察体制,不仅使长官不能专权,而且也强化了对府州军监的监察机制。

宋代的帅司路,长官称安抚使或经略安抚使。北宋初,安抚使

---

① 《文献通考》卷61《职官十五》。

仅为临时差遣，诸路灾荒或边境用兵，"皆特遣使安抚，事已则罢"①。宋真宗咸平五年（1002年）设置了经略安抚使，景德三年（1006年）又设置了河北沿边安抚使，以雄州知州兼任。此后，沿边地区陆续设置了一些安抚使。宋神宗元丰年间，经略安抚使职权扩大，并设置了经略安抚使司路。当时的经略安抚使司路，设经略抚使一人，总一路兵民之政并监察官吏，正如《宋会要》中所记载的："掌总护诸将，统制军旅，察治奸宄，以肃清一道，凡民兵之政，皆总焉。"②南宋时，由于战争的需要，帅司地位提高，职权增多，不仅总一路军政、治安，还要与监司共同负责荐举地方官，监察和考课地方官。

宋代帅司路的区域划分，有的和监司相同，有的则不同。如京东路设有转运使和提点刑狱，同时也设安抚使，监司与帅司区域相同；而河北东路设有转运使及提点刑狱，为了军事便利，把监司路的河北东路分为两个帅司路，即大名府路和高阳关路。

宋代帅司和监司虽同属于路级具有监察性质的机构，但监司是一种普遍实行的制度，而帅司只在部分地区设置，因此，本书只对监司制度作比较深入的探讨，帅司不再论述。

第一节 宋代监司制度

一、宋代监司机构和官员的演变

监司出现于魏晋时期，宋人吴曾记载云："监司之职，魏晋以来

---

① 《宋会要辑稿》职官41之79。
② 《宋会要辑稿》职官41之75。

第八章　宋代路级监察制度

有之。"① 当时监司的主要职能是监察地方官吏,但在实际政治生活中也不免有渎职者,如《晋书·范宁传》中就记载说:有一次地方官吏侵割官府精兵器仗,以为馈送之资,"监司相容,而无弹纠"。

北宋初年,尚"无监司之目"②。宋太宗罢支郡以后,外置监司,"以为耳目之官"③。在宋代文献中,常把监司官和监司机构统称为监司。

宋代的监司包括哪些机构和官员？史学界对这一问题存在着四种看法。第一种认为专指转运使;第二种认为指转运使和提点刑狱;第三种认为指转运使、提点刑狱、提举常平和南宋的安抚使;第四种认为,这些看法虽都有根据,但都没有把宋代监司变化的过程反映出来,而只是反映了某一时期的状况,不免伤于不全④。

宋代监司机构和官员的构成有一个演变过程,在不同的时期,机构和官员的构成也不一样。宋太宗淳化年间前,监司机构仅有转运司,官员设转运使、转运副使、转运判官。自淳化年间(990—994年)置提点刑狱司起,监司机构指转运司和提点刑狱司,官员设转运使、转运副使、转运判官、提点刑狱公事。宋仁宗嘉祐年间(1056—1063,)又增置了武臣提刑。自宋神宗熙宁年间(1068—1077年)置提举常平司始,监司机构增至三大类,即转运司、提点刑狱司和提举常平司。南宋时,监司机构仍有转运司、提点刑狱司和提举常平司三大类构成,如宋宁宗朝的《庆元条法事类》卷七中就明确记载:诸监司者,谓转运、提点刑狱、提举常平司。宋神宗熙

---

① 吴曾《能改斋漫录》卷2《事始》。
② 林駉《古今源流至论·续集》卷7《监司》
③ 《长编》卷410,元祐三年五月己酉。
④ 金园《宋代监司监察地方官吏摭谈》《上海师范大学学报》1982年第3期。

宁年间(1068—1077年)以后一直到南宋灭亡,监司设官主要有转运使、转运副使、转运判官、提点刑狱、武臣提刑、提举茶盐、提举常平等。南宋人林駉对监司官的演变过程,作过比较切实的概括,他说:"我朝监司,始则有转运使副、转运判官;后则有提点刑狱、武臣提刑;又其后则有提举茶盐、提举常平。"①

二、宋代监司的职能

宋代监司既是路级监察机构,又兼任行政之职,其职能比较广泛,概括起来主要有以下几项。

(一) 按察地方官吏

宋代监司的主要职能是"临按一路,寄耳目之任,专刺举之权"②,皇帝不断下诏强调监司的职能以刺举为主。如北宋咸平六年(1003年)十一月,宋真宗下诏:"监司之职,刺举为常。"③

就宋代监司刺举的对象而言,包括着方方面面。

1. 刺举贪赃枉法者

刺举部内官吏的贪赃枉法行为,是宋代监司的首要职能。两宋时期,不断地强调这一制度。宝元二年(1039年)八月,宋仁宗下诏转运使副、提点刑狱至所部百日,如果部下有犯赃者,则"坐失按举之罪"④。南宋绍兴四年(1134年)五月,宋高宗"诏监司郡守常切机察赃吏犯法。"⑤ 绍兴十一年(1141年)九月,朝廷规定:"凡监司容纵赃吏并不按勘,而为台谏弹奏,勘鞫有实者,其监司亦坐之,轻

---

① 林駉《古今源流至论·续集》卷7《监司》。
② 《宋会要辑稿》职官45之21。
③ 《长编》卷55,咸平六年十一月庚寅。
④ 《长编》卷124,宝元二年八月丙寅。
⑤ 《皇宋中兴两朝圣政》卷15,绍兴四年五月丁巳。

从降秩,重或免所居官。"① 嘉定二年(1209年)五月,宋宁宗诏令诸路监司"劾守令之贪残者"②。景定二年(1261年)正月,宋理宗诏令:"监司率半岁具劾去赃吏之数来上,视多寡为殿最,行赏罚。"③

在两宋政治生活中,监司按劾地方官的贪赃枉法行为者,不乏其人。如北宋太平兴国三年(978年),转运使樊若冰按劾著作佐郎卢佩奸赃,经审讯,贞佩贪赃钱一百九十贯,被绳之以法④。南宋绍兴年间,瑞昌县令"倚势受赂",被江西转运判官陈橐按劾而罢职⑤。

2. 察举不尽职不尽责者

宋代监司负责察举部下不尽职不尽责者。如宋神宗熙宁四年(1071年)三月,皇帝下诏:河北、京东路转运司和提点刑狱司,"察所部知州、通判、都监、监甲、巡检、知县、县令不职者以闻"⑥。元丰元年(1078年)六月,京东路遭到水灾,朝廷令监司察访灾情,并举奏"县令不得力者"⑦。元丰七年(1084年)八月,河北转运判官张适奏劾知澶州吕希道"郡事不治,境内贼盗充斥",并请求朝廷对吕希道"重置朝典"⑧。

3. 察举昏庸无能、年老病弱和怠惰政务者

察举部内昏庸无能、年老病弱和怠惰政务者,是宋代监司的一

---

① 《宋会要辑稿》职官45之20。
② 《两朝纲目备要》卷12,嘉定二年五月丁酉。
③ 《宋史》卷45《理宗五》。
④ 《长编》卷19,太平兴国三年八月丁卯。
⑤ 《宋史》卷388《陈橐传》。
⑥ 《长编》卷221,熙宁四年三月丙申。
⑦ 《长编》卷290,元丰元年六月己酉。
⑧ 《长编》卷348,元丰七年八月庚午。

项重要职能。太平兴国六年(981年)三月,宋太宗下诏令诸路转运使察举部下官吏,"有罢软不胜任、怠惰不亲事"者,"条其事状以闻"①。天圣二年(1024年)六月,梓州路提点刑狱王继明按劾"知梓州王世昌昏耄不治"②,宋仁宗立即下诏罢去了王世昌的职务。皇祐年间(1049—1053年),宋仁宗下诏:"少卿监以下,年七十不任厘务者,外任令监司、在京委御史台及所属以状闻。"③嘉祐二年(1057年)五月,宋仁宗诏广南东西路经略安抚使、转运、提点刑狱司,体量本路知州及主兵官、沿边城寨使臣"懦怯者以名闻"④。嘉祐三年(1058年)正月,转运司奏劾知嘉州张纯不才,朝廷罢去了张纯的职务。神宗熙宁三年(1070年)六月,转运司奏劾知舒州扬珦,"庸懦不职"⑤。南宋绍兴十五年(1145年)七月,宋高宗命监司"审察县令治状显著者及老懦不职者,上其名以为黜陟"⑥。乾道元年(1165年)七月,宋孝宗诏"诸路监司:将见任老、病守臣,限一月公共铨量闻奏",如果"监司、守臣互为容隐,御史台觉察以闻"⑦。此后到南宋灭亡,监司一直具有察举昏庸无能,年老病弱和怠惰政务的职能。

4. 举劾税收中的违法行为

州县官在税收中违法行为,不仅会激化阶级矛盾,而且直接影响了封建政府的税收,所以宋代比较重视以监司察劾州县官在税收中的违法行为。如高宗十年(1140年)九月,明堂赦文规定:州县

---

① 《长编》卷22,太平兴国六年三月癸丑。
② 《长编》卷102,天圣二年六月乙丑。
③ 《宋史》卷170《职官十》。
④ 《长编》卷185,嘉祐二年五月丙子朔。
⑤ 《长编》卷212,熙宁三年六月丙寅。
⑥ 《宋史》卷30《高宗七》。
⑦ 《宋会要辑稿》职官45之26。

百姓输纳租税,监官勒索百姓多收者,"仰监司严加检察,如尚或蹈袭违戾,并仰按劾奏闻"①。孝宗淳熙三年(1176年)四月,诏云:"诸路州县受纳人户苗米,往往过数多收斗面,重困民力,令诸路监司觉察以闻"②。光宗绍熙二年(1191年)十一月南郊赦道:"催科自有省限,州县往往不遵条法,先期预借,重叠催纳",有的甚至"倍加斗面,非理退换","仰监司严加觉察,如有违戾,按劾闻奏。"③宁宗庆元三年(1197年)十一月,南郊赦文也规定,州县"如修葺材料,差顾夫力,至于勒令催科","仰监司按劾奏闻"④。历宋一代,朝廷不断强调监司对州县官在税收中违法行为的监察职能。

5. 按劾残害百姓者

宋代监司对残害老百姓的行为,也要予以按劾。如北宋至和年间(1054—1056年),淮西地区发生了蝗灾,山阳县尉李宗残害积极请求治蝗的老百姓,强迫邵崇等人吞食蝗虫,以致使他们"吐泻成疾",提点刑狱孙锡奏劾了李宗,宋仁宗罢去了李宗的官职⑤。南宋绍兴九年(1139年)四月,宋高宗诏令新复诸路监司、帅臣"按劾官吏之残民者"⑥。

此外,宋代监司还要按劾制造冤假错案者,如南宋宁宗朝的《庆元条法事类》中明确规定:"诸监司每岁点检州县禁囚淹留不决,或有冤滥者,具当职官、职位、姓名按劾以闻。"⑦

宋代监司按察的行为准则有四条,即:"一曰苛酷,二曰狡佞,

---

① 《宋会要辑稿》食货68之4。
② 《宋会要辑稿》食货68之12。
③ 《宋会要辑稿》食货68之15。
④ 《宋会要辑稿》食货66之27、66之28。
⑤ 孙逢吉《职官分纪》卷42《县尉》。
⑥ 《宋史》卷29《高宗六》。
⑦ 《庆元条法事类》卷7《职制四》。

三曰昏懦,四曰贪纵。"① 所谓"苛酷",是指用刑繁苛残虐;"狡佞",是指险恶狡诈;"昏懦",是指昏庸无能;"贪纵",是指贪得无厌,恣情不法。

(二) 荐举官员

荐举官员是宋代监司职能的重要一项。两宋时期,皇帝不断以诏令的形式,令监司荐举部内政绩突出、才学优异或恪守职任的官员,以备朝廷擢用。

北宋太平兴国六年(981年)正月,宋太宗"令诸道转运使察访部内官吏,有履行著闻,政术尤最及文学茂异者,各举二人"②。天禧四年(1020年)九月,宋真宗下诏:"诸路转运使副、劝农使各举幕职州县官堪京官知县者二人。"③ 嘉祐四年(1059年)六月,宋仁宗下诏令"诸路安抚、转运、提点刑狱,各于所部举见任文资行实敦朴而有政事之才,可备升擢者三人"④。元符二年(1099年)二月,宋哲宗"令监司举本路学行优异者各二人"⑤。崇宁元年(1102年)闰六月,宋徽宗诏令监司、帅臣各举州县官有治绩最著者一人⑥。宣和六年(1124年)十一月,宋徽宗诏令"监司择县令有治绩者保奏"。翌年五月,宋徽宗再次诏令诸路监司每年举"守令有政绩者"⑦三人。靖康元年(1126年)四月,宋钦宗命令"监司、郡守及路分钤辖以上,举曾经边任或有武勇可以统众出战者人二员"⑧。南

---

① 《宋会要辑稿》选举30之6。
② 《长编》卷22,太平兴国六年正月丁卯。
③ 《长编》卷96,天禧四年九月己酉。
④ 《长编》卷189,嘉祐四年六月癸酉。
⑤ 《宋史》卷18《哲宗二》。
⑥ 《宋史》卷19《徽宗一》。
⑦ 《宋史》卷22《徽宗四》。
⑧ 《宋史》卷23《钦宗》。

宋绍兴二十六年(1156年)十月,宋高宗诏"四川监司、帅臣、制置、总领、茶马司各举可守郡者"。绍兴二十九年(1159年)三月,宋高宗诏"侍从、台谏、帅臣、监司岁举可任将帅者二人"①。乾道二年(1166年)九月,宋孝宗"诏监司各举部内知县、县令二、三人"②。乾道五年(1169年)三月,宋孝宗诏"侍从、监司、帅臣、管军荐武举出身人可将佐者"③。淳熙十年(1183年)六月,宋孝宗"诏诸路监司、帅臣岁举廉吏"④。绍熙三年(1192年)三月,宋光宗诏令"复监司列荐法"⑤。嘉定六年(1215年)八月,宋宁宗"诏诸路监司、帅臣举所部官吏之才行卓绝、绩用章著者"⑥。宝庆元年(1225年)八月,宋理宗诏监司、帅臣等"各举廉吏三人"⑦。咸淳七年(1271年)十二月,宋度宗下诏举廉能材堪县令者,"制帅、监司各举六人"⑧。

为了保证监司能荐举出合格的官员,宋代还制订了举官连坐法和奖赏法。从宋太宗太平兴国六年(981年)正月起,宋代就规定:如果监司所举官犯赃,则要连坐。真宗大中祥符二年(1009年),又制订监司举官奖赏法。其法规定:"诸路转运使副、提点刑狱所举官,如进改后五年无过,有劳干者,并举主特加酬奖。"⑨ 宋仁宗朝,根据范仲淹的请求,又重申了监司举官连坐法。庆历四年(1044年)七月,皇帝下诏:"诸路转运使副、提点刑狱察所部知州

---

① 《宋史》卷31《高宗八》。
② 《宋史》卷33《孝宗一》。
③ 《宋史》卷34《孝宗二》。
④ 《宋史》卷35《孝宗三》。
⑤ 《宋史》卷36《光宗》。
⑥ 《宋史》卷39《宁宗三》。
⑦ 《宋史》卷41《理宗一》。
⑧ 《宋史》卷46《度宗》。
⑨ 《长编》卷71,大中祥符二年四月癸卯。

军、知县、县令有治状者以名闻,议旌擢之,或不如所举,令御史台劾奏,并坐上书不实之罪。"① 南宋绍兴四年(1134年)三月,高宗"诏诸路帅臣、监司、郡守,今后奏辟官属并令所举官录白、付身、印纸各委本州通判取真本覆实,结罪保明,缴连申奏。"②绍兴二十八年(1158年)十一月,宋高宗下令强调,监司荐举官员要与其他举主"连衔结罪保明"③。乾道元年(1165年)正月,宋孝宗也下诏强调:监司荐举官员,要与其他举主"连衔结罪保明"④。绍熙四年(1193年)十二月,宋光宗下令监司"毋得独员荐士"⑤。景定四年(1264年),宋理宗也下诏强调:监司举官,"不如所举,行连坐法"⑥。

宋代监司荐举官员的对象主要是地方官,如知州、知军、知县、县令及监司属官等。南宋时也参预荐举军事将领人选。监司荐举官员的人选条件有四项,即:"一曰仁惠,二曰公直,三曰明敏,四曰廉谨。"⑦ 这里的"仁惠"是指安民利物,主持公道,有威信;"公直"是指无私心,不假公济私,人品正直;"明敏"是指深察情理,应机办事,不贪名利;"廉谨"是指安贫守分,勤于政事,遵守政事,遵守法度,不苟安避事。

(三) 负责部内官员的考课工作

负责部内官员的考课工作,是宋代监司的一项重要职能。两宋时期,皇帝不断下诏强调监司的这一职能。

---

① 《长编》卷151,庆历四年七月丙戌。
② 《宋会要辑稿》选举31之4。
③ 《宋会要辑稿》选举34之45。
④ 《宋会要辑稿》选举34之53。
⑤ 《两朝纲目备要》卷2,绍熙四年十二月甲午。
⑥ 《宋史》卷45《理宗五》。
⑦ 《宋会要辑稿》选举30之6。

第八章　宋代路级监察制度

　　北宋开宝九年（976年）十一月（宋太宗已即位），宋太宗诏令转运使以三科第考课部官员，"政绩尤异者为上；恪居官次，职务粗治者为中；临事弛慢，所莅无状者为下"①。景德元年（1004年）九月，宋真宗诏令监司以三等考课部内官员，"公勤廉干，惠及民者为上；干事而无廉誉，清白而无治声者为次；畏懦而贪猥者为下，并列状以闻"②。宋仁宗朝，皇帝多次下诏令监司考课部内官员，并于嘉祐六年（1061年）闰八月下诏规定：监司"每岁终，定部下知州军一人能否尤著者为优劣。如连二考俱在优劣等，即具以闻，当议特行赏罚。"③ 宋神宗于熙宁七年（1074年）二月，诏令河北西路监司以三等考课部内官员，并以"具治状三等以闻"④。元丰三年（1080年）十二月，宋神宗又令诸路监司"具到（列？）部下知州、通判治状最优，有未经朝廷任使者，令中书籍其姓名"⑤。绍圣元年（1094年）九月，宋哲宗"令监司岁察守臣课绩优者以闻"⑥。

　　南宋乾道五年（1169年）九月，宋孝宗"令监司、帅臣臧否守令"⑦，这里的"臧否"，也就是把课绩分为优劣等级。淳熙八年（1181年）闰三月，宋孝宗"诏诸路监司、帅臣岁终各以所部郡守分三等，治效显著者为臧，贪刻庸缪者为否，无功无过者为平，详加考察，具名来上，内、臧、否各著事实。如考察不公，令御史台弹劾。"⑧

---

① 《长编》卷17，开宝九年十一月庚午。
② 《长编》卷57，景德元年九月丙戌。
③ 《长编》卷195，嘉祐六年闰八月丁未。
④ 《长编》卷250，熙宁七年二月壬午。
⑤ 《长编》卷310，元丰三年十二月己未朔。
⑥ 《宋史》卷18《哲宗二》。
⑦ 《皇宋中兴两朝圣政》卷47，乾道五年九月壬申。
⑧ 《皇宋中兴两朝圣政》卷59，淳熙八年闰三月辛巳。

庆元三年(1197年)九月,宋宁宗"令帅臣、监司臧否郡守"①。庆元五年(1199年)三月,宋宁宗根据赵雄等人的请求,曾一度罢去了"监司臧否郡守之制"。当时罢除这一制度的主要原因是不少士大夫上疏提出监司"往往以人情之厚薄为臧否"②,使臧否制度中存在着严重的不公平问题。监司臧否郡守的制度被罢除以后,地方官贪污腐化的问题更为严重,嘉定六年(1213年)七月,宋宁宗又下令恢复了监司臧否守令法③。此后一直到南宋灭亡,监司考课部内官员的制度基本上没有变化。

(四) 参预并监督地方刑狱案件的审理

宋代监司对地方刑狱案件,既参预审理,又监督检查。

先看宋代监司参预审理地方刑狱案件的职能。北宋乾兴元年(1022年)十一月,宋真宗诏令纠察在京刑狱和诸路监司及州县长吏,"凡勘断公事,并须躬亲阅实,无令枉滥淹延"④。南宋绍兴二十八年(1158年)七月,宋高宗明确规定:"监司按发官吏,不得送置司州军推鞫。所犯涉重,即以奏闻,命邻路监司选官就鞫。"⑤绍兴三十一年(1161年)正月,宋高宗命令"诸路监司决狱"⑥。嘉定二年(1209年)五月,宋宁宗"诏诸路监司决系囚"⑦。这里的"决狱"和决系囚即审理刑狱案件。

再看宋代监司对地方刑狱案件的监督检查职能。北宋元祐元年(1086年)十二月,宋哲宗令监司参预对地方刑狱案件的督查,

---

① 《两朝纲目备要》卷5,庆元三年九月乙丑。
② 《两朝纲目备要》卷5,庆元五年三月甲午。
③ 《两朝纲目备要》卷13,嘉定六年七月丁亥。
④ 《长编》卷99,乾兴元年十一月戊寅。
⑤ 《宋史》卷31《高宗八》。
⑥ 《宋史》卷32《高宗九》。
⑦ 《宋史》卷39《宁宗三》。

其诏令云:"久愆时雪,虑囚系淹延,在京委刑部郎中及御史台刑察官,开封府界令提点刑狱司,诸路州军令监司催促结绝。"①元符二年(1099年)七月,宋哲宗又下诏:"当此盛暑,刑狱虑有淹延,在京令刑部郎中,开封府界令提点提举司,诸路令监司催促结绝"②。南宋绍兴三年(1133年)七月,宋高宗诏令"诸路监司分按州县亲录囚徒,以察冤滞"③。绍兴六年(1136年)五月,宋高宗下诏规定,"监司虑囚不能遍及者,听遣官,著为令"④。宋宁宗朝的《庆元条法事类》中明确规定:"诸州县禁囚,监司每季亲虑,不能遍诣及有妨碍者听差官。"⑤ 嘉定十五年(1222年)五月,宋宁宗"诏监司虑囚,察州县匿囚者劾之"⑥。以上文献中"录囚"和"虑囚"均为讯察或录问在押犯人,督促案件及时判决。

(五) 参预管理和监督地方财政

宋代监司中的漕、宪、仓、帅四司皆有参预管理和监督本路财政的职能。

参预本路财政的管理和监督是宋代转运司众多职能中的重要一项。这一职能从宋太宗太平兴国二年(977年)确立,一直到南宋灭亡,中间没有发生大的变化。有关这方面的具体内容详见本章第二节。

宋代提点刑狱从真宗天禧三年(1019年)起,始参预地方财政管理与监督。有关此方面的具体内容详见本编的第八章第三节。

---

① 《长编》卷393,元祐元年十二月戊申。
② 《长编》卷512,元符二年七月乙巳。
③ 《皇宋中兴两朝圣政》卷14,绍兴三年七月丙子。
④ 《宋史》卷28《高宗五》。
⑤ 《庆元条法事类》卷7《职制四》。
⑥ 《宋史》卷40《宁宗四》。

宋代提举常平司从熙宁三年(1070年)十月始,参预地方的财政管理并督促新法的推行。北宋后期和南宋一代,王安石变法虽被全盘否定,但是提举常平司参预地方财政管理和监督的职能未变。有关这方面的具体内容详见本编的第八章第四节。

(六) 反映民间疾苦,参预地方防灾、救灾和兴修水利等民政管理事务

宋代监司作为皇帝的地方耳目之官,不仅要向朝廷反映民间疾苦,而且还要参预地方的防灾、救灾和兴修水利等民政管理事务。

1. 反映民间疾苦

两宋时期,皇帝不断下诏强调监司反映民间疾苦的职能。北宋崇宁五年(1106年)二月,宋徽宗下诏令"监司条奏民间疾苦"①。南宋绍兴十五年(1145年)四月,"彗星出东方",高宗"命监司、郡守条上便民事宜"②。淳熙十四年(1187年)七月,宋孝宗"诏监司条上州县弊事,民间疾苦"③。嘉定元年(1208年)五月,宋宁宗诏令"监司、守令条上民间利害"④。

宋代监司反映民间疾苦的职能,有利于朝廷及时了解民情,采用相应的措施,以防止社会矛盾的激化。

2. 参预防范灾害

宋制,每逢遇到有自然灾害即将发生的兆头,就令监司和州县官采用防范措施。如北宋熙宁七年(1074年)八月,不少地区长期

---

① 《宋史》卷20《徽宗二》。
② 《宋史》卷30《高宗七》。
③ 《宋史》卷35《孝宗三》。
④ 《宋史》卷39《宁宗三》。

不下雨,宋神宗诏令"诸路监司访名山灵祠,委长吏祈雨"①。南宋乾道二年(1166年)五月,宋孝宗"命监司、守臣预备水旱"②。

监司参预求雨等防灾职能,表明宋代统治者对防灾工作的重视。

3. 参预抗灾、救灾

宋代监司参预抗灾、救灾的职能,包括着方方面面的具体工作,如督责州县捕捉蝗虫、减免受灾地方的租赋、发放赈灾米、招集流民等等。

北宋嘉祐元年(1056年)七月,京东西路和荆湖北路等地区发生了水灾,宋仁宗诏令这些地区的监司"分行赈贷水灾州军"③。熙宁三年(1070年)十二月,京东路发生了灾害,宋神宗诏令该路监司"分诣灾伤州军体量"④灾情,检放租赋。元丰三年(1080年)四月,开封府界、京东、京西、河北、河东、陕西等路发生了旱灾,宋神宗下诏,令这些地区的监司"体量灾伤,七分以上,蠲其夏税;不及七分,检覆如常法"⑤。元祐元年(1086年)六月,河北路遭到了水灾,宋哲宗诏令该路"监司分诣诸州,以义仓常平谷赈济被水阙食人户"⑥。元祐六年(1091年)闰八月,太湖流域发生了水灾,宋哲宗诏令左朝奉郎邵光与"本路监司同导积水"⑦。宣和元年(1119年)十一月,东南地区发生了水灾,宋徽宗"令监司、郡守悉心振

---

① 《长编》卷255,熙宁七年八月癸未。
② 《宋史》卷33《孝宗一》。
③ 《长编》卷183,嘉祐元年七月乙酉。
④ 《长编》卷218,熙宁三年十二月己巳。
⑤ 《长编》卷303,元丰三年四月丁未。
⑥ 《长编》卷380,元祐元年六月壬子。
⑦ 《长编》卷465,元祐六年闰八月庚申。

救"①。南宋乾道四年(1168年)七月,不少地区发生了水灾,宋孝宗命令诸路监司督责属部救灾,"其被水甚处,令监司、守臣条具合措置存恤事件闻奏"②。开禧元年(1205年)十二月,宋宁宗下诏"两淮京西监司、帅守讲行宽恤之政"。开禧三年(1207年)正月,宋宁宗"命两淮帅守、监司招集流民"③。嘉定二年(1209年)四月,不少地区发生了蝗虫之灾,宋宁宗"诏诸路监司督州县捕蝗"。嘉定七年(1214年)十一月,浙东地区发生灾害,宋宁宗"命浙东监司发常平米振灾伤州县"。嘉定八年(1215年)十月,宋宁宗"命六部各类敕书宽恤事,下诸路监司推行"。嘉定九年(1216年)九月,两浙、江东地区发生了水灾,宋宁宗命"两浙、江东监司核州县被水最甚者,蠲其租"④。绍定五年(1234年)三月,宋理宗"诏诸路监司减放旱歉"⑤。总之,两宋三百多年间,皇帝不断下诏强调监司抗灾救灾的职能。

4. 招募饥民兴修水利

宋代统治者为了防范农民起义的爆发,每遇灾荒之年,政府便出资,令监司招募饥民兴修水利。如北宋神宗熙宁年间,京东路不少州县连年遭灾,熙宁八年(1075年)三月,政府赐米万石,"责监司以时募民修水利及完浚城堑"⑥。南宋嘉定初,浙西地区遭到了灾害,嘉定二年(1209年)十一月,宋宁宗诏令当地监司,募饥民修浙西水利⑦。

---

① 《宋史》卷22《徽宗四》。
② 《皇宋中兴两朝圣政》卷47,乾道四年七月甲申。
③ 《宋史》卷38《宁宗二》。
④ 《宋史》卷39《宁宗三》。
⑤ 《宋季三朝政要》卷1,绍定五年三月。
⑥ 《长编》卷261,熙宁八年三月庚戌。
⑦ 《两朝纲目备要》卷12,嘉定二年十一月甲午。

5. 督促州县官劝农民及时耕种

宋代监司还具有督促州县官劝农民及时耕种的职能。如南宋淳熙八年(1181年),江浙地区发生了旱灾,农民生活困苦,土地虽已犁过,但缺少麦种,不能按时播种,宋孝宗诏令"监司疾速行下所部州县,多出文榜,劝谕人户趁时布种,如阙种之家,于常平麦内支给。"①

宋代监司抗灾、救灾,特别是在灾荒年招募饥民兴修水利的职能,对安定社会,促进生产发展,缓和阶级矛盾,制约农民起义规模等方面,均起到了一定的作用。

(七) 镇压农民起义

两宋时期,阶级矛盾尖锐,农民起义连绵不断,监司不仅要把农民起义的情况及时上报朝廷,而且还要负责镇压本路的农民起义。

北宋元丰三年(1080年)三月,京西南路等地爆发了农民起义,宋神宗根据当地提点刑狱胡宗回的请求,"诏监司督捕贼盗,许差马步军卒五十人,并器械自随"②,自此成为定制。南宋淳熙九年(1182年)四月,宋孝宗下诏:"自今盗发所在,亲临帅守、监司论罚,平定有劳者议赏。"③ 宋宁宗朝又下诏强调对监司镇压农民起义职能的奖罚制度。嘉定四年(1212年)闰二月,诏诸路帅臣、监司、守令:"盗发不即捕者,重罪之。"④ 翌年三月,广东、湖南、京西等路的农民起义被镇压下去后这些地方的"监司、帅臣进职有差"⑤。

---

① 《宋会要辑稿》食货63之223。
② 《长编》卷303,元丰三年三月丁丑。
③ 《宋史》卷35《孝宗三》。
④⑤ 《宋史》卷39《宁宗三》。

综上所述,宋代监司既有监察之职,又掌管行政之权;既是治官之官,又是治民之官;其职能不仅广泛,而且具有双重性。

三、宋代监司的出巡制度

地方官到所属部内巡视,谓之出巡。汉代时,部刺史就以秋分(或春分)出巡所属州郡,但当时对出巡尚没有严格的制度规定。两宋时期,伴随着君主专制制度的发展,监司出巡已形成了一套比较完整的制度。

(一) 宋代监司出巡的时间

对宋代监司出巡的时间,史学界存在着几种看法。金圆认为,"宋王朝规定监司官要在一年(或二年)内,巡察所辖地区一遍"[①];而莫家齐则引用《庆元条法事类》中的材料,认为宋代"各监司机关岁分上下半年巡按州县"[②]。这两种说法虽皆有根据,但都没有把宋代监司出巡时间的变化过程反映出来。

北宋时期,监司出巡的时间一般为二年或者一年。如元丰八年(1085年)十二月(宋哲宗已即位),下诏"诸路转运、提点刑狱、开封府界提点司与提举将兵,岁分州县阅视诸将军须"[③]。元祐元年(1086年)十一月,宋哲宗"又诏诸道监司互分州县,每年巡遍"[④]。元祐五年(1090年),宋哲宗根据臣僚的建议,下诏规定:"转运、提刑司按部二年一周"[⑤],这里的"二年一周",也就是说二年巡视所

---

① 金圆《宋代监司监察地方官吏摭谈》《上海师范大学学报》1982年第3期。
② 莫家齐《具有特色的宋代监司巡检制度》《政法论坛》1989年第3期。
③ 《长编》卷363,元丰八年十二月丁丑。
④ 《长编》卷392,元祐元年十一月戊寅。
⑤ 《宋会要辑稿》职官45之1。

部一遍。宣和四年(1123年)十二月,宋徽宗根据刑部的提议,对监司出巡时间又作了规定:"提点刑狱仍二年,提举常平一年一遍,并次年正月具已巡所至月日申尚书省。"①

南宋时,监司出巡的时间一般为一年一巡。绍兴二十六年(1156年)二月二日宋高宗下诏:"诸路监司仰依法分上下半年出巡修举职事"②。乾道五年(1165年)九月,宋孝宗下诏:"诸路监司今分上下半年依条巡按"③。宁宗朝的《庆元条法事类》中也明确规定,"诸监司每岁分上下半年巡按州县。"④ 自此一直到南宋灭亡,监司出巡的时间均为一年。

宋代监司出巡的时间除制度上规定以外,每遇到灾荒还要不时地奉诏出巡。如皇祐四年(1052年),京东、江淮、江浙、江湖等地发生了灾害,宋仁宗令转运使、提点刑狱"分路巡察"⑤。

(二) **宋代监司出巡的约法**

宋代统治者既要监司监察州县官,但又怕监司与州县官勾结或者利用出巡之机向老百姓肆无忌惮地勒索钱财,激化社会矛盾,因而对监司出巡制订了种种约法。约法的内容主要有以下几项。

1. 监司出巡一般不得在州县住过三日。宋代为了防止监司和地方势力勾结及骚扰百姓,规定监司出巡,无公事不得在州县住过三日。如乾道元年(1165年)正月,宋孝宗规定:"监司巡历州县,依条不得过三日。"⑥ 宋宁宗朝的《庆元条法事类》中也明确规定:监

---

① 《宋会要辑稿》职官 45 之 14。
② 《宋会要辑稿》职官 45 之 20。
③ 《宋会要辑稿》职官 45 之 27。
④ 《庆元条法事类》卷 7《职制门四》。
⑤ 《长编》卷 172,皇祐四年二月辛巳。
⑥ 《宋会要辑稿》职官 45 之 25。

司出巡,"无公事不得住过三日"①。

2. 监司出巡时所带仆役吏卒等随从人员,不得超过规定人数。宋代为防止监司出巡时兴师动众,从隆兴三年(1165年)起就规定:"除依条合带吏人二名,客司书表一名,当直兵级十五名,不得以承局茶酒等为名,别差人数。"②

3. 监司出巡时不得大吃大喝。为了使监司能有效监察州县官,北宋政和八年(1118年)八月,宋徽宗就下诏监司:"今后出巡除不许赴州郡筵会外,其上下马供馈并依旧。"③

4. 监司出巡时,不得纵容吏人诛求钱财。宋代,特别是南宋时期,监司出巡时,随从吏人多仗势诛求钱财,如过使钱、轻斋钱、递马券食钱等,名目繁多。对此,朝廷常下令禁止。绍兴三十二年(1162年)八月(宋孝宗已即位),宋廷警告监司:随从吏人"于州县乞觅,计赃坐罪。"④ 乾道五年(1169年)九月,宋孝宗下诏监司:"如敢依前容纵公吏等乞觅骚扰,当议重置典宪。"⑤ 淳熙三年(1176年)九月六日,宋孝宗"诏诸路监司互相馈遗及因行部辄受折受者,以赃论。"⑥ 宋宁宗朝的《庆元条法事类》中明确规定:"诸监司巡历,所至应受酒食之类辄受折送钱者,许互察。"⑦

5. 监司出巡,不准向州县打白条借钱。宋代部分监司利用出巡之机,向州县打白条借钱,变相勒索钱财。为革除此弊,绍兴三十二年(1162年)八月(宋孝宗已即位),朝廷戒忌监司:"以白状借请

---

① 《庆元条法事类》卷7《职制门四》。
② 《宋会要辑稿》职官45之24。
③ 《宋会要辑稿》职官45之11、45之12。
④ 《宋会要辑稿》职官45之23。
⑤ 《皇宋中兴两朝圣政》卷47,乾道五年九月丁巳。
⑥ 《宋会要辑稿》职官45之31。
⑦ 《庆元条法事类》卷7《职制门四》。

州县钱者,准盗论。"①

6. 监司出巡,州县官不得倾城迎送。南宋绍兴年间州县官吏每遇监司巡按,"例皆倾城远出",监司"亦辄受而不辞"。左司谏凌哲向高宗上疏反映了此弊,并请求"严饬于诸路监司帅守,互相觉察,应所属见任州县官不应迎送而辄出迎送,与不应受而辄受之者,并须依公按举,置之典宪,其或徇情容庇,委御史台弹奏"②,宋高宗采纳了这一建议。

7. 监司出巡,必须将所属州县巡视一遍,并将巡视的具体时间申报尚书省,若"不遍者,杖一百;遍而不申,减二等"③。

总之,宋代对监司出巡约法的种种规定,其主要目的是防止监司官擅权自用。但是,由于朝廷对监司的防范过严,从而影响了监司对州县的监察。宋代人叶适对此总结说:

> 今也上之操制监司反甚于监司之操制州郡,紧紧恐其擅权自用,或非时不得巡历,或巡历不得过三日,所从之吏卒,所批之券食,所受之礼馈,皆有明禁,然则朝廷防监司之不暇,而监司何足以防州郡哉④?

叶适的这段话,指出了宋代统治者对监司防范太严的弊端。

四、宋代监司的选任制度

宋代监司不仅是皇帝的耳目,而且还是一路地方官的表率,地方吏治的好坏,官员任用是否得人,无不与监司有密切关系。因此,宋代统治者比较重视监司的选任问题。

---

① 《宋会要辑稿》职官45之23。
② 《宋会要辑稿》职官45之21、45之22。
③ 《庆元条法事类》卷7《职制门四》。
④ 叶适《水心文集》卷3《监司》。

宋太宗认为,监司之官,是一路州县官的楷模,"所以不轻于用人也。"① 为了使监司得其人,咸平元年(998年)六月,宋真宗制定了"监司举主赏罚法",并对参知政事李至说:"凡举官,宜先择举主,以类取人。"② 庆历三年(1043年)十月,宋仁宗根据范仲淹、富弼等人的建议,"严监司选"③。治平四年(1067年)宋英宗"罢监司长吏选"制,并说:"朕见祖宗百战并天下,念一州生灵付一庸人,常痛心疾首。"④ 熙宁三年(1070年),刘述在给宋神宗的上疏中写道:"愿陛下深诏政府,精选转运使、提点刑狱,唯人是求,不必限以资序,即得其人矣。"⑤

南宋统治者仍比较重视监司的选任。绍兴五年(1135年)二月,宋高宗手诏:"朕惟监司外台耳目","自今其慎选择,勿狃于故常,勿牵于私昵,重以累国"⑥。翌年七月,宋高宗对大臣说:"近时士大夫数言县令多有不称其任者,朕再三思之,亦难尽择,莫若慎选监司郡守以为要道。"⑦ 绍兴七年(1137年)闰十月十一日,宋高宗再次对辅臣说:"朕思今安民之要,无若择监司郡守。"⑧ 绍兴十年(1140年)四月,直秘阁江公亮请求朝廷选换县令,宋高宗对宰执说:"县令至众,朝廷岂能人人推择,惟当选监司、郡守,使之易置,则得人矣。"⑨ 淳熙十二年(1185年)二月,宋孝宗也对宰执们

---

① 吕祖谦《类编皇朝大事记讲义》卷4《转运使》。
② 吕祖谦《类编皇朝大事记讲义》卷7《监司》。
③ 吕祖谦《类编皇朝大事记讲义》卷9《馆阁》。
④ 吕祖谦《类编皇朝大事记讲义》卷14《选监司》。
⑤ 赵汝愚《宋名臣奏议》卷67,刘述《上神宗乞假监司之权令察守令》。
⑥ 《皇宋中兴两朝圣政》卷17,绍兴五年闰二月壬子。
⑦ 《皇宋中兴两朝圣政》卷20,绍兴六年七月甲午。
⑧ 《宋会要辑稿》选举29之28。
⑨ 《建炎以来系年要录》卷135,绍兴十年四月庚午。

说:"天下全赖好监司,若得一好监司,则守令皆好",地方吏治,应"先择监司为要。"①同年十月,宋孝宗又对洪迈等人说:"今监司只是择人为急。"②

由于最高统治者的重视,使宋代监司的选任形成了一套比较完备的制度。

(一)宋代监司的选任方式

宋代监司的选任方式复杂而多变,大体而言,主要有以下几种。

1. 皇帝亲擢

北宋初年,监司官的构成比较简单,主要是转运使副等,其选任均由皇帝亲擢。宋真宗以后,随着监司组织的扩大,监司官的选任方式也逐渐复杂,但重要地区和秩品高的监司官仍由皇帝亲擢。

南宋高宗和孝宗时,监司官有缺员,皇帝往往"亲自拔擢"③。光宗朝基本上承袭此制。宋理宗以后,监司官中皇帝亲擢的比例逐渐减少。

2. 臣僚荐举,皇帝从中选任

宋代监司官众多,皇帝为保证监司官人选的素质,常下诏令臣僚荐举,而后在所荐举的人选中任命。

两宋时期,皇帝不断下诏令臣僚荐举监司人选。北宋元祐元年(1086年)二月,宋哲宗"诏左右侍从各举堪任监司者二人,举非其人有罚"④。南宋绍兴五年(1135年)三月,宋高宗诏令监察御史至

---

① 《皇宋中兴两朝圣政》卷62,淳熙十二年二月丁卯。
② 《皇宋中兴两朝圣政》卷62,淳熙十二年十月丁巳。
③ 《宋会要辑稿》职官45之35。
④ 《宋史》卷17《哲宗一》。

侍从等"各举所知充监司、守令,限半月具奏"①。绍兴七年(1137年)七月,宋高宗"诏侍从各举可任监司、郡守者一、二人"②。同年十月,宋高宗又"诏侍从官各选可为监司、郡守之人,不限员数,具名以闻"③。绍兴二十六年(1156年)二月十五日,宋高宗又下诏说:"诸路监司多阙官,可令侍从、台谏各举曾任知(州)、通(判)治状显者堪充监司者二员闻奏,仍保任终身,有犯赃及不职者与同罪。"④ 宋孝宗即位后,就"诏朝臣举堪监司、郡守者"。乾道元年(1165年)十二月,宋孝宗"诏侍从、台谏、两省举堪监司、郡守者各一人"⑤。乾道五年(1169年)十月,宋孝宗"严监司、郡守选,令侍从、台谏、两省官各举京朝官以上三人,保任终身,限五日闻奏。"⑥淳熙元年(1174年)四月,宋孝宗"诏侍从、台谏、两省官岁举监司、郡守各五人"⑦。淳熙三年(1176年)四月,宋孝宗"诏侍从、台谏、两省参照资格,不以内外,杂举监司、郡守,岁各五人"⑧。淳熙九年(1182年)六月,宋孝宗又下诏令"侍从、台谏举官堪充监司者各一、二名"⑨。嘉定二年(1209年)五月,宋宁宗"诏举监司、郡守"⑩。嘉定九年(1216年)三月,宋宁宗"诏侍从、台谏、两省举可为监司

---

① 《皇宋中兴两朝圣政》卷17,绍兴五年三月丁丑。
② 《宋史》卷28《高宗五》。
③ 《皇宋中兴两朝圣政》卷22,绍兴七年十月庚午。
④ 《宋会要辑稿》选举30之3。
⑤ 《宋史》卷33《孝宗一》。
⑥ 《皇宋中兴两朝圣政》卷47,乾道五年十月辛未。
⑦ 《宋史》卷34《孝宗二》。
⑧ 《皇宋中兴两朝圣政》卷54,淳熙三年四月戊寅。
⑨ 《皇宋中兴两朝圣政》卷59,淳熙九年六月辛酉。
⑩ 《两朝纲目备要》卷12,嘉定二年五月庚子。

者各二人"①。端平元年（1234年）正月，宋理宗下诏令"侍从、卿监、郎官，在外执政、从官举堪为监司、守令者各二人"②。

以上史料说明，臣僚荐举，皇帝从中选任，是宋代监司官的重要选任方式之一。

3. 宰执堂除

宰执堂除，也称"朝廷除授"。宋代监司的选任方式自真宗以后始令宰执在政事堂除授，即："参令中书选擢。"③

北宋咸平元年（998年）六月，宋真宗对参知政事李至等人说：监司选任，"卿等可先择人而令举之"④。此后，监司中的部分官员由宰执堂除。元丰改官制后，宰执堂除成为监司选任方式中的一个重要组成部分。

从现存的文献中可以举出不少宋代宰执堂除监司的材料。如北宋元祐四年（1089年）二月，侍御史盛陶就说："窃详监司系朝廷擢用"⑤。南宋绍兴三年（1133年）十月十一日，中书门下省说：四川帅臣、监司、知州军及武臣通判等，"自来并系堂除"⑥。同年十二月，宋高宗下诏："诸路监司令三省选择差除。"⑦ 绍兴六年（1136年）十二月，宋高宗下诏云：监司除授非人，"百姓受弊，可令中书开具已除姓名送中书后省、御史台"⑧。翌年十月，宋高宗对宰执说：

---

① 《宋史》卷39《宁宗三》。
② 《宋史》卷41《理宗一》。
③ 《长编》卷154，庆历五年二月乙卯。
④ 吕祖谦《类编皇朝大事记讲义》卷7《监司》。
⑤ 《长编》卷422，元祐四年二月乙巳。
⑥ 《宋会要辑稿》选举31之3。
⑦ 《建炎以来系年要录》卷71，绍兴三年十二月壬辰。
⑧ 《皇宋中兴两朝圣政》卷20，绍兴六年十二月辛亥。

监司"遇有阙,卿等共议差填。"① 淳熙五年(1178年)十二月,宰执们向宋孝宗进呈监司郡守除授名单时,宋孝宗告诫宰执们说:"监司得人,则一路蒙福,卿等遴选其人,不可轻授。"② 淳熙九年(1182年)五月,宋孝宗手诏宰相王淮等人道:"监司、郡守民之休戚系焉,察其人而任之,宰相之职也。"③ 淳熙十二年(1190年)二月,宋孝宗再次告诫宰执说:"卿等今后为朕除授监司,须是留意。"④ 宋宁宗朝以后宰执堂除监司的材料更多,此不赘举。

此外,宋代监司的部分属官也由宰执堂除,如南宋绍兴五年(1135年)闰二月,宋高宗下诏:"诸路监司属官除转运司主管帐司、提刑检法官外,余並堂除。"⑤

(二) 宋代监司回避制度

两宋时期,伴随地方政治制度的发展,监司任用中的回避制度也日趋完备。这一制度的主要内容有以下几个方面。

1. 监司与所辖区的知州、通判、知县、县令等之间避亲嫌

宋代监司与所辖区的知州、通判、知县、县令等之间是监察与被监察的关系,为了保证监司能行之有效地监察地方官员,宋代制定了监司人选与所辖区官员之间避亲嫌的制度。如宋太宗时,范知古出任河北路转运使,而河北路的怀州推官陈彭年因与范知古有亲嫌,被朝廷改任为泽州推官⑥。元丰二年(1079年)六月二十七日,宋神宗下诏改任权发遣淮南东路提点刑狱范百禄知唐州,"以

---

① 《皇宋中兴两朝圣政》卷22,绍兴七年十月己巳。
② 《皇宋中兴两朝圣政》卷56,淳熙五年十二月辛卯。
③ 《皇宋中兴两朝圣政》卷59,淳熙九年五月丙子。
④ 《皇宋中兴两朝圣政》卷62,淳熙十二年二月丁卯。
⑤ 《宋会要辑稿》职官45之18。
⑥ 《宋史》卷287《陈彭年传》。

(范)百禄与知扬州鲜于侁避亲故也。"① 宣和七年(1125年)五月，赵遹出任知颖昌府，而赵遹的女婿程苪为本路提举常平官，赵遹与程苪皆上疏"以亲嫌乞令回避"，宋徽宗下诏"从之"②。

2. 同路监司官之间避亲嫌

宋代同路监司不仅皆有察举一路官员的职能，而且监司之间要互相监察。为了使监司之间不结党营私和行之有效地互察，宋代制定了同路监司之间避亲嫌法。其法规定：同一路的转运使副、提点刑狱、提举常平等官之间要避亲嫌。回避的具体办法一般是与其他路监司对移差遣，或者改任他职。宋英宗治平四年(1067年)三月，权提点京西路刑狱公事陈安石与权提点河东路刑狱公事母沆对易差遣，"以(陈)安石避亲故也"③。宋神宗熙宁四年(1071年)二月，新除权同提点夔州路刑狱公事王居卿和权发遣京东路提点刑狱公事段绛两易差遣，"以(王)居卿避亲故也"④。熙宁八年(1075年)四月，权提举河北路刑狱范子渊因与本路转运副使陈知俭有亲嫌而被改任差遣⑤。南宋绍兴十一年(1141年)八月，提举江南东路茶盐公事郑侨年上疏说："转运副使王唤系亲姊之夫，有诸司互察之嫌"⑥，宋高宗下诏令郑侨年与提举两浙市舶王传两易其任。

3. 同路监司官与帅司官之间避亲嫌

南宋时，同路监司与帅司不仅皆有监察本路州县官的职能，而

---

① 《宋会要辑稿》职官63之5。
② 《宋会要辑稿》职官63之11。
③ 《宋会要辑稿》职官63之4。
④ 《宋会要辑稿》职官63之5。
⑤ 《长编》卷262，熙宁八年四月癸未。
⑥ 《宋会要辑稿》职官63之14。

且监司与帅司之间还要互相监察。为了防止监司与帅司结党营私，保证其互相监察，宋代规定监司与帅司之间避亲嫌，如乾道六年(1170年)二月，福建路提点刑狱公事吴龟年上疏说："新除本路帅臣薛良朋系龟年妻之叔父，虽与服属稍疏，缘职事相关，切虑合该回避。"宋孝宗下诏改吴龟年为江南西路计度转运副使①。

4. **监司避本贯法**

所谓监司避本贯法，即当地人不能充任当地的监司官。其法的内容主要包括两个方面。第一，官员不能在籍贯所在地充任监司官；第二，官员不能在自己产业所在路充任监司官。

两宋时期，皇帝不断下诏强调监司避本贯法。如北宋政和三年(1113年)闰四月一日，宋徽宗下诏："今后监司不许任本贯或产业所在路分"②。南宋绍兴二年(1132年)二月二十八日，宋高宗下诏："今后监司令三省取见本贯，不得除乡贯系本路人"③。

宋代监司避本贯法曾一度被废除过。绍兴七年(1137年)五月，宋高宗根据中书门下省的建议，废除了监司避本贯法。宋孝宗乾道五年(1169年)九月，又恢复了"监司避本贯法"④。自此一直到南宋灭亡，监司避本贯法没有发生大的变化。

5. **监司属官与所辖区各州县属官之间避亲嫌**

宋代监司属官与所辖区各州县属官之间有密切的职事联系，为了防范他们结党营私，制定了监司属官与所辖各州县属官之间避亲嫌法。其法规定：转运司帐计官与诸州造帐官，提点刑狱检法官与知州、通判、签判、幕职官、司理司法参军避亲嫌，如果"诸州推

---

① 《宋会要辑稿》职官63之15。
② 《宋会要辑稿》职官45之9。
③ 《宋会要辑稿》职官45之17。
④ 《皇宋中兴两朝圣政》卷47，乾道五年九月壬申。

法司与提点刑狱吏人有系亲戚而不陈乞回避者杖一百"①。

6. 监司属官与同路诸司官之间避亲嫌

宋代监司属官与同路诸官之间也有互相监察的关系,因此也要避亲嫌。其法规定:"诸经略、安抚、监司属官与本路诸司官系亲嫌者,并回避。"②

此外,王安石变法时期,司农寺负责诸路提举常平官的考课,为了防止营私舞弊,判司农寺差遣与监司中的提举常平官也要避亲嫌。如熙宁六年(1073年)七月,权发遣夔州路转运判官曾阜被罢去了兼任的提举常平官职务,"以判司农寺曾布亲嫌故也"③。

(三)宋代监司的资序和政治品质

1. 宋代监司的资序

宋代为了保证监司官有丰富的社会经验,对监司官人选的资序作了规定。两宋三百多年间,监司资序由高到低经历了一个复杂的变化过程。

宋太宗时,监司官多由皇帝在常参官中选任,没有资序法。宋真宗以后,监司机构增多,人选也逐渐有了资序法。宋仁宗、英宗两朝,监司官人选一般要求具有知州资序。王安石变法时期,为了把拥护新法者选入监司岗位,"资序一切不用"④。宋哲宗元祐元年(1086年)四月,监司资序法规定:"转运使副、提刑,今后选一任知州以上;转运判官选通判一任实曾历亲民差遣、并所至有政迹

---

① 《庆元条法事类》卷8《亲嫌·职制令》。
② 《庆元条法事类》卷8《亲嫌·职制令》。
③ 《长编》卷246,熙宁六年七月戊寅。
④ 赵汝愚《宋名臣奏议》卷65,范祖禹《上哲宗请于监司中养才以备将帅》。

人。"① 绍圣元年(1094年)十一月,宋哲宗又把监司资序法作了一些更改,新的资序法规定:"初除转运判官、提举官须实历知县以上亲民人,提点刑狱以上须实历知州或通判人。"② 如果我们把元祐监司资序法与绍圣监司资序法作一比较,就会很容易地看出,绍圣监司资序法已把监司官人选资序降低了一些,特别是转运判官的资序已由"通判一任实曾历亲民差遣"降到"历知县以上亲民人"。宋徽宗朝,监司资序出现了上升趋势。政和元年(1111年)十二月,宋徽宗又下诏规定了监司资序法:"若除提点刑狱、转运使副以上须选曾任州军","提举常平等官许通选曾任通判。"③ 宣和元年(1119年)六月,宋徽宗再次下诏强调:监司以"曾任通判以上资任人充"④ 任。

南宋时监司官人选资序变化较大。绍兴元年(1131年)正月,宋高宗下诏:"不历县令人勿除监司。"⑤ 绍兴三年(1133年)六月,根据工部侍郎李擢的请求,宋高宗诏令三省遵守北宋时的监司人选资序规定,即:"知州资序以上人充转运使副与提点刑狱,第二任通判资序以上充转运判官"等⑥。绍兴七年(1137年)十月,户部侍郎王俣请求朝廷在选任监司时,要注意选任那些"曾经治县声绩显著之人"⑦。宋高宗采纳了这一建议。绍兴二十六年(1156年)正月,宋高宗再次下诏强调监司官要选任"治郡著绩者"⑧。宋孝宗即

---

① 《长编》卷375,元祐元年四月乙巳。
② 《宋会要辑稿》职官45之2。
③ 《宋会要辑稿》职官45之7。
④ 《宋会要辑稿》职官45之12。
⑤ 《皇宋中兴两朝圣政》卷9,绍兴元年正月壬子。
⑥ 《宋会要辑稿》职官45之18。
⑦ 《皇宋中兴两朝圣政》卷22,绍兴七年十月壬午。
⑧ 《宋史》卷31《高宗八》。

位后,监司选任中存在着资序已到,其人不足以当监司,而有的人虽具有任监司的素质但资序未及的问题。不少大臣向孝宗建议,请选任监司应"人法并用"①。宋孝宗淳熙年间,监司人选资序法略为放宽。宋光宗朝,监司人选强调"必选择曾任州县之人,苟未历州县而爵位虽高,亦须使之试郡而后除"。据说这样做的目的是为了让监司"庶于州县事体,身曾亲历不至于持未试之术,行偏见之私"②。宋宁宗庆元元年(1195年)十二月,监司人选资序仍强调"须曾作州县",如果"不曾经历州县",则让其试郡,有政绩者方能充任监司官③。嘉定十四年(1221年)六月,根据臣僚的建议,宋宁宗再次下令强调监司人选资序:"並照内台体例,必曾作县有声者,然后除授"④。宋理宗朝以后,监司人选资序仍强调必须"作县有声者"才能充任。

从以上宋代监司资序演变的过程中可以看出,北宋时监司人选资序要求历通判或知州,而南宋时逐渐演变为"作县有声者"。这种强调监司必须有亲民官资序的做法,不仅有利于提高宋代监司官的整体素质,而且也有利于当时政治的发展。

2. 宋代监司的政治品质

为了保证监司官的政治素质,宋代对监司人选的政治品质作了种种规定。

首先,监司人选要具有廉洁奉公的品质。宋代选任监司官,比较重视政治修养。宋仁宗朝,包拯就上疏皇帝,请求转运使副、提点

---

① 《建炎以来朝野杂记·乙集》卷7《寿皇命侍从官议择监司郡守》。
② 《宋会要辑稿》职官45之35。
③ 《宋会要辑稿》职官45之37。
④ 《宋会要辑稿》职官45之44。

刑狱"並令精选廉干中正之人以充其职"①。包拯的这一建议被宋仁宗采纳。元祐元年(1086年)闰三月,朝廷根据司马光的请求,规定监司人选以"聪明公正之人"充任,这里的"聪明"指的是"知官吏贤不肖,公正则黜陟无私"②。元祐六年(1091年)三月,给事中朱光庭也上疏指出,监司为一路表率,朝廷"必择公正仁厚者为之"③。

其次,监司人选要品行端正。宋代监司人选要求有较高的思想品行。如北宋哲宗元祐二年(1087年)二月,监察御史上官均上疏道:"监司督察一路官吏,实为朝廷耳目之任,当选择端平明敏之士,以充是选。"④南宋淳熙九年(1182年)六月,孝宗下诏强调,监司人选要"操修端亮,风力强明"⑤。

其三,监司人选要无赃污行为。宋代监司人选既要廉洁奉公,还要无赃污行为。北宋政和元年(1111年)十二月,宋徽宗下诏规定:监司人选要"无赃私"⑥。南宋绍熙元年(1190年)六月,宋光宗下诏:"今后郡守、监司其间有赃污狼藉曾经论列,或曾被按劾而事昭著者任祠禄之后不得复任监司、郡守。"⑦这两条材料对监司人选无赃污行为作了两种情况的规定:第一,有赃污行为者不能充任监司人选;第二,监司官犯赃污罪者不能再任监司。

---

① 赵汝愚《宋名臣奏议》卷67,包拯《上仁宗乞监司不用苛细矫激之人》。
② 赵汝愚《宋名臣奏议》卷67,司马光《上哲宗乞罢提举官》。
③ 《长编》卷456,元祐六年三月辛酉。
④ 《长编》卷395,元祐二年二月丁酉。
⑤ 《宋史》卷35《孝宗三》。
⑥ 《宋会要辑稿》职官45之7。
⑦ 《宋会要辑稿》职官45之35。

此外，宋代监司人选还要求有较高的文化修养和充沛的精力。北宋政和元年(1111年)十二月，宋徽宗下诏规定：监司人选要"学行有闻"①。为了保证监司人选有充沛的精力，南宋庆元元年(1195年)十月，宋宁宗根据臣僚的建议，下诏明确规定："自今年及七十者不除授监司、郡守"，并"著为定令。"②

（四）宋代监司的升迁

1. 宋代监司升迁的时间

宋代监司升迁的时间一般为三年或者二年，个别时期个别地区也有二年半者。

北宋太宗时，监司和其他地方官一样，实行三年一迁的制度。宋真宗朝，监司升迁的时间出现了缩短的趋势。大中祥符八年(1015年)八月，宋真宗根据审官院的请求，把监司官升迁的时间分为远、近两种情况定制，"近地二年半已上者，远地二年已上"者可以升迁，"不为久例"③。当时，宋真宗之所以同意缩短监司官升迁的时间，是因为官员增多，待阙的官员长时间得不到差遣。宋仁宗朝，虽然对大部分官员升迁的时间作了更改，但监司升迁的时间仍定为三年。宋神宗朝内外官"并以三年为任"④，监司也不例外。哲宗元祐更化时，把监司官升迁的时间由三年改为二年。宋徽宗崇宁元年(1102年)七月，皇帝诏令："自今后，内自省台寺监，外及牧守监司宜一切依元丰旧诏，并以三年为任"⑤，监司升迁的时间由二年改为三年。自此一直到北宋灭亡，监司升迁的时间在制度上没有发生变化。

---

① 《宋会要辑稿》职官45之7。
② 《宋会要辑稿》职官45之37。
③ 《宋会要辑稿》职官11之1。
④⑤ 《宋会要辑稿》职官60之23。

南宋建炎四年(1130年)十二月,宋高宗诏令:"监司、守倅并以三年为任"①,把监司升迁的时间定为三年。绍兴初年监司官在制度上虽规定三年一迁,但在实际政治生活中监司很少能任满三年才升迁的,这种现象引起了一些士大夫的不满,如中书舍人胡寅在绍兴五年(1135年)十一月给上疏中共反映了六件事,其中第五件就是"监司、郡守更易频数"②,没有真正执行"三年为任"的制度。翌年正月,宋高宗采纳右谏议大赵需的建议,允许监司、郡守任职二年即可升迁,"悉充省台寺监之选"③。自此,监司升迁的时间定为二年。宋孝宗以后的南宋各朝基本上承袭了这一制度。

2. 宋代监司升迁的去向

宋代监司的升迁去向在当时的任官制度中占有重要地位。

第一,宋仁宗时,监司是将帅的育才之地。宋人范祖禹在给哲宗的上疏中就指出:仁宗朝"将帅之选多出于监司",他请求哲宗恢复"祖宗时用监司之法","边臣有阙,于此中选授,可用之才必多矣。"④

第二,宋哲宗元祐年间,监司任满二年,可以升迁为六曹郎中。宋代监司官由皇帝或宰执选任,升迁比较快,特别是元祐年间,任二年监司官即可直接升迁为六部官,侍御史盛陶对此评价说:"监司系朝廷擢用,复满二年,除六曹郎中,固不为过。"⑤

第三,南宋高宗绍兴年间,监司职任成为步入侍从、卿监、郎官

---

① 《建炎以来系年要录》卷40,建炎四年十二月辛巳。
② 《建炎以来系年要录》卷95,绍兴五年十一月庚午。
③ 《建炎以来系年要录》卷97,绍兴六年正月乙亥。
④ 赵汝愚《宋名臣奏议》卷65,范祖禹《上哲宗请于监司中养才以备将帅》。
⑤ 《长编》卷422,元祐四年二月乙巳。

的重要资序。绍兴二十八年（1158年）三月，宋高宗下诏："自今用人，选帅臣、监司曾任郎官已上者为侍从，监司、郡守有政绩者为卿监、郎官，朝官二年乃迁，卿监、郎官未历监司者更迭补外。"①从这个诏令中可以看出，监司是迁入侍从官的重要资序之一，而卿监、郎官如果没有监司资序还必须轮流出任外职。

第四，两任提点刑狱可以升迁为转运使。宋人朱熹对当时包括监司在内的地方官升迁制度总结道："在法，做两任知县，有关升状，方得做通判；两任通判，有关升状，方得为知州；两任知州，有关升状，方得为提刑。提刑又有一节，方得为转运。"②

此外，王安石变法时期，对年老的监司采用养起来的措施，如熙宁二年（1069年）十二月，宋神宗增三京留司御史台、国子监及宫观官，"以处卿监、监司、知州之老者"③。

五、对监司的考课和监察制度

（一）对监司的考课

宋朝初年，百废待兴，对监司尚无严格的考课制度。天禧三年（1019年）四月，宋真宗下诏："转运使副、提点刑狱、馆阁、台省官外任岁满代还，并依京朝官例于审官院投状考课。"④自此，开始了对监司官的考课。

两宋时期，负责对监司官考课者多有变化。北宋前期，监司的考课多由翰林官和御史官典领。如嘉祐二年（1057年）七月，宋仁宗下诏令翰林学士承旨孙抃、御史中丞张升磨勘转运使及提点刑

---

① 《宋史》卷31《高宗八》。
② 朱熹《朱子语类》卷128《法制》。
③ 《宋史》卷14《神宗一》。
④ 《宋会要辑稿》职官59之6。

狱课绩，嘉祐五年（1060年）六月，宋仁宗又下诏令翰林学士胡宿、御史中丞赵概磨勘转运使、提点刑狱课绩。熙宁三年（1070年）十一月，宋神宗令侍御史知杂事谢景温兼考校诸路转运使、提点刑狱课绩。北宋后期和南宋，监司的考课主要由御史负责，特别是南宋宁宗朝还在御史台设考课司，"置考课监司簿"①。

1. 对宋代监司考课的等级变化

宋代对监司考课的等级制度在承袭前代的基础上又有了新的发展。

皇祐元年（1049年）二月，宋仁宗根据权三司使叶清臣的请求，对转运使副、提点刑狱实行五等考绩制度。所谓五等考绩制度，即：上上、上下、中上、下上、下下五等。"若考入上上与转官升陟差遣，上下者或改章服或升差遣，及中上者依旧与合入差遣，中下者差知州，下上者与远小处知州，下下者与展磨勘及降差遣。"②

宋仁宗皇祐元年（1049年）二月对监司的考课，主要是以五方面的内容而划分为五个等级的。五方面的内容是：第一，户口之登耗；第二，田土之荒辟；第三，茶、酒、盐税统比不亏递年租额；第四，上供、和籴、和买物不亏年额抛数；第五，报应朝臣文字及帐案齐足。对五个等级划分的情况是这样的："户口增，田土辟，茶盐等不亏，文案无违慢，为上上考；户口等五条及三以上为中上考；若虽及三以上者，为应报文字帐案违慢者，为中下考；五条中亏四者下上考；全亏及文帐报应不时者，为下下考。"③嘉祐二年（1057年）七月，宋仁宗根据知谏院陈升之的建议，把监司考课法由五等改为三等④。自此一直到南宋后期，监司考课法基本上定制为三等。

---

① 《宋史》卷39《宁宗三》。
②③ 《宋会要辑稿》职官59之7。
④ 《宋会要辑稿》职官59之8。

2. 宋代监司考课的标准

北宋前期,监司的考课承袭唐制,用"考功四善之法以稽其行实"[1]。宋神宗时,以七项标准考课监司。这七项标准是:"一曰劝农桑、兴治荒废,二曰招流亡、增户口,三曰兴利除害,四曰劾有罪、平狱讼,五曰失案察,六曰屏盗贼,七曰举廉能"[2]。以上的七项标准,几乎囊括了当时监司的所有职能。

北宋后期至南宋初年,针对当时政治经济发展的需要和监司职能中存在的一些问题,朝廷制订了更为具体细致的考课标准,即"以十五事考校监司"[3]。这十五项考课标是:

> 一奉行手诏有无违戾;一兴利除害;一有无朝省行下本路过失已上簿及责罚不了过犯;一受理词讼及指挥州县与夺公事,有无稽滞不当;一有无因受理词讼改正州郡结断不当事;一应干职事有无废弛,措置施行有无不当;一奏请及报应朝省文字有无卤莽乖谬……一按察並失按察所部官犯赃流以上罪及按察不当;一荐举所部官有无不当;一劝农桑;一招流亡、增户口;一分定巡历是何州县、自甚月日起离至某处、自何月日还本司,有无分巡不遍去处……一逐年合上供钱物有无出限违欠;一所部刑狱有无平反及驳正冤滥並淹延稽滞;一机察贼盗已获未获各若干[4]。

邓小南同志认为,这十五项考课标准"可能产生于北宋后期,至迟

---

[1] 《宋会要辑稿》职官 59 之 8。
[2] 《宋会要辑稿》职官 10 之 20。
[3] 《皇宋中兴两朝圣政》卷 19,绍兴六年四月庚子。
[4] 《庆元条法事类》卷 5《职制门二》(燕京大学 1948 年影印本)。

不会晚于南宋初年"①。这一认识是符合历史事实的。

绍熙二年(1191年)四月,宋光宗根据臣僚的请求,增加了对监司的考课标准和奖罚规定:"有司考监司之绩,凡其按察刺举之职振而风采著者,与加旌擢;倘一任之内默默全无按刺与一路之间官吏有不治之迹,因事自彰而失于按刺者,以不职之罪罪之。"②

嘉定十四年(1221年)闰十二月,宋宁宗根据大臣的建议,用三等制的标准考课诸路监司,"以举刺多者为上,以举刺少者为中,以无所举刺者为下,""岁终或不能按一吏"者,以御史台月课之制③。自此一直到南宋灭亡,基本上采用三等标准和月课之制考课监司。

3. 宋代监司考课的时间和方法

宋代对监司考课的时间一般是一年一考,三年任满后由主考部门将该监司官的考绩文案呈报朝廷,朝廷审定考第决定黜陟。在某些时期,也有半年一考的,如景定二年(1261年)正月,宋理宗下诏:"监司率半岁具劾去赃吏之数来上,视多寡为殿最,行赏罚"④。

宋代对监司的考课方法主要是采用批书印纸的措施。这一措施从太宗淳化年间开始实行。淳化五年(994年)八月,宋太宗下诏:"给诸路转运使御前印纸,令部内知州、通判批书殿最,每岁上审官院考校黜陟之。"⑤

宋真宗以后,监司的印纸除经部内知州、通判批书外,还要由

---

① 参见邓小南《宋代文官选任制度诸层面》,河北教育出版社1993年4月版第72页。
② 《宋会要辑稿》职官45之35。
③ 《宋会要辑稿》职官45之45。
④ 《宋史》卷45《理宗五》。
⑤ 《宋会要辑稿》食货49之8。

本路诸司相互查验,然后送中书考定,御史台监察。

南宋宁宗朝的《庆元条法事类》中明确规定:"诸监司印应批书者,逐司互批"①。所谓逐司互批,即转运司官的印纸,由提点刑狱司批之等。嘉定十二年(1219年)十月,宋宁宗强化了对监司的考课措施,"仍令省部每遇刺举来上,或举多刺少,或举少刺多,并置籍稽考,略仿台臣月劾之例少加旌别"②。此后,宋宁宗又采用在御史台设司置簿的方法来加强对监司的考课。

(二)对监司的监察

宋代对监司的监察出现了多渠道的特点。诸路监司不仅要受到御史、谏官、察访使、廉访使者等官的监察,而且还要互察。

1. 台谏官对监司的监察

宋代监司要接受御史和谏官的监察。北宋熙宁三年(1070年)四月,宋神宗"令御史分案诸路监司"③。元丰三年(1080年)三月,御史满中行按劾李清臣在任京东路提点刑狱时部下苏轼"悖慢怨谤,附上讪上,而不能刺举"④。崇宁四年(1105年)正月,宋徽宗诏令御史台"察诸路监司贪虐者,论其罪"⑤。南宋绍兴初年,常同为御史"不数月劾罢监司之不才者二十有三人,中外耸然"⑥。绍兴二十八年(1158年)正月,宋高宗下诏:"监司贪惰不法,台谏自当弹奏。"⑦ 乾道九年(1173年)六月,宋孝宗"诏令诸路监司、郡守,不

---

① 《庆元条法事类》卷6《职制门三》。
② 《宋会要辑稿》职官45之43。
③ 《宋史》卷16《神宗三》。
④ 《长编》卷303,元丰三年三月庚寅。
⑤ 《宋史》卷20《徽宗二》。
⑥ 《皇宋中兴两朝圣政》卷15,绍兴四年二月壬寅。
⑦ 《宋会要辑稿》职官3之61。

得非法聚敛","违者重置典宪,令御史台觉察弹奏"①。咸淳七年(1271年)十二月,宋度宗下诏:"诸路监司循按刑狱,傔从扰民,御史台申严觉察"②。历宋一代监司接受台谏官监察已成为定制。

2. 察访使、廉访使者对监司的监察

宋朝还以察访使监察监司,加强对监司的监察。如元符元年(1098年)正月,宋哲宗以孙祀为河北路察访使,孙深为淮南路察访使,按察河北路和淮南路的监司官。翌年五月,淮南、两浙察访使孙杰说:奉命"按察两浙路监司职事,体访得偏远州县,多有提举常平官不曾到处"③。南宋时期,朝廷仍不断派遣察访使到各路监察监司。

宋徽宗时,廉访使者也可以监察监司。如宣和二年(1120年)八月,皇帝下诏:"监司所举非其人,或废法不举,令廉访使者劾之"④。

3. 监司之间互相监察

宋代为了强化对监司的监察机制,制定了监司互察法。其法的内容主要包括两个方面。

第一,诸路监司之间互相监察。如熙宁三年(1070年)七月,宋神宗听说荆湖北路转运使孔延之和转运判官吴太元之间有矛盾,就下诏令江、淮发运司和荆湖北路提点刑狱司"体量荆湖北路转运使孔延之、判官吴太元不和事状以闻"⑤。崇宁五年(1106年)六月,宋徽宗下诏:"立诸路监司互察法,庇匿不举者罪之,仍令御史

---

① 《宋会要辑稿》职官45之29。
② 《宋史》卷46《度宗》。
③ 《长编》卷510,元符二年五月辛亥。
④ 《宋史》卷22《徽宗四》。
⑤ 《长编》卷213,熙宁三年七月庚子。

台纠劾"①。南宋宁宗朝的《庆元条法事类》中也规定了诸路监司互察法:"监司于职事违慢",诸路监司不互察者要严厉惩罚,特别是"犯赃私罪,庇匿不举者",要"以其罪罪之"②。

第二,同路监司官之间要互相监察。宋代同一路要设转运使、转运副使、转运判官,提点刑狱、提举常平等各类监司官,这些监司官之间也要互相监察。北宋时,就制定了同路诸监司官互察法,如宋徽宗政和元年(1111年)三月,臣僚在上疏中就提到:"法有监司互察之文。"③ 南宋绍兴二十八年(1158年)十一月,宋高宗也强调:"监司违戾,令诸司互察,御史台弹劾"④。宁宗朝的《庆元条法事类》卷七中把同路监司官互察法作了具体的规定和说明。

总之,宋代对监司的监察是严密的,特别是南宋时期,对监司的监察超过了对州县官的防范,正如南宋人叶适所评价的:"国家本患州县之过失不得上闻,故置监司以禁切之,而今也禁切监司之法又甚于州县之吏。"⑤

任何事物有共性也有个性,宋代监司制度也不例外。以上我们虽对宋代监司制度作了总体论述,但是,对监司组成部分的转运司制度、提点刑狱制度和提举常平司制度等尚未作具体论述,下面准备分节对这些制度作一探讨。

---

① 《宋史》卷20《徽宗二》。
② 《庆元条法事类》卷7《职制门四》。
③ 《宋会要辑稿》职官45之5。
④ 《宋会要辑稿》食货37之36。
⑤ 叶适《水心文集》卷3《法度总论三》。

第二节 宋代转运司制度

宋代转运司又称"漕司",在路级监察机构中,不仅设置最早,而且职能广泛,是宋代路级监察制度的重要组成部分之一。

一、宋代转运司的设置和组织状况

(一)宋代转运司的设置

转运使一职设置于唐代。对转运使的初名,史学界存在着三种看法。持第一种看法者认为,转运使初称"水陆发运使";持第二种看法者认为,转运使初称"水陆转运使";持第三种看法者认为,转运使初称"水陆运使"。郑世刚经过旁征博引考察后认为,转运使初称"水陆运使",设置于唐玄宗先天二年(713年)①。笔者同意郑世刚先生的看法。

唐代初置转运使的目的,主要是为了转输江淮财赋以供京师长安。安史之乱后,藩镇"自擅兵赋,皆不上供,岁时但贡奉而已",而唐政府所能控制者,"唯河西、山南、剑南、岭南四道",转运使对唐政府的作用大减。

五代时期,战争频繁,转运使的职能主要是负责军资的转输,如周世宗"谋取蜀",以高防为西南水陆转运制置使"屡发刍粮赴凤州,为征讨之备"②。

宋代转运使置于乾德元年(963年)。当时,宋太祖以沈义伦为

---

① 郑世刚《北宋的转运使》,《宋史研究论文集》,河南人民出版社1984年7月版,第322页。
② 《宋史》卷270《高防传》。

京西道转运使,韩彦卿为淮南转运使,诸道置转运使始于此①。此时的转运使并没有监察性质,纯是军事性质。正如马端临在《文献通考》卷六十一中所总结的:"其始除转运使,止因军兴,至班师即停罢。"

宋太宗时,转运使职权扩大,职位重要,开始成为路级监察官。太平兴国二年(977年)八月,虢州刺史许昌裔上疏"诉保平节度使杜审进阙失事",宋太宗令右拾遗李瀚前去调查此事。李瀚向朝廷建议说:"节镇领支郡,多俾亲吏掌其关市,颇不便于商贾,滞天下之货。望不令其有所统摄,以分方面之权,尊奖王室,亦强干弱枝之术也。"宋太宗采纳了李瀚的建议,下诏邠、宁、泾、原、鄜、坊、延、丹、陕、虢、等州"并直属京,天下节镇无复领支郡者矣"②。罢除了节镇领支郡的制度,"自是而后,边防、盗贼、刑讼、金谷、按廉之任皆委于转运使"③,"又节次以天下土地形势,俾之分路而治矣,继增转运判官,以京官为之,于是转运使于一路之事无所不总"④。可见,自宋太宗罢节镇领支郡后,转运司由单纯军事性质变为既有行政职能,又有监察之权的路级机构。

(二) 宋代转运司的组织状况

宋代转运司的组织体制经历了一个复杂的变化过程。

北宋初年,因循唐制设兼职转运使。从太祖乾德年间(963—968年)开始,设置了路分转运使,开宝五年(972年),设置了转运判官,太宗太平兴国二年(977年),又设置了转运副使。至道三年(997年),全国十五路均设转运使,一般的路分设使一员,边境重

---

① 《玉海》卷182《乾德转运使》。
② 《长编》卷18,太平兴国二年八月丙寅。
③ 《文献通考》卷61《职官十五》。
④ 林駉《古今源流至论 · 后集》卷3《运司》。

要路分或重要经济区域则置两员或两员以上,如河北、河东、陕西和淮南、两浙等路均属置两员或两员以上的地区。诸路转运司转运副使、转运判官配备无常制,一般的路分设副使和判官,而有的路分则不设转运副使或转运判官。

宋代转运司属官的设置也是因地因事繁简不一,员数也不一样。一般路分的转运司属官设主管文字、准备差遣大使臣,武臣准备差使、干当官等各一员,重要路分有些置属官二员。

二、宋代转运司的职能

宋代转运司的职能除监察地方官之外,比较偏重于路级财政管理,在整个监司系统中占有重要地位。

(一) 按察部内官吏

按察部内官吏是宋代转运司的基本职能之一。在宋代监司系统中,转运司是最早具有监察部内官吏职能的机构。开宝九年(976年)十一月(宋太宗已即位),宋太宗就诏令"诸道转运使,各察举部内知州、通判、监临物务京朝官等"[1]。

历宋一代,皇帝不断下诏强调转运司按察部内官吏的职能。如天圣三年(1025年)七月,宋仁宗"诏诸路转运司具所部知州、同判老疾不任事者,以名闻"[2]。景祐三年(1036年)十二月,宋仁宗下诏令"诸路转运使察所部知县、令不治者以闻"[3]。熙宁五年(1072年)六月,宋神宗诏令"河北都转运司劾雄州官吏以闻"[4]。元祐六年(1091年)闰八月,宋哲宗"诏淮南路转运司根治马守珍交通赵

---

[1] 《长编》卷17,开宝九年十一月庚午。
[2] 《长编》卷103,天圣三年七月己未。
[3] 《长编》卷119,景祐三年十二月丁卯。
[4] 《长编》卷234,熙宁五年六月壬戌。

君锡、王巩事状以闻"①。

(二) 主管一路财政

宋代转运司主管着一路财政的方方面面,如上供、支移、折变等,几乎无所不统。

1. 负责足额的上供物品,以保证京师的费用

北宋京师开封和南宋国都临安(杭州)内皇室、军队和官僚士庶的费用,均由诸路转运司等负责筹集转输。

北宋初年,各路上供岁额无定制,有时增有时减,难以掌握。为了保证朝廷的收入,景德三年(1006年),宋真宗采纳李溥的建议,对诸路转运使上供实行定额制度。即规定各路转运司每岁应上供数额,一般的路分两限上报户部,运往京师,第一限到二月底,第二限到七月底。宋哲宗时,经济发展的江淮六路仍是主要的上供地区,每年上供数额达六百万石,分三限输送②。南宋时,转运司仍主管诸路的上供物品,如果拖欠,要受到朝廷惩罚,如绍兴四年(1134年)二月,宋高宗诏令"广南东西路转运司当职官各降一官,吏人从杖一百科断",其原因是"户部比较绍兴三年未起上供钱物,本路拖欠最多"③。

2. 计度并通融一路财政

宋代路级财政的计度和通融也由转运司等负责。

所谓计度,即计算度量一路财政收入和支出,以保证州县官吏的俸禄、军队的给养、官员的赏钱及灾荒的备用等各种费用。两宋时期,朝廷不断强调转运司的这些职能。如北宋大中祥符元年(1008年)十二月,司天监报告扬州和楚州地区将有水旱之灾害,

---

① 《长编》卷465,元祐六年闰八月甲申。
② 《宋会要辑稿》食货49之23。
③ 《宋会要辑稿》食货64之50。

宋真宗"诏江、淮发运转运司:部内各留三年之储,以备水旱。"①南宋淳熙六年(1179年)三月,宋孝宗强调:"诸路漕臣职当计度。"②

所谓通融,即互相调济。宋代转运司对一路财政不仅要周而知之,计算度量,而且还要互相调济,以保证路级财政的协调。北宋时,转运司还能恪守这一职能。南宋时,部分转运司对本路州郡财政不是互相调济,而是"有余者取之,不足者听之"③。针对这些弊端,宋孝宗于淳熙六年(1179年)三月,"御笔手诏戒谕诸道转运,视所部为一家,周知经费而通融有无"④。翌年三月,宋孝宗又"诏诸路漕臣,限一季与所部州县商度赋入,通融其有无者有几,裁抑其蠹耗者又有几,仍条具以闻,令三省置籍稽考殿最,以议赏罚"⑤。绍熙元年(1190年)五月,宋光宗根据臣僚的建议,下诏强调:"诸路漕臣确意遵守淳熙六年诏旨,必行通融,使无有余、不足之患。"⑥自此到南宋灭亡,转运司一直掌通融一路财政的职能。

3. 主管支移、折变和二税

宋代各地的支移、折变和二税的输纳等具体问题均由转运司主管。如支移、折变和二税输纳的日期及数量由转运司把朝廷的规定及时下达到各县,并将各县起纳的日期上报中书。为了使农民在输纳前有充分的准备,北宋熙宁八年(1075年),宋神宗下诏规定:支移二税于起纳前半年由转运司通知各县。元丰年间,有些路的转运司往往不执行这一命令,"多逼近起纳方行,如开封府界五月十五日起纳夏税,五月十二日方下诸县",直接影响了按时输纳。针对

---

① 《长编》卷70,大中祥符元年十二月甲辰。
②③ 《宋会要辑稿》职官42之59。
④ 《宋会要辑稿》职官42之61。
⑤ 《宋会要辑稿》职官42之60。
⑥ 《宋会要辑稿》职官42之61。

这一状况,元丰二年(1079年)十月,宋神宗"诏诸路转运司,支移、科折二税,并具行下月日上中书"①。元祐元年(1085年)六月,宋哲宗诏令"诸路转运司:每岁支移、折变,并须躬亲审度地里远近,顺便体问收成丰歉去处,遵守诏条,禁戢官吏,务从民便"②。南宋嘉定五年(1212年)十二月,宋宁宗下诏:"诸路转运使参考新旧税籍,蠲其横积之数。"③ 历宋一代,转运司掌支移、折变和二税的职能未变。

4. 掌"摘山煮海之利"

宋代在提举官设置之前,诸路转运司掌各地的"摘山煮海之利"。

所谓"摘山煮海之利",即矿冶、盐、茶、酒等项财政收入。宋代在神宗以前,这些"摘山煮海"的具体事务由转运司负责。太平兴国二年(977年)正月,江南转运使樊若冰请求整顿茶税,"增所市之直,以便民"④。同年二月,江南转运使又请求在升、鄂、饶等州设置铸钱监,大量铸造铜钱。十月,京西转运使程能请求榷陈、滑、蔡、颍、随、郢、均、邓、金、房等州和信阳军酒。宋真宗时,有些转运使副直接兼任铸钱职务,如咸平三年(1000年)五月,宋真宗以虞部员外郎冯亮为江南转运副使兼任都大提点江南、福建路铸钱事。

(三) 监督并审理地方刑狱案件

宋代自太宗太平兴国二年(977年)罢节度使领支郡制度以后,转运司就具有监督并审理地方刑狱的职能。如太平兴国三年(978年)八月,宋太宗下"诏诸道转运司指挥所属州府,自八月一

---

① 《长编》卷300,元丰二年十月丁未。
② 《长编》卷379,元祐元年六月甲午。
③ 《两朝纲目备要》卷13,嘉定五年十二月壬戌。
④ 《长编》卷18,太平兴国二年正月辛卯。

日后,吏民所犯并论如法,不在恩赦之限"①。淳化二年(991年)五月,宋太宗又诏令"诸道转运使各命常参官一人专知纠察州军刑狱公事"②。淳化三年(992年)五月,宋太宗又令"转运使案部,所至州县,先录问刑禁"③。淳化四年(993年)十月,提点刑狱司被罢除以后,地方刑狱案件的监督与审理全由转运使掌领。

真宗景德四年(1007年)七月,提点刑狱司被复置并从转运司中独立出来后,转运司和提点刑狱司皆有监督、审理地方刑狱的职能。如景祐四年(1037年)正月,宋仁宗下诏:"天下狱有大辟,长吏以下並聚厅虑问。有翻异或其家诉冤者,听本处移司;又不服,即申转运司或提点刑狱司,差官别讯之。"④

宋代的诉讼法规定:"诸色人诉论公事,称州军断遣不当,许于转运司理诉,转运不理,许于提点刑狱陈诉"⑤;如果提点刑狱出巡遇到有申冤者,收接的案件也必须"牒送转运司"⑥。宝元元年(1038年)八月,京东路提点刑狱王继祖请求"自今诸路提点刑狱巡所部内,民有诉冤枉者,许受理之",宋仁宗仍下诏"听受词状,送转运司施行"⑦。皇祐元年(1049年)十一月,宋仁宗又下诏规定:"民有诉冤枉,而贫不能诣阙者,听投状转运、提点刑狱司附递以闻。"⑧ 可见,审理地方的冤假错案也是宋代转运司的重要职能之一。

---

① 《长编》卷19,太平兴国三年八月丙午。
② 《文献通考》卷61《职官十五》。
③ 《长编》卷33,淳化三年五月甲午。
④ 《长编》卷120,景祐四年正月丙戌。
⑤ 《宋会要辑稿》刑法3之17。
⑥ 《宋会要辑稿》刑法3之18。
⑦ 《长编》卷122,宝元元年八月癸酉。
⑧ 《宋会要辑稿》刑法3之19。

（四）参预镇压农民起义

宋代转运司作为路级行政监察机构之一，也具有参预镇压农民起义、维护封建统治的职能。

淳化年间（990—994年），四川地区爆发了王小波、李顺领导的农民起义，宋太宗命雷有终和裴庄为峡路随军转运使、同知兵马事。雷有终"调发兵食，规划戎事，皆有节制"，出兵攻打起义军，使起义军"赴水死者无算"①。景德三年（1006年）五月，京东地区爆发了农民起义，宋真宗遣使与转运使张知白等人"相视所部州军，分为五路，各置巡检司、令督捕之"②。翌年，宜州士兵起义，"广南西路转运使舒贲移牒招抚，发桂、浔等州兵趣柳城讨之"③。

历宋一代，转运使在镇压农民起义，维护封建统治方面起到了重要作用。

（五）参预管理地方民政

宋代转运司参预掌管的地方民政事务比较繁杂。

首先是负责推广先进的种植技术。如大中祥符五年（1012年）五月，宋真宗命江淮、两浙转运使揭榜推广占城稻种法④。

其次是赈抚灾民。如咸平元年（998年）十月，两浙地区遭到了灾害，宋真宗诏令"两浙转运使察部内七州乏食处，赈贷讫以闻"⑤。大中祥符四年（1011年）四月，山东登、莱等州发生了灾害，宋真宗令"江淮转运司雇客船转粟赈之"。大中祥符七年（1014年）

---

① 《宋史》卷278《雷德骧传附雷有终传》。
② 《长编》卷63，景德三年五月辛亥。
③ 《长编》卷66，景德四年七月壬申。
④ 《长编》卷77，大中祥符五年五月戊辰朔。
⑤ 《宋会要辑稿》食货57之3。

十月,淮南地区遭到了灾害,宋真宗"诏本路转运使发廪赈恤"①。天禧二年(1018年)十月,"同、耀州饥民多流亡",宋真宗"诏转运司赈之"②。天禧四年(1020年)正月,利州路发生了旱灾,宋真宗"令利州路转运司赈贷贫民"③。天圣四年(1026年)十二月,不少地区遭到自然灾害,宋仁宗"令京东、京西、河北、淮南转运司选官将本处常平仓斛斗减价出粜,或无常平仓处,即以省仓斛斗除留准备外,出粜以济贫民"④。

其三是教育百姓爱惜粮食。如景祐三年(1036年)十一月,宋仁宗"诏诸路转运司,今岁丰谷贱,宜晓谕民间,毋得广费及捐弃食物"⑤。

其四是灾荒年向农民贷借种子,但不得以此名向百姓抑配。如皇祐四年(1037年)正月,宋仁宗"诏许诸路转运司灾伤处贷民种食,即不得以劝诱为名,抑配人户"⑥。

其五是疏治河道,募人种树。熙宁元年(1068年)六月,河水涨溢,宋神宗"诏都水监、河北转运司疏治"⑦。熙宁七年(1074年)六月,朝廷令河北路转运司和安抚司同"相度沧州三塘及缘界河经黄河填污地,募人种木"⑧。

总之,凡地方的民政庶务,转运司几乎无不参预。

---

① 《宋会要辑稿》食货57之5。
② 《宋会要辑稿》食货57之6。
③ 《长编》卷95,天禧四年正月丙寅。
④ 《宋会要辑稿》食货57之7。
⑤ 《长编》卷119,景祐三年十一月壬辰。
⑥ 《长编》卷172,皇祐四年正月己巳。
⑦ 《长编拾补》卷3上,熙宁元年六月乙丑。
⑧ 《长编》卷254,熙宁七年六月庚午。

（六）参预处理地方军政、边防及民族事务

宋代转运司有参预诸路军政的职能。景德三年（1006年）六月，宋真宗"令诸路转运使副，所至拣阅州兵老疾者，籍其数以闻"①。熙宁四年（1071年）四月，宋神宗下诏："天下军器除三路缘边已差官阅视，其他路令转运司于逐州军各选官相验，分为三等，转运使副、判官分诣逐州军督趣，事毕以闻"②。

宋代边境地区战事繁多的诸路转运使有组建地方武装，训练士兵，参预军事机密等职能。如咸平年间（998—1003年），宋政府决定在陕西路建置保毅军，使民家出丁，"给资粮，与正兵分戍守城垒"，宋真宗下诏"遣御史吴茜与转运使同主其事"③。景德三年（1006年）五月，宋真宗下诏河北路转运司及诸州军，"每诏敕事关机宜者，谨密行之，勿付胥吏，致其漏泄"④。

宋代多民族聚居边境地区的转运使，还有处理民族事务，巩固边防的职能。太平兴国二年（977年）正月，邕州知州上疏说：广源州蛮酋坦绰侬民富愿意以"七源州内附输赋税"，宋太宗下诏授坦绰侬民富检校司空，"令广州转运使徐道招来之"⑤。真宗咸平五年（1002年）正月，夔州路转运使丁谓因"绥抚有方，蛮人安堵"，被朝廷迁为刑部员外郎，赐白金三百两⑥。

---

① 《长编》卷63，景德三年六月己卯。
② 《长编》卷222，熙宁四年四月癸酉。
③ 《长编》卷49，咸平四年九月庚寅。
④ 《长编》卷63，景德三年五月戊申。
⑤ 《长编》卷18，太平兴国二年正月己丑。
⑥ 《长编》卷51，咸平五年正月甲辰。

（七）自辟、定差或荐举官吏

1. 自辟本司属官

宋代转运使有自辟属官的职能。如宋神宗熙宁初年，允许河北、河东、陕西三路转运使，自辟属官各二员，"以京朝官曾历知县者为之"①，此后，其他路转运使也有自辟属官的。

2. 定差本部州县官吏

宋代川峡、广南西、福建、荆湖南等八路转运使有定差本部州县官的职能。北宋时、川峡、广南等地距京师开封甚远，这些地方的官不仅"罢任迎送劳苦"，而且内地人多不愿充任其职。为了解决这些问题，宋神宗时采用了"分铨选之法委之漕司"②的措施，也就是由转运司按照吏部铨选法就地差注或更换州县官吏。

熙宁三年（1070年）八月，宋神宗正式推行了由七路转运司代行吏部铨选法。其法规定：川峡、广南、福建等七路，"除堂除、堂选知州外，委本路转运司置逐等差遣员阙簿，录逐官至任月日，成资替者到任及三年，三十月替者及一年，三年替者及一年半，收为阙次，依审官东院、流内铨例，逐月上旬检举员缺，牒所部州军阙报本处官"③。同年十二月，宋神宗又在荆湖南路少数民族居住区"令转运司依川、广七路法就差"④诸县主簿、尉和诸州坑冶官。元祐更化时，八路定差法曾一度被废除，宋哲宗亲政后又恢复了此法。

南宋初年，转运司定差官员的范围有所扩大，不少臣僚上疏请求恢复北宋的八路定差法。绍兴五年（1135年）三月，宋高宗下诏强调："川陕监司，知、通去替一年，令转运司具状申尚书省，余并依

---

① 《宋史》卷167《职官七》。
② 《永乐大典》卷14625《吏部条法·奏辟门》。
③ 《长编》卷214，熙宁三年八月戊寅。
④ 《长编》卷218，熙宁三年十二月丁巳。

八路旧法差注"①。自此一直到南宋末年,转运司定差八路地方官的职能袭而不废。

3. 荐举官员

宋代转运使副具有荐举官员的职能。荐举的人选有的充任州县官,也有的充任中央官。

淳化四年(993年)七月,宋太宗诏令"诸道转运使副、知州、通判、知军监等,各于部内见任幕职州县官,举通明吏道及精修儒行者各一人"②。咸平四年(1001年)六月,宋真宗下诏规定了转运使副荐举官员的具体事宜和连坐法。其诏云:"诸路转运使副,自今荐举官属当具历任无赃私罪,及条其绩效以闻,异时擢用,不如所举,连坐之。"③宋仁宗朝,皇帝不断下诏令转运使荐举官员。如天圣七年(1029年)十月,宋仁宗诏令转运使不拘人数,于现任判司簿、尉中荐举"堪充县令者"④。明道元年(1032年)七月,宋仁宗"诏诸路转运使举通明经义,可为国子监讲官者,以名闻"⑤。

南宋转运司官仍有荐举官员的职能,与北宋不同的是添差转运司官的荐举人数与正任转运司官有所区别。如绍兴三年(1133年)正月,宋高宗"诏宇文师瑗添差福建路转运判官,其荐举员数与依正任转运判官合举员数减半奏举"⑥。

再者,南宋转运使、转运副使、转运判官荐举官的数量有了具体规定。绍兴十二年(1142年)十二月三十日,宋高宗根据吏部的

---

① 《宋会要辑稿》选举31之5。
② 《宋会要辑稿》选举27之5。
③ 《宋会要辑稿》选举27之8。
④ 《宋会要辑稿》选举27之24。
⑤ 《长编》卷111,明道元年七月丙申。
⑥ 《宋会要辑稿》选举29之23、29之24。

请求,诏令"自绍兴十三年(1143)为始",令陕西转运使、转运副使、转运判官"三员合举改官十七员,县令二十七员"①。绍兴二十八年(1158年)十月二十日,根据吏部的提议,宋高宗又规定:两浙转运使、转运副使举官均限十员②。

综上所述,宋代转运司的职能是比较广泛的,对地方的监察和行政之职,几乎无所不预,但其各种职权,又无一不被其他机构所分割。

三、宋代转运司官员的选任制度

有关宋代转运司官员的选任制度,本章第一节在考察宋代监司选任制度时,已作过总体考察,这里仅把宋代转运使的选任方式及朝廷对转运使的监察两个问题,作一补充探讨,其他不再赘述。

作为正监司官的转运使,宋代统治者比较重视其选任。如咸平元年(998年)九月,宋真宗对宰相说:"转运使按察官吏,事权甚重,任非其人,则州县受弊","卿等其谨择之。"③历宋一代,转运使的选任方式大致有以下几种。

1. 皇帝亲擢

皇帝亲擢是宋代转运司的重要选任方式之一。宋太宗时,转运使副皆由"上意特除"④,即由皇帝亲自选任。为了周知转运使副人选的情况,雍熙二年(985年)七月,宋太宗对宰臣说:"朕前日阅班籍,欲择一人为河北转运使,而臣僚既众,不能尽识,亦不知其履

---

① 《宋会要辑稿》选举29之30。
② 《宋会要辑稿》选举30之5。
③ 《长编》卷43,咸平元年九月丁丑。
④ 《长编》卷154,庆历五年二月乙卯。

行,自今令(同知京朝官雷)德骧具臣僚历任功过之迹引对取旨,既以渐识群臣,可以择才委任。"①自此以后,宋代皇帝多以阅班籍或引对的形式亲擢转运使副。宋真宗"尝择广南转运使"②。熙宁三年(1070年)九月,宋神宗曾擢孙珪为湖北转运使,范子奇为权湖南转运使。

2. 臣僚荐举,皇帝从中点名任命

为了拓宽转运使副人选范围,宋代皇帝常下诏令百官荐举人选,然后从中点名任命。

历宋一代,皇帝常下诏令臣僚荐举转运使副人选。如太平兴国六年(981年)八月,宋太宗诏令翰林学士承旨李昉等十一人"于常参官内保举堪任三司判官及转运使各一人"③。淳化元年(990年)四月,宋太宗"诏知制诰已上每两人共于常参官内保举一人堪充转运使副者"④。淳化三年(992年)二月,宋太宗又诏令宰相、参知政事、枢密副使、翰林学士等"各于朝官内举堪任转运使者一人"⑤。咸平元年(998年)六月,宋真宗下诏:现任三司使、尚书丞郎、给谏、知制诰、知杂御史等"各于朝官内举廉慎强干,堪转运使副者,不限人数;如任使后犯赃,并当连坐"⑥。元祐元年(1086年)四月,宋哲宗下诏令"内外待制、大中大夫以上,举第二任通判资序、曾历亲民差遣,堪充转运判官者各二员"⑦。

3. 宰执堂除

---

① 《宋会要辑稿》职官59之3、59之4。
② 《皇宋中兴两朝圣政》卷54,淳熙三年九月癸亥转引《三朝宝训》。
③ 《宋会要辑稿》选举27之3。
④ 《宋会要辑稿》选举27之4。
⑤ 《宋会要辑稿》选举27之5。
⑥ 《宋会要辑稿》选举27之7。
⑦ 《长编》卷375,元祐元年四月己亥。

北宋初年,尚未有宰执堂除转运使副的制度。自宋真宗朝起,开始准许宰执堂除转运使副。庆历三年(1043年)二月,范仲淹在给宋仁宗的上疏中,"请诏二府(中书和枢密院)通选转运使"①。自此,宰执堂除转运使副的比例增大。

北宋后期和南宋一代,宰执堂除转运使的制度袭而不废,有关此方面的内容,本章第一节中已有论述。

四、对转运司官员的监察制度

宋代转运司官除接受台谏、察访使的监察及提点刑狱、提举常平的互察外,还要下受府州军监,上受三司(元丰改制后的户部)的监察。

宋太宗时,就令府州军监官密察转运司官。如端拱二年(989年)七月,宋太宗诏令"诸道州府军监,如转运使副所置之处,无事端坐,委知州以下密具闻奏"②。宋太宗以后,知州以下地方官密察转运司官成为定制。

宋代转运司官的财政职能要受到三司(元丰改制后的户部)的监察。熙宁八年(1075年)正月,宋神宗下诏:"诸路转运司失计置钱物,及本路自可移用不阙而过为约度,妄有申请支拨,并妄诉免、指占上供钱物者,并委三司奏劾。"③

---

① 赵汝愚《宋名臣奏议》卷67,范仲淹《上仁宗论转运得人许自择知州》。
② 《宋会要辑稿》食货49之7。
③ 《长编》卷259,熙宁八年正月乙卯。

第三节　宋代提点刑狱司制度

宋代的提点刑狱司又称"宪司"、"宪台",或"提刑司",设置的时间虽略晚于转运司,但"号正监司第一"①,是宋代路级监察制度的重要组成部分之一。

一、宋代提点刑狱司的设置和组织状况

(一) 宋代提点刑狱司的设置

宋代的提点刑狱司设置于淳化二年(991年)五月,最初设置的目的是为了疏理地方刑狱,平反冤假错案和纠察违法官吏等。

北宋初年,尚未有提点刑狱之名。太平兴国二年(977年)八月,宋太宗罢除节度使领支郡的制度以后,转运使掌握了一路的司法、财政、监察等职权。转运使职权的增多,不仅扩大了其与皇权的矛盾,而且繁多的政务使转运使疲于应付,特别是刑狱案件日益积压的问题更为严重。为了解决这些矛盾和问题,淳化二年(991年)五月,宋太宗"始命董循等十人分充诸路转运司提点刑狱公事","有疑狱未决,即驰传往视之。州县敢稽留人,狱久而不决,及以偏辞案谳,情不得实,官吏循情者悉以闻"②。这些新设置的诸路提点刑狱公事没有独立的办事机构,隶属于转运司。

淳化四年(993年)十月,宋太宗以"诸路提点刑狱司未尝有所平反"为理由,下诏罢去了提点刑狱司,"归其事于转运司"③。

宋真宗即位后,曾多次遣使巡抚各路,按问刑狱,监察官吏。景

---

① 黄震《黄氏日抄》卷79《交割到任日镂榜约束》。
② 杨仲良《续资治通鉴长编纪事本末》卷14《听断》。
③ 《长编》卷34,淳化四年十月庚申。

德四年(1007年)七月,正式复置了提点刑狱司。这次新置的提点刑狱司与太宗淳化二年(991年)五月时设置的提点刑狱司相比,已有了重要变化。请看宋真宗对提点刑狱司职能、任期、待遇、考绩、监察等具体制度的规定:

> 所至专察视囚禁,审详案牍,州郡不得迎送聚会。所部每旬具囚系犯由,讯鞫次第申报,常检举催督。在系久者,即驰往案问。出入人罪者移牒覆勘,劾官吏以闻。诸色词诉,逐州断遣不当,已经转运使批断未允者,并收接施行。官吏贪浊弛慢者,具名以闻,敢有庇匿,並当加罪。仍借绯紫,以三年为任,增给缗钱,如转运使之数。内出御前印纸为历,书其绩效,中书、枢密院籍其名,代还考课,议功行赏。如刑狱枉滥,不能摘举,官吏旷弛,不能弹奏,务从畏避者,寘以深罪①。

从以上材料中可以看出,宋真宗设置的提点刑狱具有五个特征:第一,提点刑狱司不再隶属于转运司,而是和转运司并列的独立机构;第二,提点刑狱司不仅可以疏理刑狱,监察官吏,而且还可以收接审理转运司审判不当的刑狱案件;第三,在待遇上,提点刑狱和转运使相同;第四,提点刑狱任期三年,以御前印纸考绩;第五,提点刑狱不恪守职任者,要从严治罪。这五个特征表明,宋代的提点刑狱在真宗景德四年(1007年)已形成了制度。

宋仁宗天圣、明道年间,提点刑狱曾几次废置。天圣六年(1028年)初,有臣僚上疏说提点刑狱"过为烦扰,无益于事"②,于是宋仁宗下诏罢去了提点刑狱司,把其职归属于转运司。天圣八年(1030年)九月,宋仁宗"复置诸路提点刑狱官"③,但是,不到十日又被罢

---

① 《长编》卷66,景德四年七月癸巳。
② 《长编》卷106,天圣六年正月戊午。
③ 《长编》卷109,天圣八年九月癸丑。

去。明道二年（1033年），宋仁宗亲政后又复置了提点刑狱司。

对宋英宗治平元年（1064年）到神宗熙宁元年（1068年）这四年中间提点刑狱的置废问题，古今治史者说法不一。孙逢吉《职官分纪》卷四十七《诸路提点刑狱》载："治平元年（1064年）闰五月罢提点刑狱而以委转运司"。马端临《文献通考》卷六十一《职官十五》也记载说："治平元年（1064年）罢提点刑狱而委转运司。"戴建国先生认为："这两条记载与史实不符"，"治平元年（1064年）闰五月以后提刑还是设置的"①。其实，提点刑狱司在英宗治平元年（1064年）至神宗熙宁元年（1068年）四年中，是时设时废，没有定制。如治平元年（1064年）年闰五月被罢去，同年十一月二日就出现了"新差提点两浙路刑狱公事贾寿"② 的奏文，这说明当时提点刑狱已经复置。

熙宁元年（1068年）正月，宋神宗复置了提点刑狱司。次年十一月，宋神宗虽"罢诸路提刑武臣"③，但文臣提点刑狱制度自此袭而不废，正如林駉所总结的："迨置于熙宁之后，而提刑之职遂不废。"④

（二）宋代提点刑狱司的组织状况

宋代提点刑狱的组织结构由少渐多，到宋神宗元丰六年（1083年）有了定制，南宋时人员增多。

北宋初期，提点刑狱司仅设置提点刑狱和同提点刑狱使臣二人。宋神宗时，不少大臣纷纷上疏请求设置提点刑狱检法官，如高赋在给神宗的上疏中就请求诸路提点刑狱司设置检法官，"庶专平

---

① 戴建国《宋代的提点刑狱司》，《上海师范大学学报》1989年第2期。
② 《宋会要辑稿》刑法1之67。
③ 《宋史》卷14《神宗一》。
④ 林駉《古今源流至论·续集》卷7《监司》。

瀛,使民不冤"①。熙宁六年(1073年),检正中书五房公事吕惠卿也请求设置诸路提点刑狱检法官。同年三月,宋神宗下诏"置诸路提点刑狱司检法官各一员"②,专掌审覆州县案牍。元丰三年(1080年),诸路提点刑狱检法官被罢去。元丰六年(1083年)正月,宋神宗又下诏置诸路检法官各一员。自此,诸路提点刑狱司置检法官成为定制。

宋代提点刑狱司的干办公事设置于宋徽宗宣和二年(1120年)。初设时称"提点刑狱勾当公事",南宋改名为"干办公事",其主要职能是协助提点刑狱侦缉、审理案件。从设置的人数上看,北宋时一般诸路各置勾当公事一员,南宋建炎四年(1130年)武臣提点刑狱,也"添置干办公事官"③。绍兴十八年(1148年)以后诸路又增设了添差干办公事一员或者二员。

此外,宋代的提点刑狱司还设有各种吏人和当直士兵。一般来说,诸路提点刑狱司设吏人十八员左右。其中提点刑狱配有通引客司三人,书表司一人,茶酒、帐设司、厨子、后槽十人。检法官配备茶酒、帐设司、厨子、后槽五人④。北宋时,文臣提点刑狱配给当直士兵三十人,武臣提点刑狱配给二十五人。南宋宁宗朝的《庆元条法事类》中规定:提点刑狱配给当直士兵四十五人,检法官配给十人⑤。

---

① 《宋史》卷426《高赋传》。
② 《长编》卷243,熙宁六年三月戊辰。
③ 章如愚《山堂考索·后集》卷13《监司类》。
④ 《庆元条法事类》卷10《吏卒接送》。
⑤ 《庆元条法事类》卷11《差破当直·吏卒格》。

二、宋代提点刑狱司的职能

宋代提点刑狱司的职能不仅偏重于审理冤假错案和监察州县官吏，而且于一路财政、军政、民政、治安等方方面面，几乎无所不预。

（一）监督并审理一路刑狱案件

宋代提点刑狱于一路司法方面有着广泛的职权，"总郡之庶狱，核其情实而覆按以法，督治奸盗，申理冤滥"①。具体而言，有以下几个方面。

1. 监督州县刑狱

宋代提点刑狱的首要职能就是"专察视囚禁，审详案牍"，"在系久者，即驰往案问，出入人罪者移牒覆勘，劾官吏以闻"②。也就是说，宋代提点刑狱要经常监督州县官严格按照法律审理刑狱案件，如果遇到"重罪已明，不碍检断，而本州非理驳退者"，要"觉察按治"③。

两宋时期，皇帝不断下诏强调提点刑狱监督州县刑狱的职能。北宋熙宁三年（1070年）六月，宋神宗"诏诸路提点刑狱司，具逐州军经略、安抚、钤辖司特刺配人元犯以闻"④。南宋绍兴十五年（1145年）六月，宋高宗令诸路提点刑狱，"每季条具一路刑狱禁系多寡，核实以闻，严加黜陟"⑤。

2. 平反冤假错案，审理疑难案件

---

① 谢维新《古今合璧事类备要·后集》卷70《监司门》。
② 《长编》卷66，景德四年七月癸巳。
③ 《庆元条法事类》卷73《断狱令》。
④ 《长编》卷212，熙宁三年六月乙酉。
⑤ 《建炎以来系年要录》卷153，绍兴十五年六月乙未。

平反冤假错案是宋代提点刑狱司的一项重要职能。两宋统治者不断强调提点刑狱的这一职能,北宋景德年间,宋真宗就对王旦说:"所虑四方刑狱官吏,未尽得人,一夫受冤,即召灾沴。"不久复置提点刑狱,使其"所至专察视囚禁,审详案牍"①,平反冤假错案。南宋绍兴二十一年(1151年)十一月,宋高宗强调说:"提点刑狱职在平反,尤当遍临所部。"②

宋代提点刑狱是一路最高的司法长官,有审理疑难案件的职能。景德四年(1007年)七月,宋真宗就规定:"诸色词诉,逐州断遣不当,已经转运使批断未允者",提点刑狱"并收接施行"③。仁宗景祐元年(1034年)的地方刑狱讼诉法也规定:"诸色人诉论公事,称州军断遣不当,许于转运司理诉,转运不理,许于提点刑狱陈诉。"④元丰改制后,凡州县不能定断的疑难刑狱,则由提点刑狱审理。历南宋一代,"诸路每岁决狱专委宪司(提点刑狱司)"⑤,如果提点刑狱审理不当,则可以向中央司法机构申诉。

此外,南宋时期,提点刑狱司还要纠举各种违法囚禁无辜百姓的行为。如嘉泰元年(1201年),宋宁宗令提刑司"检坐应禁不应禁条法,出给板榜,大字书写,行下逐州县,委自通判、县丞,各于狱门钉挂,晓示被禁之人"。如果诸州监狱"内有不应禁而收禁者,提刑按劾守令以闻"⑥。

(二) 按察一路官吏

按察官吏的违法行为,是宋代提点刑狱的重要职能之一。北宋

---

① ③ 《长编》卷66,景德四年七月癸巳。
② 《建炎以来系年要录》卷162,绍兴二十一年十一月乙卯。
④ 《宋会要辑稿》刑法3之17。
⑤ 熊克《中兴小记》卷33,绍兴十八年五月甲申。
⑥ 《宋会要辑稿》刑法6之73。

景德四年(1007年)七月,宋真宗就令诸路提点刑狱将"官吏贪浊弛慢者,具名以闻"①。大中祥符四年(1011年)正月,陕西提点刑狱司按劾邠宁环庆副都部署陈兴,"纵所部禁兵为劫盗,又释不诛"②,陈兴被罢去军职。天圣二年(1024年)六月,梓州路提点刑狱王继明奏劾知梓州王世昌"昏耄不治"③,宋仁宗罢去了王世昌的知州职务。皇祐年间,谏官包拯在宋仁宗的上疏中也指出:"国家设提刑按察之职,察郡吏廉秽之状,其治绩尤著者必慰荐称举,贪懦不治者,则必体量按劾。"④熙宁十年(1077年)二月,宋神宗下诏令河北、京东路提点刑狱认真按察"贼盗多处州军长吏,如罢软不职,及措置乖方,并捕盗官不足任者,选官对替讫奏"⑤。

南宋时,提点刑狱司按察的范围更为广泛。绍兴三年(1133年)十二月,宋高宗下诏:州县官"不得抑配科扰,如违,并令提刑司按劾闻奏"⑥。绍兴十五年(1145年)四月,宋高宗令诸路州军县镇所收免行钱必须"遵依元立定数"⑦,如违,"令提刑司常切觉察"⑧。宁宗朝的《庆元条法事类》中规定:"诸人户输纳税租,应折变物,转运司以纳月上旬时中价准折。有违法者,提点刑狱司觉察奏劾。"⑨嘉定十四年(1221年)二月,宋宁宗规定:"诸县辄以借契

---

① 《长编》卷66,景德四年七月癸巳。
② 《长编》卷75,大中祥符四年正月庚辰。
③ 《长编》卷102,天圣二年六月乙丑。
④ 杨国宜《包拯集编年校补》卷3《请令审官院以黜陟状定差遣先后》。
⑤ 《长编》卷280,熙宁十年二月壬午。
⑥ 《宋会要辑稿》食货37之35。
⑦ 《宋会要辑稿》食货64之67。
⑧ 《宋会要辑稿》食货64之68。
⑨ 《庆元条法事类》卷48《支移折变》。

钱为名科抑民户","委提刑司廉察按治"①。南宋吴雨严的《名公书判清明集》中也载:"除监司、州郡外,诸县不得擅自押人下寨,违者从提刑司案劾。"②

历宋一代,上自转运使下至诸县吏人,所有地方官吏无不在提点刑狱的监察之列。

(三) 参预一路的财政管理与监督

宋代提点刑狱于一路财政也几乎无所不预。

1. 负责管理和督察一路经总制钱

宋代的经总制钱始于北宋徽宗宣和末年。当时因为与金朝战争的需要,宋政府向老百姓征收经总制钱。南宋时,经总制钱遂成为政府的一项重要收入。

建炎三年(1129年)十月,宋高宗"令东南八路州军收充经制钱,别置簿书拘管,委逐路提刑司兼领,检法官充属官",如果"州县稍有隐漏,擅便支使,起发违限,并依上供法科罪;提刑司失拘催与同罪"③。绍兴五年(1135年)五月,宋高宗又下诏:"诸路所收总制钱专委通判一员拘收"④,如果"稍有欺隐失陷,""令提刑司常切检察"⑤。宋宁宗朝还明确规定:"诸经总钱物,提点刑狱司每月抽摘诸州分隶历点勘,有无隐漏、增减不实,保明申尚书户部。"⑥ 以上材料表明,宋代提刑狱有管理和督察经总制钱的职能。

2. 参预管理和检查一路封桩钱物

---

① 《宋会要辑稿》食货64之112。
② 《名公书判清明集》卷1,吴雨严《不许县官、寨官擅自押人下寨》。
③ 《宋会要辑稿》食货64之86。
④ 《宋会要辑稿》食货35之23。
⑤ 《宋会要辑稿》食货35之24。
⑥ 《庆元条法事类》卷30《经总制》。

宋代提点刑狱司要参预一路封桩钱物的管理与检查。如北宋元丰元年(1078年)七月,宋神宗下诏规定:"诸路转运及开封府界提点司椿管阙额禁军请受,据元额月给钱粮,委提点刑狱及府界提举司拘收于所在别封椿"①。南宋宁宗朝的《庆元条法事类》中规定:"诸朝廷封桩并禁军阙额封桩钱物,提点刑狱司每半年差官点检已、未封桩数,比对州县元申同异保明申本司验实,申枢密院及尚书省。"②

3. 检括漏税,劝耕农桑

宋代提点刑狱司具有察漏税,劝农桑的职能。天禧三年(1019年)十一月,中书门下向皇帝建议说:"诸路租赋欺隐至多,官私土田侵冒亦甚,欲条贯画一,专委逐处提点刑狱朝臣管勾",宋真宗批准了这一请求③。翌年正月,宋真宗"改诸路提点刑狱为劝农使,副使兼提点刑狱公事,仍诏所至取民籍,视其差等,有不如式者惩革之。劝恤农民以时耕垦,招集逃散,检括陷税,凡农田一事已上悉领之"④。同年八月,宋真宗又规定:"诸路劝农提点刑狱官,自今奏事,缘户赋、农田则署劝农司;刑狱格法,则署提点刑狱所。"⑤宋仁宗天圣四年(1026年)三月,虽罢去了诸路劝农司,但提点刑狱"仍令领劝农使如故"⑥。

4. 兼领一路茶税,监督一路坑冶

元祐七年(1092年)六月,宋哲宗"诏诸路茶税并专委提刑司,

---

① 《宋会要辑稿》食货64之70。
② 《庆元条法事类》卷31《封桩》。
③ 《宋会要辑稿》职官42之2。
④ 《长编》卷95,天禧四年正月丙子。
⑤ 《长编》卷96,天禧四年八月辛卯。
⑥ 《长编》卷104,天圣四年三月甲申。

管其税务,毋得以茶税更易作杂税收附。其令本州通判及发运、转运、提刑司觉察,仍许人告首"①。自此,一路茶税多由提点刑狱司兼领。

元符元年(1098年)六月,宋哲宗根据户部的请求,令"提刑司、提点坑冶铸钱司,各据所辖州县坑冶,催督敷办祖额,置籍勾考。每岁令比较增亏,提刑司限次年春季,提点坑冶铸钱司限夏季,各具全年增亏分数保明闻奏及申户部"②。自此,提刑司常参预对一路坑冶的监督。

5. 兼领常平广惠仓

北宋景德三年(1007年)设置了常平仓,由转运司兼领。不久,宋真宗又将常平仓隶提点刑狱司。宋仁宗嘉祐二年(1057年)八月,又设置了广惠仓,由诸路提点刑狱司"专领之"③。宋英宗时,常平广惠仓曾一度不隶提点刑狱司。熙宁二年(1069年)九月,制置三司条例司提出:"旧制,常平广惠仓专隶提刑司",请"仍令提刑司依旧管辖",宋神宗下诏从之④。同年闰十月,宋神宗差官提举诸路常平广惠仓,提点刑狱司虽不直接主管其事,但仍可以监督之。元祐更化时,诸路提举官被罢去,常平广惠仓又委提点刑狱司兼领。其后,凡提举常平官废罢时,常平广惠仓则由提点刑狱司兼任。

南宋绍兴三年(1133年)正月,高宗"命诸路宪臣(提点刑狱)兼提举常平司公事"⑤。自此,凡提举常平司废罢时,其职事多由提点刑狱司兼领。

---

① 《长编》卷474,元祐七年六月乙卯。
② 《长编》卷499,元符元年六月甲辰。
③ 《宋会要辑稿》食货53之34。
④ 《续资治通鉴长编拾补》卷5,熙宁二年九月丁卯。
⑤ 《皇宋中兴两朝圣政》卷13,绍兴三年正月己未。

提点刑狱司除兼领常平广惠仓外,有时还要总领出卖没官、户绝等田产。如绍兴二十六年(1156年)二月,户部言:"江浙、湖南、福建诸路州军自绍兴二十年(1150年)降指挥之后,应常平司拘收到没官、户绝等已、未佃赁田地宅舍专委提刑总领出卖。"①

(四) 镇压农民起义

镇压农民起义,维护封建统治秩序也是宋代提点刑狱司的重要职能之一。

北宋庆历三年(1043年)八月,京东地区爆发了农民起义,提点刑狱沈起因镇压农民起义有功,被宋仁宗改迁为开封府判官②。同年九月,宋仁宗下诏:"诸路提点刑狱司专管勾巡检盗贼公事"③。元丰改制后,宋政府还规定,提点刑狱司"每上下半年申奏诸州盗贼帐状内,开说获未获比折等事"。元祐五年(1090年)八月,根据刑部的建议,宋哲宗又将此规定"著于式"④,以法律的形式固定下来。

南宋建炎二年(1128年)七月,福建路提点刑狱李苙被"特追三官勒停"。其原因是李苙没有及时去镇压叶浓领导的士兵起义,"致寇盗猖獗"⑤。同时,朝廷又命张俊同两浙路提点刑狱官赵哲"率兵讨之"⑥。绍兴年间,湖南提点刑狱辛次膺曾"单车趋茶陵,擒贼骁将戮之"⑦,血腥镇压了李朝等领导的农民起义。宋孝宗朝,江

---

① 《宋会要辑稿》食货61之15。
② 《宋史》卷334《沈起传》。
③ 《长编》卷143,庆历三年九月壬辰。
④ 《长编》卷447,元祐五年八月丙辰。
⑤ 《宋会要辑稿》职官70之7。
⑥ 《宋史》卷25《高宗二》。
⑦ 《宋史》卷383《辛次膺传》。

西提点刑狱辛弃疾因镇压赖文政起义有功,被朝廷加秘阁修撰①。宋宁宗朝,把提点刑狱镇压农民起义的职能编入《庆元条法事类》之中,作为法规一直因袭到南宋末年。

(五) 荐举、奏辟官员

宋代提点刑狱官和其他监司官一样,具有荐举、奏辟官员的职能。如北宋元丰六年(1083年)闰六月,宋神宗下诏令"兵部,自今文臣待制、三省郎官、正言、监察御史、提点刑狱以上,武臣横行及路分都监以上各举应武举一人"②。南宋建炎元年(1127年)十一月,宋高宗下诏:"巡检、县尉、刑狱官阙,许令提刑司具各奏辟一次"③。嘉定五年(1212年)十月,宋宁宗诏"安抚、提刑:举可称将才者二人"④。历宋一代,提点刑狱不断奉诏令荐举、奏辟官员。

(六) 参预地方军政事务管理

宋代提点刑狱司有参预管理一路军政的职能。如北宋天禧二年(1018年)二月,宋真宗"令河北提点刑狱官简阅诸军"⑤。南宋宁宗朝的《庆元条法事类》中规定,诸将军器,"仍令提点刑狱司因岁巡处点检"⑥。

宋代提点刑狱司的职能除上述之外,有时还要兼任其他职务,如知州、提举茶盐等。

三、宋代提点刑狱司官员的选任制度

有关宋代提点刑狱司官员的选任制度,本章第一节在考察宋

---

① 《宋史》卷401《辛弃疾传》。
② 《长编》卷336,元丰六年闰六月丙戌。
③ 《宋会要辑稿》选举31之1。
④ 《两朝纲目备要》卷13,嘉定五年十月辛巳。
⑤ 《长编》卷91,天禧二年二月丁丑。
⑥ 《庆元条法事类》卷7《职制四》。

代监司选任制度时,也已作过总体考察,这里仅把前面未交代清楚的问题,作一补充探讨。

(一) 宋代提点刑狱司官员的选任方式

宋代提点刑狱司官员的选任方式和转运司基本相同,有三种选任方式,即:皇帝亲擢;臣僚荐举,皇帝从中任命;宰执堂除。

宋代提点刑狱和同提点刑狱一般由皇帝亲自选任。这一制度从宋太宗朝开始,一直因袭到南宋末年。值得注意的是,宋代同提点刑狱的举主有时要求有人数限制,如北宋仁宗嘉祐四年(1059年)五月规定:"诸路同提点刑狱及府界同提点刑狱,并选历任无赃私及不曾出入人罪,有举主五人"① 者充任。

宋代提点刑狱检法官的选任方式略有变化。元丰改制后,提点刑狱检法官多由尚书左选和侍郎左选通差②。南宋宁宗嘉泰元年(1201年)十一月,"令刑部长贰、大理卿少得通举诸路提刑司检法官"③。也就是说,自南宋宁宗嘉泰元年(1201年)以后提点刑狱检法官由刑部正副长官和大理少卿通举而选任,这标志着南宋对提点刑狱人选业务素质的重视。

宋代提点刑狱干办公事和其他属官的选任也有变化。初置时,选任方式无定制,南宋绍兴五年(1135年)闰二月,宋高宗下诏规定:"诸路监司属官除转运司主管帐司、提刑检法官外,余并堂除"④。自此,提点刑狱干办公事皆以堂除的方式选任。

(二) 宋代提点刑狱的任职条件

宋代为了保证提点刑狱司官员的素质,对提点刑狱官员人选

---

① 《长编》卷189,嘉祐四年五月辛亥。
② 《永乐大典》卷14622《吏部条法·差注门三》。
③ 《两朝纲目备要》卷7,嘉泰元年十一月。
④ 《宋会要辑稿》职官45之18。

的资序、政治品质等也作了规定。

宋太宗时,提点刑狱的资序尚无定制。宋真宗景德年间(1004—1007年),对提点刑狱的资序开始有了规定。当时,宋真宗"御笔六事"中有一事云:提点刑狱"可于朝臣及武臣使副中选清干者"① 为之。宋仁宗时,提点刑狱人选的资序逐渐严格。庆历七年(1047年)五月,宋仁宗下"诏:同提点刑狱武臣自今非历知州军而无过者,无得差。"② 嘉祐四年(1059年)五月,宋仁宗再次下诏规定:诸路同提点刑狱及府界同提点刑狱"并转大使臣后经三任亲(民)者为之,其知军州,历路都监一任以上毋得差"③。哲宗元祐元年(1086年)四月,宋政府明确规定,提点刑狱和转运使副资序相同,用"曾任知州以上"④ 人充任。绍圣元年(1094年)十一月,宋哲宗再次下诏:自今除授提点刑狱"须实历知州或通判人"⑤ 充任。宋徽宗政和元年(1119年)十二月又规定:提点刑狱"须选曾任州军"⑥ 人充任。历北宋一代,提点刑狱人选资序皆要求曾实历过州军的亲民官。南宋时,提点刑狱人选资序由实历州军实民官下降到"作县有声者"⑦。有关下降的过程,请参看本章第一节。

为了保证提点刑狱的政治素质,宋代还对提点刑狱的具体任职条件作了规定。第一,有赃私罪者,不能充任提点刑狱人选。如仁宗嘉祐四年(1059年)五月就规定,诸路提点刑狱"并选历任无

---

① 江少虞《宋朝事实类苑》卷25《提点刑狱》。
② 《长编》卷160,庆历七年五月戊寅。
③ 《长编》卷189,嘉祐四年五月辛亥。
④ 《宋会要辑稿》职官45之1。
⑤ 《宋会要辑稿》职官45之2。
⑥ 《宋会要辑稿》职官45之7。
⑦ 《宋会要辑稿》职官45之44。

赃私及不曾出入人罪"①者充任；第二，吏人出职和伎术官出职者，不能充任提点刑狱人选。如庆历元年(1041年)，同提点河东路刑狱陈鼎因"三司出职"，同提点陕西路刑狱陈秉"本翰林医官"，不少大臣上疏反对陈鼎和陈秉为提点刑狱。不久，陈鼎和陈秉相继被罢去提点刑狱职务②。嘉祐三年(1058年)闰十二月，宋仁宗下诏明确规定："尝为中书、枢密院诸司吏人及伎术官出职者，毋得任提点刑狱。"③南宋时又规定："三色官并不得注提刑司检法官"④，所谓三色官，指的是流外、进纳和摄官等。

宋代提点刑狱检法官人选还要求有一定的断案经历。宋神宗时下诏规定，提点刑狱检法官和其他刑法官一样，须"试法官断案刑名约七件以上，十件以下"⑤者，方能充任。

宋代提点刑狱干办公事人选的资序，一般要求"曾任知县满替人"⑥充任。

为了保证提点刑狱有旺盛的精力，宋宁宗庆元元年(1195年)规定：七十岁以上者不得任提点刑狱司官。

宋代提点刑狱司官员转迁的时间，基本上和其他监司官一样，一般为三年或者二年一迁。如景德四年(1007年)七月，宋真宗就下诏规定：提点刑狱"以三年为任"⑦。有关宋代提点刑狱官转迁时间变化和回避法的具体内容，请参阅本章第一节。

---

① 《长编》卷189，嘉祐四年五月辛亥。
② 《长编》卷134，庆历元年十二月壬辰。
③ 《长编》卷188，嘉祐三年闰十二月丁卯朔。
④⑥ 《永乐大典》卷14622《吏部条法·差注门三》。
⑤ 《长编》卷243，熙宁六年三月己巳。
⑦ 《长编》卷66，景德四年七月癸巳。

四、对提点刑狱司官员的考课和监察制度

宋代对提点刑狱官的考课监督比较严格,从设置了提点刑狱司起,就制定了考课监督制度。

景德四年(1007年)七月,宋真宗"内出御前印纸为历",专门记载提点刑狱的绩效,"中书、枢密院籍其名,代还考课,议功行赏。如刑狱枉滥,不能摘举;官吏旷弛,不能弹奏,务从畏避者,寘以深罪"①。天禧三年(1019年)四月,宋真宗诏令提点刑狱"岁满代还者,并依京朝官例,于审官院投状考课"②。景祐元年(1034年)正月,宋仁宗下诏重申,"诸路提点刑狱朝臣、使臣并如旧制,给御前印纸,以书殿最"③。景祐三年(1036年)十月,宋仁宗又设置了磨勘诸路提点刑狱司,专掌对诸路提点刑狱的考课④。庆历二年(1042年)正月,宋仁宗下诏磨勘院:"自今提点刑狱朝臣代还,列功过三等以闻。"⑤ 元丰三年(1080年)四月,宋神宗以御史台的刑察官"按察提点刑狱"⑥。南宋时,常用御史台月课法,去考课监督包括提点点刑狱在内的所有监司官,具体内容请参阅本章第一节。

宋代提点刑狱司官员除接受台谏、察访使者的监察及转运司、提举常平司等互察⑦之外,其审刑职能还要接受刑部的监察。如元丰七年(1084年)十月,宋神宗下诏:"诸路提点刑狱司每季具以论

---

① 《长编》卷66,景德四年七月癸巳。
② 《长编》卷93,天禧三年四月辛丑。
③ 《长编》卷114,景祐元年正月丙戌。
④ 《宋会要辑稿》职官59之6。
⑤ 《长编》卷135,庆历二年正月癸亥。
⑥ 《长编》卷303,元丰三年四月乙卯。
⑦ 参见本章第一节。

决详覆大辟事状以闻,付刑部注籍,点检案治失误。"① 此外,宋代提点刑狱出巡时,还要受到州军长官的密察。

宋代为了防止提点刑狱司官员与转运司官员之间相互勾结,特规定禁止提点刑狱司与转运司在同一州治事。如景祐元年(1034年)五月,宋仁宗下诏:"诸路提点刑狱司廨舍与转运使副同在一州者,并徙他州。"②

五、宋代提点刑狱司的作用和弊端

宋代提点刑狱司是赵宋统治者防范藩镇割据和削弱转运使权力政策的产物,它在当时的政治生活中起到了一定的作用。

首先,宋代提点刑狱司削弱了转运使的职权,消除了转运使专权的隐患。宋代自太平兴国二年(977年)八月罢节度使领支郡的制度后,一举使转运使的职权大增。为了防范转运使,使其不再成为新的藩镇,宋代统治者设置了提点刑狱司,并逐渐增加其职权,从而达到分割转运使职权的目的。正如南宋人吕祖谦所言:景德年间建提点刑狱司,"实分转运使之权。"③ 提点刑狱司"虽专以刑狱为事,封桩、钱谷、盗贼、保甲、军器、河渠事务浸繁,权势益重,而转运司所总,惟财赋纲运之责而已。"④

其次,宋代提点刑狱司在平反冤假错案,缓和社会矛盾方面起到了积极作用。两宋时期,随着大地主土地私有制的发展,官僚地主仗势欺人,不择手段地制造冤假错案,提点刑狱司在打击豪强地主的违法乱纪和平反冤假错案中起到了一定作用。如宋孝宗朝,张

---

① 《长编》卷349,元丰七年十月丁卯朔。
② 《长编》卷114,景祐元年五月庚午。
③ 《文献通考》卷61《职官考十五·转运使》。
④ 《文献通考》卷61《职官考十五·提刑》。

大经出任江东路提点刑狱后,不仅使本路豪强地主不敢为非作歹,而且其他路分有巨豪犯法案件,宋孝宗也命令"移属大经"。有一巨豪"挟权势求脱"。张大经不畏权势,"卒正其罪"①。宋宁宗朝,瑞州大姓地主辛氏贪徐氏田地,"不可得,强取其禾,终不与"。辛氏"诬以杀婢",构成徐氏之狱。徐氏上诉其冤,江西提点刑狱赵汝谠"以反坐法黥窜辛氏,籍其家"②,使这一冤假错案得以平反。

其三,宋代提点刑狱血腥镇压农民起义,对赵宋王朝的长治久安,也起到了重要作用。

宋代提点刑狱司虽在维护封建统治、缓和社会矛盾方面起到了重要作用。但是,随着政治的腐败,宋代提点刑狱司也给社会带来了深重的灾难。如南宋后期,提点刑狱司"立例以赃钱为支遣",给社会上一些别有用心的"欲害人而无说者"可乘之机。他们动辄"不远千百里妄称被某人拐脱钱若干,或被胁取钱若干,或被夺去钱若干",提点刑狱司也误认为"利源所在,或不顾虚实而行之,牌匣专人布满州县,大半为追赃钱而发,所解能有几何,而搔扰则不可胜述,弱妻幼子监系累累;家无噍类,则又案吏代纳,案吏之陪偿是亦生民之膏血"③。提点刑狱司所谓的追赃,使被诬害者倾家荡产,有的甚至家破人亡。给社会带来了极大的灾难。

第四节　宋代提举常平司制度

宋代的提举常平司简称"仓司",或者"庾司",创置于王安石变法时期,与转运司、提点刑狱司分管诸路财政,并监察地方官吏,也

---

① 《宋史》卷390《张大经传》。
② 《宋史》卷413《赵汝谠传》。
③ 黄震《黄氏日抄》卷79《交割到任日镂榜约束》。

是宋代路级监察制度的重要组成部分之一。

一、宋代提举常平司的设置和组织状况

常平之职始于汉代。北宋淳化二年(991年),宋太宗因袭前代制度,设置了常平仓,隶属于转运司,"命常参官领之,岁熟增价以籴;岁歉减价以粜,用赈贫民"①。景祐元年(1034年),宋仁宗令转运使司与长吏举所部官兼领常平茶盐司。神宗熙宁初年,朝廷遣使提领诸路常平仓,此即"提举常平之所始也。"②

宋代的提举常平司正式设置于王安石变法时期。熙宁二年(1069年),宋神宗为了保证新法在各地的顺利推行,根据制置三司条例司的建议,诏令"差官充逐路提举常平广惠仓兼管勾农田水利差役事"③。于是支公弼、王广廉、苏涓、胡朝宗等四十多人先后出任河北、陕西等路常平广惠仓。当时这批提举官的称谓是"管勾常平广惠仓"④。

提举常平官设置以后,宋神宗对诸路监司制度进行了厘正,"置提举司,位叙资级视转运判官,遂与提点刑狱、转运、发运副使及使定为迁格"⑤。熙宁三年(1070年)七月,宋神宗对提举官上殿的仪制也作了规定,"诏诸路提举常平官到阙,并令辞见,如有合奏陈乞上殿,即依提点刑狱仪制施行"⑥。至此,宋代提举常平司正式形成了制度。

---

① 《曾巩集》卷49《本朝政要策·常平仓》。
② 潘自牧《记纂渊海》卷34《监司》。
③ 《宋会要辑稿》职官43之2。
④ 《宋会要辑稿》职官43之3。
⑤ 《宋会要辑稿》职官42之18。
⑥ 《长编》卷213,熙宁三年七月癸丑。

熙宁九年(1076年),开封府界也设置了提举常平官。同年五月,根据蔡确的建议,宋神宗还规定,开封府界提举官专差官一员,"更不令司农寺丞兼领"①。

宋神宗元丰年间,提举常平司官员增多。元丰元年(1078年)二月五日,宋神宗下诏"府界诸县并依已行义仓法,仍隶提举司"②。三月二十七日,宋神宗又诏令河东、永兴军等路各增提举官一员。同年四月,判司农寺蔡确上疏说:"两浙路州县户口众多,提举司所管钱谷三百余万",宋神宗令"两浙路提举司增置一员"。五月十三日,宋神宗又命令"诸路州军并差官一员,主管常平钱谷,十县以上二员分治"③。

尽管宋神宗命令增设了一批提举常平官,但川广等边远地区仍缺少提举常平官。在提举常平司缺官处,多由转运司按旧制兼领其职。转运司利用兼领之权,擅自支用提举司钱物。元丰元年(1078年)十月十九日,判司农寺蔡确竭力反映此弊,他说:以转运司兼领提举常平,"极有擅移用司农钱物,自分局以来,河北东路提举司申转运司所移用钱二十余万缗,江东提举司申转运司所移用钱谷十二万余贯石。盖转运司兼领则不能免侵费之弊。今川广等路未有提举官,并转运司兼权,及提举官假故亦转运司承例兼权。"蔡确请求"提举司阙官处,令提点刑狱兼权,如廨舍稍远,即量留吏人照管官物"等。宋神宗不仅答应了蔡确的请求,而且于元丰三年(1080年)十一月十六日下诏规定:诸路州军"虽不及十县而地分大段阔远"者,也允许"差管勾官两员"④。

元祐更化期间,提举官曾一度被罢去。元祐元年(1086年)闰

---

① 《宋会要辑稿》职官43之3。
②③ 《宋会要辑稿》职官43之4。
④ 《宋会要辑稿》职官43之5。

二月八日,根据司马光的请求,高太后下令罢诸路提举常平官。自此"提举官累年积贮钱物,委提点刑狱司主之"①。同月二十八日,根据户部的请求,高太后等人又罢除了诸州常平管勾官②。

宋哲宗亲政后,又复置了诸路提举常平官。绍圣元年(1094年)闰四月二日,宋哲宗下"诏复置提举常平等事官"③,并派出了一批官员去充任诸路提举官。闰四月三日,宋哲宗又规定了提举常平官的地位和升迁时间,"诏提举常平官资序、请给、序位、服色、人从并视转运判官,以资序相压同者序官;到任二年三省具奉行役法能否取旨"④。五月七日,开封府界提举常平司又复置管勾官一员。

宋徽宗崇宁年间,某些路的提举常平官人数有所增加。崇宁二年(1102年)五月十三日,宋徽宁下诏"两浙路添置提举常平一员"⑤。

宋代的诸路提点坑冶原隶属于转运司,崇宁三年(1103年)四月五日,宋徽宗下诏:"自后新置,合隶提举司管勾。余路准此"⑥。自此以后,诸路新设置的提点坑冶皆归提举常平司掌管。政和七年(1117年)八月二十五日,宋徽宗又下诏:"陕西、河东、京畿、京西提举香茶矾事司并罢,令逐路提举常平司兼。"⑦至此,北宋的提举常平司进入了鼎盛时期。

南宋初年,提举常平司曾几次置废。建炎元年(1127年)五月,宋高宗即位后,复置了诸路常平官。翌年六月十四日,宋高宗又下

---

① 《宋会要辑稿》食货 53 之 14。
② 《宋会要辑稿》职官 43 之 6。
③ 《宋会要辑稿》职官 43 之 6。
④ 《宋会要辑稿》职官 43 之 7。
⑤ 《宋会要辑稿》职官 43 之 8。
⑥ 《宋会要辑稿》职官 43 之 8、43 之 9。
⑦ 《宋会要辑稿》职官 43 之 9。

诏将"诸路提举常平司并归提刑司,令本司将见在钱谷器皿等拘收具数申尚书省"①。建炎二年(1128年)八月一日,显谟阁待制孙觌入对时说:"自罢提举官,常平之财所存一、二,犹以亿计,皆为他司妄用,今转运使漕輓军储,上供之外,无一金之藏,他时大水旱,大举措,经画残破,召募军马,以备缓急之须,皆非转运使所能办,""望复置官讲补助之政",宋高宗下诏"复诸路常平官"②。建炎三年(1129年)闰八月十四日,殿中侍御史赵鼎上疏竭力请求罢去提举常平官,宋高宗下诏:"诸路复置提举常平官指挥勿行"③,又罢去了诸路提举常平司,且将其职并归于提点刑狱司。

南宋绍兴年间,提举常平司几经变化,恢复了监司的地位和职能。绍兴五年(1135年)闰二月,宋高宗将诸路提举常平司并入茶盐司,如果当地没有茶盐司,"仍令提刑兼领"④。绍兴八年(1138年)十二月,宋高宗根据参知政事李光的建议又恢复了提举常平司⑤。绍兴九年初,经制司设置后,提举常平官的称谓改为"经制某路干办常平等事"。不久,经制司被罢除,提举常平官又恢复其名。绍兴十三年(1143年)二月三日,宋高宗再次下诏"诸路常平司职事令茶盐官兼领"⑥。绍兴十五年(1145年)八月,户部侍郎王铁请求复置提举常平官,以主管官为干办公事,宋高宗采纳其建议,"诏诸路提举茶盐官改充提举常平茶盐公事"⑦。同年十二月二十八日,吏部言:"常平官今来改充提举常平茶盐公事,合依旧法为监

---

① 《宋会要辑稿》职官43之13。
② 《建炎以来系年要录》卷17,建炎二年八月癸丑朔。
③ 《建炎以来系年要录》卷27,建炎三年闰八月乙酉。
④ 《皇宋中兴两朝圣政》卷17,绍兴五年闰二月丙辰。
⑤ 《宋会要辑稿》职官43之25、43之26。
⑥ 《宋会要辑稿》职官45之20。
⑦ 《宋会要辑稿》职官43之28。

司,与转运判官序官及岁举改官五员,县令三员,大小使臣升陟八员,承务郎以上五员,试刑法官七人,合依旧尽还本司",宋高宗采纳了吏部的意见①。自此,提举常平官恢复了监司的地位和职能。此制一直到南宋末年,基本上没有发生大的变化。

总而言之,宋代提举常平司的变化过程比较复杂。神宗初年设置,哲宗元祐年间曾一度废除,绍圣初复置。宋徽宗时官员增多,职能扩大。南宋初年时置时废,绍兴五年(1135年)与提举茶盐司合并,绍兴十五年(1145年)恢复监司地位并成为定制。

宋代提举常平司的组织结构比较简单。神宗熙宁年间,诸路设管勾常平广惠仓,"相度农田水利差役利害二员,以朝官为之;管干一员,以京官为之。小路共置二员,开封府界一员,凡四十一人"②。"州有管勾官,县有给纳官"③。宋哲宗绍圣元年(1094年)五月,开封府界常平司也设管勾官一员。南宋绍兴五年(1135年),与提举茶盐司合一后,又设置了干办官。其他基本上因袭北宋之制。

二、宋代提举常平司的职能

宋人谢维新在《古今合璧事类备要·后集》卷七十中总结说:"常平司操常平敛散之法,申严免役之政令,治荒修废,赈民艰","岁察所部,廉能而保任之,若疲轻或犯法,则随其职司劾奏"④。可见,宋代提举常平司的职能也比较广泛,具体而言,有以下几个方面。

---

① 《宋会要辑稿》职官43之29。
② 吴曾《能改斋漫录》卷13《置天下常平官》。
③ 《宋会要辑稿》食货53之14。
④ 谢维新《古今合璧事类备要·后集》卷70《监司门》。

(一) 按察地方官吏

按察地方官吏是宋代提举常平司的重要职能之一。熙宁三年（1070年）七月，宋神宗下诏："提举诸司库务司勾当公事官，不得擅诣诸司库务点检及取索文字，追呼公人，违者，提举司劾奏。"①熙宁八年（1075年）十月，御史蔡承禧在给皇帝的上疏中说："朝廷提仓之官，所系不轻，一路承禀按察，与监司无异。"② 反对变法的司马光也说：提举官"皆得按察官吏，事权一如监司。"③ 宋徽宗宣和三年（1121年）四月，提举江东常平司王瞻也上疏云："常平专置使者，付以刺举"④。南宋乾道四年（1168年）八月，宋孝宗下诏："诸路提举司差官根刷应诸司吏人所借常平雇役钱，在五年内者尽行追纳，自后州县敢擅借支者，依条按劾以闻。"⑤ 淳熙十二年（1185年）八月，宋孝宗对新上任的提举常平茶盐公事赵巩说："卿易为监司，以刺举为职，贤者固可举，赃吏切不可不按。"⑥ 现存的《黄氏日抄》中记载着大量提举常平官岁终按劾官吏的状文，其中有一状云：

> 照对某暂摄常平，毫发无补僭，以岁终有会之法。类申本路同官之贤间有不才……袁州万载县丞石应雷贪暴非一，尝检校彭祥甫家卑幼业勒取钱三千贯，勒卖卑幼业人每田百把取钱百贯；为听子袁晋等过付反违法自擅，没田入县学以掩众议……吉州安福县主簿、权县事赵必𤩴亦贪非一，尝与寄居扬

---

① 《长编》卷213，熙宁三年七月乙巳。
② 《长篇》卷269，熙宁八年十月庚寅。
③ 司马光《温国文正司马公文集》卷51，《乞罢提举官札子》。
④ 《宋会要辑稿》职官43之11。
⑤ 《宋会要辑稿》职官43之36。
⑥ 《皇宋中兴两朝圣政》卷62，淳熙十二年八月丙寅。

州赵司户及前抚州赵司户相朋为奸,每断锁一人取钱五十贯,金状一纸每收钱一贯,其苟贱如此,及多差吏卒入乡行劫,民不聊生①。

以上状文说明,宋代提举常平官有法定的岁终按劾官吏的职能。朱熹在为浙东提举常平官时,"按劾赃吏","一路肃然"②。

宋代提举常平司的按察职能比较偏重于经济方面的,如按察抚恤作弊,救灾不力,和买不法、抑纳税收等不法行为。

先看宋代提举常平司按察抚恤中营私舞弊的职能。唐代设悲田、福田院专门收养鳏寡孤独及贫穷不能生存者,宋代元符元年(1098年),宋哲宗下诏各州县,对鳏寡孤独及贫困不能生存者,"以官屋居之,月给米豆",有疾者给医药。宋徽宗崇宁五年(1106年),根据提举常平司的建议,赐名各地抚恤所为"居养院"。南宋时,一些地方官在抚恤中,往往将一些强壮慵惰及有行业住家之人也列入抚恤之中,而真正的"老疾孤幼贫乏之人"得不到抚恤。绍兴二年(1132年)十一月,宋高宗南郊赦文:诸州县今后抚恤"须管照应条令从实尽行根括","令主管常平官常切觉察","如有违戾去处,仰提举常平司觉察按治施行"③。光宗绍熙五年(1194年)九月十四日,明堂赦文:州县官在抚恤中"如有违戾去处,仰提举司子司觉察按治施行"④。

再看宋代提举常平司按察差役不均的职能。南宋时,提举常平司成为按察差役不均的主要机构。如绍兴十二年(1142年)十月,宋高宗下诏,允许募人充役,"如有隐落物力人户","县令、丞故纵

---

① 黄震《黄氏日抄》卷76《又岁终劾官状》。
② 谢维新《古今合璧事类备要·后集》卷70《提举常平司》。
③ 《宋会要辑稿》食货60之17。
④ 《宋会要辑稿》食货60之1。

及不觉察,仍委提举司常切觉察按治"①。绍兴十九年(1149年)十月十四日,宋高宗南郊赦文云:"缘州县差役不均,已降指挥,令当职官躬亲比较,依公定差,委常平司觉察。""如有违戾去处,将当职官吏按劾以闻"②。绍兴二十七年(1157年)十二月,根据户部的意见,宋高宗下诏规定,各地差役"如有人户陈诉均拨不当及人吏作弊去处,仰常平司按劾,申取朝廷指挥施行"③。乾道元年(1165年)正月,宋孝宗赦书:在差役中,州县官吏如果"依前循习旧弊,违戾差扰及抑令出备雇钱,仰监司常切觉察,按劾以闻"④。乾道三年(1167年)十一月二日,南郊赦书又强调:州县差役不均,"引惹词诉,仍令常平司常切检察,如有违戾去处,将当职官吏按劾以闻"⑤。宋宁宗嘉泰元年(1201年)九月十八日,明堂赦文规定,州县不照应条法定差役,"仰提举司常切觉察"⑥。

其三看提举常平司按察州县官赈灾不力的职能。南宋时,不仅战事繁多,而且灾害不断,赵宋统治者为了维护自己的统治,不得不令州县官组织赈灾,提举常平司具有按察州县官赈灾不力的职能。绍兴六年(1136年)四月,提举常平司奏劾筠州的高安、上高两县当职官"赈济乖方,至有盗贼窃发,殍亡暴露,田亩荒莱,饥民失所"。宋高宗下诏:"筠州高安、上高两县当职官各先次降一官放罢。"⑦绍兴十九年(1149年)二月十九日,宋高宗下诏:"逐路灾伤去处,可令县官措置赍发米斛,就乡村赈给,逐州委通判点

---

① 《宋会要辑稿》食货14之28、14之29。
② 《宋会要辑稿》食货14之31。
③ 《宋会要辑稿》食货14之34。
④⑤ 《宋会要辑稿》食货14之40。
⑥ 《宋会要辑稿》食货66之29。
⑦ 《宋会要辑稿》食货57之18。

检,逐路委提举常平官按察"①。

此外,宋代提举司还要按察和买及卖官田中的违法行为。北宋哲宗绍圣四年(1097年)十一月十四日规定:和买物色"并于出产多处置场计数和买,召人赴场中买,以见缗给之数;不系出产或出产数少及当年偶阙者,即伸本司别行下出产多处和买,""仍令提举司察举,如有违戾,具名申尚书省"②。南宋绍兴二十九年(1159年),政府令知州、通判出卖没官田宅。在买卖中,如果出现"承买人计嘱官吏低估价钱,藏匿文牓,见佃人巧作事端,故意阻障及所委官吏容心作弊,即仰常平司觉察取旨施行"③。

(二) 主管一路常平、义仓

宋代自太宗淳化二年(991年)起,逐渐设置了常平、义仓,隶属于转运司。神宗熙宁二年(1069年)后,诸路常平、义仓由提举常平司主管。自此,成为定制。

宋代提举常平司主管一路常平义仓的职能,是比较繁杂的,包括着方方面面的具体事务。

1. 督责州县按时拘收及盘量常平钱谷,并向朝廷汇报

宋代诸路提举常平司不仅要督责所属州县按时拘收常平钱谷,而且还要每年春季将所属州县常平钱谷盘量,并把盘量后的具体数量上报朝廷。如南宋乾道四年(1168年)六月七日,宋孝宗"诏诸路提举常平司官督责所部州县,候秋成日,将人户合纳之数,依条限拘催,尽实收椿,仍以见管钱,依时收籴,不得违戾,及依已降指挥,每岁春季躬历所部州县盘量见在米斛,具数闻奏"④。

---

① 《宋会要辑稿》食货57之20。
② 《宋会要辑稿》食货38之3。
③ 《宋会要辑稿》食货61之21。
④ 《宋会要辑稿》食货62之43、62之44。

2. 督责州县把常平仓米以新易陈

为了不使诸路常平仓米腐烂,宋代提举常平司要负责督促所属州县把常平义仓米按时以新易陈。乾道二年(1166年)十一月,根据臣僚的建议,宋孝宗令诸路常平司"申儆州县,常切以新易陈,无致损坏"①。乾道五年(1169年)八月,针对知州、通判在调离、上任交替之际往往不负责任,以致使常平义仓米腐烂的问题,宋孝宗下诏规定,今后知州、通判"每遇交替,从提举司取见管常平钱米有无陈腐、侵支充用,新旧官连衔结罪保明申朝省"②。

3. 每年年终向朝廷汇报常平、义仓的收支情况

宋代为了保证常平义仓收支,令提常平司每年年终向朝廷汇报一次当年常平义仓的收支情况。南宋孝宗乾道三年(1167年)十二月二十二日,又重申了这一规定,"诏诸路提举官常切点检常平义仓,毋致侵移及不得虚椿数目,仍于岁终具当年所纳并通见在实数闻奏"③。

4. 定期点检常平、义仓

宋制,诸路提举常官每年春季要巡历诸州,点检常平义仓,并"以实数申尚书省"④。如果提举官不去检查,就要受到惩罚。如孝宗淳熙四年(1178年)七月,提举官李庚因不去检察信州常平义仓米,"而被特降两官放罢"⑤。

5. 督责州县及时推行常平法

宋代每年春夏之交,新陈不接时,政府要"令诸路常平司行下

---

① 《宋会要辑稿》食货62之41。
② 《宋会要辑稿》食货62之45。
③ 《宋会要辑稿》食货62之42。
④ 《宋会要辑稿》食货62之43。
⑤ 《皇宋中兴两朝圣政》卷55,淳熙四年七月丙寅。

州县",将常平米"以时量减价钱出粜"①,督责州县及时推行常平法。如果一路州县丰歉不一,提举常平司要"措置通融籴粜"②,不能使歉区农民流离失所。

(三) 赈济灾民

赈济灾民,是宋代提举常平司的主要职能之一。两宋时期,皇帝不断下诏强调提举常平司赈济灾民的职能。

北宋元丰七年(1084年)四月二十五日,河东路提举常平司请求于当地常平"封桩粮,支三五万石赈济"当地饥民,宋神宗下诏从其请③。元祐元年(1086年)二月,淮南地区发生了灾荒,宋哲宗"诏淮南东西路提举常平司体量饥歉,以义仓及常平斛斗依条赈济"④。绍圣元年(1094年)十月,京西地区遭到了重大灾害,宋哲宗"诏京西南北路提举司官躬按州县,督视州县,无令流殍,询其所存活数申尚书省"。绍圣二年(1095年)二月,河北地区遇到了灾害,宋哲宗"诏内藏库支钱十万石,绢十万疋,分赐河北东西两路提举司,准备赈济"⑤。崇宁五年(1106年)正月,两浙路发生了水灾,宋徽宗"诏两浙路提举司赈济水灾乏食者"⑥。政和六年(1116年)三月十日,宋徽宗"诏浙西常、秀州、平江府等处,自去年水灾,秋成尚远,其贫阙不济人户,仰本路提举常平司通融那移一路应管常平义仓与朝廷封桩米斛,权依乞丐人法,不限户口石数,特加赈给"。政和八年(1118年)八月,江南地区发生了水灾,宋徽宗诏令"提举

---

① 《宋会要辑稿》食货62之33。
② 《宋会要辑稿》食货62之31。
③ 《宋会要辑稿》食货57之9。
④ 《宋会要辑稿》食货68之42。
⑤ 《宋会要辑稿》食货57之12。
⑥ 《宋会要辑稿》食货57之13。

司于上供或封桩斛斗内量人户多寡截充赈济"①。宣和二年（1120年）十月九日，宋徽宗下诏："淮南灾伤饥民流离，常平官其躬至所部，竭力赈济"②。

南宋绍兴十八年（1148年）十二月十二日，宋高宗对辅臣说："近令提举常平官躬亲诣灾伤去处赈济，窃恐所辖州县阔远，点检迟滞，可更令分委属官悉力赈济，将来春耕合用种粮须令预先措置，临期借给，使之耕种及时，则赡养供输公私两济"。翌年四月六日，宋高宗又告诫辅臣说："两浙等处灾伤去处，可令提举常平官亲诣所部，借贷种粮，务要实及饥贫民户，毋令州县及当行人侵克，徒为具文。"③绍兴二十八年（1158年）九月二十九日，宋高宗下诏规定："今后灾伤州县校教及五分处，即令申常平司取拨义仓米量行赈济"。绍兴三十二年（1162年）二月三日，宋高宗下诏："两淮归业民户，难于食用，令本路常平司赈济，如阙米，于浙西、江东常平米内各取拨一万硕，应副支散。"④ 隆兴元年（1163年）六月，江南地区发生了水灾，宋孝宗诏"令诸路常平司行下州县，将被水人户疾速依条借贷，以备布种"⑤。乾道元年（1165年）五月，广东地区"峒民残破"，宋孝宗"令广东提举常平司依条赈济"⑥。乾道七年（1171年）正月，浙西地区发生了灾害，宋孝宗"诏浙西常平司于平江府常平义仓米内借支五万硕，应副湖州赈粜，接济饥民"⑦。同年八月，江西、湖南部分地区发生了旱灾，宋孝宗"诏本路提举常平司更于

① 《宋会要辑稿》食货57之14。
② 《宋会要辑稿》食货57之15。
③ 《宋会要辑稿》食货57之20。
④ 《宋会要辑稿》食货57之21。
⑤ 《宋会要辑稿》食货58之2。
⑥ 《宋会要辑稿》食货58之4。
⑦ 《宋会要辑稿》食货58之8。

附近州军取拨常平义仓米五万硕付饶州,五万硕付南康军应副赈粜"①。淳熙二年(1175年)九月,淮南东路部分地区发生了旱灾,宋孝宗令本路转运司和提举常平司"取拨常平义仓米措置赈粜"②。嘉泰元年(1201年),夏秋之交,诸路州郡间有旱歉,"全仰常平使者究心民事,预事措置"③ 赈粜。嘉定十五年(1222年)三月,江西路发生了旱灾,宋宁宗"诏本路提举司赈恤旱伤州县"④。可见,赈济灾荒事务,提举常平司几乎无不主管。

(四) 掌管一路户绝、没官等田产

两宋时期,特别是南宋,由于战争和政府对贪官、劫盗等事件的处理,出现了一些户绝及没官等田产。所谓户绝田产即"人户断绝之家"留下的田地和财产,没官田产是拘收犯赃官吏或籍没劫盗等田地和财产,违法交易的钱物有时也被籍入其中。

南宋时期,皇帝常把诸路的户绝、没官等田产命提举常平司总领督责。绍兴二十年(1151年)四月,宋高宗"以没入官田悉归常平司,禁募民佃种"⑤。绍兴二十九年(1159年)七月五日,宋高宗"诏逐路提举常平官躬亲措置没官、户绝等田宅"⑥。

宋代诸路提举常平司对拘收到的户绝、没官等田产的职责主要是出卖,然后将其收入作为赈济费用。绍兴二十九年(1159年)七月,宋高宗令诸路常平官总领督责出卖没官、户绝田产,如果提举常平官"能率先出卖数多,仰户部具伸尚书省取旨,优异推恩;或

---

① 《宋会要辑稿》食货58之9、58之10。
② 《宋会要辑稿》食货58之14。
③ 《宋会要辑稿》职官43之41。
④ 《两朝纲目备要》卷16,嘉定十五年三月丁巳。
⑤ 《宋史》卷30《高宗七》。
⑥ 《宋会要辑稿》职官43之32。

出卖数少当行黜责"①。同年九月十一日,宋高宗诏令浙东提举常平官都洁特转一官,其原因是户部反映浙东路"卖官田最多"②。宋孝宗时仍令提举常平司总领督责诸路出卖没官、户绝田产。如隆兴二年(1164年)十一月十七日,根据户部的请求,朝廷令诸路提举常平司"依元降出卖没官田产指挥施行"③。乾道九年(1173年)二月四日,宋孝宗"诏四川提举司将诸州户绝、没官田产屋宇委官估价,召人承买"④。

南宋孝宗以后,提举常平司在出卖户绝籍没之田时,"皆为强豪挟恃势力,以贱价买之,官司所获无几"⑤。针对这些问题,朝廷命令提举常平司将户绝籍没之田招募人租种,然后"拘收租课入常平,违者科罪"⑥。宋光宗于绍熙二年(1191年)六月十五日下"诏:平江府常熟县拘没到孙光嗣田六百一十五亩一十步,令提举司出榜召人承佃,岁收课子以为赈济之备。"⑦宋宁宗以后,朝廷又规定,提举常平每年年底,必须将该年拘收的户绝及没官田置籍向朝廷汇报一次。

(五) 兼领慈善事务

宋代提举常平司有兼领慈善事务的职能。两宋时期,封建经济虽有了较快的发展,但由于地主阶级的残酷剥削,所以,仍民不聊生,甚至有些地区的农民无力养活自己的亲生儿女,出现了"贫而弃子"的现象。宋政府为了解决这一问题,在诸路设置了慈幼局,以

---

① 《宋会要辑稿》食货61之24。
② 《宋会要辑稿》食货61之25。
③ 《宋会要辑稿》食货61之30。
④ 《宋会要辑稿》食货61之33。
⑤ 《宋会要辑稿》食货61之44。
⑥ 《皇宋中兴两朝圣政》卷63,淳熙十三年四月庚戌。
⑦ 《宋会要辑稿》食货61之41。

收养遗弃婴儿。诸路慈幼局隶属于提举常平司。南宋人黄震的《黄氏日抄》卷七十九《晓谕遗弃榜》中载:"本司(提举常平司)元有慈幼局。"《宋史》卷四百三十八《黄震传》中也载:"常平(司)有慈幼局,为贫而弃子者设。"

南宋绍兴八年(1138年),宋高宗令诸路提举常平司,对贫穷妊妇支常平米四斗,绍兴十五年(1145年)又"改支一石"。此后又规定:"诸坊厢委系贫乏妊妇,无力养弃之家,诉于临产之时,经坊长保明",提举常平司"支保产米一石,会子五贯"①。

宋代那些被父母遗弃的婴儿,允许人户收养,由提举常平司"出粟给所收家"②。庆元元年(1195年)正月十九日,宋宁宗诏两浙、两淮提举常平司"行下所部荒歉去处,逐州县各选委清强官一员,遇有遗弃小儿,支给常平钱谷措置存养,内有未能食者,雇人乳哺,其乳母每月量给钱米养赡,如愿许收养为子者,并许为亲子条法施行"③。

(六) 总领一路常平、农田水利、免役等新法事宜

总领一路变法事宜,是宋代提举常平司的主要职能之一。熙宁二年(1069年),宋神宗在往各地派出第一批提举官时就规定:提举官"兼管勾农田水利、差役事"④。随着王安石新法的普遍推行,诸路提举常平官所掌管的变法事务也越来越多。熙宁九年(1076年)十月,宋神宗下诏:诸路"常平钱谷、庄产户绝田土、保甲义勇、农田水利、差役、坊场河渡委提举司专管勾。"⑤ 元丰年间,诸路变

---

① 黄震《黄氏日抄》卷79《晓谕遗弃榜》。
② 《宋史》卷438《黄震传》。
③ 《宋会要辑稿》食货58之21。
④ 《宋会要辑稿》职官43之2。
⑤ 《宋会要辑稿》职官43之4。

法事宜,仍归提举掌平司掌管。

元祐更化时期,诸路提举常平官虽曾一度被罢除,但宋哲宗亲政后,不仅复置了诸路提举常平官,而且令诸路提举常平官专领新法事宜。绍圣二年(1095年)五月,根据户部尚书蔡京的意见,宋廷将常平、免役等事,"并以元丰条制,止令提举司专领,其转运、提刑司勿与"①。具体而言,提举常平官要"因民之有无,岁之丰凶而敛散赈济之;凡役钱视其产之厚薄;人吏廪禄视其役之重轻;凡市易掌敛市之不售货之滞于民用者,乘其贸易以平物价,皆举行其政令,以裕民力而阜邦财"②。也就是说,提举常平司要总领所有的变法政务,解决农民青黄不接缺粮缺种子及市场物价不稳定等问题,从而达到富国富民的目的。

宋徽宗朝,王安石的新法虽然大多都走了样儿,但新法的具体政务仍由提举常平司主管。随着免役和方田均税法中问题的出现,提举常平司还要负责去解决这些问题。政和元年(1111年),不少官员提出:"州县免役钱累轻造簿,增减失实,"宋徽宗令诸路提举常平司"选官分诣所部,以田税多寡均敷役钱"③。翌年五月,宋徽宗又诏令西北等路的提举常平司督责方田均税和兴修水利。

南宋建炎二年(1128年)八月,宋高宗复置诸路提举常平官后,"还其籴本",除"青苗钱不散外,常平免役之政",提举常平司"皆掌之"④。

南宋绍兴年间以后,诸路提举常平司仍负责役法、农田水利和保甲等事宜。绍兴三年(1133年)九月,宋高宗令诸路提举常平司

---

① 《宋会要辑稿》食货14之7、14之8。
②④ 《古今合璧事类备要·后集》卷70《提举》。
③ 《宋会要辑稿》食货14之16。

"讲求见行役法之有害于民者条具来上"①。绍兴七年(1137年)二月,宋廷令诸路提举司遵守现行役法,"常切钤束所部州县,如法奉行,无违戾"②。绍兴二十一年(1151年)十一月,宋高宗"诏:诸路州县灌溉民田陂湖,往往为人侵占,令户部行下提举常平官躬亲措置申尚书省。"③乾道九年(1173年)正月,宋孝宗"诏浙东提举司:将人户承买官产一千贯以上,免差役三年;五千贯以上免五年;和买并免二年。"④淳熙六年(1179年)四月,宋孝宗"诏诸路提举司各取去年所部州军兴修水利数目以闻。"翌年十二月,宋孝宗"诏诸路提举常平司,常切约束所部县丞,每季检视措置农田、兴修水利,务要广行灌溉田亩。"⑤嘉泰四年(1204年),宋宁宗命令诸路提举常平司与提点刑狱司共同"措置保甲"⑥。自此以后,诸路常平、农田水利、免役等事宜由提举常平司总领。

(七) **兼管矿业生产**

宋代在徽宗崇宁二年(1102年)三月以前,诸路矿业生产多由转运司、提点刑狱司等机构管理。宋徽宗崇宁二年(1102年)至南宋建炎元年(1127年)八月,此二十多年间,由于诸路转运司财力匮乏,不能支付新兴矿冶的生产费用,因而令提举常平司支付管理新兴发矿场所需的费用。

崇宁二年(1102年)八月,宋徽宗下令:"除坑冶专置司自合依旧外,逐路坑冶事并令本路提举司同共管勾"⑦。同时,宋徽宗还以

---

① 《宋会要辑稿》食货66之75。
② 《宋会要辑稿》食货65之83。
③ 《宋会要辑稿》职官43之30。
④ 《宋会要辑稿》食货61之33。
⑤ 《宋会要辑稿》食货61之126。
⑥ 《两朝纲目备要》卷8,嘉泰四年七月戊子。
⑦ 《宋会要辑稿》职官43之120。

崇宁二年(1102年)三月为界,将诸路矿场分为新旧两类。凡崇宁二年三月以前开采的矿场称旧坑冶,仍由转运司管理;此后开采者为新坑冶,"隶提举常平司,置场官监处,冶户无力兴工,许借常平司钱,俟中卖,于全价内克留二分填纳,不堪置场,召人承买处,中卖入官,价钱以常平司钱,限当日支还"①。也就是说,新坑冶的费用是"用常平息钱与剩利钱为本"② 的。大观二年(1108年)以后,转运司所管旧坑冶如缺少本钱,亦"许借常平司钱收买"③。

从宋徽宗崇宁二年(1102年)八月起,提举常平司对新矿场还有管理的职能。如规定了新兴坑冶的"告发、检踏、烹炼费用等并以常平条令从事"④。

南宋建炎元年(1127年),宋高宗根据户部的意见,将诸路新坑冶的管理权又归属于转运司⑤。自此,提举常平司不再兼管矿业生产。

(八) 兼领买盐场与买纳盐场

北宋中期,浙东、浙西地区的收盐机构主要转化为买盐场。北宋后期,浙东、浙西的盐监或买盐场,连同淮东的一些场仓、监仓,又改称为买纳盐场⑥。

宋代的盐法曾几次更改,其中熙宁五年(1072年)二月卢秉倡议的盐法改革,就是在提举常平司的领导下,"预备本钱,优给煮海之民,俾无私贩"⑦。

---

① 《宋会要辑稿》职官43之143、43之144。
② 《文献通考》卷18《征榷五》。
③ 《宋会要辑稿》职官43之143。
④ 王安中《初寮集》卷3《论妄兴坑冶札子》。
⑤ 《宋会要辑稿》食货34之17。
⑥ 参见郭正忠《宋代盐业经济史》,人民出版社1990年7月版180页。
⑦ 《长编》卷230,熙宁五年二月戊辰注文。

南宋绍兴十五年(1145年)八月,诸路提举常平司和提举茶盐司合并后称提举常平茶盐司,下设干办公事,自此,买纳场及催煎盐场直接隶属于该路的提举茶盐司。也就是说,南宋绍兴十五年(1145年)八月以后,诸路提举常平茶盐司具有对买纳盐场的领导职能。提举常平茶盐司的干办公事及其他分司的干办官,"专一往来诸场,措置催督盐课"①,"专一提督盐仓收支,点检诸场买纳"②。正如南宋人黄震在理宗景定四年(1263年)所概括的:"浙西诸场,旧各置催煎官一员;县市,置买纳官、支盐官各一员。而提举司总其权于上。"③

(九) 审理经济诉讼案件

宋代提举司有审理经济诉讼案件的职能。北宋徽宗时,"民有讼田者二十年不决",提举江西常平司程迈审理此案。他认真地"阅其牍"后,问诉讼者道:"年几何?"诉讼者回答说:"六十六",程迈反问道:"尔所赍券乃庆历三年,时方年七岁,安得妻财置产讼者?"④诉讼者无言对答。

南宋时期,随着土地兼并的加剧,不仅土地争讼现象严重,而且役法诉讼案件也日益增多,特别是"诉冒役者"案件更多。为了解决案件积压问题,朝廷常令提举常平司参预审理。

此外,宋代提举常平司和其他监司一样,具有分巡州县,向朝廷反映民间疾苦等职能。

总之,宋代提举常平司的职能共有三大类。一是监察地方官吏,二是主管地方常平、义仓、赈灾、慈善等民政事务,三是掌"摘山

---

① 《宋会要辑稿》职官43之43。
② 《宋会要辑稿》职官43之45。
③ 《黄氏日抄》卷71《赴两浙盐事司禀议状》。
④ 罗愿《新安志》卷7《程显学》。

煮海"之利。所谓"摘山煮海",主要指开矿和海盐生产。

三、宋代提举常平司官员的选任制度

宋代提举常平官虽比其他监司设置晚,但其选任也是自成体系,有一套比较完整的制度。

(一) 宋代提举常平官的资序法

宋代提举常平官的资序法略有变化。熙宁年间尚无定制。元丰元年(1078年)正月十九日,宋神宗下诏规定:诸路提举常平官"并差朝官资任"①。大观三年(1109年)十月四日,宋徽宗又规定:诸路提举常平官"用通判资序"②。自此至北宋灭亡,诸路提举常平官的资序法没有发生变化。南宋提举茶盐常平司官员的资序法比北宋严格。绍兴六年(1136年)五月,宋高宗下诏规定:"自今诸路提举常平官有阙,并取资历已深","或于郎官以上选择任用"③。

提举常平司下属官员的资序法北南两宋也不一样。熙宁二年(1069年),宋神宗规定,提举常平司勾当公事"于通判、幕职内选差"④。神宗元丰和哲宗绍圣年间,诸州常平主管官也由提举常平司在通判和幕职官中选差。南宋初年,诸州常平主管官"并以通判充","不得别差他官"。不少官员上疏请求恢复元丰、绍圣之法,允许幕职官充任常平主管官人选。绍兴三年(1133年)十一月十六日,宋高宗采纳臣僚意见,允许幕职官充任诸州常平主管官人选⑤。

---

① 《宋会要辑稿》职官43之4。
② 《宋会要辑稿》食货49之25。
③ 《宋会要辑稿》职官43之24。
④ 谢维新《古今合璧事类备要·后集》卷70《监司门》。
⑤ 《宋会要辑稿》职官43之23。

总体上看,宋代提举常平司官员的资序法略低于转运司和提点刑狱司。

(二) 宋代提举常平司官员的选任方式

宋代提举常平司官员的选任方式和其他监司官基本相同,大致有皇帝亲自选任、宰执堂除和辟差等三种。

北宋时期,提举常平司官员常由臣僚荐举,皇帝选任。如元丰元年(1078年)九月十三日,宋神宗"诏三司、司农寺:各同罪举朝官五人,充诸路提举官,限十日以名闻"①。

南宋时,诸路提举常司官多由宰执堂除。如嘉泰元年(1201年)八月十四日,根据臣僚的建议,宋宁宗命令宰相和执政"精择素有才望人,付以常平使者之职"②。

宋代诸路提举常平司属官一般由本司辟差。如元符二年(1099年)五月九日,根据权提举永兴军等路吴黶的建议,宋哲宗令"诸路奏差管勾官","依熙宁、元丰互注法"③。

(三) 宋代提举常平司官员人选的政治条件

宋代提举常平司官员除要求有一定的资序外,还要有其他的政治条件。

首先,宋代提举常平司官员人选要有诚实的政治品质。宋代皇帝在令臣僚荐举提举常平司官员人选时,经常强调这一规定。如绍兴六年(1136年)五月一日,宋高宗下诏:"自今诸路提举茶盐常平官有阙",以"呈实素著之人"④ 充任。

其次,宋代提举常平司官员人选,要求历任中有政绩。淳熙八

---

① 《宋会要辑稿》职官43之4、43之5。
② 《宋会要辑稿》职官43之41。
③ 《宋会要辑稿》职官43之8。
④ 《宋会要辑稿》职官43之24。

年(1182年)九月十四日,宋孝宗下诏:"自今诸路提举官毋得轻授","须履历有政绩之人"① 充任。

其三,宋代提举常平司官员人选,还要求精明能干,有政治特长。嘉泰元年(1201年)八月十四日,根据臣僚的建议,宋宁宗规定:提举常平司官员要以"精力强敏,优于政术,一路官吏之所畏服者"② 充任。

四、对提举常平司官员的监察考课制度

宋代对提举常平司官员采用了纵横交叉的监察考课方法。

宋神宗时,提举常平司官员的理财职能,要接受司农寺的监察。元丰四年(1081年)六月,宋神宗下诏:"诸路提举官散敛常平钱谷、比较增亏,令中书立法以闻",不久,又令"户房立法",考课提举常平司官员,"岁终令司农寺比较"③。同年八月,宋神宗根据司农寺的建议,下诏规定,诸路提举常平官的课绩由司农寺"考校升黜"④。

宋代提举常平司官员的监察职能,要受到提点刑狱司等监司官的监察。如政和元年(1111年)十二月四日,宋徽宗下诏强调,如果"州县擅支用常平钱谷","提举司知而不举者,委提刑司觉察闻奏"⑤。

宋代提举常平司在财政方面的职能,要接受户部的监察。北宋徽宗大观年间,朝廷向诸路提举常平司颁布了"旁通"格式,命令

---

① 《宋会要辑稿》职官43之40。
② 《宋会要辑稿》职官43之41。
③ 《长编》卷313,元丰四年六月壬申。
④ 《宋会要辑稿》职官43之5。
⑤ 《宋会要辑稿》职官43之9。

"诸路提举司每岁终,遵依体式,具实管见在收支,编成旁通"①,申报户部。户部对诸路提举常平司每年的收支情况进行检查。政和七年(1117年)十一月,宋徽宗又令诸路提举常平司将每年申报户部的"旁通"内,"量行开说",即对收支费用作一明析账目,如常平散敛账应注明"已敛若干,未敛若干";"其未敛之数内若干系灾伤倚阁,若干系逃亡户绝,若干系拖欠未纳"。又如场务原管处账,要注明"已卖若干,未卖若干;其未卖之数内,若干系因败阙停闭,若干系过月未卖之数"。诸路提举常平司所做的这些明析帐目,由户部"逐一检察钩考"②。南宋乾道九年(1173年)七月,根据户部尚书杨俊的请求,孝宗令提举常平官将诸州军常平仓钱谷"委邻州官点检","结罪申提举司",提举司"核实保明,限一月奏"报朝廷,"若提举司不按月闻奏",由户部"比较最迟去处按劾"③。户部对提举常平司的监察制度一直沿用至南宋末年。

五、提举常平司与宋代政治

宋代提举常平司的设置虽略晚于转运司和提点刑狱司,但在当时政治生活中的作用并不比转运司和提点刑狱司逊色。

首先,宋代提举常平司创置于王安石变法时期,它不仅主管农田水利、免役、义勇、保甲、坊场河渡等新法事宜,而且监察地方不奉行新法的官吏,对保证新法的顺利推行,起到了重要作用。

其次,宋代提举常平司监察地方官吏在抚恤、赈济及科配、和买等方面的违法行为,对缓和社会矛盾起到了一定的积极作用。

其三,宋代提举常平司以拘收的没官、户绝和常平义仓等作为

---

① 《宋会要辑稿》职官43之9。
② 《宋会要辑稿》职官43之10。
③ 《宋会要辑稿》职官43之38。

财源,统筹一路荒政和慈善事宜,特别是在灾荒地区招募饥民兴修水利,不仅对宋代社会的文明发展起到了不可低估的作用,而且也有利发展社会生产,减少统治阶级的敌对势力。两宋时期虽然阶级矛盾尖锐,但始终未能形成大规模的农民起义,与提举常平司的作用有密切关系。

其四,宋代提举常平司"掌摘山煮海之利",为政府创收了大量的财富。众所周知,王安石变法之前,北宋政府财力空竭,但自宋神宗设置了诸路提举司后,使国家"钱谷充足,不可胜校"①,扭转了财政危机的局面。可惜的是,提举司收敛的财富被宋徽宗挥霍三十年后"所有无几"。南宋初年,当财政紧张时,不少大臣提出"复置常平官,讲补助之政"②,宋代提举常平官在当时财政中的作用由此可见一斑。

然而,宋代提举常平司也给当时的社会带来了弊端,不少提举常平官利用手中的职权为所欲为,欺压老百姓,特别是宋理宗朝以后,"提举官以出剩充苞苴场盐官以势要得辟阙次第,椎剥时事亦变会价日减,物值日增,人户无所偿,本徒鞭挞,以强其输官,遂群起而喧诉"③。还有的常平司"逋欠山积,械系追索,奸蠹百出"④,给人民带来了深重的灾难。

---

① 《宋会要辑稿》职官 43 之 14、43 之 15。
② 《宋会要辑稿》职官 43 之 15。
③ 黄震《黄氏日抄》卷 71《赴两浙盐事司禀议状》。
④ 《宋史》卷 423《杨大异传》。

第五节　宋代走马承受制度

宋代的走马承受为皇帝"耳目之寄,实司按察"①,是路级监察制度的重要组成部分。

一、宋代走马承受的设置与废罢

宋代走马承受又称"走马承受公事使臣"、"廉访使者",简称"走马使臣"、"承受使臣"、"走马"、"承受"等。

宋代走马承受设置的具体时间,史书无详细记载,只能从有关的史料中作一推断。据宋人李焘的《续资治通鉴长编》记载,宋太宗即位不久,就"有走马入奏事"②,这说明至少在宋太祖统治后期已在某些地区设置了走马承受。

宋太宗至道元年(995年)九月,"供奉官宋元度等五人分往镇、定、并等州及高阳关承受公事,当言上者,驰传以闻"③。此后宋太宗在边境及南方地区也设置了走马承受,隶属于诸路总管司。

宋真宗景德年间,不仅诸路均设置了走马承受,隶属于帅司,而且对走马承受的职能和选任制度也作了具体规定。宋神宗朝诸路走马承受"恶有所隶属",④ 请求去掉"总管司"字。宋神宗下诏"正其名",并"铸诸路走马承受铜朱记"⑤。自此,走马承受基本上脱离了帅司,成为路级独立的监察官。

崇宁四年(1105年),宋徽宗在东南诸路也设置了走马承受。

---

① 《宋会要辑稿》职官41之129。
② 《长编》卷41,至道三年四月甲辰。
③ 《宋会要辑稿》职官41之120。
④⑤ 《宋会要辑稿》职官41之123。

政和六年(1116年)七月,宋徽宗"改诸路走马承受公事为廉访使者"。同年九月,因诸路廉访使者称谓杂乱,宋徽宗下诏规定,廉访使者"并以某路廉访所为名"①。靖康元年(1126年)正月,宋钦宗把廉访使者改为走马承受公事②。同年七月,走马承受的称谓,"依祖宗法并带某路某司走马承受"。十一月,宋钦宗规定,走马承受"与诸司属官一等"③。

南宋建炎元年(1127年)十二月,宋高宗下诏,走马承受依祖宗法"隶帅司"④。绍兴三年(1133年)十一月,广西经略司走马承受俞似"为诸将所劾"而罢职,"自是,走马承受遂不复除"⑤。授。

宋代诸路走马承受的员数,一般为一员或者二员。宋初,诸帅司路设一员,以宦官充任。崇宁二年(1112年)二月,宋徽宗规定,"成都府、利州路、泸南路各添差内臣一员为走马承受"⑥。崇宁四年(1114年)六月,宋徽宗又规定,"帅府置走马承受内臣一员,武臣一员"⑦。

二、宋代走马承受的职能

宋代走马承受的职能前后差别较大。北宋前期,走马承受名义上"亲军政,察边事"⑧,但实际上是皇帝安置在帅司的耳目,只负责密察帅臣的举动,不参预军政。宋徽宗朝,走马承受改为廉访使

---

① 《宋会要辑稿》职官41之130。
② 《宋会要辑稿》职官41之134。
③ 《宋会要辑稿》职官41之135。
④ 《宋会要辑稿》职官41之135。
⑤ 《皇宋中兴两朝圣政》卷14,绍兴三年十一月丙辰。
⑥ 《宋会要辑稿》职官41之125。
⑦ 《宋会要辑稿》职官41之126。
⑧ 《宋会要辑稿》职官41之120。

者后,地位提高,职能大增,"几厕监司之列"①,成了名正言顺的路级监察官。宋钦宗靖康元年(1126年)复名为走马承受后,职能又恢复到了北宋前期的状况。此后一直到绍兴三年(1133年),走马承受被罢去,其职能没有发生大的变化。具体而言,宋代走马承受的职能有以下几项。

(一) 风闻言事,按察诸路帅臣和州郡官吏

宋代为了使"边防动息、州郡不法得以上达"②,允许走马承受风闻言事。宋哲宗元符年间就规定了这一制度。宋徽宗大观四年(1110年)三月,朝廷又重申了这一制度。

宋代走马承受在哲宗朝可以按劾将臣,朝廷常以其进退将臣,如"延安赵卨、太原滕元发皆进职","颍昌范纯仁易滕元发",都是根据本路走马承受的奏章"遂有此除"③。

宋徽宗朝,走马承受改名为廉访使者后,"一路事无巨细,皆所按刺","序位在转运使、副、判官、提点刑狱、提举学士、常平官之下"④,成为帅司路的重要监察官。自此,廉访使者"凡耳目所及,皆以闻,于是与帅臣抗礼而胁制州县,无所不至"⑤。政和七年(1117年)五月,针对监司、郡守"全然失职"的状况,宋徽宗"令廉访使者广布耳目",察举州县官的违法行为,"密具以闻"⑥。宣和六年(1123年)闰三月十九日,宋徽宗下诏明确规定:"若州县有罪",廉访使者"自合按劾"⑦。翌年七月,明州造船厂及作坊院向农民抑配

---

① 《宋会要辑稿》职官41之133。
② 《宋会要辑稿》职官41之127。
③ 赵汝愚《宋名臣奏议》卷65,王严叟《上哲宗论不可以走马承受一言轻易元帅》。
④⑥ 《宋会要辑稿》职官41之131。
⑤ 徐度《却扫编》卷中。
⑦ 《宋会要辑稿》职官41之134。

造船所用的木、竹、铁等物料,宋徽宗令"廉访使者常加觉察以闻"①。此时廉访使者的职权"与监司均敌,朝廷每有所为,辄为廉访所雌黄,枢密院藉以摇宰相"②。

(二) 探察边事,及时奏报朝廷

探察边事,并及时奏报朝廷,是宋代走马承受的主要职能之一。宋制,"或边防有惊",走马承受要"不以时驰驲上闻"③。即使无重大边事,也要定期向朝廷奏报。

宋代走马承受入朝奏报的时间略有变化。宋初,是"岁一入奏"。北宋中期又改为分春、秋两次上朝奏报。北宋后期又改为季奏,即一年奏报四次。

宋代走马承受入朝奏报的内容十分广泛。"民生之利病,法令之废举,吏治之清污能否,凡群邑之政"④,皆在奏报之列。

宋代诸路走马承受向朝廷"申奏机密急速文字",采用发"马递"的方式,其他的常程文字只发"步递"⑤。宋徽宗朝还特意规定,江南地区的走马承受上朝季奏,有驿铺处,应乘马赴阙,"不得乘船,违者,以违制论。"⑥ 因为乘船所用的时间要比乘"马递"慢得多。如大观二年(1108年),两浙西路走马承受安竦坐船入朝,路途用了四十三天时间,而江南东路走马承受吕仲昌乘"马递"赴阙,只用了十一天。

(三) 从不许干预军政到监察军队

北宋前期,诸路走马承受虽有密察军队的职能,但不能干预军

---

① 《宋会要辑稿》食货50之7。
② 《建炎以来系年要录》卷11,建炎元年十二月丁卯。
③ 《宋会要辑稿》职官41之123。
④ 《宋大诏令集》卷212《走马不职澄汰御笔》。
⑤ 《宋会要辑稿》职官41之123。
⑥ 《宋会要辑稿》职官41之124。

事。如元丰元年（1078年）四月十三日，宋神宗曾下诏规定："走马承受不得干预军事"①。同年五月，宋神宗令走马承受密察军队，"凡遇差拨军马出入，仰常切体量人情，如士卒私陪费及将官措置乖失，并仰密具申闻奏，如敢不尽时闻奏，致朝廷察访得知，当与所犯人均责"②。北宋后期，走马承受不得干预军事的制度，开始发生了变化。元符元年（1098年），宋哲宗下"诏：经略司遇军兴差发军马，具数关报走马承受"③，自此，走马承受始参预军事。

宋徽宗朝，走马承受不仅参预军政，而且还可以监察军队。崇宁四年（1105年）九月，宋徽宗下诏："边界探报事宜，依条令实封送走马承受看详，""令经略司及沿边安抚司将探到事宜书号印缝封送承受，如供报不实不尽，并以违制论"④。政和四年（1114年）正月四日，宋徽宗再次诏令："诸路州军有走马承受处，除边机、兵防、军期急速等自依条制外，如有事出非常，稍涉要害等，仰州郡合属去处，限日下关报本路走马承受所"⑤。宣和末年，根据河东路走马承受王嗣昌的建议，宋徽宗推行了"画一"制度。所谓"画一"，即：帅司每日"将兵覆验首级、提点赏犒、催促粮运及差发探报动息出入皆报承受所"⑥。此制实行不久，遭到不少官员的反对，监察御史余应求上疏反对说：实行"画一"制度，使走马承受"又预军政矣，虽名承受，其实监军也"⑦。他请求皇帝能吸收唐代宦官参预军政危害的教训。靖康元年（1126年）正月，宋钦宗下诏罢去了"画一"制

①　《宋会要辑稿》职官41之124。
②　《宋会要辑稿》职官41之124。
③　《宋史》卷167《职官七》。
④　《宋会要辑稿》职官41之125。
⑤　《宋会要辑稿》职官41之127。
⑥⑦　《宋会要辑稿》职官41之134。

度。

（四）点检本路封桩钱物，并上朝廷汇报

宋徽宗朝，诸路走马承受有点检本路封桩钱物，监督地方财政的职能。大观三年（1109年）正月，宋徽宗"诏诸路走马承受公事今后取索本路封桩见在钱物粮斛数目闻奏"①。此后，某些地区的走马承受利用这一职权，"每月每旬乱有取索"骚扰州县，针对这一问题，政和四年（1114年）四月十四日，宋徽宗进一步规定：走马承受除"季奏取索传宣抚问外，余并不得取索"②，并且责令枢密院立法执行。靖康元年（1126年），走马承受点检本路封桩钱物的职能被罢去。

宋代走马承受不仅在徽宗朝职能大增，而且地位显赫。据孟元老《东京梦华录》卷二中记载，当时京师开封的朱雀门外街巷中，就有刘廉访宅院。

三、宋代走马承受的选任制度

宋代走马承受以三班使臣或宦官充任，其选任方式和任职条件皆有一定的规定。

（一）宋代走马承受的选任方式

宋代诸路走马承受一般置一员或二员。置一员者，多以宦官充任；置二员者，一员以宦官充任，另一员以三班使臣充任。因充任的对象不一样，所以选任的方式也略有不同。

以三班使臣充任的走马承受，先由三班院（元丰改制后归吏部侍郎右选）在三班使臣名籍中选四员，经"主判官躬亲试验书札"，令入选者各"写家状一本，并具析遂入出身、历任功过"；然后三班

---

① 《宋会要辑稿》职官41之125。
② 《宋会要辑稿》职官41之126。

院将此四员人选的姓名连同家状一并送枢密院;枢密院在此四员人选中"点定一名"①。

以宦官充任者,由"入内内侍省引见,取旨,定差一名"②。也就是说,以宦官充任的走马承受,由宦官机构入内内侍省向皇帝引见,皇帝从引见人选中定差。引见与定差的比例为二比一,即:入内内侍省引见二员,皇帝从中选任一员。

(二) 宋代走马承受的任职条件

宋代走马承受人选,不仅要求有一定的资序,而且还要求不曾有赃私罪者方能充任。天圣六年(1028年)十二月,宋仁宗下诏规定:诸路走马承受"并选有臣僚同罪奏举,及曾经兵马监甲或巡检、寨主、知县,不曾犯赃私罪者充"③。元祐元年(1086年)八月,宋哲宗又下诏强调:"今后走马承受依旧条选无过犯人"充任,仍责令"门下、中书后省别立法以闻"④。

为了保证走马承受对诸路长官的监察,宋代自景德三年(1006年)七月起就规定:"诸路不得奏举承受使臣。"⑤ 此外,宋代还规定,枢密院出职吏人和伎术进纳人吏等"并不许选诸路走马承受"⑥。

四、对走马承受的监察

宋代对诸路走马承受的监察情况在不同时期略有变化。北宋

---

① 《宋会要辑稿》职官41之123。
② 《宋会要辑稿》职官41之124。
③ 《宋会要辑稿》职官41之122。
④ 《宋会要辑稿》职官41之124。
⑤ 《宋会要辑稿》职官41之120。
⑥ 《宋会要辑稿》职官41之123。

时,由知州、监司负责对本路走马承受的监察工作。至道三年(997年)二月,宋太宗诏令知仓州、西上閤门使何承矩觉察诸路走马承受"逾违公事"①。元丰三年(1080年)十二月,宋神宗明确规定:走马承受"设有贪赃不法,监司自当具罪状闻奏,听旨送狱推勘"②。靖康元年(1126年)十一月十六日,宋钦宗诏令走马承受"听监司觉察"③。南宋时,对诸路走马承受的监察由本路帅司的帅臣主管,建炎元年(1127年)十二月,宋高宗下诏规定:走马承受公事如有违职行为,"委帅臣奏劾"④。

五、走马承受与宋代政治

宋代走马承受"几厕监司之列",甚至可以监察军队,是在一定的政治背景之下出现的,原因比较复杂,其中最主要的有两个方面。

首先,宋徽宗重用宦官,提高走马承受的序位、待遇,并委以重任,是走马承受"几厕监司之列"的重要原因之一。政和八年(1118年)正月二十八日,宋徽宗下诏规定:第一,诸路廉访使者序位在通判之上,"其职田、接送人并依通判例";第二,岁支给廉访使者公使钱三百贯文;第三,廉访使者"所应用动使陈设什物之类不得于他处关借,违者以违制论"。同年二月二日,宋徽宗又下诏规定,廉访使者"可依按察州县官例收受供给"⑤。宋徽宗的这些规定,不仅使走马承受在制度上和监司平级,同时也助长了走马承受的嚣张气焰。

---

① 《宋会要辑稿》职官41之120。
② 《长编》卷310,元丰三年十二月丙戌。
③④ 《宋会要辑稿》职官41之135。
⑤ 《宋会要辑稿》职官41之132。

其次,宋代走马承受之所以在徽宗朝能"几厕监司之列",与当时监司的腐败有密切关系。宋代监司在设置初期,曾发挥过重要作用,但到了宋徽宗崇宁年间后,"监司职事隳废,而走马承受能得其实状以闻"①,向朝廷奏报一些地方的实际情况。自此以后,监司的察举职能逐渐被走马承受所取代,当时的御史中丞石公弼对此有比较详细的分析,他在给宋徽宗的上疏中写道:"近时监司初不遴选,夤缘除授者莫可悉数,观望诞谩,贪污苟贱,无所不至,达于圣德十未能一,由是走马承受廉访实事,有专为蔽欺稍稍奏闻,是监司不足以取信而事移走马也。"②

宋代走马承受虽曾在察举地方官吏方面起到过一些作用,但是,宋代走马承受多是一些宦官和低级武臣,这些人文化修养低,素质差,一旦有了职权,就容易贪赃枉法,为所欲为。如崇宁四年(1105年)十月十九日,臣僚在给宋徽宗的上疏中就指出:走马承受"或不知分守,侵官紊法,辄受词判,送州县移文督催过于监司,喜怒任情,所至受弊。"③ 宋政府也曾多次下诏限制走马承受参预审理刑狱诉讼案件,如宣和元年(1119年),宋徽宗就下诏强调:"廉访使者不许收接词状,已有著令。若事涉要害或论诉他司违法之类,岂容不举,但不许予决"④,尽管宋政府采用了种种措施,但是,走马承受对社会的危害不亚于监司。宋徽宗统治时政治腐败现象严重,与走马承受职权太大,不能没有关系。

---

① 《宋会要辑稿》职官41之128。
② 赵汝愚《宋名臣奏议》卷67,石公弼《上徽宗论监司不得人而走马承受奏事》。
③ 《宋会要辑稿》职官41之28。
④ 《宋会要辑稿》职官41之132、41之133。

本 章 小 结

综合本章所述,宋代路级监察制度可归纳为以下几个要点。

一、宋代路级监察体制向多元化发展。宋太宗淳化年间以前,宋代路级监察机构仅有转运司,宋真宗景德四年(1007年)正式设置了与转运司平行的提点刑狱司,宋神宗时,不仅设置了提举常平司,而且走马承受也脱离帅司成为独立的监察官。

二、宋代路级监察机构的职能虽均具有监察、行政双重性,但又各有偏重。转运司偏重于一路的上供、赋税及酒税等财政管理;提点刑狱司偏重于一路刑狱案件的处理;提举常平司偏重于一路常赋之外的财政管理;走马承受主要是探察边事。

三、宋代路级官员选任制度比较完备,如对选任方式、任职条件、转迁时间等都作了具体规定,特别是监司官员之间避亲嫌、监司回避本贯法等制度的制定与推行,有利于防范地方割据势力的滋生。

四、宋代对路级监察官的监督体制完备。宋代为防止路级监察官转变为割据势力,不仅建立了一套对监司监察的纵横交错体制,制定了监司出巡约法,而且还规定了严密的考课措施。

五、宋代路级监察制度的建立,在加强朝廷对地方的控制,协调统治阶级内部关系,防范藩镇割据局面再现,是卓有成效的。两宋三百多年间无藩镇之患,与路级监察体制的建立有密切关系。

六、宋代路级监察制度上承唐代的道,下启元朝的行省,在我国封建社会地方行政监察制度发展史上具有重要地位。

第九章 宋代府州军监级监察制度

宋代的府、州、军、监是同级地方政府,直属朝廷。府、州基本上因袭唐朝,体制类似于秦汉的郡;府的地位略高于一般的州,但上等的州和府并没有大的差别。军在唐代时"仅理兵戎",入宋后逐渐演变为行政区域。"监为物务,向不治民"[1],宋也属于行政区域。

宋代的府、州、军、监级监察制度比前代的郡级监察制度有了重大发展,其突出表现是增设了监察机构——通判厅。为了探讨宋代府、州、军、监级监察制度的特点,有必要对通判设置的背景、职能及选任等作一述论。

一、宋代通判设置的背景及其状况

通判在宋代文献中常被称为"半刺"、"屏星"、"别乘"、"郡监"等。"半刺"、"屏星"、"别乘"均是后人对汉代监察官的美称,郡监即监御史。再者,宋人还称通判为"倅"、"倅贰"、"同判"、"同知州"等。"倅"、"倅贰"均为副职的意思,值得注意的是,"倅"在宋代仅限于

---

[1] 参见聂崇岐《宋代府州军监之分析》,《宋史丛考》中华书局1980年3月版,第70页。

对通判的称谓,他官"虽副贰不可用矣"①。"倅贰","佐守之职,政无不关"②。"同判"、"同知州"即与知州同掌一郡之政。

赵匡胤等统治集团通过"陈桥兵变"夺取了后周郭氏的政权。立国之初,不仅原后周境内的地方藩镇势力依然存在,而且南方的南汉、南唐、吴越和北方的北汉等割据政权尚未消除。随着后周割据势力的消灭和统一战争的胜利进行,如何管理新征服的区域?是北宋统治者面临的一个重大问题。为了笼络人心,稳定政局,对这些区域的官员既不能全部罢职,又不能赋予重任,在此背景下,创置了通判。

宋代通判设置于乾德元年(963年)。建隆三年(962年),宋太祖出兵荆湖,翌年四月,灭掉荆南和湖南割据政权后,"始命刑部郎中贾玭等通判湖南诸州"③。乾德二年(964年),宋太祖在原后周境内的四十三个府州皆设置了通判。乾德三年(965年),北宋灭掉后蜀,在眉、梓等州设置了通判。开宝四年(971年)年,宋廷灭掉了南汉,在广州等地设置了通判。开宝八年(975年)十二月,宋政府灭掉了南唐,在江南地区处州等地设置了通判。"陈洪进纳土"和"吴越归地"后,宋廷又在泉州等地设置了通判。其后,宋朝统治者在其他统治区域内逐渐设置了通判。

宋代府、州、军、监设置通判的员数,因其地域大小和政治、经济地位的高低不一样,多少也不尽相同。北宋时大藩府设置通判二员,如西京、南京、天雄、成德等府皆置二员,其他的府置通判一员。南宋绍兴五年(1135年)后,凡帅府"并以两员为额"④。宋代州设

---

① 施宿《嘉泰会稽志》卷3《通判廨舍》。
② 刘攽《彭城集》卷23《承议郎卢讷可通判德顺军制》。
③ 《长编》卷4,乾德元年四月乙酉。
④ 《文献通考》卷63《职官十七》。

置通判的员数,分几种情况定制:文臣为知州的州,一般设通判一员,不及万户的州不设通判;武臣为知州的州,无论大小一律设置通判一员或者二员;边远地区的州,如广南等地"有试秩充通判兼任知州者"①。宋代的军、监一般不设置通判,所以宋人陈彭年在给真宗的上疏中说:"军、监则有判官而无通判"②,但是,凡武臣为知军和"边要之地,或户口繁多"的军、监皆设通判一员,如北宋政和年间的淮阳军和南宋绍兴年间的安丰军等皆各置通判一员③。

宋代在通判设置上,突出了对武臣的监督政策。北宋时,凡武臣为长官的州军即使不足万户,也要设置通判,以加强监督。此外,宋真宗大中祥符六年(1013年)正月还下诏规定:"武臣知州军处或阙通判,望令转运司飞奏以闻,付有司速差,所差官如未到任,仍于京朝官知州处有全员处权差"④。南宋自绍兴年间起,帅府不论大小,皆置通判二员,州、军、监凡武臣为长官者,均设通判一员或二员。

总之,宋代通判是防范藩镇割据,强化府、州、军、监级监察机制的产物。

二、宋代通判的职能

宋代通判的职能,颇类似路级的监司,既要监察官吏,又要参预州郡的行政管理。其职能范围比较广泛,总括起来,有以下几个方面。

---

① 《宋会要辑稿》职官47之1。
② 《长编》卷48,咸平二年二月壬戌。
③ 《宋会要辑稿》职官47之65、47之68。
④ 《宋会要辑稿》职官47之60。

（一）监察州县官吏

宋代通判监察的主要对象是府、州、军、监官和县官。

先看宋代通判对府、州、军、监级官吏的监察和牵制。宋代统治者设置通判的初衷，就是监察、牵制州、军长官，通判每与诸州郡长忿争，常说："我监州也，朝廷使我来监汝。"州郡"长吏举动必为所制"①。乾德四年（966年）十一月，宋太祖下诏命令诸道通判"无得怙权徇私，须与长吏连署，文移方许行下"②。这一诏令虽抑制了通判的行政权，但通判监察州郡官吏的职能未变。宋仁宗曾对御史孙抃说："州郡设通判，本与知州同判一郡之事，知州有不法者，得举奏之"③。南宋庆元年间，有大臣请求废去文臣知州处的通判，宋宁宗坚决不同意，并训斥大臣说："郡有倅贰，正如诸军统制之有副也，互相纠察，岂容省去！"④宋代通判监察州郡的职能在现存的地方志中有不少记载。如《嘉泰会稽志》卷三和《宝庆四明志》卷三中均载："艺祖有天下，首置诸通判，以朝官以上充，实使之督察方镇。"

再看宋代通判对县官的监察。宋代通判除监察州郡官吏之外，还要监察所属官吏。景祐四年（1037年）十二月，宋仁宗诏令"知州军、通判：自今按察所部官，须具实状以闻"⑤。宋哲宗朝规定，"所部官有善否及职事修废"，通判"得刺举以闻"⑥。《景定建康志》卷二十四《通判厅》载："艺祖惩藩镇之弊，置通判以分州权，事无不

---

①② 《长编》卷7，乾德四年十一月癸巳。
③ 孙逢吉《职官分纪》卷41《通判军州》。
④ 《宋会要辑稿》职官47之48。
⑤ 《长编》卷120，景祐四年十二月壬申。
⑥ 《宋会要辑稿》职官47之62。

预,至得按察所部。"南宋通判"入则贰政,出则按县"①,仍具有监察县官的职能。

(二) 参预州郡财政管理

参预州郡财政管理,分割州郡长官的财权,是宋代通判的重要职能之一。

宋代通判对本州的财政管理几乎无所不参预。具体来说,有以下几个方面。

1. 参预征收赋税

宋代官户、形势户多依杖权势荫庇税户,直接影响了政府的税收。为了解决这一问题,宋政府令通判主管征收官户、形势户的租赋。开宝四年(971)正月,阆州通判路冲上疏说:"本州职役户负恃形势,输租违期,已别立版簿于通判厅,依限督责",请朝廷能"颁为条制"。宋太祖采用了路冲的建议,"诏诸州府并置形势版簿,令通判专掌其租税"②。自此,诸州府形势户的租税由通判征收,成为定制。

2. 主管征收经总制钱

北宋徽宗宣和年间,由于对金战争军费紧张,增收了酒税、头子钱等二十多种附加税,称经制钱,各州军别立帐收管,供朝廷调用,通判也参预征收经制钱。南宋初年,政府又增加各种税名目的附加税,创立了总制钱。总制钱和原来的经制钱合称经总制钱。绍兴三年(1133年)二月,宋高宗根据浙东提点刑狱公事孙近的建议,诏令"诸州经总钱并委通判拘收"③。宋孝宗乾道二年(1166年),曾令通判和知州共同掌管经总制钱,但没过多久,知州恣意侵

---

① 《宋会要辑稿》职官 47 之 67。
② 《长编》卷 12,开宝四年正月辛亥。
③ 《建炎以来系年要录》卷 63,绍兴三年二月甲辰。

用经总制钱的问题便出现了。淳熙元年(1174年),宋孝宗也诏令将经总制钱"委诸路州军通判,专一主管"①。宋宁宗朝的《庆元条法事类》中明确规定:诸州县镇所收经总制钱物,必须"每季具账限次季孟月五日以前供申通判厅,本厅限孟月终,审覆申提点刑狱司"②,也就是说,通判不仅审查诸州县经总制钱的帐目,而且还要按时向提点刑狱司申报。

3. 筹备军需物品

北宋从仁宗朝起,凡有战争地区的通判,要负责筹备军队所需用的物品。宝元元年(1038年)九月,宋仁宗罢河北、陕西提举使籴粮草官,"令本路转运使副及逐州通判提举"③。南宋时期,战争繁多,凡军队所至之处,令本处通判充任粮草官。绍兴三年(1133年)四月二十三日,宋高宗下诏规定:"今后应遣发大兵,所至州县,并专责通判充钱粮官,于界首伺候应副支遣,俟人马出州界方得归州。"④

4. 参预州郡各类仓库的管理

宋代州郡的仓库主要有公使库、军资库、公使酒库等。通判有参预对这些仓库收支情况的管理职能。

公使库的钱物,主要用于宴请、馈赠、官员赴任、罢移等费用的支出。这些费用的支出必须由知州和通判共同签书。

军资库是宋代"一州税赋民财出纳之所",在地方财政中占有重要地位。这个重要的仓库一般由通判提举,钥匙由通判掌管。

---

① 《宋史》卷167《职官七》。
② 《庆元条法事类》卷30《经总制》。
③ 《长编》卷122,宝元元年九月辛酉。
④ 《宋会要辑稿》职官47之66。

5. 掌管应在司

宋代的应在司大致相当于近代的地方统计部门,其主要职能是将地方州郡财政的"元管、新收、已支、见在钱物"申报中央①。

宋代的诸州应在司设置于太宗淳化五年(994年),由通判掌管,即"郡置通判,以其收支之数上之计司,谓之应在"②。南宋宁宗朝的《庆元条法事类》中明确规定:"诸州应在司通判一人掌之,如无通判处差职官一员"③ 掌领。

6. 与知州共同审核所属县的财政

宋代地方知州下设置磨算司,通判下设有审计司,凡所属县有财计事,须两司审核④。此外,宋代通判还有掌管部分版帐税籍和征收杂税等职能。

(三) 参预州郡官吏的选任和管理

宋代通判和知州一样,具有荐举幕职州县官的职能。如仁宗天圣二年(1023年)六月,根据监察御史李纮的建议,允许通判"奏举本部幕职州县官"⑤。景祐二年(1035年)二月,宋仁宗又强调现任通判有保举幕职州县官的职能⑥。南宋时期,通判不仅参预荐举幕职州县官,而且还要审查监司、帅臣、郡守所荐举属官的真伪。绍兴四年(1134年)三月二日,宋高宗下诏规定:"诸路帅臣、监司、郡守今后奏辟官属,并令所举官录白、付身、印纸各委本州通判,取真本覆实,结罪保明,缴连申奏。如应参部之人,方行给降付身,以绝伪

---

① 《文献通考》卷23《国用一》。
② 陈傅良《止斋文集》卷19《赴桂阳军拟奏事札子第二》。
③ 《庆元条法事类》卷31《应在仓库令》。
④ 朱熹《朱子语类》卷106《外任》。
⑤ 《宋会要辑稿》选举27之20。
⑥ 《长编》卷116,景祐二年二月甲子。

滥之弊。"①

宋代通判在州郡官吏的管理事务中,也有一些职能,如定期向吏部汇报地方官的上任、离任及替代情况等。南宋宁宗朝的《庆元条法事类》中规定:各地官员过期不赴任、因病故去或离任半年而未差注到替代之人者,"每月终(一千里以上每季终)州委通判;帅司、监司委属官,""实封差人赍申尚书吏部"②。也就是说,离京师近的府州通判每月底,离京师一千里以上府州的通判每季末,均负责向朝汇报一次该级机构中过期不来上任或死去、离任半年未差注到替代者的具体情况,并将其材料实封,派人申报到尚书吏部。

(四) 参预审理州郡的刑狱案件

为了加强对府、州、军、监司法权的监察,宋代赋予通判参预审理州郡重大案件的职能。至道元年(995年)正月,宋太宗"诏诸处长吏无得擅断,徒、杖刑以下,听与通判官等量罪区分。"③ 宋真宗朝不仅令通判参预本州重大刑狱案件的审理,而且于大中祥符三年(1010年)六月,还下诏规定:"诸州大辟罪及五人以上狱具,请邻州通判、幕职官一人,再录问讫决之。"④宋哲宗朝规定:"狱讼听断之事可否裁决",通判"与守臣通签书施行。"⑤南宋时,不仅规定"狱讼听断之事可否裁决",通判"与守臣通签",而且"帅府则以徒罪委通判"⑥。通判在南宋审理疑难案件中曾发挥过重要作用,如吕沆通判婺州时,"朱君章讼争田四十有二年,吴王府争墓二十有

---

① 《宋会要辑稿》选举31之4。
② 《庆元条法事类》卷5《职制敕》。
③ 《长编》卷37,至道元年正月戊申。
④ 《长编》卷73,大中祥符三年六月庚午。
⑤ 《宋会要辑稿》职官47之62。
⑥ 王栐《燕翼诒谋录》卷3《州长吏亲决徒罪》。

（五）兼领防汛及修堤岸等政务

北宋时期，"黄河夏秋水涨，堤岸危急"，需要组织民夫去防汛、修堤。为了加强对这一工作的监督，朝廷常令通判兼领此事。开宝五年（972年）二月，宋太祖下诏在开封等十七州府"各置河堤判官一员，以本州通判充"②。宋神宗朝，在夏秋之际需要防汛地区，令通判兼领此政务。

南宋时，浙西吴江石塘堤岸颓毁，而修堤的塞兵多被当地的官吏"尽为他役"。绍定三年（1230年）五月，宋理宗将修吴江石塘之任"委平江府通判主管，不得辄有抽差，违许奏劾"③。宋理宗之所以令通判主管此事，是因为通判有弹劾地方官吏之职，足以制止地方官吏役使护堤士兵的现象。

宋代通判的职能除上述之外，还有"奉行荒政"④、督责植树、过问差役等。

三、宋代通判的选任制度

宋代统治者为了使通判能更好地发挥监督牵制州郡长官的作用，在选任制度上采用了一系列的措施，形成了一套比较完整的制度。

（一）宋代通判的选任方式

宋代通判的选任方式主要有四种，即：皇帝亲擢、中书堂除、吏部差注、监司或府州辟差。

---

① 《宋史》卷407《吕午传附吕沆传》。
② 《长编》卷13，开宝五年二月丙子。
③ 《宋史全文续资治通鉴》卷31，绍定三年五月辛亥。
④ 汪应辰《文定集》卷4《御札问蜀中旱歉画一回奏》。

1. 皇帝亲擢通判

北宋初年，赵宋统治者比较重视通判的选任。宋太祖时，常令文臣荐举，皇帝从所荐举的人选中任命，如乾德二年（964年）七月，太祖"诏翰林学士承旨陶谷及殿中侍御史内黄师颂等四十三人，各举才任藩镇通判者一人"①。宋太宗即位后，亲"擢（李）应机通判益州事"，并"召之登殿"，对他说："有便宜事，密疏以闻。"②马端临对此评议道："艺祖之设通判，本欲惩五季藩镇专擅之弊，而以儒臣临制之，号称监州。盖其官虽郡佐，而其人间有出于朝廷之特命……其与后来之泛泛以半刺称者，不侔矣。"③

宋太宗以后，一些重要府州的通判仍由朝廷除授。如西京是赵宋王朝"陵寝在所，通判职任至重"，绍圣三年（1096年）三月，根据京西路转运副使郭茂询的请求，把西京通判定为"自朝廷除授"。真、楚、泗等州是北宋漕运转输要地，绍圣三年（1096年）十二月，根据发运使吕温卿的建议，这些州的通判也定为"自朝廷选授"④。南宋绍兴三年（1133年）正月十五日，宋高宗下诏"今后淮南通判并令朝廷选差"⑤。可见，皇帝亲擢是宋代通判的重要选式之一。

2. 中书堂除

宋代凡设两名通判的府州，其中一员要以中书堂除的方式选任。北宋政和四年（1114年）十月，宋徽宗"诏诸州通判有两员处，以一员堂除"⑥。政和七年（1117年）六月三日，宋徽宗又对州军通

---

① 《长编》卷5，乾德二年七月辛卯。
② 《长编》卷41，至道三年四月辛亥。
③ 《文献通考》卷63《职官十七》。
④ 《宋会要辑稿》职官47之63。
⑤ 《宋会要辑稿》职官47之66。
⑥ 《宋会要辑稿》职官47之64。

判堂除的范围作了具体规定:"淮阳军、广济军、信阳军、高邮军、荆门军、汉阳军、怀安军、邵武军、复州、荣州、雅州、普州通判堂除,余令吏部差人。"①

南宋时期,由于政治形势的变化,对堂除通判的范围又作了一些规定。绍兴二年(1132年)七月,宋高宗"诏高丽人使经由州军通判依旧堂除"②。绍兴五年(1135年)闰二月,宋高宗"诏吏部通判阙二十五处,取作堂除"③。绍兴七年(1137年)正月,宋高宗也规定:"通判双员,依旧一员堂除。"④宋孝宗朝,堂除通判州军的数量不断增加。乾道四年(1168年)八月,根据吏部的请求,宋孝宗"诏均州通判堂除"⑤。乾道六年(1170年)六月,宋孝宗下诏德庆府通判和教授"并堂除"⑥。开禧二年(1206年)十二月,宋宁宗"诏崇庆府、童川府,遂宁府通判今后令堂除使阙"⑦。历宋一代,堂除方式在通判选任制度中占主导地位。

3. 吏部差注

吏部差注也是宋代通判重要的选任方式之一。北宋元丰改制之前,三省六部制度名存实废,通判的选任由审官院负责,如景祐二年(1035年)五月,宋仁宗诏"永兴军、河南府、延、杭、广、梓州通判,并令审官院选差人"⑧。元丰改制后,审官院被罢去,部分通判由吏部差注。宋代吏部差注通判必须经门下省审察。北宋后期,皇

---

① 《宋会要辑稿》职官47之65。
② 《宋会要辑稿》职官47之66。
③ 《建炎以来系年要录》卷86,绍兴五年闰二月丙辰。
④ 《宋会要辑稿》选举23之15。
⑤ 《宋会要辑稿》职官47之69。
⑥ 《宋会要辑稿》职官47之70。
⑦ 《宋会要辑稿》职官47之72。
⑧ 《长编》卷116,景祐二年五月己亥。

帝不断下诏强调这一制度,如元祐三年(1088年)九月十六日,宋哲宗"诏吏部拟注通判,依知州例,赴门下省引验"①。崇宁三年(1104年)二月二十一日,宋徽宗"诏河北国信道通路经由州军通判令吏部依格选差,申三省审察"。政和元年(1111年)六月二十日,宋徽宗又下诏河北沿边次边州军通判"自今差注,并令三省审察"②。

4. 监司或府州辟差

监司或府州辟差,是宋代通判选任方式的一种补充形式。它只实行于某些时期或某些地区。

宋仁宗时期,曾允许某些府州辟差通判。如景祐二年(1035年)五月,宋仁宗"诏尝任二府而为知州者,辟通判、幕职官一员,大两省以上知天雄、成德军、益州、泰州,并许辟通判一员"③。此制实行了不足二十年,就被罢去。皇祐五年(1053年)七月,宋仁宗又下诏:"尝任二府出知州者,毋得奏辟通判。"④

宋代某些沿边地区的通判,允许转运司辟差。如元丰六年(1083年)四月,陕西转运司请求"就差通直郎通判解州吴安宪通判延州",宋神宗诏令"依所奏速差"⑤。淳熙十四年(1187年)八月十六日,利州路提点刑狱张缜请求"将本路通判窠阙,除藩通判合自吏部差注阙外,四州通判自制置司奏辟外,所有金、洋、兴、利、文、龙等州通判窠阙,依八路法送本路转运司拟差",宋孝宗同意了张缜的请求,诏令除已差下人外,"今后依元丰旧法,令本路转运司

---

① 《宋会要辑稿》职官47之63。
② 《宋会要辑稿》职官47之64。
③ 《长编》卷116,景祐二年五月己亥。
④ 《长编》卷175,皇祐五年七月癸巳。
⑤ 《宋会要辑稿》职官47之63。

照应条格施行"①。自此,利州路的通判由转运司辟差。

(二) 宋代通判的资序

宋代通判因选任方式的不同和地区的差别,资序要求也不一样。

皇帝亲自选任的通判,一般不计资序,"不以官资之崇卑"②。除此之外,堂除、吏部差注和奏辟等选任方式的通判皆要求具有一定的资序。

北宋淳化四年(993年)十月以前,通判在京朝官中选任。淳化四年(993年)十月,根据翰林学士承旨苏易简的请求,宋太宗下诏规定:"自今京朝官未历州县,不得任知州、通判"③。宋真宗朝,一般通判仍要求有"历州县"资序,而边远地区通判的资序有所放宽。如天禧四年(1020年)五月,朝廷根据广南东路转运司的请求,允许春州的通判兼知州"于选人幕职州县内选岭南人"④ 充任。宋仁宗朝,根据审官院的请求,朝廷又重申了关于广南诸州军通判资序的规定,即:"选京朝官曾差知县者充"⑤。此后一直到北宋灭亡,通判的资序规定,没有发生大的变化。

南宋时期,一般府州的通判,仍以"两任知县有关升状"⑥ 者充任,而帅府大藩,如临安、绍兴、平江等地的通判,在宋宁宗嘉定五年(1212年)六月以后,强调"经任通判人"⑦ 充任。

宋代通判强调以具有"历县以上"资序者充任,这对保证州郡

---

① 《宋会要辑稿》职官47之71。
② 《文献通考》卷63《职官十七》。
③ 《长编》卷34,淳化四年十月庚申。
④ 《宋会要辑稿》职官47之5。
⑤ 《宋会要辑稿》职官47之6。
⑥ 朱熹《朱子语类》卷128《法制》。
⑦ 《宋会要辑稿》职官47之55。

监察官的政治素质,提高监察效果是有积极意义的。

宋代通判的资序与知州相比,明显低于知州。北宋时,具有两任或三任通判资序者才能充任知州。天圣六年(1028年)正月,宋仁宗根据官僚们的意见,规定"并须三任通判,方得差充知州"①。南宋时,仍实行两任通判以上资序才能充任知州的制度,孝宗朝曾规定"第二任通判以上资序人,不以内外与知州军差遣"②。宁宗于庆元元年(1195年)十月三日"诏通判资序及两任通判方许除知州"③。南宋的理学家朱熹也说:在法,"两任通判,有关升状,方得为知州。"④

当然,在某些特别时期,也有以知州资序者充任通判的,如宋仁宗嘉祐二年(1057年)十月,在具有知州资序员多的情况下,根据审官院的建议,以具有知州资序者充任西京、北京、益州、广州、荆南、并州等十六个重要府州军的通判,"任满无公私过犯,候到院,与升半年名次"⑤。这种情况是解决"知州员多"问题的一种措施,而不属正常的资序法范围。

宋代通判是府州军监的监察官,而资序却低于知州,这是宋代统治者"以小制大"政策在府、州、军、监级监察制度中的运用。

(三) 宋代通判的回避制度

宋代统治者为了使通判能更好地行使监察职能,制定了通判人选回避制度。

首先,府州长官不能奏辟或保举见任通判。宋代通判监察的主

---

① 《宋会要辑稿》职官47之7。
② 《宋会要辑稿》职官47之41。
③ 《宋会要辑稿》职官47之46。
④ 朱熹《朱子语类》卷128《法制》。
⑤ 《宋会要辑稿》职官47之62。

要对象是府、州、军、监长官,为了使通判能行之有效地监察州郡长官,北宋仁宗天圣九年(1031年)二月,就规定:"大两省官出知外郡,不得奏辟同判职官,其诸处知州,亦不得保荐见任同判。"① 南宋乾道五年(1169年)十月,宋孝宗也下诏强调:"守臣毋得荐举通判。"② 历宋一代,一般知府、知州不参预通判的选任已成为定制。当然,制度的规定和实际执行有时会有差距,宋代府州长官不能奏举通判的回避法也不例外。如南宋初年,一些帅府长官自辟通判,绍兴三年(1133年)五月,监察御史郑作肃上疏力言此弊,他说:"通判出于帅守之门,则于州事无所执守,视过咎无敢刺举",宋高宗下"诏诸州通判、见任守臣所辟者并罢"③。

其次,武臣为知州的地方,宗室不能充任通判。宋代为了防止武臣和宗室勾结,威胁皇权,于政和三年(1113年)闰四月十一日,宋徽宗下诏:"武臣知州处,勿差宗室通判。"④

其三,将领所在府州的通判,不许监司辟举。宋代为了防止武臣和监司勾结,元丰六年(1083年)二月二十五日,宋神宗下诏:"陕西帅臣所在通判,不许监司差出。"⑤ 此外,宋代凡武臣为长官的府州军通判,"专差有出身"⑥的文人充任,以加强对武臣的监察。可见,宋代在通判回避制度上,也突出了对武臣的防范政策。

(四) 宋代通判的升迁时间及去向

宋代通判和其他的地方官一样,升迁的时间略有变化。北宋神宗以前"以三年为一任",宋哲宗元祐元年(1086年)十月,改为"以

---

① 《长编》卷110,天圣九年二月庚子。
② 《皇宋中兴两朝圣政》卷47,乾道五年十月。
③ 《建炎以来系年要录》卷65,绍兴三年五月乙丑。
④⑥ 《宋会要辑稿》职官47之64。
⑤ 《宋会要辑稿》职官47之63。

三十个月为任"①。南宋建炎四年(1130年)十二月,仍依"三年为任"②。

川广地区通判的升迁时间和内地略有不同。一般以二年或三十个月为一任。

宋代通判的升迁去向依据任期的政绩而定。一般两任期满无赃私罪者可升迁为知州;如果在任期内有特殊劳绩,则可以升迁为转运司的转运判官。如神宗熙宁七年(1074年)正月,刘宗杰通判熙州"应副军须有劳"③,被升迁为秦凤路转运判官。林駧对宋代通判的升迁去向概括说:"通判历两任,初升任知州资序,可为正运判。"④南宋宁宗朝,具有通判资序者,也可以升迁为"三省、枢密院监门官"⑤。

四、对通判的监察和考课制度

(一) 对通判的监察

宋代通判主要接受本路监司的监察。宋太祖时,对诸州通判尚未有严密的监察体制。宋太宗即位后,下诏明确规定:"诸道转运使,各察举部内知州、通判"⑥。宋真宗时,又诏令"见任通判,合转运司密具能否以闻"⑦。宋仁宗朝,监司弹劾通判已蔚然成风。如皇祐三年(1051年)四月,江东转运司弹劾江州通判梅德臣"非才多

---

① 《长编》卷389,元祐元年十月乙未。
② 《宋会要辑稿》职官47之66。
③ 《长编》卷249,熙宁七年正月壬戌。
④ 林駧《古今源流至论·前集》卷7《资格》。
⑤ 《两朝纲目备要》卷13,嘉定六年九月。
⑥ 《长编》卷17,开宝九年十一月庚午。
⑦ 《宋会要辑稿》职官47之59。

病"①,皇帝下诏罢去了梅德臣的通判职务。南宋时,皇帝多次下诏重审监司监察通判的职能。如淳熙九年(1182年)十一月十二日,宋孝宗下诏:"自今通判不得以季点为名,辄行下县或因诸事差出","无得因缘骚扰,仍令监司常切监察",如果监司"或知而不问,亦坐失察之罪"②。历宋一代,通判接受监司的监察已成为定制。

宋代某些时期,通判还要接受州郡长官的监察。如南宋高宗朝,知州与通判"互论不法事件"时有发生,朝廷常令"监司之清正有风力者依公究治"③。绍兴二十七年(1157年)六月,针对通判以点检为名,"肆行刻剥"农民的问题,宋高宗下诏"许州郡按劾以闻"④。宋孝宗朝又罢去了州郡按劾通判的制度。淳熙十三年(1186年)二月,知州詹仪之按劾通判沈作器,并请求罢去沈作器通判职,而除授宫观官,宋孝宗说:"詹仪之所按固然,但此门亦不可开,监司按通判则可,知州于通判按举皆不可。"⑤

(二) 对通判的考课

北宋初年,通判刚刚设置,对其尚未有考课制度。宋太宗即位不久,就令诸路转运使以"三科第"考课通判能否,"政绩尤异者为上;恪居官次,职务粗治者为中;临事弛慢,所莅无状者为下。岁终以闻"⑥。雍熙四年(987)三月,宋太宗制订了对通判更为客观的考课办法。即:批书历纸,由知州和僚吏为通判书写功绩和过犯。书写的内容比较具体,如"凡决大狱几何,凡政有不便于时,改而更

---

① 《宋会要辑稿》职官47之9。
② 《宋会要辑稿》职官47之71。
③ 《宋会要辑稿》职官47之68、47之69。
④ 《宋会要辑稿》职官47之69。
⑤ 《皇宋中兴两朝圣政》卷63,淳熙十三年二月庚戌。
⑥ 《长编》卷17,开宝九年十一月庚午。

张,人获其利者几何,及公事不治曾经殿罚"等。书写完后,令"同僚共署,无得隐漏,罢官日,上中书考校"①。宋神宗时,又下诏:"诸路监司具到部下通判治状最优,有未经朝廷任使者,令中书籍其姓名。"②

五、宋代通判的作用和弊端

宋代通判的设置,是统治者强化州县监察机制的产物,它对当时的政治起到了不可低估的作用。

首先,宋代通判的设置,强化了对府州军监的监察机制。唐末五代以来,地方官掌握着财、政、军及司法之权,不听朝廷指挥,形成了藩镇割据局面。宋代吸收前代的历史教训,根据当时的政治需要,创置了通判。通判在监督牵制州郡长官方面的作用是很大的。欧阳修在《归田录》卷二中记载了这样一个故事:少卿钱昆,世代为杭州人,特别爱吃螃蟹,钱昆在改任知州时,有人问他想到哪儿去当知州,钱昆回答说:"但得有螃蟹无通判处则可矣。"通判在强化州郡监察机制中的作用,从这个风趣的故事中可见一斑。

其次,宋代通判在革除藩镇割据隐患方面,也起到了一定的积极作用。通判不仅监察州郡长官,而且参预政务,以"分其柄"。加之文臣知州措施的实行,逐渐使"昔日节度之害尽去"③。

然而,宋代通判既掌监察之职,又与府州长官共理政事,这种监察与行政不分离的政治体制,使州郡又多了一个向老百姓勒索的机构,特别是在政治腐败的南宋,通判已变为向农民摊派勒索的直接者,严重地扰乱了社会秩序,如南宋人吴雨严在《名公书判清

---

① 《长编》卷28,雍熙四年三月庚辰。
② 《宋会要辑稿》职官47之62、47之63。
③ 叶适《水心集》卷5《纪纲二》。

明集》中记载道:"见有十数人被监租之苦,锁缚拷掠,不啻重辟,恻然为之流涕,问其事,则皆系无辜平民,横被通判专人下尉下寨"①所致。

本 章 小 结

综合本章所述,宋代府、州、军、监级监察制度可归纳为以下几点。

一、宋代通判的创置,不仅标志着宋代府、州、军、监级监察制度的发展,而且在我国封建社会州郡级监察制度发展史上具有重要意义。

二、宋代通判既是府、州、军、监级的监察官,又参预地方行政管理政务,其性质和路级监司一样,既是治官之官,又是治民之官。

三、宋代通判在不同的时期,职能各有所偏重。北宋前期,通判偏重于监督府州长官和县级官吏;北宋后期和南宋,通判则偏重于府州级的财政管理。

四、宋代通判的选任制度比较完备,不仅根据不同地区不同情况制定了不同的选任方式、资格资序法,而且还制定了突出对武臣防范的回避制度。

五、宋代对通判的监督和考课制度也比较完备。宋代通判不仅要接受监司的监察和考课,而且在某些时期还要接受州郡长官的监察。

六、宋代通判虽对强化州县监察机制,革除藩镇隐患等方面起到了一定的积极作用,但同时也加重了对农民的剥削和压迫。

---

① 《名公书判清明集》卷1,吴雨严《禁戢摊盐监租差专人之扰》。

第十章　宋代地方监察制度的特征与利弊

一、宋代地方监察制度的特征

"前事不忘,后事之师",宋代为了防范唐末五代藩镇割据局面的再现,在地方监察制度方面采用了种种措施。这些措施的推行,使宋代地方监察制度出现了明显的时代特征。

(一)地方监察体制严密

在我国封建社会地方监察制度发展史上,宋朝以前的监察体制是不够严密的。如地方监察机构不仅不固定,而且多为一级制。这种不固定的监察体制,不利于对地方官进行规范的监察;一级监察体制覆盖面有限,缺乏对地方官实行全方位的监察。宋代为了对地方官进行规范化和全方位的监察,建立了路和府州军监二级固定的监察体制,使地方监察体制呈现出严密的特征。

宋代地方监察体制的组织结构也比前代严密。唐代及其以前的地方监察体制的组织结构多为一元化,宋代地方监察体制的组织结构发展为多元化,如路级监察结构就有转运司、提点刑狱司、提举常平司等多元化组成。

再者,宋代为强化对地方各级官吏的监察机制,还建立了纵横交错的地方监察网,具体内容在本编第七章第二节中已有论述,此不赘言。

（二）监察官参预地方政务，在参预中随事监督

监察官参预地方政务，在参预中随事监督，是宋代地方监察制度的一个突出特征。

在我国封建社会地方监察制度史上，汉唐时期的地方监察制度，对地方权力多采用巡视或按察的方式进行监察，这种制度不利于对地方权力进行深入的监督。宋代统治者为了分割地方权力，强化对地方权力的监督机制，采用了以监察官参预地方政务，随事监督的制度。

在宋代，无论是路级监察官监司，还是府州军监级监察官通判，均有参预地方财政、人事、司法等政务，在参预中随事监督的职能。如监司官既参预一路财政管理，又监督地方财政，按劾地方官在税收中的违法乱纪行为；既参预荐举地方官吏，又按劾举官不如法的官员；既参预一路刑狱案件的审理，又监督地方刑狱；既参预赈灾，又按劾赈灾不力的官员。又如通判，既参预州郡的财政管理，又监督州郡财政；既参预州郡刑狱案件的审理，又监督州郡刑狱；既参预州郡官吏的选任与管理，又监督州郡人事权等。宋代这种在参预中随事监督的地方监察体制，比前代单纯性质的监察体制，更有利于分割并监督地方权力。

（三）地方监察官权力分散

宋代统治者吸取汉代和唐朝地方监察官转变为割据势力的历史教训，在地方监察制度中实行了"通过分权而集权"的政策，使地方监察官权力分散。

宋代在路级监察制度中，"趋势之变，顺事之宜"地逐渐建立了多元化的监察体制，将路级的监察权与行政权由转运司、提点刑狱司、提举常平司等多种机构掌领。这种互相牵制，权力分散的监察体制，使路级监察官谁也不可能专权。

宋代府州军监级监察官通判，虽有行政、监察、司法等多种职能，但又无一项职权不被州郡长官和监司分割，其权力也是有限的。

宋代地方监察官权力分散，是中央集权制度发展在监察制度中的一种反映。

（四）地方监察官的选任、监督及考课制度完备

与前代相比，宋代地方监察制度出现了监察官选任、监督及考课制度完备的特征。

首先，宋代地方监察官的选任制度比前代完备。唐代及其以前，地方监察官多为中央派出的官员，其选任无定制。宋代的路和府州军监两级监察官体制均建立了完备的选任制度。如路级监司的选任方式、回避法、资格资序等均形成了规范化的制度；府州军监级通判不仅确立了四种选任方式，而且还制定了相应的资序法和回避制度等。

其次，宋代对地方监察官的监督、考课制度也比前代完备。汉代和唐朝，由于对地方官缺乏监督体制，使地方监察官走向了中央集权的反面。宋代吸取前代的历史教训，对监司和通判均建立了完备的监督、考课制度。如对监司不仅确立了纵横交错的监督机制，而且对监司官的考课等级、时间、方法等均作了具体规定；通判不仅要接受监司的监督、考课，而且有时还要受到知州的监督和制约。

宋代地方监察官选任制度的完备，是宋代地方监察制度发展的一个重要标志。

此外，宋代地方监察官的行政职能皆偏重于经济管理。如监司掌管一路财政事务，通判参预州郡财政管理。这个特征的出现，说明宋代统治者比前代更重视对地方财政的监督管理。

二、宋代地方监察制度的利弊

宋代地方监察制度作为封建政治的一个组成部分,它一方面对当时的政治,特别是专制主义中央集权制度的发展,起到了积极作用;另一方面由于受封建政治自身的限制,也存在着弊病。

(一) 宋代地方监察制度的作用

宋代地方监察制度对当时政治所起的作用,主要表现在以下几个方面。

1. 对杜绝藩镇割据局面的再现,起到了重要作用

赵宋王朝继唐末五代藩镇割据后而立国,杜绝藩镇割据局面的再现,维护封建国家的相对统一,是十分必要的。地方监察官既有监察之职,又参预地方政务,加上多元化监司体制的建立,不仅分割了地方官权力,强化了对地方官的监察机制,而且有利于杜绝地方割据势力的滋生,加强中央对地方的控制,克服地方离心力,协调中央与地方的关系。两宋三百多年间,无藩镇之患,与地方监察制度的重要作用是分不开的。

2. 对维护地方统治秩序的相对稳定,也起到了重要作用

在我国封建社会中,地方官员的违法乱纪行为和冤假错案的增多,不仅会加剧统治阶级内部的矛盾,同时也会激起社会各阶层人士的不满情绪。宋代地方监察官对官吏违法乱纪行为的弹劾和冤假错案的处理,有利于缓和统治阶级内部的矛盾,消除社会的不满情绪,维护地方统治秩序的相对稳定。

3. 对缓和阶级矛盾与社会矛盾起到了积极作用

两宋时期,伴随封建生产关系的变化,特别是封建土地所有制的变化,不仅阶级矛盾更为尖锐,而且社会矛盾更为复杂。地方监察官每逢遇到自然灾害,便参预监督救灾,安置饥民;每逢遇到农民起义,便前去招安与镇压,同时还兼管慈善事宜等。这些职能对

缓和阶级矛盾与社会矛盾均有一定的积极作用。

此外,宋代地方监察制度在强化地方的财政管理,保证国家的税收等方面也有其重要作用。

(二) 宋代地方监察制度的弊病

宋代地方监察制度和中央监察制度一样,由于受封建政治的制约,不可避免地存在着种种弊病。

1. 监察权与行政权不分离,为地方监察官贪污受赂和勒索老百姓钱物提供了机会

宋代地方监察制度中的一个突出特点是监察权与行政权不分离,这种体制,一方面有利于分割地方官权力,加强中央集权;但另一方面也容易使地方监察官利用手中的行政职权去贪污受赂,勒索老百姓钱物。在政治清明时期,监察权与行政权不分离的弊病尚不太明显,而在政治腐败时,一些监察官便混水摸鱼,公开受赂或勒索钱物,使政治更加腐败。如监司在宋徽宗朝利用职权"贪污苟贱,无所不至"①,加速了地方政治的腐败。

2. 官僚内部的重重关系网,影响了地方监察官职能作用的发挥

宋代官僚队伍庞大,官僚之间有千丝万缕的联系。一些官员或其家属依仗权势,把国法和地方监察官根本不放在眼里。如宋徽宗政和年间,就有臣僚上疏说:"今日官吏其内外亲属之有权者,玩法如无法,视监司、长吏如无人"②,至于宰相、执政和左右侍从的亲属犯法,地方监察官就更不敢按察了。南宋地方监察官在行使监察职能时,往往多考虑自身利益和关系网。如"某郡之守尝为侍从也,

---

① 赵汝愚《宋名臣奏议》卷67,石公弼《上徽宗论监司不得人而走马承受奏事》。
② 《宋会要辑稿》职官45之7。

则监司幸其复为侍从而有所求;某郡之守尝为台谏也,则监司惧其复为台谏而有所击;至于县令之与在朝某官有姻有旧者,皆不敢问"①。监司在这样复杂的关系网中,不敢去监察地方违法官吏,在当时已司空见惯。即使有些"达官贵人赃以万计",被监司"按法,不过放罢,前之行遣既不究实,后之辨雪遂得有辞"②,使监司灰溜溜的,不愿再去按察。

3. 监察官自身贪赃违法,庇护州县官吏,甚至与州县官吏勾结,加速了政治的腐败

地方监察官是否尽职尽责,清正廉洁,对吏治的好坏起着重要作用。在北宋前期,地方监察官尚能清正廉洁,尽职尽责。但北宋后期和南宋,地方监察官,特别是监司,不仅对违法官吏"坐视漫不省察"③,而且"背公自营,倚令搔众"④,甚至与守令勾结起来,欺压老百姓。"民诉某守,则执其人封其辞,以送某守;民诉某令,则下其牒以与某令,是为守令报仇也"⑤。监司官这种渎职贪赃,"不法不义反甚于州县"⑥ 的行为,使政治更加腐败。

4. 皇帝对官吏营私舞弊行为的宽大、纵容,使地方监察制度的作用受到限制

在我国封建社会中,皇帝是官僚地主利益的总代表。官僚是皇帝进行专制统治的工具。皇帝离开了官僚地主,则无法维护皇权。皇帝与官僚地主在剥削和压迫人民方面,立场是一致的。宋代皇帝对贪官污吏的态度是比较纵容、宽大的,用宋太宗的话来说即:"幸

---

①⑤　杨万里《诚斋集》卷 90《民政中》。
②　《建炎以来朝野杂记·甲集》卷 6《建炎至嘉泰申严赃吏之禁》。
③　《宋会要辑稿》刑法 2 之 82。
④　《宋会要辑稿》刑法 2 之 83。
⑥　叶适《水心集》卷 3《监司》。

门如鼠穴,何可塞之!但去其甚者,斯可矣。"贪官污吏只要"不妨公,一切不问"①。可见,宋代皇帝对贪官污吏是不可能认真打击的。

对那些敢于弹劾不法官吏的地方监察官,宋代皇帝不是保护,而是轻信毁谤之言,降职贬官。宋仁宗庆历年间,江南东路转运使杨纮敢于弹劾不法官吏,并主张严惩不法官吏。他常说:"不法之人不可贷,如使肆贪残于一郡一邑,害良民千万家,不若去之,不利一家尔。"② 像这样的地方监察官于庆历五年(1045)九月,"竟坐苛刻,下迁",降职为知衡州,怎能不影响地方监察制度作用的发挥。

本章小结

综合本章所述,宋代地方监察制度的特征与利弊问题,可归纳为以下几点。

一、宋代地方监察制度出现了体制严密,随事监察,权力分散,监察官选任、监督、考课制度完备等特征。这些特征不仅仅是当时政治经济发展的产物,更重要的是宋代统治者重视从监察制度方面杜绝藩镇割据再现,加强中央集权的结果。

二、宋代地方监察制度的作用是值得肯定的。它不仅对杜绝藩镇割据局面再现,维护地方统治秩序相对稳定,缓和社会矛盾等有积极作用,而且对元、明、清诸朝中央与地方关系的协调,也有其重要影响。

三、宋代地方监察制度存在着种种弊病,如监察权与行政权不分离,官僚内部关系网重重,皇帝纵容不法官吏等。这些弊病的根

---

① 《长编》卷35,淳化五年二月己酉。
② 《长编》卷157,庆历五年九月甲辰。

源是封建专制主义中央集权制度。

四、宋代地方监察体制严密,官员选任制度完备,特别是监察官人选避本贯、避亲嫌等制度,至今仍有其借鉴意义。

附录一

宋朝御史中丞年表

纪　　年	御史中丞进拜	御史中丞转迁	材料来源
建隆元年(庚申,公元960年)	边归谠 刘温叟①	宋初,迁刑部尚书	《宋史》卷262《边归谠传》。
建隆二年(辛酉,公元961年)	刘温叟		《宋史》卷262;《刘温叟传》《长编》卷12。
建隆三年(壬戌,公元962年)	刘温叟		同上
乾德元年(癸亥,公元963年)	刘温叟		同上
乾德二年(甲子,公元964年)	刘温叟		同上
乾德三年(乙丑,公元965年)	刘温叟		同上
乾德四年(丙寅,公元966年)	刘温叟		同上
乾德五年(丁卯,公元967年)	刘温叟		同上
开宝元年(戊辰,公元968年)	刘温叟		同上

---

① 关于刘温叟出任御史中丞的时间,史书记载不一。《东都事略》卷30《刘温叟传》载"建隆初";《长编》卷12。开宝四年七月乙未记事载:"温叟为中丞十二年",死于其任;《宋史》卷262《刘温叟传》载:"建隆九年,拜御史中丞",而建隆无九年。据以上史料推断,刘温叟应该是建隆元年(960年)出任御史中丞,开宝四年(971年)七月死于其任,正好"任中丞十二年"。

附录一　宋朝御史中丞年表

纪　　年	御史中丞进拜	御史中丞转迁	材料来源
开宝二年(己巳,公元969年)	刘温叟		《宋史》卷262《刘温叟传》;《长编》卷12。
开宝三年(庚午,公元970年)	刘温叟		同上
开宝四年(辛未,公元971年)	七月乙未,太子宾客边光范兼判御史台事,居半岁,始为真中丞。	七月乙未,御史中丞刘温叟卒。	《长编》卷12。
开宝五年(壬申,公元972年)	边光范		
开宝六年(癸酉,公元973年)	缺中丞。(十月丁酉,雷德骧分判御史台三院事)	边光范卒。	《长编》卷14,《宋史》卷262《边光范传》。
开宝七年(甲戌,公元974年)	缺中丞。(雷德骧分判御史台三院事)		同上
开宝八年(乙亥,公元975年)	缺中丞。(雷德骧分判御史台三院事)		同上
开宝九年(丙子,公元976年)	缺中丞。		
太平兴国元年(丙子,公元976年)	缺中丞。		
太平兴国二年(丁丑,公元977年)	缺中丞。		

纪　　年	御史中丞进拜	御史中丞转迁	材料来源
太平兴国三年(戊寅,公元978年)	缺中丞。		
太平兴国四年(己卯,公元979年)	九月庚寅,户部郎中侯陟为谏议大夫、权御史中丞。权中丞始此。		《长编》卷20。
太平兴国五年(庚辰,公元980年)	侯　陟		
太平兴国六年(辛巳,公元981年)	侯　陟		
太平兴国七年(壬午,公元982年)	侯　陟		
太平兴国八年(癸未,公元983年)	右谏议大夫滕中正权御史中丞①。	侯陟卒	《宋史》卷270《侯陟传》。
雍熙元年(甲申,公元984年)	刘保勋		《宋史》卷276《刘保勋传》。
雍熙二年(乙酉,公元985)	刘保勋 辛仲甫	是秋,刘保勋罢权御史中丞。	《宋史》卷276《刘保勋传》;《宋史》卷266《辛仲甫传》。

---

① 关于滕中正出任御史中丞的具体月份,文献无记载。《长编》卷24太平兴国八年五月庚午载:"诏遣知杂御史滕中正……"《宋史》卷276《滕中正传》载:"……未几,……权御史中丞"。据这些材料推断,滕中正出任权御史中丞的时间可能是在太平兴国八年六月至十二月之间。

附录一　宋朝御史中丞年表

纪　　年	御史中丞进拜	御史中丞转迁	材料来源
雍熙三年（丙戌，公元986年）	辛仲甫①　六月，以知制诰、知大名府赵昌言为御史中丞。	六月丙辰，以御史中丞辛仲甫为给事中、参知政事。	《长编》卷27。
雍熙四年（丁亥，公元987年）	张　宏	御史中丞赵昌言与枢密副使张宏"两更其任"。	《宋史》卷267《张宏传》。
端拱元年（戊子，公元988年）	张　宏	二月庚子，御史中丞张宏为工部侍郎、枢密副使。	《长编》卷29。
端拱二年（己丑，公元989年）	九月戊子，驾部员外郎、知制诰王化基为右谏议大夫权御史中丞。		《长编》卷30。
淳化元年（庚寅，公元990年）	王化基		
淳化二年（辛卯，公元991年）	九月庚子，权御史中丞王化基为御史中丞。		《长编》卷32。

① 关于辛仲甫为御史中丞及转迁为参知政事的时间，文献记载不一。《宋史》卷266《辛仲甫传》载：太平兴国九年，辛仲甫拜御史中丞，雍熙二年拜给事中、参知政事，而太平兴国无九年；《长编》卷27雍熙三年六月丙辰记事载：雍熙三年六月辛仲甫转迁为参知政事；《宋史》卷267《刘保勋传》载：雍熙元年时辛仲甫为知开封府。笔者认为《宋史》卷266《辛仲甫传》记载的时间可能有误，此暂取《长编》和《宋史》卷267的记载。

纪　　年	御史中丞进拜	御史中丞转迁	材料来源
淳化三年(壬辰,公元992年)	李昌龄拜御史中丞。		《宋史》卷287《李昌龄传》。
淳化四年(癸巳,公元993年)	李昌龄		
淳化五年(甲午,公元994年)	李昌龄		
至道元年(乙未,公元995年)	李昌龄		
至道二年(丙申,公元996年)	许骧迁御史中丞。	御史中丞李昌龄以本官参知政事。	《宋史》卷277《许骧传》;卷287《李昌龄传》。
至道三年(丁酉,公元997年)	三月(真宗即位后),除李惟清为御史中丞。		《宋史》卷267《李惟清传》。
咸平元年(戊戌,公元998年)	给事中、户部使张咏改为御史中丞。	御史中丞李惟清卒。	《宋史》卷293《张咏传》;卷267《李惟清传》。
咸平二年(己亥,公元999年)	张　咏	四月丙子,御史中丞张咏为工部侍郎知杭州。	《长编》卷44。
咸平三年(庚子,公元1000年)	赵昌言以本官兼御史中丞。		《宋史》卷267《赵昌言传》。
咸平四年(辛丑,公元1001年)	赵昌言		
咸平五年(壬寅,公元1002年)	赵昌言	三月,御史中丞赵昌言贬安远军行军司马。	《长编》卷51;《宋史》卷267《赵昌言传》。

纪　　　年	御史中丞进拜	御史中丞转迁	材料来源
咸平五年(壬寅,公元1002年)	五月癸丑,礼部尚书温仲舒兼御史中丞。		《长编》卷52。
咸平六年(癸卯,公元1003年)	吕文仲为御史中丞。	御史中丞温仲舒迁刑部尚书知天雄军。	《宋史》卷296《吕文仲传》;卷266《温仲舒传》。
景德元年(甲辰,公元1004年)	吕文仲		
景德二年(乙巳,公元1005年)	吕文仲		
景德三年(丙午,公元1006年)	七月,左谏议大夫王嗣宗拜御史中丞。	御史中丞吕文仲迁工部侍郎,复为翰林侍读学士。	《宋史》卷287《王嗣宗传》;卷296《吕文仲传》。
景德四年(丁未,公元1007年)	王嗣宗		
大中祥符元年(戊申,公元1008年)	王嗣宗		
大中祥符二年(己酉,公元1009年)	王嗣宗		
大中祥符三年(庚戌,公元1010年)	王嗣宗	八月庚戌,御史中丞、兼工部侍郎王嗣宗罢为耀州观察使、知永兴军府、兼兵马部署。	《长编》卷74。
大中祥符四年(辛亥,公元1011年)	缺中丞。		
大中祥符五年(壬子,公元1012)	缺中丞。		

纪　　年	御史中丞进拜	御史中丞转迁	材料来源
大中祥符六年(癸丑,公元1013年)	十二月辛巳,刑部员外郎兼御史知杂事段晔摄御史中丞,为考制度副使。		《长编》卷81。
大中祥符七年(甲寅,公元1014年)	十一月丁未,刑部尚书冯拯兼御史中丞。		《长编》卷83。
大中祥符八年(乙卯,公元1015年)	冯　拯	十月辛巳,以刑部尚书、兼御史中丞冯拯为户部尚书、知陈州。	《长编》卷85。
大中祥符九年(丙辰,公元1016年)	四月壬辰,工部郎中、龙图阁待制张知白为右谏议大夫权御史中丞。九月丙午,右谏议大夫凌策为给事中,权御史中丞。	九月丙午,权御史中丞张知白为给事中并参知政事。	《长编》卷88。
天禧元年(丁巳,公元1017年)	凌　策	三月丁未,给事中、权御史中丞凌策为工部侍郎、知宣州。	《长编》卷89。
天禧二年(戊午,公元1018年)	正月己亥,尚书右丞、兼宗正卿赵安仁为御史中丞。	五午己卯,御史中丞、尚书右丞兼宗正卿赵安仁卒。	《长编》卷91、92。
天禧三年(己未,公元1019年)	十月,马亮为御史中丞。		《长编》卷94。

附录一 宋朝御史中丞年表　441

纪　　年	御史中丞进拜	御史中丞转迁	材料来源
天禧四年（庚申，公元1020年）	马　亮	御史中丞马亮改兵部尚书、知庐州。	《宋史》卷298《马亮传》。
天禧五年（辛酉，公元1021年）	薛　映		《长编》卷97；《宋史》卷305《薛映传》。
乾兴元年（壬戌，公元1022年）	薛　映 十一月戊辰，翰林学士刘筠为御史中丞。		《长编》卷99。
天圣元年（癸亥，公元1023年）	刘　筠		
天圣二年（甲子，公元1024年）	七月己亥，龙图阁待制、权知开封府薛奎为右谏议大夫、权御史中丞。	四月辛酉，御史中丞刘筠为枢密直学士、知颍州。	《长编》卷102。
天圣三年（乙丑，公元1025年）	薛　奎	二月乙丑，右谏议大夫、权御史中丞薛奎罢为集贤院学士、知并州。	《长编》卷103。
天圣四年（丙寅，公元1026年）	三月壬午，权知开封府王臻权御史中丞。		《长编》卷104。
天圣五年（丁卯，公元1027年）	九月己未，祠部员外郎、知制诰程琳为谏议大夫、权御史中丞。		《长编》卷105。

纪　　年	御史中丞进拜	御史中丞转迁	材料来源
天天圣六年（戊辰,公元1028年）	五月丁巳,枢密直学士、工部侍郎李及为御史中丞。六月乙酉,晏殊为御史中丞。	三月辛酉,右谏议大夫、权御史中丞程琳为枢密直学士、知益州。六月甲申,御史中丞李及卒。	《长编》卷106。
天圣七年（己巳,公元1029年）	二月乙亥,工部侍郎、知永兴军王曙为御史中丞。	二月丁卯,御史中丞兼刑部侍郎晏殊为兵部侍郎、资政殿学士、翰林侍读学士、兼秘书监。八月辛卯,御史中丞王曙为工部侍郎、参知政事。	《长编》卷107、108。
天圣八年（庚午,公元1030年）	王　随①		《长编》卷109。
天圣九年（辛未,公元1031年）	王　随		《长编》卷110。
明道元年（壬申,公元1032年）	蔡　齐		《宋史》卷286《蔡齐传》。

① 王随充任御史中丞的具体时间,史书无记载。《长编》卷109天圣八年八月丙戌记事载:"诏翰林学士盛度、御史中丞王随与三司详定陕西两池盐法"。据此可知,天圣八年八月以前,王随已为御史中丞了。

附录一 宋朝御史中丞年表

纪　　年	御史中丞进拜	御史中丞转迁	材料来源
明道二年（癸酉，公元1033年）	四月己未，天章阁待制范讽为右谏议大夫、权御史中丞。	四月己未，权御史中丞蔡齐为龙图阁学士权三司使事。	《长编》卷112。
	十月己未，龙图阁直学士、工部侍郎、权知开封府程琳为御史中丞。	十月己未，右谏议大夫、权御史中丞范讽为龙图阁直学士、权三司使事。	《长编》卷113。
	十一月癸亥，龙图阁待制孔道辅为右谏议大夫、御史中丞。	十二月丙辰，御史中丞孔道辅出知泰州。	《长编》卷113。
景祐元年（甲戌，公元1034年）	正月庚午，枢密直学士、右谏议大夫、知益州韩亿为御史中丞。		《长编》卷114。
景祐二年（乙亥，公元1035年）	二月壬午，枢密直学士、右谏议大夫、知天雄军杜衍为御史中丞。	二月戊辰，御史中丞韩亿为工部侍郎、同知枢密院事。	《长编》卷116。
景祐三年（丙子，公元1036年）	三月戊戌，翰林学士张观权御史中丞。	三月戊戌，御史中丞杜衍罢为工部侍郎、枢密直学士、知永兴军。	《长编》卷118。

纪　　年	御史中丞进拜	御史中丞转迁	材料来源
景祐四年(丁丑,公元1037年)	张　观		
宝元元年(戊寅,公元1038年)	四月乙亥,刑部尚书、知陈州晏殊以本官兼御史中丞。十二月甲戌,龙图阁直学士、给事中、知兖州孔道辅为御史中丞。	四月乙亥,给事中、权御史中丞张观同知枢密院事。十二月甲戌,刑部尚书兼御史中丞晏殊复为三司使。	《长编》卷122。
宝元二年(己卯,公元1039年)	十一月戊戌,翰林学士、工部郎中、知制诰柳植为右谏议大夫、权御史中丞。	十一月丁酉,御史中丞孔道辅为给事中、知郓州。	《长编》卷125。
康定元年(庚辰,公元1040年)	柳　植		
庆历元年(辛巳,公元1041年)	十二月壬辰,龙图阁直学士兼侍讲、礼部郎中、权知开封府贾昌朝为右谏议大夫、权御史中丞。	十二月壬辰,右谏议大夫权御史中丞柳植为翰林侍读学士、知邓州。	《长编》卷134。
庆历二年(壬午,公元1042年)	贾昌朝		
庆历三年(癸未,公元1043年)	三月,权知开封府王拱辰为御史中丞。	三月乙酉,右谏议大夫、权御史中丞贾昌朝为参知政事。	《长编》卷140。

附录一 宋朝御史中丞年表　　445

纪　　年	御史中丞进拜	御史中丞转迁	材料来源
庆历四年(甲申,公元1044年)	王拱辰		
庆历五年(乙酉,公元1045年)	王拱辰	六月,御史中丞王拱辰罢职。	《长编》卷156。
庆历六年(丙申,公元1046年)	三月,张方平权御史中丞。	十一月戊子,右谏议大夫、权御史中丞张方平为翰林学士、权三司使。	《长编》卷159。
庆历七年(丁亥,公元1047年)	正月,高若讷权御史中丞。六月鱼周询为御史中丞。	三月丁酉,右谏议大夫、权御史中丞高若讷为枢密副使。	《长编》卷160。
庆历八年(戊子,公元1048年)	四月,杨察为御史中丞。	四月壬申,右谏议大夫权御史中丞鱼周询知永兴军。	《长编》卷164。
	八月,张观为御史中丞。	八月丁丑,右谏议大夫、权御史中丞杨察罢知信州。	《长编》卷165。
皇祐元年(乙丑,公元1049年)	五月庚子,翰林侍读学士、兵部郎中郭劝为右谏议大夫、权御史中丞。五月壬午,右谏议大夫、权御史中丞郭劝迁给事中。	五月庚子,吏部侍郎、兼御史中丞张观改观文殿学士、知许州。	《长编》卷166。

纪　　年	御史中丞进拜	御史中丞转迁	材料来源
皇祐二年（庚寅，公元1050年）	十一月戊戌，枢密直学士、给事中、知益州田况权御史中丞。 闰十一月己未，资政殿学士、尚书左丞王举正以本官兼御史中丞。	十一月戊戌，给事中、权御史中丞郭劝罢为翰林侍读学士。 闰十一月己未，御史中丞田况改迁为枢密直学士、权三司使。	《长编》卷169。
皇祐三年（辛卯，公元1051年）	王举正		
皇祐四年（壬辰，公元1052年）	王举正		
皇祐五年（癸巳，公元1053年）	五月癸亥，翰林学士、兼侍读学士、吏部郎中知制诰、史馆修撰孙抃为右谏议大夫、权御史中丞。	五月癸亥，尚书左丞、兼御史中丞王举正为礼部尚书、观文殿学士、知通进银台司兼门下封驳事。	《长编》卷174。
至和元年（甲午，公元1054年）	孙　抃		
至和二年（乙未，公元1055年）	六月癸卯，龙图阁直学士、兼侍读、左司郎中张昪为右谏议大夫、权御史中丞。	六月己亥，给事中、权御史中丞孙抃为翰林学士承旨兼侍读学士。	《长编》卷180。
嘉祐元年（丙申，公元1056年）	张　昪		
嘉祐二年（丁酉，公元1057年）	张　昪		

纪　　年	御史中丞进拜	御史中丞转迁	材料来源
天嘉祐三年（戊戌，公元1058年）	六月庚戌，龙图阁直学士、左司郎中、权知开封府包拯为右谏议大夫、权御史中丞。	六月丙午，右谏议大夫、权御史中丞张昇为枢密副使。	《长编》卷187。
嘉祐四年（己亥，公元1059年）	三月，右谏议大夫韩绛权御史中丞。	三月己未，右谏议大夫权御史中丞包拯为枢密直学士、权三司使。	《长编》卷189。
嘉祐五年（庚子，公元1060年）	五月，赵概为御史中丞。 十一月，王畴权御史中丞。	五月戊申，右谏议大夫、权御史中丞韩绛知蔡州。 十一月辛丑，御史中丞赵概为枢密副使。	《长编》卷191。 《长编》卷192。
嘉祐六年（辛丑，公元1061年）	王　畴		
嘉祐七年（壬寅，公元1062年）	王　畴		
嘉祐八年（癸卯，公元1063年）	王　畴		
治平元年（甲辰，公元1064年）	闰五月己丑，枢密直学士、吏部郎中、知瀛州唐介为右谏议大夫、权御史中丞。	闰五月己丑，御史中丞王畴为翰林学士。	《长编》卷201。

纪　　　年	御史中丞进拜	御史中丞转迁	材料来源
治平二年(乙巳，公元1065年)	二月丁巳,翰林学士、中书舍人贾黯为给事中、权御史中丞。	二月,御史中丞唐介以龙图阁直学士、知太原府。	《长编》卷204;《宋史》卷316《唐介传》。
	十月甲寅,给事中、天章阁待制彭思永权御史中丞。	九月丙子,给事中、权御史中丞贾黯为翰林院侍读学士、知陈州。	《长编》卷206。
治平三年(丙午，公元1066年)	彭思永		
治平四年(丁未，公元1067年)	三月,枢密直学士、礼部郎中王陶为右谏议大夫、权御史中丞。	三月,降工部侍郎、御史中丞彭思永给事中、知黄州。	《长编》卷209。
	四月丙寅,翰林学士司马光为御史中丞。	四月丙寅,御史中丞王陶为翰林学士。	《长编拾补》卷1。
	九月癸卯,滕甫为谏议大夫、权御史中丞。	九月癸卯,御史中丞司马光为翰林学士。	《长编拾补》卷2。
熙宁元年(戊申，公元1068年)	七月,吕诲为御史中丞。	七月,滕甫罢御史中丞。	《长编拾补》卷3上。
熙宁二年(己酉，公元1069年)	六月丁巳,以翰林学士吕公著为御史中丞。	六月丁巳,右谏议大夫、御史中丞吕诲罢知邓州。	《宋史》卷14。

纪　　年	御史中丞进拜	御史中丞转迁	材料来源
熙宁三年（庚戌，公元1070年）	四月戊辰，翰林侍读学士韩维权御史中丞。 四月丁丑，冯京权御史中丞。	四月戊辰，御史中丞吕公著以翰林侍读学士知颍州。 四月丁丑，御史中丞韩维知开封府。	《长编》卷210。
	冯　京	七月壬辰，翰林学士、端明殿学士、礼部郎中、权御史中丞冯京为右谏议大夫、枢密副使。	《长编》卷213。
熙宁四年（辛亥，公元1071年）	四月癸酉，翰林学士、勾当三班院杨绘权御史中丞。	七月丁酉，翰林学士、御史中丞杨绘罢中丞职，为翰林侍读学士。	《长编》卷222、225。
熙宁五年（壬子，公元1072年）	二月癸丑，工部郎中、侍御史知杂事邓绾为龙图阁待制、权御史中丞。		《长编》卷230。
熙宁六年（癸丑，公元1073年）	邓　绾		
熙宁七年（甲寅，公元1074年）	邓　绾		

纪　　年	御史中丞进拜	御史中丞转迁	材料来源
熙宁八年(乙卯,公元1075年)	邓绾		
熙宁九年(丙辰,公元1076年)	十月戊子,右正言、知制诰、知谏院邓润甫为右谏议大夫、权御史中丞。	十月戊子,翰林学士、权御史中丞邓绾落学士、中丞,以兵部郎中知虢州。	《长编》卷278。
熙宁十年(丁酉,公元1077年)	邓润甫		
元丰元年(戊午,公元1078年)	四月乙卯,右正言、知制诰、知谏院兼判司农寺蔡确为右谏议大夫、权御史中丞。	四月乙卯,翰林学士、右谏议大夫兼侍读、权御史中丞邓润甫罢中丞知抚州。	《长编》卷289。
元丰二年(己未,公元1079年)	五月戊子,右正言知制诰、知谏院李定为右谏议大夫、权御史中丞。	五月戊子,右谏议大夫、权御史中丞蔡确参知政事。	《长编》卷298。
元丰三年(庚申,公元1080年)	李定	闰九月乙卯,权御史中丞李定知河阳。	《长编》卷309。
元丰四年(辛酉,公元1081年)	缺中丞。		

附录一 宋朝御史中丞年表

纪　　　年	御史中丞进拜	御史中丞转迁	材料来源
元丰五年（壬戌，公元1082年）	四月乙丑，承议郎直龙图阁、勾当三班院徐禧为知制诰、兼权御史中丞。		《长编》卷325。
	四月丁丑，徐禧试御史中丞。		《长编》卷325。
	五月甲辰，通直郎、试给事中、权直学士院舒亶为御史中丞。	五月己丑，承议郎、试御史中丞徐禧试给事中。	《长编》卷326。
元丰六年（癸亥，公元1083年）	六月癸丑，礼部尚书黄履试御史中丞。	六月己酉，通直郎、试御史中丞权直学士院舒亶罢中丞职。	《长编》卷335。
元丰七年（甲子，公元1084年）	黄　履		
元丰八年（乙丑，公元1085年）	黄　履		
元祐元年（丙寅，公元1086年）	二月辛未，朝请郎、守侍御史刘挚试御史中丞。	二月癸亥，试御史中丞兼侍讲黄履罢中丞，为翰林学士兼侍讲。	《长编》卷365。
	十一月戊午，吏部侍郎兼侍读傅尧俞为御史中丞兼侍读。	十一月戊午，朝请郎、试御史中丞刘挚为中大夫、尚书右丞。	《长编》卷392。

纪　　　年	御史中丞进拜	御史中丞转迁	材料来源
元祐二年（丁卯，公元1087年）	五月癸酉，吏部侍郎胡宗愈为御史中丞。	五月癸酉，御史中丞兼侍读傅尧俞为吏部尚书。	《长编》卷401。
元祐三年（戊辰，公元1088年）	四月壬午，吏部侍郎兼侍讲孙觉为御史中丞。	四月壬午，御史中丞胡宗愈为中大夫、守尚书右丞。	《长编》卷409。
	九月己未，户部尚书李常为御史中丞。	九月己未，御史中丞孙觉为龙图阁直学士、提举醴泉观兼侍讲。	《长编》卷414。
元祐四年（己巳，公元1089年）	五月癸酉，龙图阁待制、吏部侍郎傅尧俞为御使中丞。	五月癸酉，龙图阁直学士、御史中丞李常为兵部尚书。	《长编》卷426。
	十月庚子，左谏议大夫梁焘为御史中丞。	十月庚子，御史中丞兼侍讲傅尧俞为吏部尚书兼侍读。	《长编》卷434。
元祐五年（庚午，公元1090年）	五月壬辰，翰林学士苏辙为龙图阁直学士、御史中丞。	五月庚寅，御史中丞梁焘罢中丞权户部尚书。	《长编》卷442。

附录一 宋朝御史中丞年表

纪　　年	御史中丞进拜	御史中丞转迁	材料来源
元祐六年（辛未，公元1091年）	二月癸巳，龙图阁待制、枢密承旨赵君锡为御史中丞。	二月癸巳，龙图阁直学士、御史中丞苏辙为中大夫、守尚书右丞。	《长编》卷455。
	八月辛丑，左谏议大夫郑雍为御史中丞。	八月乙未，御史中丞赵君锡为天章阁待制、吏部侍郎。	《长编》卷464。
元祐七年（壬申，公元1092年）	六月戊辰，宝文阁直学士、兵部侍郎李之纯为御史中丞。	六月辛酉，大中大夫、守御史中丞郑雍为尚书右丞。	《长编》卷474。
元祐八年（癸酉，公元1093年）	李之纯		
绍圣元年（甲戌，公元1094年）	闰四月戊戌，以黄履为御史中丞。	李之纯罢御史中丞职。	《续资治通鉴》卷83。
绍圣二年（乙亥，公元1095年）	黄　履		
绍圣三年（丙子，公元1096年）	黄　履		
绍圣四年（丁丑，公元1097年）	十月壬寅，御批权吏部尚书兼侍读邢恕为御史中丞。	十月，黄履罢御史中丞职。	《长编》卷492。

纪　　年	御史中丞进拜	御史中丞转迁	材料来源
元符元年(戊寅,公元1098年)	四月壬寅,右谏议大夫安惇为御史中丞。	四月壬辰,御史中丞邢恕罢御史中丞兼侍读、知汝州。	《长编》卷497。
元符二年(己卯,公元1099年)	安　惇		
元符三年(庚辰,公元1100年)	安　惇	四月,御史中丞安惇出知润州。	《续资治通鉴》卷86。
建中靖国元年(辛巳,公元1101年)	正月,赵挺之为御史中丞。		《宋九朝编年备要》卷26。
崇宁元年(壬午,公元1102年)	八月,钱遹为御史中丞①。		《宋史》卷356,《宋宰辅编年录校补》卷11。
崇宁二年(癸未,公元1003年)	石豫为御史中丞。		《长编拾补》卷22。
崇宁三年(甲申,公元1104年)	八月,朱谔为御史中丞。		《续资治通鉴》卷89。
崇宁四年(乙酉,公元1105年)	不　详		
崇宁五年(丙戌,公元1106年)	不　详		
大观元年(丁亥,公元1107年)	不　详		

① 钱遹任御史中丞的具体月份,史书无详细记载。据《宋史》卷356《钱遹传》载:崇宁初,为殿中侍御史,"劾曾布援元祐奸党"曾布因而罢去右仆射职,而钱遹被升迁为侍御史,"阅两月,进中丞"。又根据《宋宰辅编年录》卷11载,曾布罢右仆射的时间是崇宁元年闰六月。从这些文献记载,推算出钱遹任中丞的时间可能是崇宁元年八月。

纪　　年	御史中丞进拜	御史中丞转迁	材料来源
大观二年(丁亥,公元1108年)	十月,以石公弼为御史中丞。		《宋九朝编年备要》卷27。
大观三年(己丑,公元1109年)	以张克公为御史中丞①。		
大观四年(庚寅,公元1110年)	正月,吴执中为御史中丞。		《续资治通鉴》卷90。
政和元年(辛卯,公元1111年)	不　详		
政和二年(壬辰,公元1112年)	不　详		
政和三年(癸巳,公元1113年)	余深为御史中丞。		《三朝北盟会编》卷49。
政和四年(甲午,公元1114年)	不　详		
政和五年(乙未,公元1115年)	不　详		
政和六年(丙申,公元1116年)	不　详		
政和七年(丁酉,公元1117年)	王安中	九月丙申,御史中丞王安中为翰林学士。	《长编拾补》卷36。
重和元年(戊戌,公元1118年)	不　详		
宣和元年(己亥,公元1119年)	不　详		

① 据《三朝北盟会编》卷50载:大观中蔡京再罢政,御史中丞张克公曾上疏;又据《宋宰辅编年录》和《宋史·宰辅年表》,蔡京罢政为大观三年六月辛巳。因此,张克公至少在大观三年六月已为御史中丞。

纪　　年	御史中丞进拜	御史中丞转迁	材料来源
宣和二年（庚子，公元1120年）	十二月,以陈过庭为御史中丞。		《宋九朝编年备要》卷29。
宣和三年（辛丑，公元1121年）	陈过庭	五月,御史中丞陈过庭贬知蕲州。	《续资治通鉴》卷94。
宣和四年（壬寅，公元1122年）	不　详		
宣和五年（癸卯，公元1123年）	不　详		
宣和六年（甲辰，公元1124年）	不　详		
宣和七年（乙巳，公元1125年）	周武仲为御史中丞。		据《建炎以来系年要录》卷6。
靖康元年（丙午，公元1126年）	二月至三月,许翰为御史中丞。	三月己巳,御史中丞许翰同知枢密院事。	《宋史》卷23。
	三月至五月,陈过庭、吕好问为御史中丞。七月,张澄为御史中丞。		《三朝北盟会编》卷42、49、50、51。
	八月,李回为御史中丞。十月至十一月,曹辅为御史中丞。十一月至十二月秦桧为御史中丞。	八月己未,御史中丞李回签书枢密院事。十一月甲申,御史中丞曹辅签书枢密院事。	《续资治通鉴》卷96、97。

附录一　宋朝御史中丞年表　　457

纪　　　年	御史中丞进拜	御史中丞转迁	材料来源
靖康二年（丁未，公元1127年）	正月至四月，秦桧为御史中丞。		《建炎以来系年要录》卷2。
建炎元年（丁未，公元1127年）	五月丁酉，徽猷阁待制、元帅府参议官颜岐试御史中丞。 八月甲申，给事中许景衡为御史中丞。 十一月丁未，右谏议大夫王宾试御史中丞。	六月壬戌，御史中丞颜岐充徽猷阁待制、提举亳州明道宫。 十一月丁未，御史中丞许景衡守尚书右丞。	《建炎以来系年要录》卷5、6、8、10。
建炎二年（戊申，公元1128年）	王　宾 六月戊午，尚书礼部侍郎兼直学士院王陶试御史中丞。 十一月丙戌，中书舍人张澄试御史中丞。	二月辛酉，御史中丞王宾迁刑部尚书，仍兼侍读。 十一月丙戌，御史中丞王陶试礼部尚书。	《建炎以来系年要录》卷13、16、18。

纪　　年	御史中丞进拜	御史中丞转迁	材料来源
建炎三年（乙酉，公元1129年）	三月壬辰，右谏议大夫郑瑴试御史中丞。 四月庚戌，中书舍人兼权直学士院张守为御史中丞。 六月甲戌，中书舍人范宗尹为御史中丞。 十一月己巳，侍御史赵鼎试御史中丞。	二月己巳，御史中丞张澄守尚书右丞。 三月丙午，御史中丞郑瑴为端明殿学士、签书枢密院事。 六月甲戌，御史中丞张守试尚书礼部侍郎。 十一月己巳，御史中丞范宗尹参知政事。	《建炎以来系年要录》卷21、22、24、29。
建炎四年（庚戌，公元1130年）	赵鼎 八月辛卯，给事中富直柔为御史中丞。	五月癸丑，御史中丞赵鼎为端明殿学士、签书枢密院事兼权御营副使。	《建炎以来系年要录》卷33、36、39。
绍兴元年（辛亥，公元1131年）	缺中丞。		
绍兴二年（壬子，公元1132年）	正月壬子，侍御史沈与求迁御史中丞。	七月丙戌，御史中丞沈与求试吏部尚书、兼权翰林学士。	《建炎以来系年要录》卷51、56。
绍兴三年（癸丑，公元1133年）	缺中丞。		

附录一 宋朝御史中丞年表

纪　　年	御史中丞进拜	御史中丞转迁	材料来源
绍兴四年(甲寅,公元1134年)	三月癸亥,侍御史辛炳试御史中丞。	七月戊辰,御史中丞辛炳罢中丞,除显谟阁直学士、知漳州。	《建炎以来系年要录》卷74、78。
绍兴五年(乙卯,公元1135年)	不　详		
绍兴六年(丙辰,公元1136年)	不　详		
绍兴七年(丁巳,公元1137年)	周秘为御史中丞①。十二月辛巳,尚书礼部侍郎常同试御史中丞。	十月辛丑,御史中丞周秘罢中丞,以徽猷阁直学士知秀州。	《建炎以来系年要录》卷115、117。
绍兴八年(戊午,公元1138年)	常　同	七月庚寅,御史中丞常同罢中丞。	《建炎以来系年要录》卷121。
绍兴九年(己未,公元1139年)	三月丙申,徽猷阁直学士、知漳州廖刚试御史中丞。	二月癸丑,御史中丞勾龙如渊罢中丞,提举江州太平观。	《建炎以来系年要录》卷126、127。

① 周秘为御史中丞的具体时间,史书记载不详。根据《建炎以来系年要录》卷111绍兴七年五月庚午载:周秘尚为侍御史。而此书卷113绍兴七年八月乙卯载此时周秘已为御史中丞。可见,周秘为御史中丞的时间在绍兴七年五月至八月中间。

纪　　年	御史中丞进拜	御史中丞转迁	材料来源
绍兴十年（庚申，公元1140年）	二月庚申，尚书工部侍郎王次翁试御史中丞。 七月丁卯，右谏议大夫何铸为御史中丞。	二月庚申，御史中丞廖刚罢中丞，为工部尚书。 七月丙午，御史中丞王次翁为参知政事。	《建炎以来系年要录》卷134、137。
绍兴十一年（辛酉，公元1141年）	十一月乙卯，右谏议大夫万俟卨试御史中丞。	十一月乙卯，御史中丞何铸充端明殿学士、签书枢密院事。	《建炎以来系年要录》卷142。
绍兴十二年（壬戌，公元1142年）	万俟卨	八月甲戌，御史中丞兼侍读万俟卨为参知政事。	《建炎以来系年要录》卷146。
绍兴十三年（癸亥，公元1143年）	四月癸酉，右谏大夫兼侍讲罗汝楫试御史中丞。	九月丁卯，御史中丞兼侍讲罗汝楫罢中丞，试吏部尚书。	《建炎以来系年要录》卷148、150。

纪　　　年	御史中丞进拜	御史中丞转迁	材料来源
绍兴十四年（甲子，公元1144年）	正月癸酉，侍御史李文会试御史中丞。 五月己卯，右谏议大夫詹大方为御史中丞。 十一月癸丑，给事中兼直学士院杨愿试御史中丞。	五月乙丑，御史中丞李文会为端明殿学士、签书枢密院事、兼权参知政事。 十一月戊申，御史中丞兼侍读詹大方试工部尚书。 十二月庚子，御史中丞杨愿充端明殿学士、签书枢密院事。	《建炎以来系年要录》卷151、152。
绍兴十五年（乙丑，公元1145年）	十一月戊午，右谏议大夫何若试御史中丞。		《建炎以来系年要录》卷154。
绍兴十六年（丙寅，公元1146年）	何若		

纪　　年	御史中丞进拜	御史中丞转迁	材料来源
绍兴十七年（丁卯,公元1147年）	二月乙未,右谏议大夫兼侍讲汪勃试御史中丞。	正月壬辰,御史中丞何若为端明殿学士、签书枢密院事。 四月己亥,御史中丞汪勃为端明殿学士、签书枢密院事。	《建炎以来系年要录》卷156。
绍兴十八年（戊辰,公元1148年）	九月甲辰,侍御史兼崇政殿说书余尧弼试御史中丞。	十月丙辰,御史中丞余尧弼为端明殿学士、签书枢密院事。	《建炎以来系年要录》卷158。
绍兴十九年（己巳,公元1149年）	不　　详		
绍兴二十年（庚午,公元1150年）	不　　详		
绍兴二十一年（辛未,公元1151年）	不　　详		
绍兴二十二年（癸酉,公元1152年）	四月癸酉,右谏议大夫章厦试御史中丞。 十月壬戌朔,侍御史兼崇政殿说书宋朴试御史中丞。	四月辛巳,御史中丞章厦迁端明殿学士、签书枢密院事。 十月甲戌,御史中丞宋朴充端明殿学士、签书枢密院事。	《建炎以来系年要录》卷163。

附录一 宋朝御史中丞年表

纪　　　年	御史中丞进拜	御史中丞转迁	材料来源
绍兴二十三年（癸酉,公元1153年）	十月戊寅,侍御史兼崇政殿说书魏师逊试御史中丞。		《建炎以来系年要录》卷165。
绍兴二十四年（甲戌,公元1154年）	魏师逊	六月甲午,御史中丞兼侍讲魏师逊充端明殿学士、签书枢密院事。	《建炎以来系年要录》卷166。
绍兴二十五年（乙亥,公元1155年）	不　详		
绍兴二十六年（丙子,公元1156年）	五月丁未,侍御史汤鹏举试御史中丞。		《建炎以来系年要录》卷172。
绍兴二十七年（丁丑,公元1157年）	汤鹏举	二月戊午,御史中丞兼侍讲汤鹏举参知政事。	《建炎以来系年要录》卷176。
绍兴二十八年（戊寅,公元1158年）	不　详		
绍兴二十九年（己卯,公元1159年）	十二月丙寅,侍御史朱倬试御史中丞。		《建炎以来系年要录》卷183。
绍兴三十年（庚辰,公元1160年）	朱　倬	七月戊戌,御史中丞兼侍讲朱倬参知政事。	《建炎以来系年要录》卷185。

纪　　年	御史中丞进拜	御史中丞转迁	材料来源
绍兴三十一年（辛巳，公元1161年）	五月丙申，侍御史汪澈为御史中丞		《建炎以来系年要录》卷190。
绍兴三十二年（壬午，公元1162年）	六月，辛次膺为御史中丞①。		
隆兴元年（癸未，公元1163年）	辛次膺	三月癸巳，辛次膺自御史中丞迁左中大夫，除同知枢密院事。	《宋史》卷33。
隆兴二年（甲申，公元1164年）	不　详		
乾道元年（乙酉，公元1165年）	不　详		
乾道二年（丙戌，公元1166年）	不　详		
乾道三年（丁亥，公元1167年）	不　详		
乾道四年（戊子，公元1168年）	不　详		
乾道五年（己丑，公元1169年）	不　详		
乾道六年（庚寅，公元1170年）	不　详		
乾道七年（辛卯，公元1171年）	不　详		

① 《宋史》卷383《辛次膺传》载：孝宗即位，辛次膺除御史中丞，而宋孝宗即位的时间是绍兴三十二年六月，所以辛次膺为御史中丞的时间也应为绍兴三十二年六月。

纪　　年	御史中丞进拜	御史中丞转迁	材料来源
乾道八年（壬辰，公元1172年）	不　详		
乾道九年（癸巳，公元1173年）	姚宪	十二月乙丑，以御史中丞姚宪签书枢密院事。	《宋史》卷34。
淳熙元年（甲午，公元1174年）	缺中丞。		
淳熙二年（乙未，公元1175年）	缺中丞。		
淳熙三年（丙申，公元1176年）	缺中丞。		
淳熙四年（丁酉，公元1177年）	缺中丞。		
淳熙五年（戊戌，公元1178年）	缺中丞。		
淳熙六年（己亥，公元1179年）	缺中丞。		
淳熙七年（庚子，公元1180年）	缺中丞。		
淳熙八年（辛丑，公元1181年）	缺中丞。		
淳熙九年（壬寅，公元1182年）	缺中丞。		
淳熙十年（癸卯，公元1183年）	正月戊子，以黄洽为御史中丞。	十月戊申，以御史中丞黄洽为参知政事。	《续资治通鉴》卷148、149。
淳熙十一年（甲辰，公元1184年）	不　详		

纪　　年	御史中丞进拜	御史中丞转迁	材料来源
淳熙十二年（乙巳,公元1185年）	不　详		
淳熙十三年（丙午,公元1186年）	不　详		
淳熙十四年（丁未,公元1187年）	不　详		
淳熙十五年（戊申,公元1188年）	不　详		
淳熙十六年（己酉,公元1189年）	不　详		
绍熙元年（庚戌,公元1190年）	四月丁未,何澹迁御史中丞。		《续资治通鉴》卷152。
绍熙二年（辛亥,公元1191年）	何　澹	八月戊寅,御史中丞何澹以母丧罢中丞职。	《续资治通鉴》卷152。
绍熙三年（壬子,公元1192年）	不　详		
绍熙四年（癸丑,公元1193年）	不　详		
绍熙五年（甲寅,公元1194年）	八月乙卯,谢深甫为御史中丞。		《两朝纲目备要》卷3。
庆元元年（乙卯,公元1195年）	谢深甫　四月,何澹为御史中丞。	四月己未,御史中丞谢深甫签书枢密院事。	《宋史》卷394;卷213。
庆元二年（丙辰,公元1196年）	何　澹	正月庚寅,御史中丞何澹签书枢密院事。	《宋史》卷37。

附录一 宋朝御史中丞年表

纪　　年	御史中丞进拜	御史中丞转迁	材料来源
庆元三年（丁巳，公元1197年）	不　详		
庆元四年（戊午，公元1198年）	不　详		
庆元五年（己未，公元1199年）	不　详		
庆元六年（庚申，公元1200年）	六月，陈自强为御史中丞。	七月丁卯，御史中丞陈自强签书枢密院事。	《宋史》卷394；卷213。
嘉泰元年（辛酉，公元1201年）	不　详		
嘉泰二年（壬戌，公元1202年）	不　详		
嘉泰三年（癸亥，公元1203年）	不　详		
嘉泰四年（甲子，公元1204年）	不　详		
开禧元年（乙丑，公元1205年）	不　详		
开禧二年（丙寅，公元1206年）	不　详		
开禧三年（丁卯，公元1207年）	卫　泾	十一月丙戌，御史中丞卫泾签书枢密院事兼参知政事。	《宋史》卷38。
嘉定元年（戊辰，公元1208年）	不　详		

纪　　年	御史中丞进拜	御史中丞转迁	材料来源
嘉定二年(己巳，公元1209年)	章良能	正月丁巳，御史中丞章良能同知枢密院事。	《宋史》卷39。
嘉定三年(庚午，公元1210年)	不　详		

附录二

主要引用书目

(以引用顺序先后排列)

1. (宋)谢维新:《古今合璧事类备要》。《四库全书》文渊阁本。
2. (唐)杜佑:《通典》。中华书局1982年12月重印本。
3. (西汉)刘向:《战国策》。上海古籍出版社1985年3月版。
4. (西汉)司马迁:《史记》。中华书局标点本。
5. 徐式圭:《中国监察史略》。中华书局1937年5月版。
6. 纪昀、永瑢等:《历代职官表》。《四库全书》文渊阁本。
7. 高一涵:《中国御史制度的沿革》。商务印书馆1933年1月版。
8. (东汉)班固:《汉书》。中华书局标点本。
9. (刘宋)范晔:《后汉书》。中华书局标点本。
10. 林駉、黄履翁:《古今源流至论》。《四库全书》文渊阁本。
11. 唐太宗文皇帝御撰:《晋书》。中华书局标点本。
12. (萧梁)沈约:《宋书》。中华书局标点本。
13. (萧梁)萧子显:《南齐书》。中华书局标点本。
14. (唐)魏征:《隋书》。中华书局标点本。
15. (唐)姚思廉、魏征:《梁书》。中华书局标点本。
16. (唐)姚思廉、魏征:《陈书》。中华书局标点本。
17. (北齐)魏收:《魏书》。中华书局标点本。
18. (宋)王溥:《唐会要》。上海古籍出版社1991年1月版本。
19. (唐)刘肃:《大唐新语》。江苏广陵古籍刻印社影印本。
20. (唐)李华:《李遐叔文集》。《四库全书》文渊阁本。
21. (宋)王溥:《五代会要》。上海古籍出版社1978年1月版本。
22. (元)马端临:《文献通考》。《四库全书》文渊阁本。
23. (清)徐松辑:《宋会要辑稿》。中华书局影印本。
24. (明)叶士奇:《草木子》。《四库全书》文渊阁本。
25. 《续文献通考》。《四库全书》文渊阁本。

26. (明)宋濂等:《元史》。中华书局标点本。
27. (清)张廷玉:《明史》。中华书局标点本。
28. 赵尔巽等撰:《清史稿》。中华书局标点本。
29. (宋)杨仲良:《续资治通鉴长编纪事本末》(简称《长编纪事本末》)。台湾文海出版社。
30. (宋)欧阳修:《新五代史》。中华书局标点本。
31. (宋)李焘:《续资治通鉴长编》(简称《长编》)。中华书局点校本。
32. (元)脱脱等:《宋史》。中华书局标点本。
33. (宋)李心传:《建炎以来朝野杂记》。《四库全书》文渊阁本。
34. (宋)留正等:《皇宋中兴两朝圣政》。台湾文海出版社。
35. (后晋)刘昫:《旧唐书》。中华书局标点本。
36. 《宋史研究集》。台湾国立编译馆1988年3月。
37. 杨鸿年:《中国政制史》。安徽教育出版社1989年3月版本。
38. 唐玄宗:《唐六典》。《四库全书》文渊阁本。
39. (宋)吕祖谦:《类编皇朝大事纪讲义》。台湾文海出版社。
40. (宋)赵汝愚:《宋名臣奏议》。《四库全书》文渊阁本。
41. (宋)孙逢吉:《职官分纪》。《四库全书》文渊阁本。
42. (宋)李埴:《皇宋十朝纲要》。台湾文海出版社。
43. (宋)王应麟:《玉海》。《四库全书》文渊阁本。
44. (宋)杜范:《清献集》。《四库全书》文渊阁本。
45. (宋)李心传:《建炎以来系年要录》。中华书局1988年4月版本。
46. (宋)洪迈:《容斋随笔》。上海古籍出版社1978年7月版本。
47. (宋)朱熹、李幼武:《宋名臣言行录》。台湾文海出版社。
48. (宋)王辟之:《渑水燕谈录》。中华书局点校本。
49. (宋)徐自明:《宋宰辅编年录》。《四库全书》文渊阁本。
50. (宋)谢深甫:《庆元条法事类》。燕京大学排印本。
51. (明)黄淮、杨士奇:《历代名臣奏议》。《四库全书》文渊阁本。
52. 《宋大诏令集》。中华书局。
53. (宋)王偁:《东都事略》。《四库全书》文渊阁本。
54. (宋)石介:《徂徕石先生文集》。中华书局点校本。

55. (宋)胡宿:《文恭集》。《四库全书》文渊阁本。
56. 不著撰人:《两朝纲目备要》。台湾文海出版社。
57. (宋)司马光:《资治通鉴》。中华书局1956年6月第1版。
58. (宋)刘安世:《尽言集》。《四库全书》文渊阁本。
59. 不著撰人:《太平宝训政事纪年》。台湾文海出版社。
60. (宋)魏泰:《东轩笔录》。中华书局点校本。
61. (宋)曾巩:《曾巩集》。中华书局点校本。
62. (宋)罗愿:《新安志》。中华书局影印本。
63. (宋)司马光:《传家集》。《四库全书》文渊阁本。
64. (宋)叶梦得:《石林燕语》。中华书局点校本。
65. (宋)包拯:《包孝肃奏议集》。《四库全书》文渊阁本。
66. (宋)欧阳修:《文忠集》。《四库全书》文渊阁本。
67. (宋)苏辙:《栾城集》。《四库全书》文渊阁本。
68. (宋)袁说友:《东塘集》。《四库全书》文渊阁本。
69. (宋)陈次升:《谠论集》。《四库全书》文渊阁本。
70. (宋)王安中:《初寮集》。《四库全书》文渊阁本。
71. (宋)苏舜钦:《苏舜钦集》。中华书局1961年12月版。
72. 《宋季三朝政要》。台湾文海出版社。
73. (宋)袁甫:《蒙斋集》。《四库全书》文渊阁本。
74. (宋)苏东坡:《东坡全集》。《四库全书》文渊阁本。
75. (宋)江少虞:《宋朝事实类苑》。上海古籍出版社1981年7月版。
76. (清)黄以周:《续资治通鉴长编拾补》(简称《长编拾补》)。上海古籍出版社影印本。
77. (宋)方勺:《泊宅编》。《四库全书》文渊阁本。
78. (宋)彭龟年:《止堂集》。《四库全书》文渊阁本。
79. (宋)吴曾:《能改斋漫录》。上海古籍出版社1979年11月新1版。
80. (宋)吕午:《右史吕公家传》。《四库全书》文渊阁本。
81. (宋)周辉:《清波杂志》。《四库全书》文渊阁本。
82. (宋)范纯仁:《范忠宣奏议》。《四库全书》文渊阁本。
83. (宋)陈傅良:《止斋文集》。《四库全书》文渊阁本。

84.（清）钱大昕:《潜研堂文集》。四部丛刊。
85.（宋）司马光:《温国文正司马公文集》。四部丛刊。
86.（宋）李光:《庄简集》。《四库全书》文渊阁本。
87.（宋）陈傅良:《八面锋》。《四库全书》文渊阁本。
88.（宋）汪藻:《浮溪集》。《四库全书》文渊阁本。
89.（宋）吕希哲:《吕氏杂记》。《四库全书》文渊阁本。
90.（宋）邵博:《邵氏闻见后录》。中华书局点校本。
91.（宋）刘安世:《尽言集》。《四库全书》文渊阁本。
92.（宋）司马光:《涑水记闻》。中华书局校点本。
93.（宋）潘自牧:《记纂渊海》。《四库全书》文渊阁本。
94.（宋）魏了翁:《鹤山全集》。《四库全书》文渊阁本。
95.（宋）欧阳修、宋祁:《新唐书》。中华书局标点本。
96.（清）赵翼:《陔馀丛考》。清寿考堂藏本。
97.（宋）范仲淹:《范文正公集》。四部丛刊。
98.（宋）罗大经:《鹤林玉露》。中华书局点校本。
99.（清）王夫之:《宋论》。中华书局。
100.（宋）朱熹:《朱子语类》。中华书局。
101.（宋）邵伯温:《邵氏闻见录》。中华书局点校本。
102.（宋）毕仲游:《西台集》。《四库全书》文渊阁本。
103.（宋）王安石:《王文公文集》。上海人民出版社。
104.漆侠:《王安石变法》。上海人民出版社1979年版。
105.（宋）周密:《齐东野语》。中华书局点校本。
106.（宋）陈均:《宋九朝编年备要》。《四库全书》文渊阁本。
107.（明）吕邦燿:《续宋宰辅编年录》。中华书局点校本。
108.（宋）高斯得:《止堂存稿》。《四库全书》文渊阁本。
109.（宋）刘时举:《续宋编年资治通鉴》。《四库全书》文渊阁本。
110.（宋）叶绍翁:《四朝闻见录》。中华书局标点本。
111.毛泽东:《毛泽东选集》。人民出版社1969年版。
112.（宋）王十朋:《梅溪集》。《四库全书》文渊阁本。
113.（宋）卫泾:《后乐集》。《四库全书》文渊阁本。

114.（宋）袁燮:《絜斋集》。《四库全书》文渊阁本。
115.（宋）章如愚:《群书考索》。《四库全书》文渊阁本。
116.（宋）王明清:《挥麈录》。《四库全书》文渊阁本。
117.（宋）叶适:《水心集》。《四库全书》文渊阁本。
118.（宋）王得臣:《麈史》。《四库全书》文渊阁本。
119.（宋）张端义:《贵耳集》。《四库全书》文渊阁本。
120.（唐）李百药:《北齐书》。中华书局标点本。
121. 杨国宜:《包拯集编年校补》。黄山书社1989年12月版。
122.（宋）赵升:《朝野类要》。江苏广陵古籍刻印社影印本。
123.（宋）楼钥:《攻愧集》。《四库全书》文渊阁本。
124.《诸子集成》。中华书局。
125.（宋）郑樵:《通志》。《四库全书》文渊阁本。
126. 谷应泰:《明史纪事本末》。中华书局。
127. 聂崇岐:《宋史丛考》。中华书局1980年3月版。
128. 邓小南:《宋代文官选任制度诸层面》。河北教育出版社1993年4月版。
129.《永乐大典》。中华书局1960年影印本。
130.《名公书判清明集》。中华书局1987年点校本。
131.（宋）黄震:《黄氏日抄》。《四库全书》文渊阁本。
132.（宋）孟元老:《东京梦华录》。中国商业出版社1982年3月版。
133.（宋）熊克:《中兴小记》。《四库全书》文渊阁本。
134.（宋）徐度:《却扫编》。《丛书集成》初编本。
135. 郭正忠:《宋代盐业经济史》。人民出版社。
136. 施宿:《嘉泰会稽志》。中华书局影印本。
137.（宋）刘敞:《彭城集》。《四库全书》文渊阁本。
138.（宋）王栐:《燕翼诒谋录》。《四库全书》文渊阁本。
139.（宋）杨万里:《诚斋集》。《四库全书》文渊阁本。
140.《宋史全文续资治通鉴》。台湾文海出版社。
141.（清）毕沅:《续资治通鉴》。中华书局。
142.（宋）徐梦莘:《三朝北盟会编》。上海古籍出版社影印本。

附录三

主要参考论著目录

(按参考顺序排列)

一、论　文

1. 漆侠:《宋代在我国历史上的地位》。《文史知识》1985 年 2 期。
2. 陈锡珊:《御史制度与检察制度》。《法律评论》1947 年 8 月 15 卷 4 期。
3. 周公南:《简论谏官》。《学术月刊》1966 年 3 期。
4. 赵希鼎:《中国历代监察制度的变迁》。《历史教学》1979 年 4、5 期。
5. 金圆:《宋代封驳制度考》。《上海师院学报》1980 年 1 期。
6. 苏俊良:《试论秦汉御史制度》。《北京师院学报》1981 年 2 期。
7. 徐连达:《唐代监察制度述论》。《历史研究》1981 年 5 期。
8. 宋衍申:《庆历新政时期的谏官》。《东北师大学报》1982 年 4 期。
9. 金圆:《宋代监察制度特点》。河南人民出版社 1984 年 7 月版,《宋史研究论文集》272 页。
10. 周宝珠:《试论南宋农民与岳飞对宋高宗投降活动的斗争》。《岳飞研究论文集》第二集 40 页,《中原文物》特刊。
11. 许怀林:《北宋转运使制度略论》。河南人民出版社 1984 年 7 月版。《宋史研究论文集》287 页。
12. 郑世刚:《北宋的转运使》。河南人民出版社 1984 年 7 月版,《宋史研究论文集》319 页。
13. 曾小华:《中国封建时代监察制度的基本特点及历史作用》。《中共浙江省委党校学报》1981 年 1 期。
14. 金圆:《宋代监司监察地方官摭谈》。《上海师范大学学报》1982 年 3 期。
15. 姜汉椿:《北宋转运使路论略》。《华东师大学报》1987 年 5 期。
16. 张序:《我国古代官员监察弹劾制度之演变》。《政治学研究》1987 年 5 期。
17. 吴卫生:《中国古代监察制度的发展规律及其弊端》。《政治学研究资料》1988 年 4 期。

18. 郭开农:《浅谈宋代的台谏制度》。《求实》1989年2期。
19. 白钢:《中国古代的监察制度》。《文史知识》1989年6期。
20. 戴建国:《宋代的提点刑狱司》。《上海师大学报》1989年2期。
21. 龚延明、季盛清:《宋代御史台考略》。《文献》1990年1期。
22. 苗书梅:《宋代通判及其重要职能》。《河北学刊》1990年2期。
23. 王世农:《宋代通判论略》。《山东师大学报》1990年3期。
24. 莫家齐:《具有特色的宋代监司巡检制度》。《政法论坛》1989年3期。
25. 殷啸虎:《北宋前期司法监督制度考察》。《中国史研究》1991年2期。
26. 罗家祥:《试论北宋仁、英两朝的台谏》。《西南师范大学学报》1989年1期。
27. 张其凡:《三司、台谏、中书事权——宋初中书事权再探》。《暨南学报》1987年3期。
28. 姜国华:《北宋监察制度的特点与弊端》。《实事求是》1990年5期。
29. 马南:《略论中国古代的监察制度》。《郑州大学学报》1990年5期。
30. 梁天锡:《北宋台谏制度之转变》。台湾《宋史研究集》第九辑。
31. 吴晓萍:《宋代御史推鞫制度述论》。《安徽师大学报》1991年4期。
32. 吴晓萍:《宋代中央行政监察制度与宋代社会政治》。《齐鲁学刊》1991年5期。
33. 季盛清:《宋代台谏合一考述》。《杭州大学学报》1992年2期。
34. 肖建新:《论宋朝御史的素质》。《安徽师大学报》1992年4期。
35. 姜汉椿:《北宋转运使路考略》。《华东师大学报》1992年2期。
36. 肖建新:《宋朝御史制度与监察的独立性问题》。《安徽师大学报》1993年4期。
37. 王菱菱:《论宋代各级地方机构的矿冶业管辖权》(下)。河北大学出版社1993年9月版,《宋史研究论丛》第二辑。
38. 虞云周:《宋代言官选任制度述论》。河南大学出版社1993年12月版,《宋史研究论文集》。
39. 金圆:《宋代监司制度述论》。《上海师大学报》1994年3期。
40. 宿志丕:《中国古代御史、谏官制度的特点及作用》。《清华大学学报》1994年2期。

41. 孔繁敏:《论中国古代谏诤中的几个问题》。《北京大学学报》1994年5期。

二、著　作

1. 邓广铭:《宋史职官志考证》。《历史语言研究所集刊》1943年3月第10本。
2. 漆侠:《宋代经济史》(上册)。上海人民出版社1987年2月版。
3. 监察院编:《监察制度史要》。南京汉文正楷印书局1935年12月版。
4. 杨树藩:《宋代中央政治制度》。台湾商务印书馆。
5. 张晋藩、王超:《中国政治制度史》。中国政法大学出版社1987年2月版。
6. 左言东:《中国政治制度史》。浙江古籍出版社1989年1月版。
7. 彭勃、龚飞主编:《中国监察制度史》。中国政法大学出版社1989年5月版。
8. 安作璋、熊铁基:《秦汉官制史稿》(上册)。齐鲁书社1984年1月版。
9. 白钢主编:《中国政治制度史》。天津人民出版社1991年12月版。
10. 韦庆远主编:《中国政治制度史》。中国人民大学出版社1993年6月5次印刷本。

后　记

　　1988年9月,我考取河北大学历史研究所的博士生后,开始了对宋代中央监察制度的考察研究。在导师漆侠先生的指导下,我不仅撰写出了11万字的《宋代台谏制度与政治研究》博士学位论文,而且还在国家和省级学术刊物上发表了十余篇有关宋代中央监察制度的论文。如果说这些论文能对宋代中央监察制度的研究有所补益的话,那么应该归功于导师漆先生。先生博学高识,对史学研究强调基本功的严格训练。三年中,先生耳提面命,鞭策督励,发蒙解惑,使我在学业上大有长进,特别是在撰写学位论文的过程中,先生逐字批审,正误扶颤,使我不仅圆满地完成了学业,而且为本书稿的撰写奠定了基础。

　　1991年5月下旬,山东大学历史系田昌五教授及华东师范大学古籍整理研究所的裴汝诚教授,应河北大学历史研究所之邀请,光临保定,主持了我们几位研究生的论文答辩。田先生和裴先生对拙稿的高度评价,使我倍受鼓舞。裴先生还一再叮咛我,现存的文献中缺少宋朝御史中丞年表,毕业后一定要为宋朝御史中丞作一年表,以补其缺。上海师范大学古籍整理研究所的朱瑞熙先生、河北大学历史研究所的郭东旭先生、王汉昌先生及河南大学的姚瀛艇先生等,均为拙稿写出了评审意见和修改方案。几位先生的宝贵意见，对我进一步研究有着重要的指导作用。

　　本书在研究的过程中，曾得到河南省教委的资助。河南大学出版社在学术著作出版十分困难的条件下，为本书的问世进行了艰苦努力。朱绍侯先生、周宝珠先生等对书稿提出了不少建设性的修改意见，朱绍侯先生还为本书的出版做了大量的工作。

　　刘小敏先生、程民生先生、郑慧生先生等都曾为本书的问世提供了实实在在的帮助。

　　请允许我，向以上先生和给予我各种帮助的所有师友们致以衷心的感谢！

贾玉英
1994年11月10日于河南大学历史系